국윤아 교수의

TAD를 이용한 비발치 교정치료

국윤아 교수의

TAD를 이용한 비발치 교정치료

첫째판 1쇄 인쇄 | 2023년 01월 26일
첫째판 1쇄 발행 | 2023년 02월 15일

지 은 이 국윤아
발 행 인 장주연
출판기획 김도성
출판편집 이민지
편집디자인 양은정
표지디자인 김재욱
일러스트 김경열 유학영 김제도
제작담당 이순호
발 행 처 군자출판사(주)
등록 제4-139호(1991. 6. 24)
본사 (10881) 파주출판단지 경기도 파주시 회동길 338(서패동 474-1)
전화 (031) 943-1888 팩스 (031) 955-9545
홈페이지 | www.koonja.co.kr

ISBN 979-11-5955-956-3
정가 165,000원

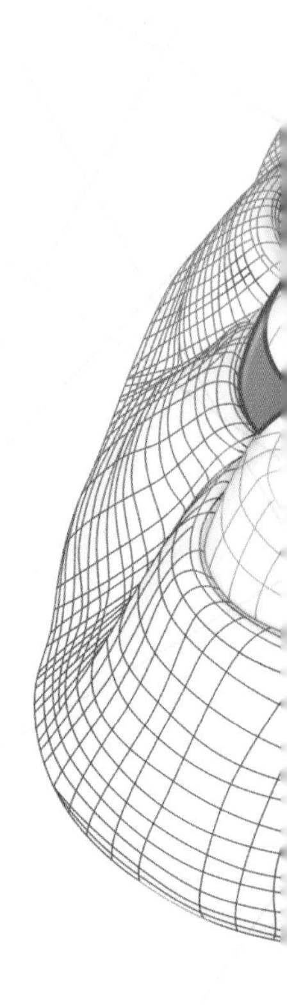

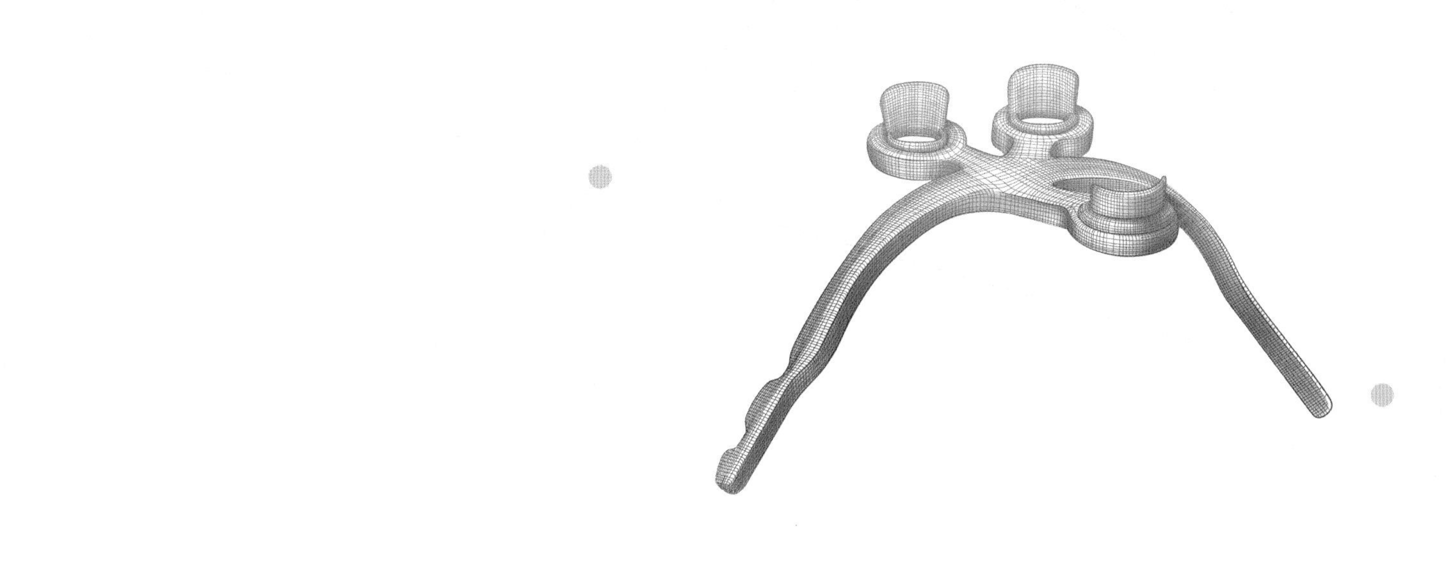
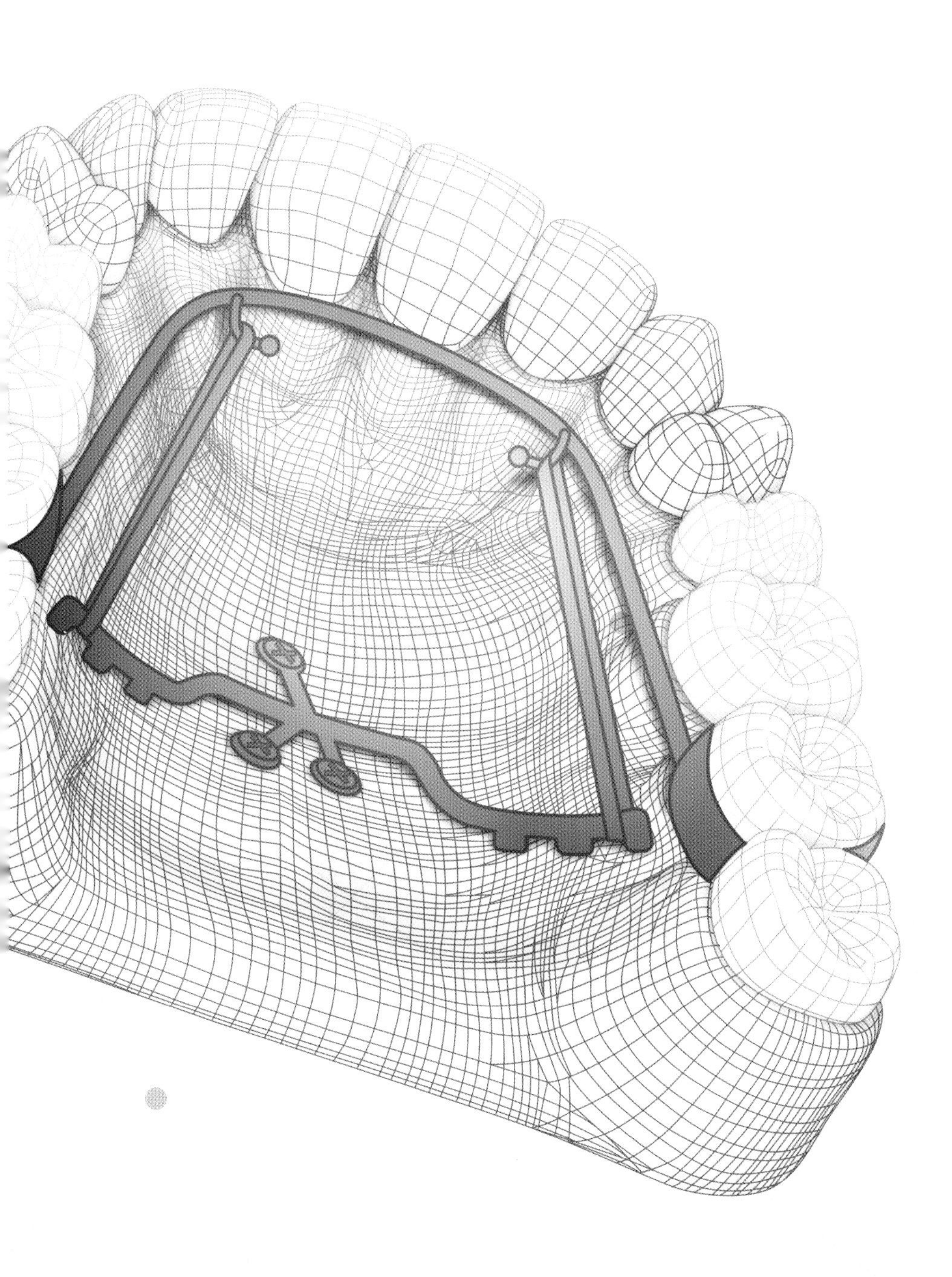

감수자의 서문

수많은 데이터가 인공지능을 탄생시켰듯이 수많은 주옥같은 논문이 학문적 흐름을 만들고, 끝내는 한 권의 저서를 탄생시킨다고 생각합니다. 2006년 함께 해외 학회 발표 후 귀국하는 기내에서 저자와 함께 고민하며 나누었던 비발치 교정치료법을 끝없는 집념과 열정으로 진행하시어 과학적으로 기술된 100여 편의 논문을 발표하시고 그것이 밑바탕이 되어 출간되는 이 저서에 대한 추천사를 쓴다는 것은 저에게는 무한한 영광입니다.

임상진료 50여 년이 다가오는 저에게 이 저서는 학문에 대한 끝없는 갈급함을 자아내게 함과 동시에 이를 채워지게 하고 있습니다. 교정치료의 패러다임은 골내 고정원이 보편화됨으로써 엄청난 변화가 이루어졌습니다. 아울러 소셜미디어에 의해 노출된 다양한 교정치료법은 교정치료 방향을 주도적으로 제시하는 보호자 또는 환자분들을 마주하게 하고 있습니다. 이 같은 현시대에 비발치 치료법의 제한점을 극복하며, 최상의 치료방법과 치료결과를 만들어 내는 내용으로 알차게 채워진 이 저서는 발치, 비발치의 결정에 고심하시는 임상의에게 반드시 읽혀야 한다고 생각합니다.

경희치대 첫 졸업생이 원광치대 첫 졸업생을 만나면서 시작된 인연이 30여 년을 채워가고 있지만 그동안 선학인 제가 완성시키지 못한 치료법을 후학으로서 완성하시고, 한류교정의 한 획을 이루어 21세기 교정학을 더 높은 반석 위에 올려주심에 감사하며 추천사에 갈음합니다.

2023년 2월

바이오교정 창안자

정 규 림

서문

지금 우리는 급속하게 변화하며 눈부신 성장으로 견인되는 시대에 살고 있습니다. 이는 교정치료의 분야에서도 마찬가지입니다. 특히 교정장치의 발전은 교정치료에 있어 새로운 패러다임을 제시해 주었습니다. 교정의 역사를 돌이켜 보면 1960년대부터 시대의 흐름과 치료 술식의 발달에 따라 발치와 비발치의 선택은 끝없는 논쟁으로 이어져 왔습니다.

기존의 다양한 술식과 치료 개념들을 익히고 시술해 왔던 교정임상가들에게 발치와 비발치 중 어떤 치료방법을 택할 것인지는 늘 고민에 고민을 거듭할 수밖에 없는 난제였습니다. 그래서 돌이켜 보면 교수와 임상가로 지내온 지난 40여 년의 여정은 많은 연구들과 임상을 진행하며 치료의 효율성과 안정성을 입증하는 시간들이었고, 특히 쉽고도 안정적인 비발치 교정치료를 정립하기 위한 고뇌의 적분(積分)이었습니다.

물론 저는 Edward H. Angle의 “모든 사람은 32개의 자연치가 이상적으로 교합하는 요소를 갖고 있다.”, “각각의 치아가 각각의 중요한 역할을 담당하고 있고, 그 치아가 동등하게 역할을 다하기 위해서는 모든 치아를 남겨두는 것이 절대적으로 필요하다.”라는 신념에 공감합니다. 그리고 창조주께서 주신 귀한 신체의 일부인 치아를 가급적 보존하는 것 역시 교정 의사에게 주어진 하나의 책임과 과제라 여겨 왔습니다. 또한 삶의 이치는 선택과 집중 그리고 균형이라고 생각합니다. 기능의 개선도 중요하지만 안모의 개선으로 가져다주는 심미성 또한 타협할 수 없는 중요한 부분입니다.

20년 전 바이오교정의 창안자이신 정규림 교수님의 C-Palatal plate 도입과 협측 미니 임플란트의 사용으로 고정원이 확립되면서, 임상가들은 헤드기어 착용 등 환자의 협조도에 의존하거나, 고정원의 소실로 인한 치료 결과의 불확실성에서 자유롭게 되었습니다.

저는 비발치 교정치료에 있어 가장 중요한 고정원의 소실이 일어나지 않도록 그리고 나아가 전체 치열을 전, 후방적으로 이동할 수 있는 효율적이고도 안정적인 장치와 치료법을 모색하고자 노력하였습니다.

수많은 시도와 연구로 얻어낸 결과물이 구개부 장치(Modified C-palatal plate)이며, 이 장치는 협측 미니 임플란트의 장점은 그대로 살리면서 단점을 보완하여 성인뿐 아니라 성장기 환자에서도 적용 가능한 특장점을 가지고 있습니다.

책의 출간을 제안받고 늘 고민하고 연구해 왔던 비발치 치료를 체계화하여 비발치 치료에 관심이 많은 후학들과 임상가들에게 도움이 되고자 이 책을 저술하기로 하였습니다.

비발치 치료에서 전체 치열 후방 이동의 생역학에 기반한 근본 원리, 임상 적용에 대하여 증례와 함께 소개하고, 구개부 장치를 이용해 구치부 후방 이동을 하는 비발치 치료에 대한 핵심 포인트를 각 챕터별로 과학적 근거와 함께 제시하고자 하였습니다. 또한, 간편하고 심미적인 교정장치를 원하는 환자들의 요구와 시대의 흐름에 맞춰, 기존 투명교정의 한계를 극복하면서 구개부 장치를 이용한 비발치 치료라는 큰 틀 안에서 투명교정장치를 조화롭게 병용한 치료법을 임상 케이스들과 함께 본 책의 후반부에 소개하였습니다.

아울러 이 책은 제가 오랜 기간 임상에서 얻은 노하우를 정리하고 체계화 한 노력과 시간의 결정체입니다. 설령 부족한 부분들이 있더라도 널리 이해해 주시고, 그간의 연구 성과를 디딤돌로 삼아 여러 후학들과 동료 임상가들, 그리고 더 나아가 교정 치의학 분야의 발전에 도움이 되기를 소망합니다.

끝으로 이 책이 출판될 수 있도록 초석에서 완성까지 진두지휘해주신 경희대학교 김성훈 교수님, 저에게 교정의 길을 열어 주신 김상철 교수님과 감수의 수고로움을 흔쾌히 허락해주신 정규림 교수님 감사드립니다. 비발치 연구를 지속, 발전시킨 애리조나대학교 박재현 교수님과 박종욱 원장님, 비발치 교정의 효율성을 높이기 위해서 함께 연구해 주신 분당서울대병원 이남기 교수님, 세인트루이스대학교 김기범 교수님과 함께 할 수 있어서 좋은 성과로 이어질 수 있었습니다. 수년간 저와 같이 고민하며 교육에 힘 써주신 원광대 비발치 연구회 회원님, 가톨릭대학교 김윤지 교수님, 한성호 교수님, 모성서 교수님, 대학원 석, 박사 선생님 그리고 이 책의 원고를 위해 도움을 주신 전공의 선생님들께 감사의 마음을 전합니다. 가톨릭 치과 교정과 동문회의 관심과 성원은 제게 큰 힘이 되었습니다. 이 자리를 빌려 감사의 말씀을 드립니다.

투박한 연구와 임상기록을 엮어 기꺼이 출판에 참여해 주신 군자출판사 장주연 대표님과 직원 분들 고맙습니다. 아울러 오랜 시간 교수로서의 여정에 신뢰와 격려로 함께 해준 저의 아내이자 인생의 멘토인 진선화, 소중한 아들 국진혁과 딸 국도현에게도 가슴 깊은 사랑의 마음을 보냅니다.

2023년 2월

국 윤 아

약력

원광대학교 치과대학 졸업
원광대학교 치과대학 인턴, 레지던트 및 미국 남가주대학 치과교정과
레지던트 수료 및 전문의 취득(ABO)
전북대학교 대학원 치의학박사
원광대학교 치과대학 치과교정과 부교수
가톨릭대학교 치과학교실 주임교수 및 임상치과학대학원장 역임
대한치과교정학회 30대 회장 역임

목차

04 3D CAD/CAM을 이용한 원심구개호선과 지그

05 성장기 환자의 골격적인 변화

06 성장기 환자에서의 구치부 위치 변화

07 비발치 교정치료의 생역학

08 크라우딩의 비발치 교정치료

09 돌출입의 비발치 교정치료

10 구개부 장치의 다양한 적용 증례

11 구개부 장치와 투명장치

12 비발치 교정치료의 안정성

13 구개부 장치 적용 시 임상 팁

01

비발치 교정치료

1-1 비발치 교정의 패러다임 변화

크라우딩이 있거나 전치부의 돌출이 있는 부정교합 환자의 교정치료 계획 시 발치와 비발치 치료 사이에서 고민을 하게 된다. 기존에는 여러 제한 때문에 발치와 같은 비가역적인 요소가 포함되는 치료계획을 세웠다면, 최근 골성 고정원 장치의 지속적인 발전으로 인하여 비발치 교정치료의 범위가 확대되었다. 발치와 비발치 교정치료를 선택함에 있어서 서로 유사한 결과를 낼 수 있다면, 치아 상실을 최소화할 수 있는 비발치 교정치료를 선택하는 것이 환자에게도 보다 높은 만족감을 줄 수 있을 것이다.

다양한 골성 고정원 장치가 대두되는 가운데, 구개부 장치(이하 구개부 장치)의 적용으로 교정치료의 범주와 질이 대폭 향상되었다. 구개부 장치를 이용하여 구치부를 성공적으로 치체 이동시켰을 뿐 아니라 치료 후의 장기적인 안정성까지 얻어진 결과가 보고되었다. 이에 따라 구개부 장치에 대해 명확히 이해하고, 그 역학을 적절히 구사할 수 있다면 만족스러운 비발치 교정치료를 할 수 있을 것이다.

1900년대 초반 Angle은 비발치 교정치료를 주장했는데, 이는 적절한 교합이 이루어진다면 악궁은 모든 치아들을 충분히 수용할 수 있으며, 골격 성장은 외부의 힘에 의하여 영향을 받을 수 있다는 생각으로 교정치료 시 발치는 불필요하다는 주장이었다(그림 1-1A). 이후 비발치 교정치료를 위해 구치부 후방 이동이 요구되었고, 헤드기어를 이용한 방법이 널리 쓰이게 되었다. 그러나 이는 구외 장치를 추가로 사용한다는 점과 환자의 협조도에 전적으로 의존한다는 한계가 존재하였다(그림 1-1B). 하지만 골성 고정원의 등장에 따라, 구외 장치를 사용하지 않음으로 인해 환자의 협조도에서 보다 자유로울 뿐 아니라 심미성을 유지하면서 효과적인 치아 이동을 가능케 하는 다양한 장치들이 고안되었다(그림 1-1C).

현대 교정에 들어서 비발치 교정치료의 빈도는 점진적으로 증가하고 있다. 다양한 골성 고정원 장치의 발달과 함께 많은 연구 결과가 보고되고 있어, 비발치 교정치료 환자의 비율은 지속적으로 증가할 전망이다.[1)]

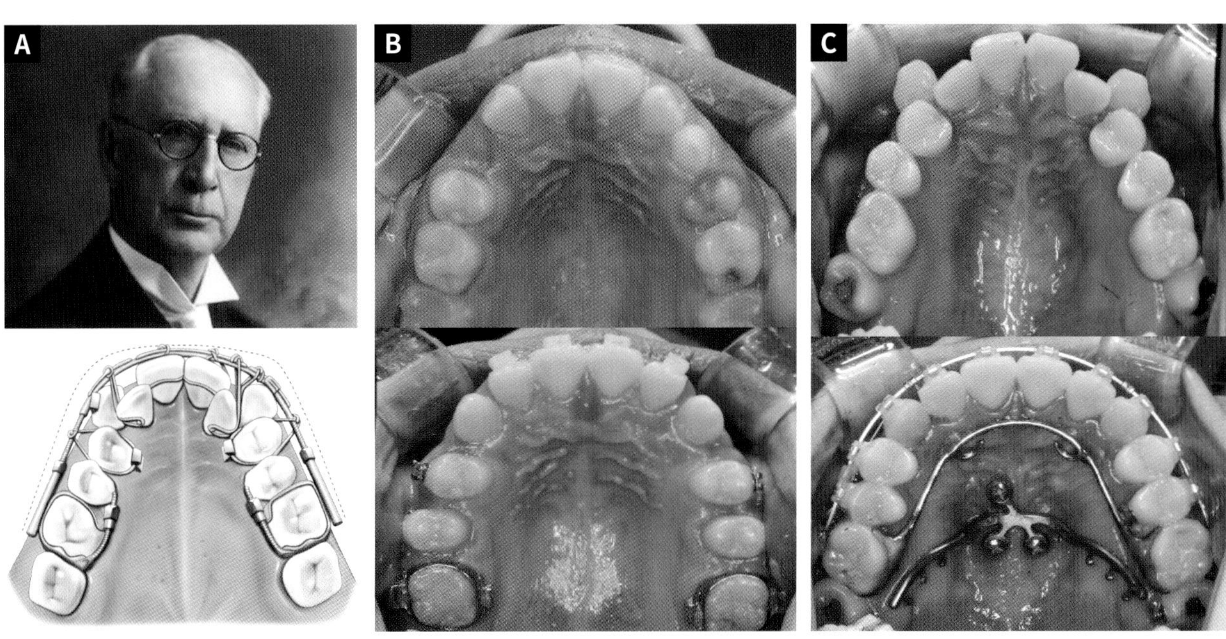

그림 1-1. A: 비발치 교정치료를 주장했던 Dr. Edward H. Angle과 비발치 치료 시 악궁 확장을 위해 사용하였던 클램프와 밴드로 구성된 장치, B: 헤드기어를 이용한 구치부 후방 이동 증례의 구내 사진, C: 구개부 장치를 통한 상악 치열 후방 이동 증례의 구내 사진(출처: Angle Orthodontists의 허가를 받아 인용)

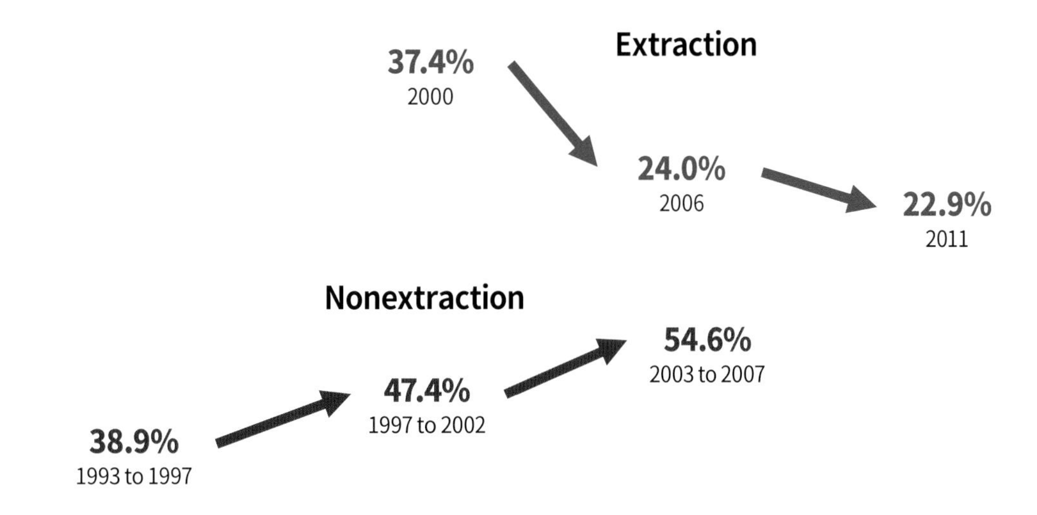

그림 1-2. 현대 교정에서 비발치 교정의 빈도는 점진적으로 증가하고 있다. 특히 2000년대에 들어서 발치 교정의 빈도는 급격히 감소하였다.

1-2 비발치 교정의 arch length discrepancy 해결법

비발치 교정에서의 중요한 목표는 치아 배열을 위한 공간 확보이다. 이를 위한 3가지 전략은, 1) 전치열 후방 이동(distalization), 2) 악궁의 횡적 확장(expansion), 3) 치간 삭제(stripping)이며, 세 가지 방법을 혼합하여 사용하면 공간 확보의 양을 더욱 증가시킬 수 있다.

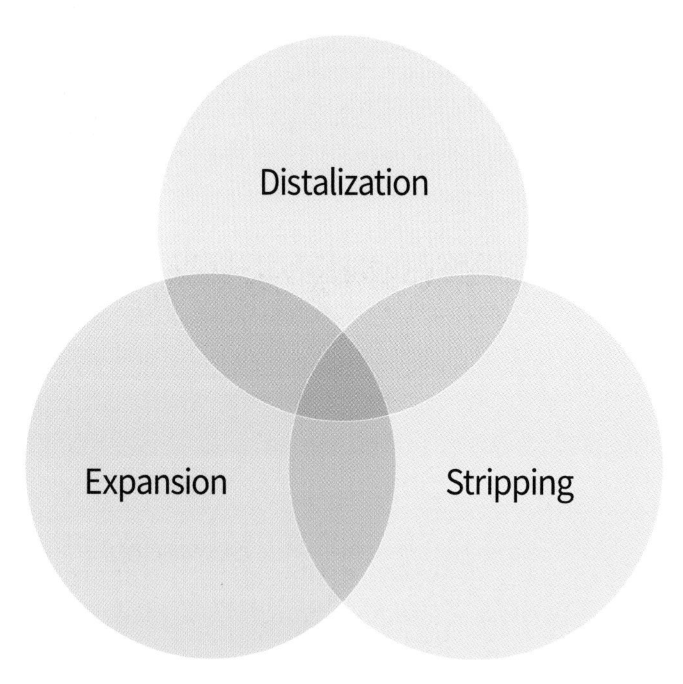

그림 1-3. 비발치 교정치료 시 공간 확보 방법으로 전치열 후방 이동, 악궁의 확장 및 치간 삭제가 있으며, 증례에 따라 3가지 전략을 혼합하여 사용하기도 한다.

1 구치부 후방 이동

1) 상악 구치부의 후방 이동 공간

상악에서 구치부 후방 이동의 한계는 날개판(익돌근판, pterygoid plate)이다. 구치부 후방 이동 시 제2대구치와 날개판 사이에는 제3대구치와 상악 결절(maxillary tuberosity)이 존재한다. 이론적으로 제3대구치 폭경과 상악 결절의 공간만큼 구치부를 후방 이동하는 데 사용할 수 있다.

한편, 청소년기는 물론이고 성인에서도 구개부 장치를 사용하여 상악 구치부를 후방 이동하는 경우, 상악 결절 후면의 재형성(remodeling)으로 인해 후구치 부위의 가용 공간이 증가한다(그림 1-5).[2)]

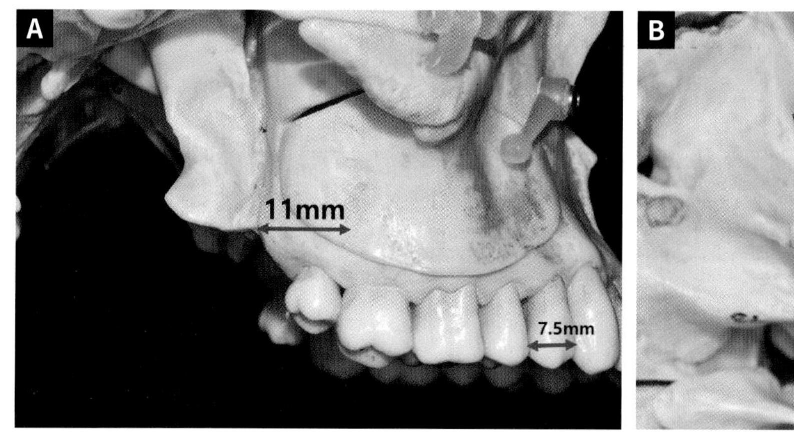

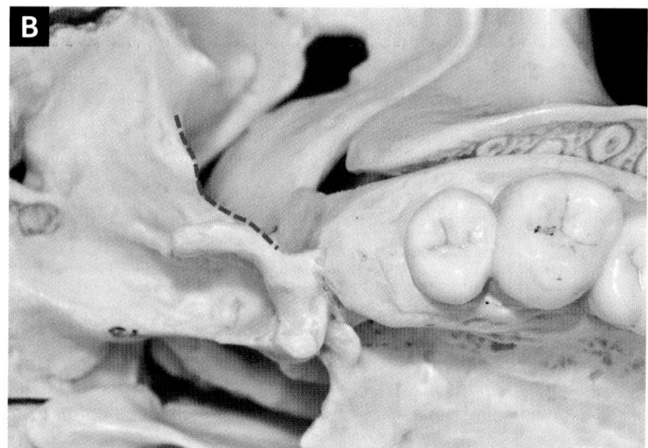

그림 1-4. 상악 구치부 후방 이동에 사용할 수 있는 제3대구치와 상악 결절 부위
A: 이론적으로는 제3대구치와 상악 결절에서 11 mm를, 제1소구치 발치로 7.5 mm의 가용 공간을 얻을 수 있다.
B: 교합면 방향에서 바라본 상악 구치부 후방 이동 한계(점선 부위)

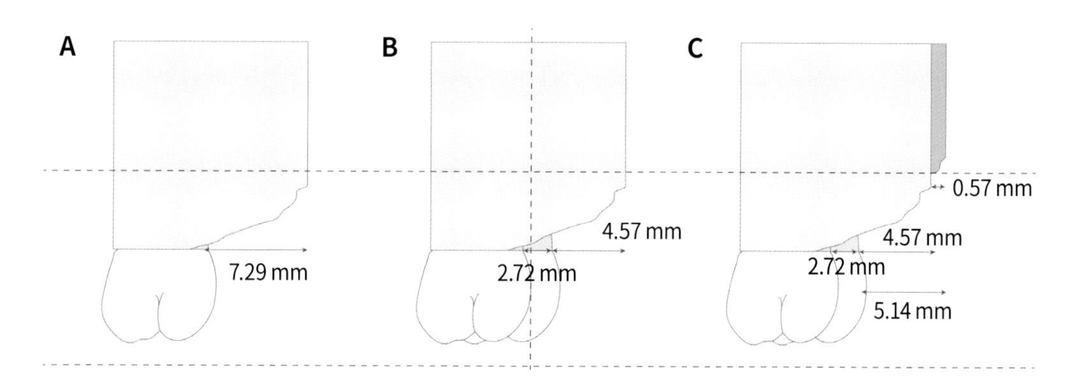

그림 1-5. 구개부 장치를 사용한 상악 치열 후방 이동 시 상악 결절 후면이 재형성된다.
A: 치료 전 상악 결절 크기(7.29 mm), B: 후방 이동(2.72 mm)을 한 직후 상악 결절 크기(4.57 mm)가 감소되었다. C: 치료 후 상악 결절 후면에서 골 재형성이 일어나 상악 결절 크기가 0.57 mm 증가하였다.

2) 하악 구치부의 후방 이동 공간

발치하지 않은 제3대구치가 존재하는 경우, 약 10 mm 정도의 제3대구치 공간과 후구치 공간(retromolar space)이 하악 후방 이동을 위한 가용 공간이다(그림 1-6).

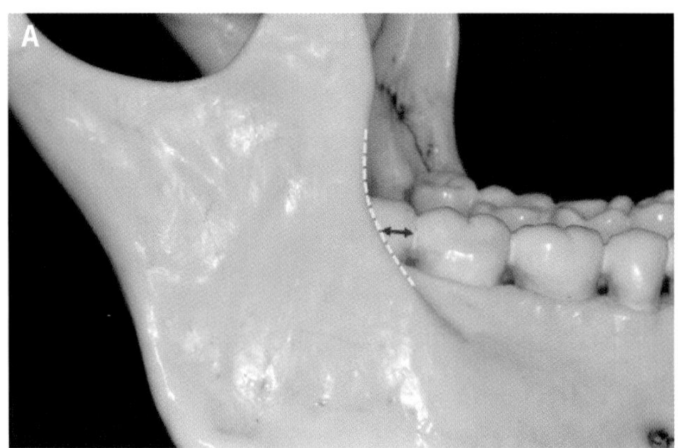

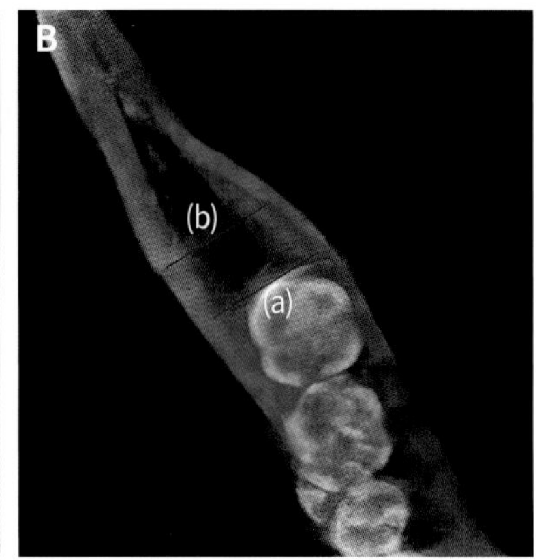

그림 1-6. 하악 구치부 후방 이동 시 가용공간
A: 측면에서 바라보았을 때 하악지 전연으로 인해 후방 이동 공간이 제한되는 것처럼 보인다. B: CBCT 교합면 상에서 바라보았을 때 실제로는 더 많은 양의 후구치 공간이 존재한다. (a) 제2대구치 협설폭경, (b) 후구치 협설폭경

2 악궁의 횡적 확장

악궁의 횡적 확장은 비발치 치료의 초반 단계에서 고려되어야 한다. 하악 치열이 후방 이동하면 구치부의 협측 수평 피개가 자연스럽게 감소하게 되어 횡적 부조화가 악화될 수 있다. 따라서 교정치료 완료 시 충분한 협측 수평 피개를 확보해 주기 위해서는 후방 이동 전에 악궁의 횡적 확장이 이뤄져야 한다. 악궁 확장은 치성 확장도 가능하나, 중등도 이상의 횡적 부조화가 있는 환자에서는 배열을 위한 공간 확보뿐 아니라 적절한 협측 수평피개를 얻기 위해서 골격적 확장을 고려해야 한다.

성인에서 적절한 횡적 너비는 36–38 mm이다. 환자가 협소한 상악궁을 가진 경우, 후방 이동 전 충분한 상악궁의 횡적 확장이 선행되어야 한다. 충분한 횡적 너비가 확보되어야 하악 구치가 직립되었을 때 적절한 협측 수평 피개가 형성된다(그림 1-7).

아래 증례에서는, 초진 시 좁은 상악궁과 상악 좌측 견치의 배열 공간 부족이 관찰된다. 정중구개봉합이 완전히 폐쇄되기 전이며 횡적 부조화가 심하지 않았기에 치성 확장 장치를 사용하여 횡적 확장을 도모하였다. 그 결과 초진 시와 비교하여 상당한 양의 확장이 일어난 것을 정중 이개를 통해 알 수 있다(그림 1-8).

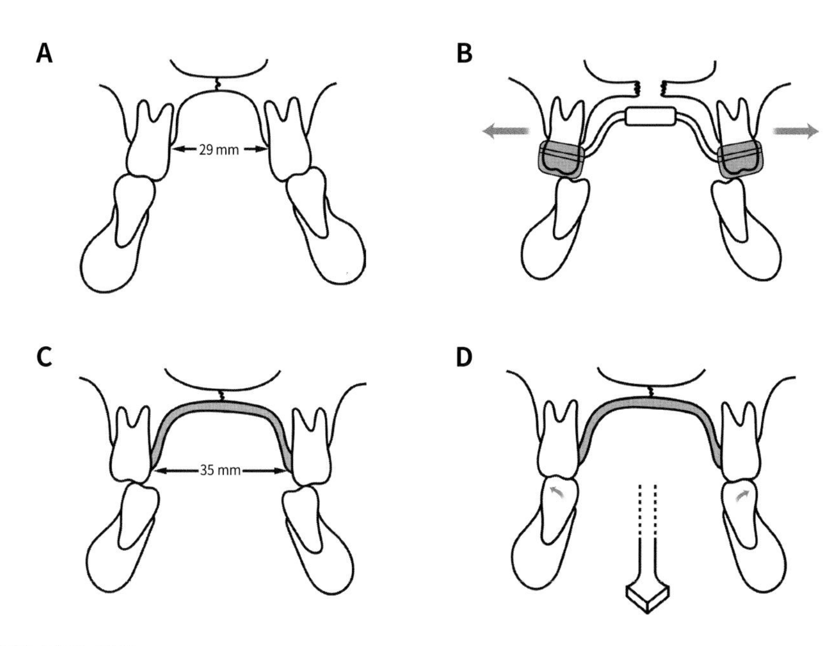

그림 1-7 상악궁의 횡적 확장 과정
A: 좁은 상악궁 너비, B: 확장 장치를 통한 상악궁의 횡적 확장, C: 충분한 양의 확장량 확인 후 유지, D: 하악 구치가 직립 후 적절한 협측 수평 피개 확보

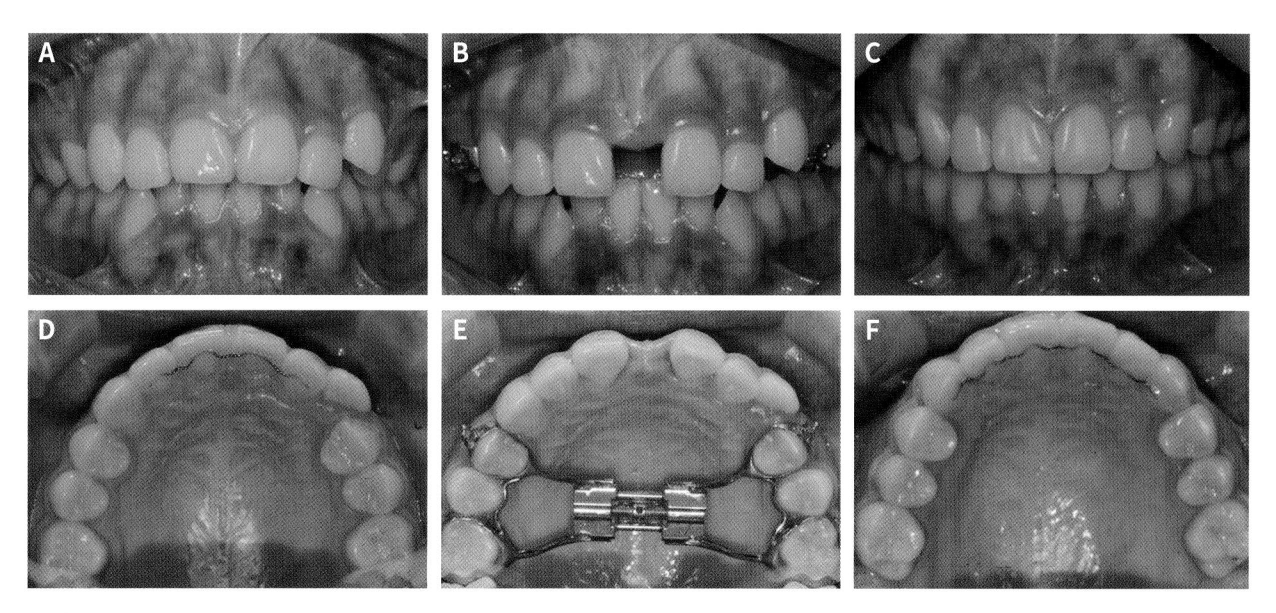

그림 1-8. 좁은 상악궁과 공간 부족을 가진 환자에서의 상악궁 횡적 확장 증례
A, D: 초진 시. B, E: 치성 확장 장치를 통한 상악궁 확장 후. C, F: 치료 완료 후(제공: 박종욱 원장)

악궁의 횡적 확장은 넓은 호선의 사용과 미니 임플란트를 사용한 골 지지형 상악 확장 장치, 혹은 악궁은 충분히 넓으나 치열궁 폭경만 협소한 경우 치아 지지형 상악 확장 장치를 복합적으로 사용하면 악궁 폭경을 확장시킬 수 있다. 특히 상악 견치와 소구치간 폭경을 넓히는 것이 중요하다.

다만 과도한 확장은 협측 골 소실과 같은 부작용을 야기할 수 있으므로, 과도한 확장은 피하고, 진단 시 CBCT를 통한 치조골 평가 등을 같이 할 수 있다. 만약 상악궁이 협소하여 구개부 장치의 식립이 어려운 경우 상악 확장 장치 등을 이용하여 상악궁 확장을 달성한 다음, 구개부 장치를 식립해야 염증 발생이 최소화된다.

3 치간 삭제술

치간 치질삭제는 교정치료과정 중에서 공간 확보, 치아 크기 차이의 해소, 치료 후 치열궁의 안정성 등을 위해 빈번히 사용되고 있는 술식이다.

치열이 어느 정도 배열된 이후나 치간 이개를 통해 치아 사이에 공간을 확보한 후 치간 삭제술을 시행해야 인접된 치아에 원치 않은 손상을 피할 수 있고, 치간 삭제술은 스트립 혹은 디스크 등을 사용하여 시행한다. 임상에서는 디스크 방향을 잘 고려하여 마무리 시 날카롭게 되지 않도록 삭제한 측면을 라운딩(rounding)하는 과정이 필요하다(그림 1-9). 또는 치간 삭제술 시행 후, 치면에 웻지(wedge)가 생기지 않도록 폴리싱 디스크를 사용해 주는 것도 좋은 방법이다. 얇고 유연한 디스크를 사용한다면 치간 삭제술뿐 아니라 마무리 과정의 라운딩까지 한 번에 시행할 수 있다.

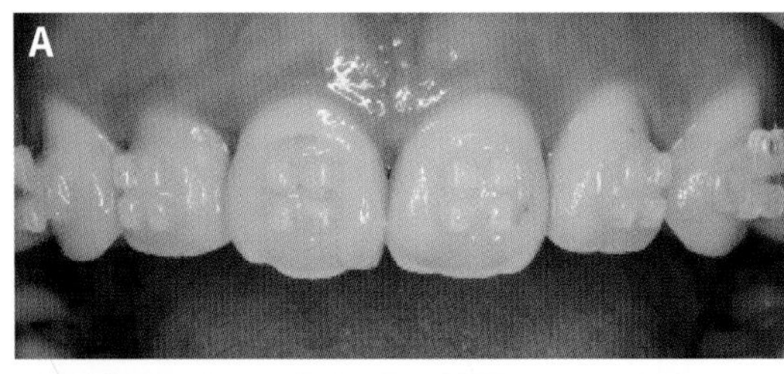

그림 1-9. 치간 삭제 과정
A: 초진 시 모습, B: 디스크를 사용하여 치간 삭제 진행, C: 스트립을 이용하여 라운딩, D: 완료 후 모습

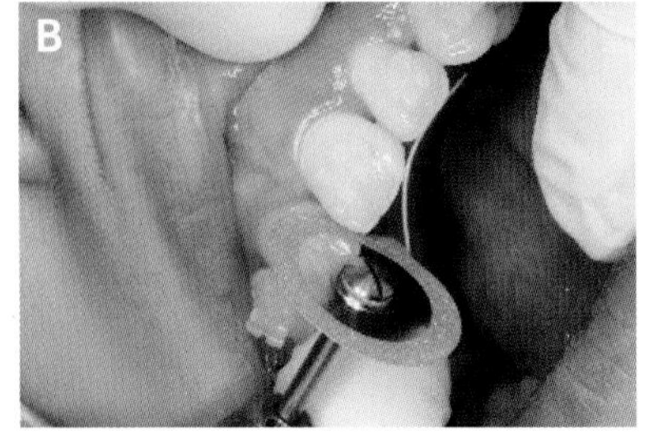

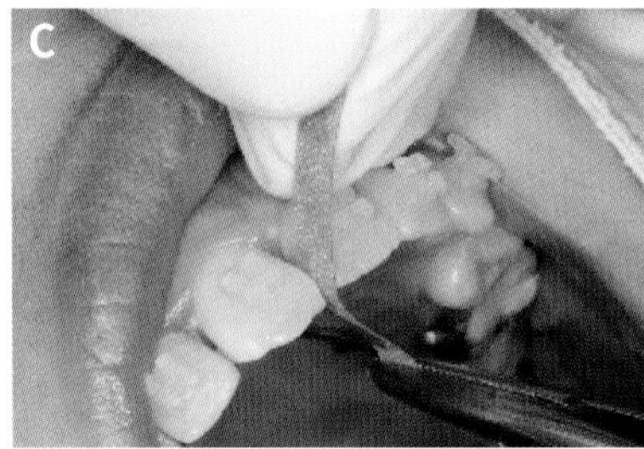

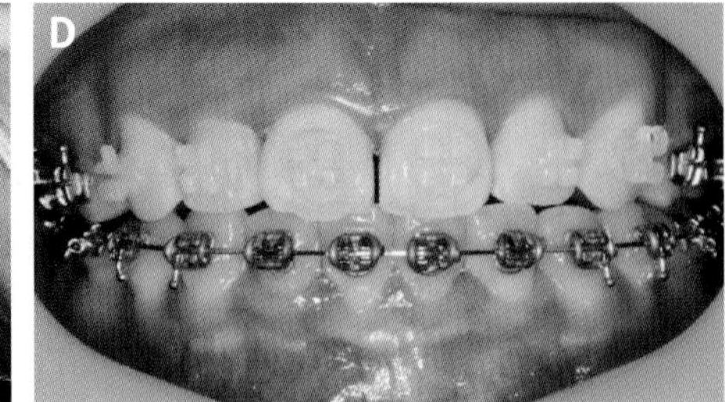

그렇다면 적절한 치간 삭제량을 어떻게 정해야 할까? 우선 환자가 갖고 있는 블랙 트라이앵글(black triangle)의 정도를 고려해야 하며, 또한 치아의 근원심 및 높이 비율을 고려해서 정해야 한다. 환자 개개인의 치아 크기와 안모를 고려하지 않은 치간 삭제는 결과적으로 심미성을 해칠 수 있음을 항상 주의해야 한다.

비발치 교정치료법의 분포 양상

비발치 교정치료에서 공간 확보를 시행하였을 때, 골성 고정원 장치를 이용한 구치부 후방 이동이 악궁확장 및 치간 삭제술보다 많은 양의 공간을 확보할 수 있다(그림 1-10).[3]

공간 확보에서 구치부 후방 이동이 가장 효과적이므로 비발치 치료 전략에서 가장 중요한 것은 구치부의 후방 이동 가능성 및 이동량이라고 할 수 있다. 단, 악궁 확장이 필요한 경우엔 후방 이동 전에 시행되어야 하며, 치간 삭제는 필요에 따라 도움이 될 수 있다. 이때 부가적인 치간 삭제와 악궁의 횡적 확장은 과도하게 하지 않고 필요한 만큼 적절하게 시행해야 한다.

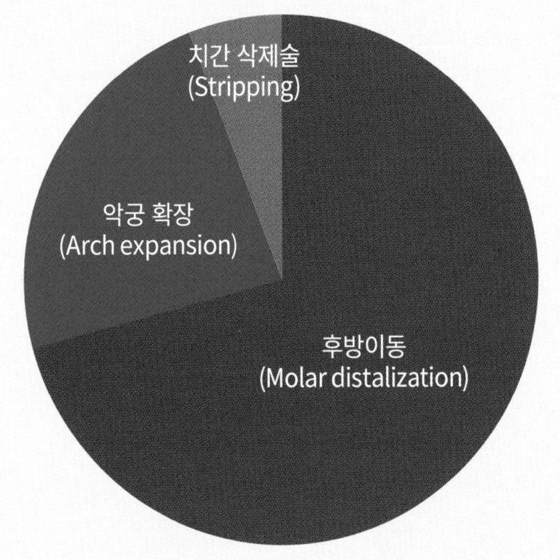

그림 1-10. 공간확보를 위한 방법 중 후방 이동은 71%, 악궁 확장은 23%, 치간 삭제술은 6% 비율을 보인다.

임상 팁

악궁 확장 장치 완료 후 구치부 후방 이동을 시행하기 전 RPE 유지하는 기간이 필요하나? 기간은?

Expension 후 유지기간 없이 최소한 018ss로 유지하면서 구개부 장치 식립 후 후방 이동을 진행한다.

1-3 구치부 후방 이동을 위한 구개부 장치

구외 헤드기어는 현재까지 제2급 부정교합 환자의 치료에 사용되고 있으나 환자의 협조가 필요하므로 술자의 입장에서 구내 장치가 더욱 선호된다. 하지만 기존의 구내 장치는 상악 구치부 정출 및 전치부 전방경사의 부작용이 나타날 수 있다.[4)]

이에 상악 구치부 치아를 안정적으로 치체 이동 시킬 수 있는 구내 장치에 대한 꾸준한 연구가 이루어졌다. 최근에는 골격성 고정원인 미니 임플란트가 많이 보편화되었고, 이를 이용하여 상악 구치의 후방 이동을 시켜 부작용을 최소화하며 효과적으로 치열이동이 가능한 구개부 장치가 개발되었다.[5)]

구치부 후방 이동 장치의 발전

과거 헤드기어와 같은 구외 장치를 착용해 치료하던 것과 달리, 특수하게 고안된 골성 고정원 장치를 구개부에 적용함으로써 심미성을 해치지 않을 뿐 아니라 환자의 불편감도 최소화하면서 상악 구치부 및 전체 치열을 후방 이동시킬 수 있다. 이러한 장치를 사용한 치아 이동은 성인과 성장기 아동 모두에서 효과적이며, 소구치 발치 필요성을 줄여줄 수 있다(그림 1-11).

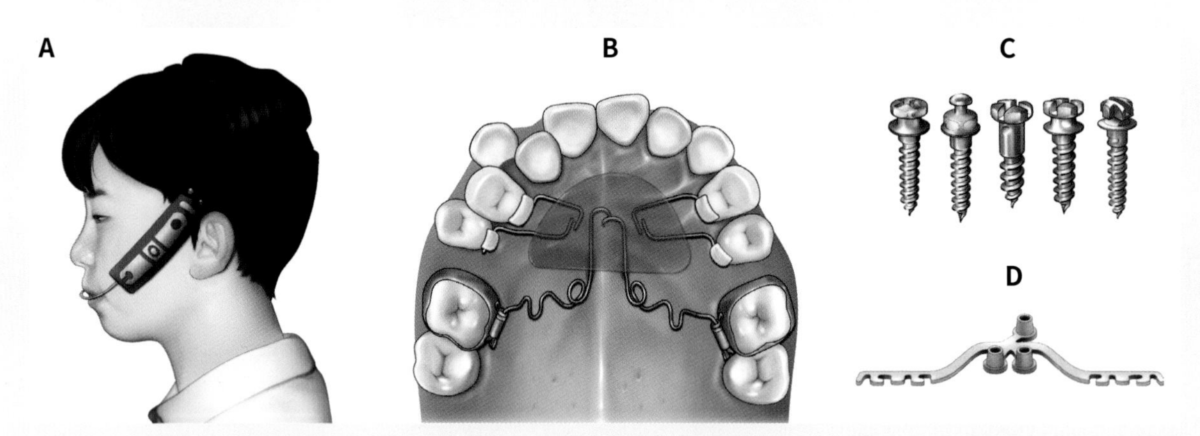

그림 1-11. 구치부 후방 이동 장치의 발전. A: 헤드기어, B: 구내 장치, C: 미니 임플란트, D: 구개부 장치

1-4 구개부 장치의 장점과 당위성

구개부 장치에는 여러 가지 장점이 있다.

첫째, 치근 사이에 미니 임플란트 식립 시 발생할 수 있는 치근 손상의 위험성이 없다. 또한 치근 사이 미니 임플란트를 이용하여 치아 이동 시, 미니 임플란트가 치근에 닿으면 치근 흡수 혹은 미니 임플란트의 탈락 가능성이 있지만, 구개부 장치에서는 그런 위험성이 없다(그림 1-12).

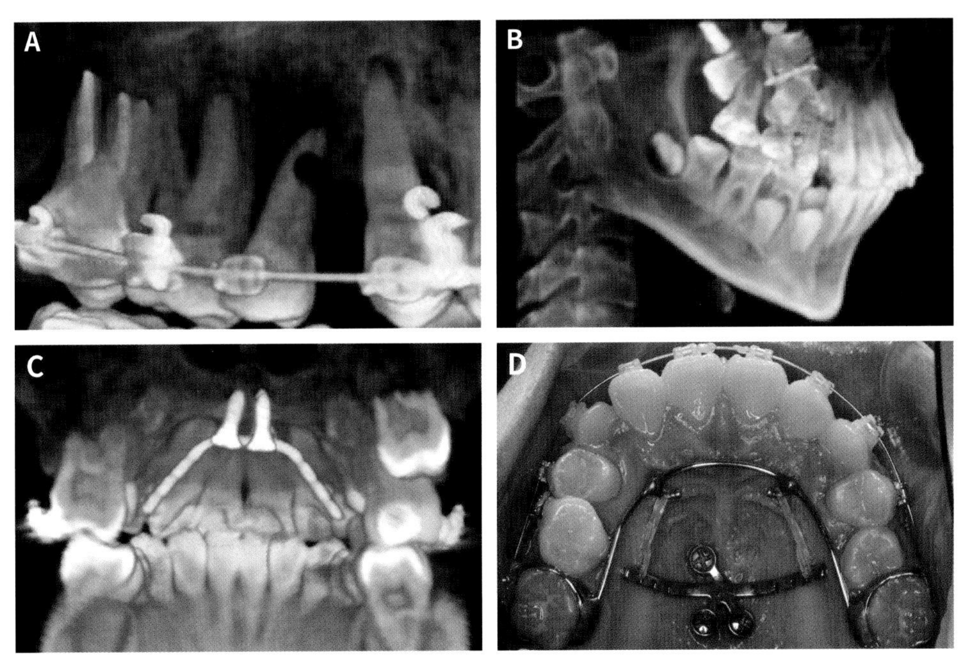

그림 1-12. A: 미니 임플란트 식립으로 인해 발생한 치근 손상, B: 혼합치열기 환자에서 구개부 장치 식립 후의 CBCT 시상면 영상, C: 관상면 영상, D: 혼합치열기 환자에서 구개부 장치 식립 후 구내 사진

둘째, 치조골에 식립하지 않기 때문에 유치 하방에 있는 영구치 치배에 손상을 줄 확률이 적어, 혼합치열기의 환자에게도 적용할 수 있다.

아래 증례는 상악 견치의 이소맹출과 약 10 mm의 상악 arch length discrepancy가 존재하는 후기 혼합치열기 환자로(그림 1-13), 이런 경우 구개부 장치를 식립하면 영구 치배의 손상 가능성 없이 치아 배열을 위한 충분한 공간을 확보할 수 있다(그림 1-14).

이러한 방법으로 치료한 결과, 발치 없이 상악의 심한 크라우딩을 개선하였으며 영구치 치배에 손상을 주지 않았다(그림 1-15). 이후 유지 기간 동안에도 치료한 결과가 잘 유지되어 있음을 확인할 수 있었다(그림 1-16).

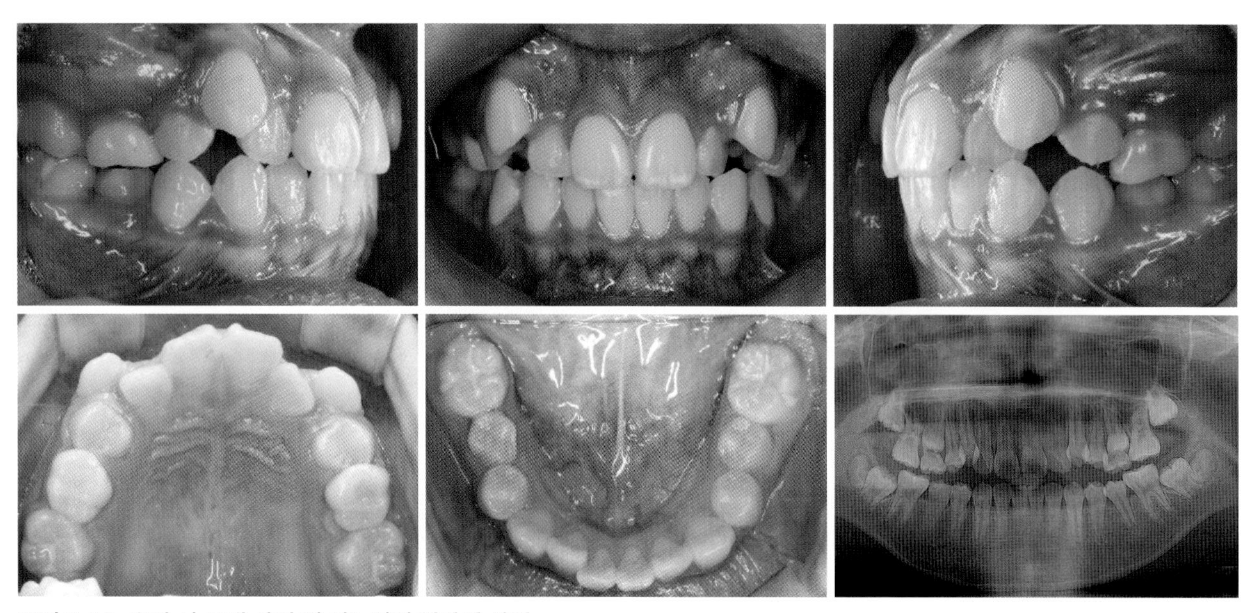

그림 1-13. 초진 시 구내 사진 및 파노라마 방사선 사진

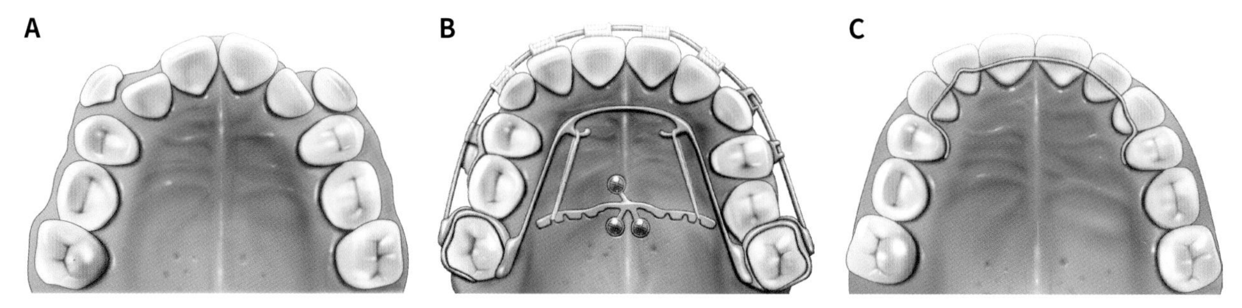

그림 1-14. 혼합치열기 환자에서 구개부 장치 사용의 모식도
A: 치료 전 크라우딩과 상악 견치의 이소맹출이 보인다. B: 치료 중, 구개부 장치를 식립하여 구치부 후방 이동에 사용하였다. C: 치료 종료 후 크라우딩 및 이소맹출이 해결된 것을 볼 수 있다.

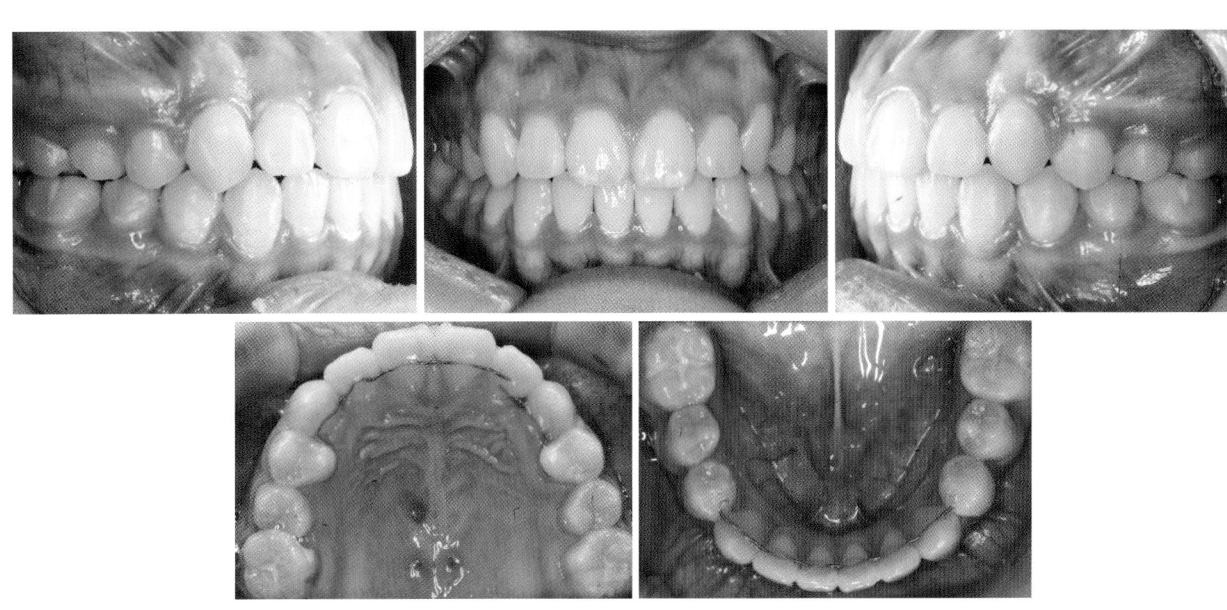

그림 1-15. 치료 종료 후 구내 사진

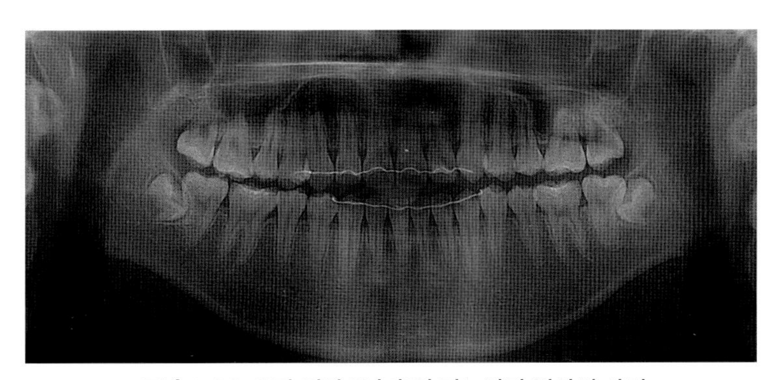

그림 1-16. 유지 기간 3년 후의 파노라마 방사선 사진

셋째, 구개부 장치를 이용한 교정치료는 치아 간에 힘을 가하는 것이 아니므로 불필요한 치아 이동을 막을 수 있다. 또한 non-tooth bearing area에 식립하기 때문에 원하는 쪽의 치아를 최대한 많이 이동시킬 수 있어 치아 이동을 계획하고 디자인하는데 용이하다.

넷째, 구개부 장치는 헤드 기어와 같은 효과를 얻으면서도, 구내에 위치하기 때문에 환자의 협조로부터 상대적으로 자유롭다.

다섯째, 상당한 양의 치아 이동이 가능하기 때문에 골격 부조화가 심하여 악교정 수술을 고려해야 하는 환자에서도 구개부 장치를 적절히 활용하면 비수술 교정치료가 가능할 수 있다.

1-5 임상가를 위한 비발치 교정 FAQ

Q. 최후방 구치가 아직 맹출하지 않은 환자에서 제1대구치의 후방 이동은 괜찮은가요?

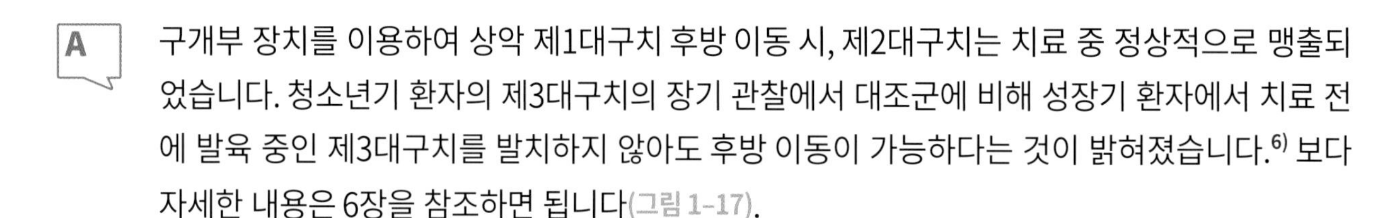

A

구개부 장치를 이용하여 상악 제1대구치 후방 이동 시, 제2대구치는 치료 중 정상적으로 맹출되었습니다. 청소년기 환자의 제3대구치의 장기 관찰에서 대조군에 비해 성장기 환자에서 치료 전에 발육 중인 제3대구치를 발치하지 않아도 후방 이동이 가능하다는 것이 밝혀졌습니다.[6] 보다 자세한 내용은 6장을 참조하면 됩니다(그림 1-17).

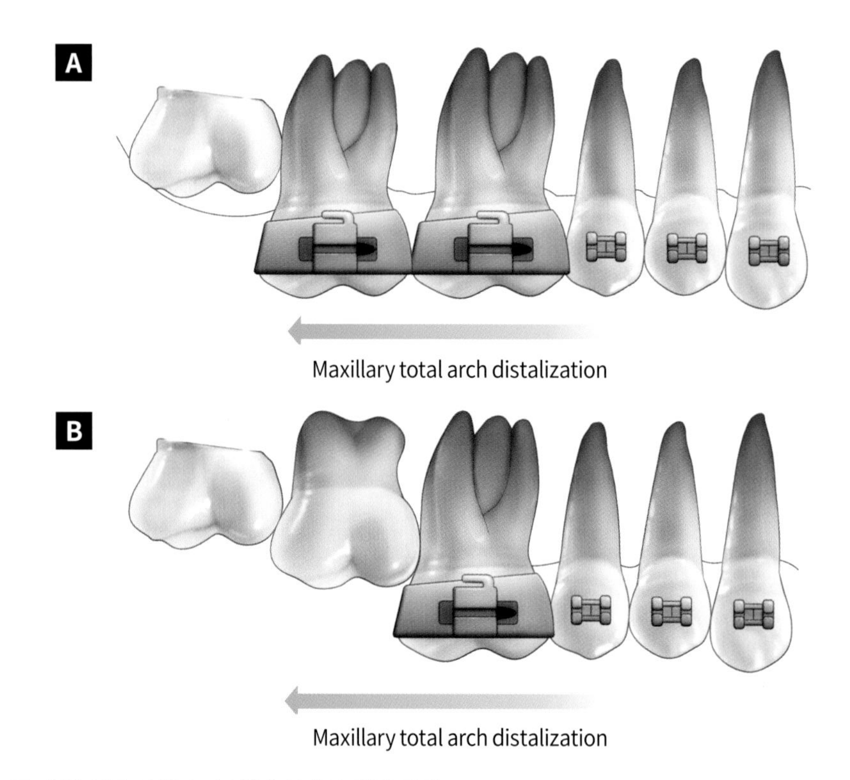

그림 1-17. 후방 이동 시행 후, 구치부 치아의 위치 변화
A: 제2대구치 맹출 후 후방 이동을 실시하는 모습, B: 제2대구치가 맹출되지 않았을 때 후방 이동을 실시하는 모습

Q. 구개부 장치 사용 시 이동가능한 구치부 후방 이동량은 얼마인가요?

상악에서는 구개부 장치를 이용하면, 편측 당 5.4 mm 이상 후방 이동이 가능합니다. 하악에서는 10 mm 정도의 후구치 공간이 있으므로, 하악지 플레이트를 이용하면 많은 양의 후방 이동이 가능합니다. 이를 적절히 활용하면 최대 12 mm의 arch length discrepancy를 가진 환자도 비발치 치료가 가능합니다.[3),7),8)] 보다 자세한 내용은 5장과 6장을 참조하면 됩니다(그림 1-18).

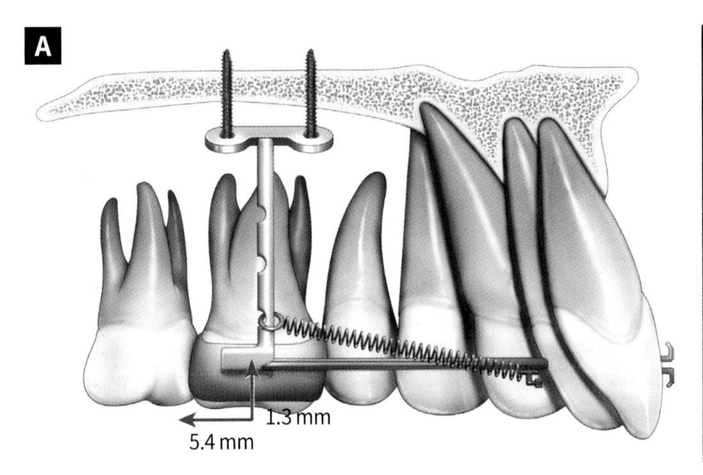

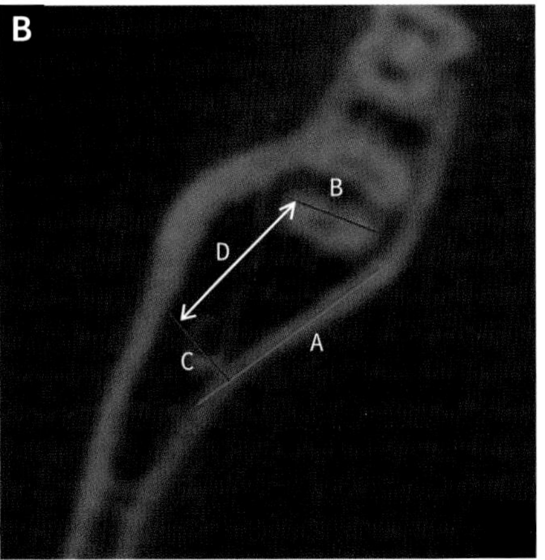

그림 1-18. 가능한 후방 이동량
A: 상악 구치의 평균 후방 이동량(5.4 mm), B: 하악의 최후방 구치가 이동할 수 있는 공간을 보여주는 CBCT 영상–a: 설측 피질골 경계, b: 하악 제2대구치의 협설측 치근 너비, c: 하악 제2대구치 협설측 치근 너비를 수용가능한 후방부 경계, d: 가능한 후방 이동량

Q. 구개부 장치로 후방 이동 후에 기도 공간이 좁아져 문제가 발생하지 않나요?

상악 전치열 후방 이동을 시행한 제2급 부정교합 청소년기 환자를 대상으로 장기 관찰한 결과, 기도 공간의 유의한 변화는 관찰되지 않았습니다. 마찬가지로 성인에서도 구개부 장치를 이용하여 상악 전치열 후방 이동 시 기도 공간에 미치는 영향은 미미합니다.[9,10] 보다 자세한 내용은 12장을 참조하면 됩니다(그림 1-19).

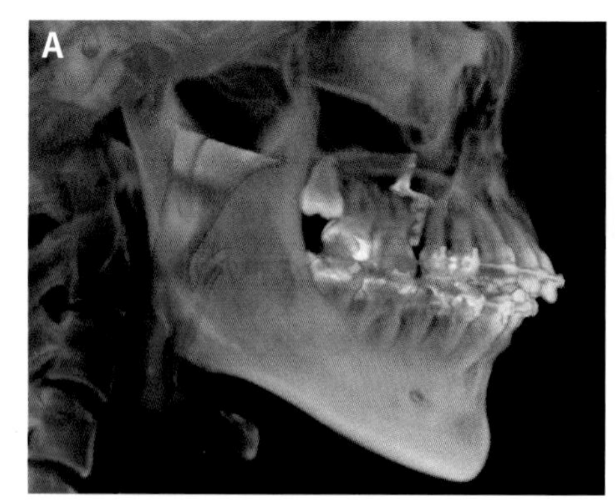

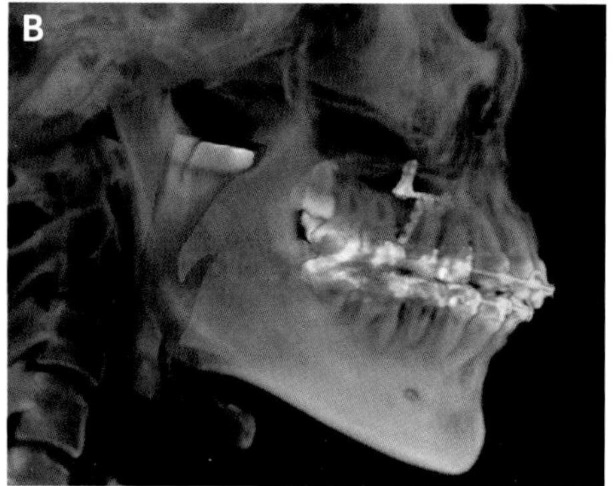

그림 1-19. 구개부 장치를 사용하였을 때의 기도 공간 변화. A: 치료 전 기도 공간, B: 구치부 후방 이동 후 기도 공간

Q. 상악동의 함기화가 심한 경우 치근 흡수 없이 후방 이동이 가능한가요?

연구에 따르면 상악 구치가 함기화된 상악동 내에 위치한 경우라도, 구개부 장치를 이용한 전치열 후방 이동 시 이동량은 차이가 없었으며, 치근 흡수 또한 유의한 차이가 관찰되지 않았습니다.[11] 보다 자세한 내용은 3장을 참조하면 됩니다(그림 1-20).

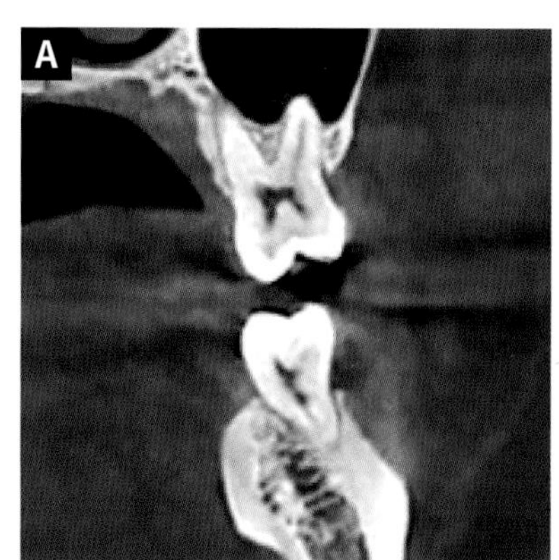

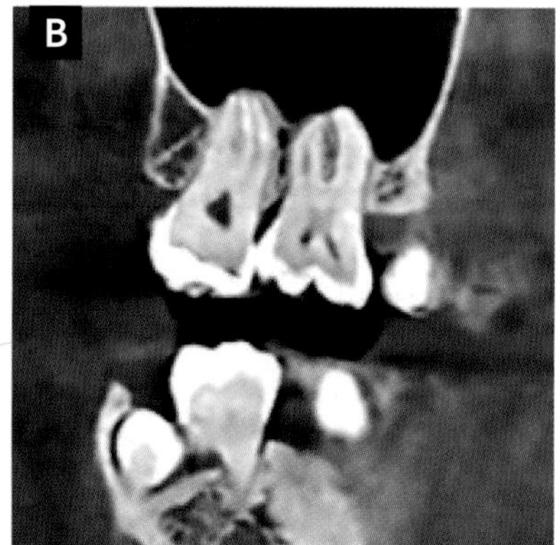

그림 1-20. 상악구치부 치아와 상악동저와의 관계를 보여주는 CBCT 영상. A: 관상면, B: 시상면
(출처: Kim et al.[11]의 허가를 받아 인용)

참고문헌

1. Janson G, Maria FR, Bombonatti R. Frequency evaluation of different extraction protocols in orthodontic treatment during 35 years. Prog Orthod 2014;15:51.
2. Park, Tina Keun Nan. Three dimensional analysis of maxillary retromolar alveolar bone before and after en-masse distalization. School University of Southern California; 2016.
3. Lim HJ, Kim Y, Park JH, Lee NK, Kim KB, Kook YA. Cephalometric and model evaluations after molar distalization using modified C-palatal plates in patients with severe arch length discrepancy. Am J Orthod Dentofacial Orthop 2022;162(6):870–80.
4. Tüfekçi E, Allen SB, Best AM, Lindauer SJ. Current trends in headgear use for the treatment of Class II malocclusions. Angle Orthod 2016;86(4):584–9.
5. Kook YA, Kim SH, Chung KR. A modified palatal anchorage plate for simple and efficient distalization. J Clin Orthod 2010;44(12):719–30; quiz 743.
6. Park JH, Kim Y, Park JH, Lee NK, Kim SH, Kook YA. Long-term evaluation of maxillary molar position after distalization using modified C-palatal plates in patients with and without second molar eruption. Am J Orthod Dentofacial Orthop 2021 Dec;160(6):853–61.
7. Alfawaz F, Park JH, Lee NK, Bayome M, Tai K, Ku JH, et al. Comparison of treatment effects from total arch distalization using modified C-palatal plates versus maxillary premolar extraction in Class II patients with severe overjet. Orthod Craniofac Res 2022;25(1):119–27.
8. Seol JE. 3-Dimensional evaluation on retromolar space for molar distalization in Class I and Class III malocclusion. Master thesis, The Catholic University of Korea, 2014.
9. Park JH, Kim S, Lee YJ, Bayome M, Kook YA, Hong M, et al. Three-dimensional evaluation of maxillary dentoalveolar changes and airway space after distalization in adults. Angle Orthod 2018;88(2):187–94.
10. Chou AHK, Park JH, Shoaib AM, et al. Total maxillary arch distalization with modified C-palatal plates in adolescents: A long-term study using cone-beam computed tomography. Am J Orthod Dentofacial Orthop 2021; 159(4):470–9.
11. Kim S, Lee NK, Park JH, Ku JH, Kim Y, Kook Ya, et al. Treatment effects after maxillary total arch distalization using a modified C-palatal plate in patients with Class II malocclusion with sinus pneumatization. Am J Orthod Dentofacial Orthop 2022;162(4):469–76.

02

구개부 장치

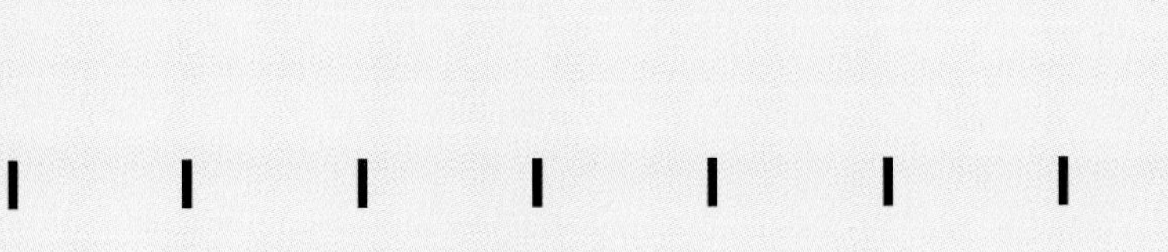

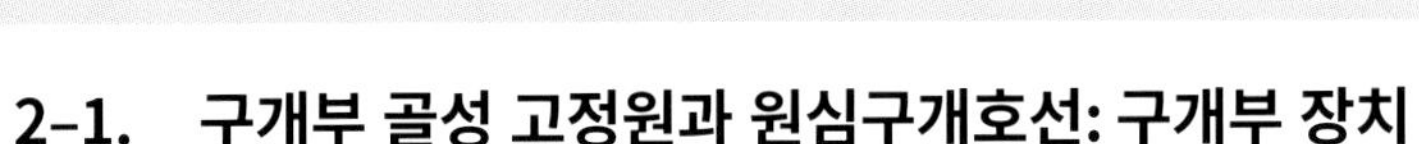

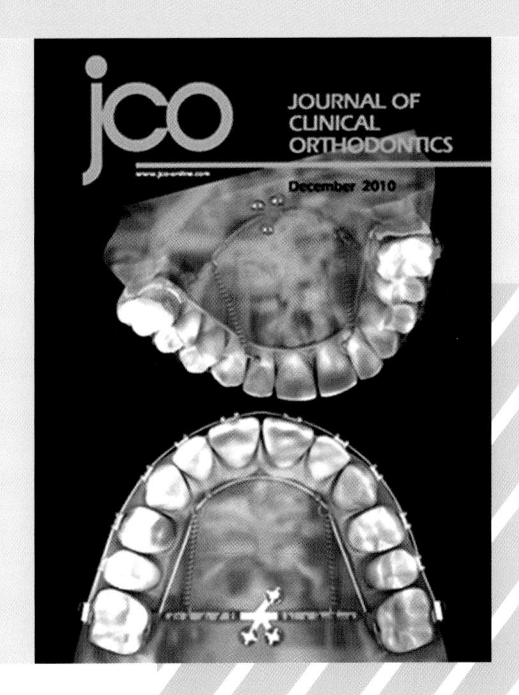

2-1 구개부 골성 고정원과 원심구개호선: 구개부 장치

오랜 시간 동안 교정의사들은 효율적이고 정확한 치아 이동을 위해 고민해왔다. 골성 고정원이 보편화되기 전까지 임상의들은 구외 고정원, 또는 치아이동의 양상을 변화시키는 등의 노력을 통하여 교정 생역학을 발전시켜왔다. 이러한 골성 고정원의 개발은 이러한 노력들을 매우 편리하게 만들었으며, 표준화된 치료에도 큰 도움이 되고 있다.

구개부 장치는 구개영역에 식립되는 미니 플레이트로 성인과 청소년의 전체 치열 후방 이동을 위해 구개부를 절개하지 않고 식립 가능하다. 따라서 식립 과정이 단순하며 환자의 불편감이 적고, 치아 이동의 효율성을 증가시킨 장치이다(그림 2-1).[1),2)]

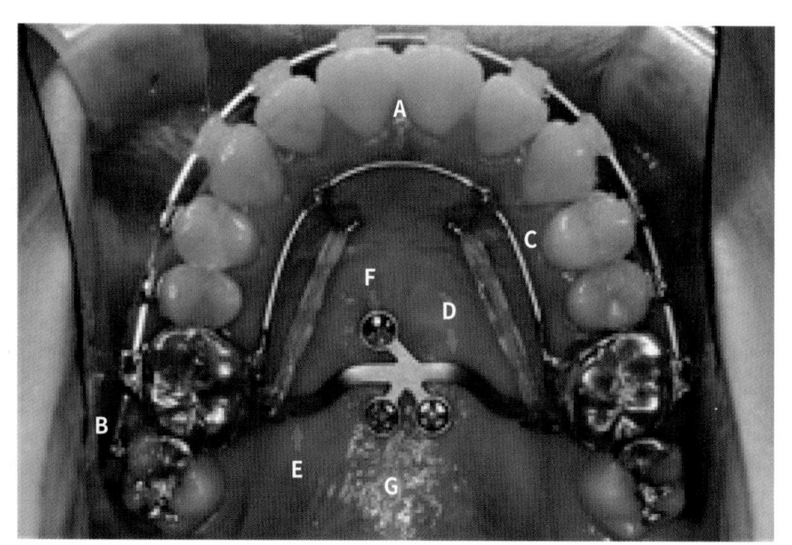

그림 2-1. 구개부 장치 구조 명칭. A: 원심구개호선(PRA), B: 밴드, C: 훅, D: 레버 암, E: notch, F: 미니 임플란트, G: 스크류 튜브

구개부 장치는 구개의 해부학적 형태에 맞는 플레이트 장치를 구개 정중부위에 미니 임플란트로 고정하는 장치이며, 후방견인에 따른 치근과 미니 임플란트의 위험이 없다. 따라서 성장기 환자 및 성인 환자에서 장치 탈락 가능성이 거의 없으며, 개개인의 구개 부위 해부학적 형태에 맞게 조절이 가능한 레버 암을 이용하여 환자의 불편감을 최소로 할 수 있다. 뿐만 아니라 긴 레버 암을 갖고 있어, 작용점을 조절하여 원하는 형태의 역학을 구현할 수 있는 장치이다(그림 2-2).

구개부 골성 고정원의 적용을 위해서는 구치부에 구강내 장치인 미니 임플란트를 이용한 구개측 고정원(구개부 장치)과 원심구개호선(palatal retraction arch, PRA)이 필요하다(그림 2-2, 3).[3]

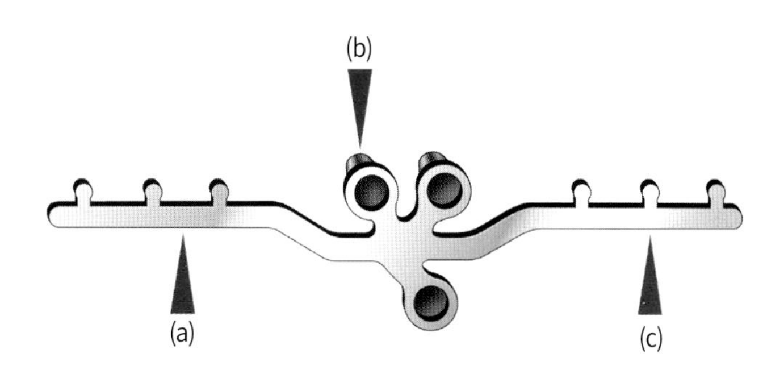

그림 2-2. 구개부 장치의 구조. (a) 레버 암, (b) 스크류 튜브, (c) 훅

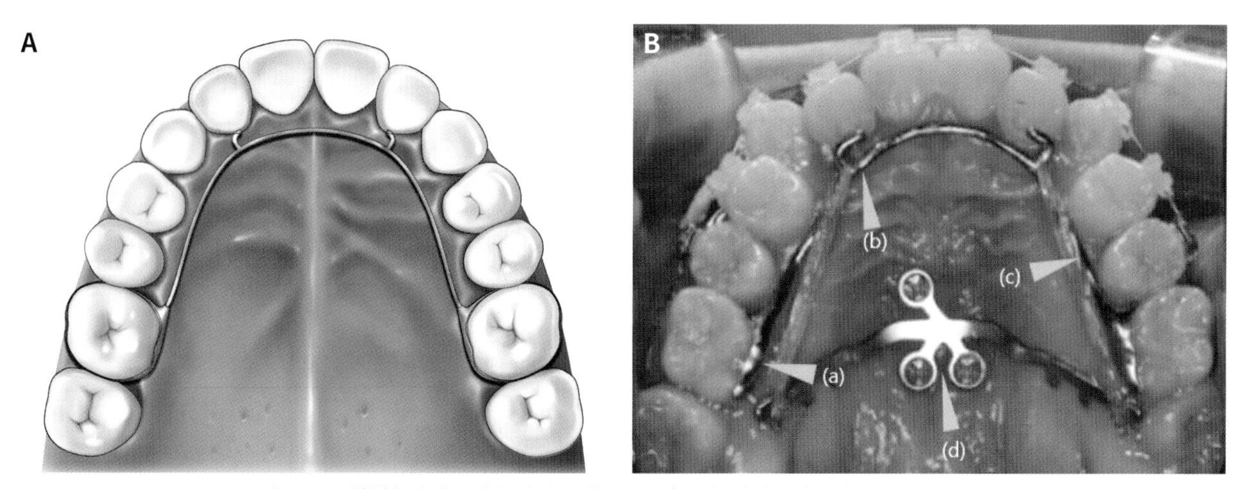

그림 2-3. 접착형 원심구개호선. (a) 패드, (b) 훅, (c) 원심구개호선, (d) 구개부 장치

구개부 장치는 티타늄으로 제작하고 두께는 1 mm, 폭은 2 mm로 제작된다. 그리고 스크류 튜브 돌기의 길이는 2.5 mm이다. 또한 전방에 미니 임플란트 1개, 후방에 2개를 식립하게 되고, 이때 식립하는 미니 임플란트의 직경은 2 mm, 길이는 10 mm 혹은 12 mm를 사용하게 된다.

원심구개호선은 1.1-1.2 mm 직경의 스테인레스강 교정용호선으로 구치부, 특히 제1대구치에 밴드 납착을 통해 연결한다. 원심구개호선의 형태는 치열궁 형태에 최대한 평행하게 제작하되 작용 범위(range of action)를 최대한 길게 하기 위해서 훅을 견치의 설면 결절(cingulum) 하방에 설치한다. 탄성체인이나 나이티놀 코일 스프링을 원심구개호선에 있는 훅과 구개부 장치의 훅에 연결한다.

2-2 구개부 장치의 과거와 현재

구개부 장치는 C-palatal plate를 바탕으로 변형시킨 장치이다. C-palatal plate는 구개 점막 절개 하에 교정용 미니 임플란트 식립이 필요하여 술자의 숙련도에 영향을 받았으나, 구개부 장치는 구개 점막 절개 없이 장치를 구개에 식립하는 것이 가능하여 식립 과정이 단순화되어 사용이 편리해졌다.[4]

구개부에 식립할 수 있는 다양한 골성 고정원 장치가 있으나, 본 구개부 장치는 효과적으로 교정력을 전달하면서도, 그동안 한계점으로 여겨져 왔던 위생적 문제나 큰 부피감을 줄인 가장 보완된 형태의 장치라고 할 수 있다.

구개부 장치는 초기단계의 모습부터 현재의 모습에 이르기까지 변화가 있었다. 가장 초창기 구개부 장치는 4개의 홀과 3개의 notch가 있으며 장치의 폭은 3 mm로 면적이 넓어 구강 위생 관리가 용이하지 않았다(그림 2-4).

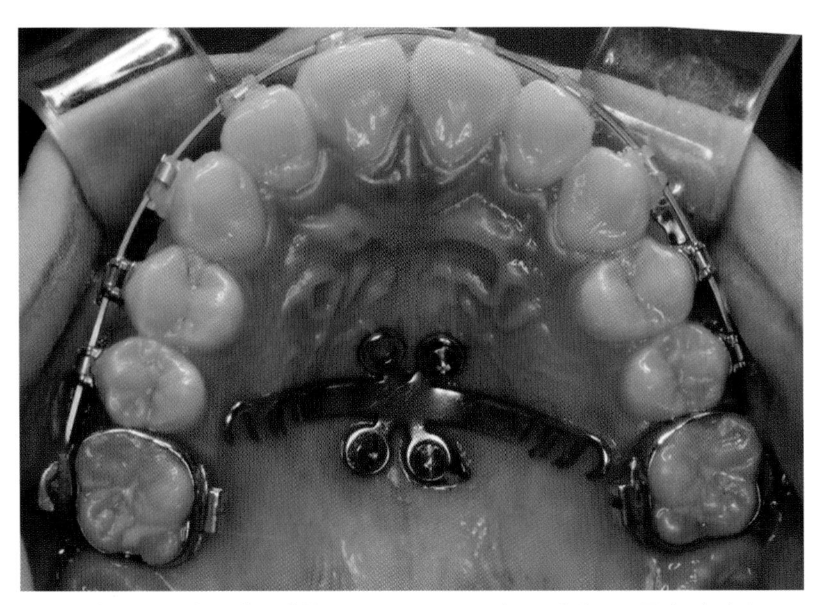

그림 2-4. 초기 구개부 장치로, 폭은 3 mm로 넓고 4개의 스크류 홀이 있다.

현재 구개부 장치 모습을 보면 초기 모델과 비교하여 스크류 홀, 튜브, 레버 암의 notch 및 그 폭에 있어서 그 변화를 관찰할 수 있다.

1 스크류 튜브

Q. 스크류 튜브는 왜 필요한가요?

A 구개부 연조직과 고정원 장치 사이에 식편압입을 방지하고 쉽게 제거될 수 있도록 3 mm 이상 공간이 필요합니다.

초기 장치는 구개점막에 과도하게 밀착되어 식편 압입으로 인한 염증이 발생하는 문제가 있었다. 이를 개선하기 위해 구개 연조직이 구개부 장치에 직접 닿지 않도록, 구개부 장치의 홀 하방에 스크류 튜브형태 구조물을 디자인하여 구개 점막에서 일정한 공간 유지를 할 수 있도록 디자인하였다. 공간 유지를 위한 디자인은 초기에는 스크류 홀 절반 부위만 원형으로 하는 형태였으며 현재는 완전히 둥근 형태로 사용하고 있다(그림 2-5). 이는 구개점막과 장치 사이 자연스럽게 공간이 확보되어 음식물이 저류되지 않아 구강 위생관리가 용이할 뿐 아니라 조직에 자극을 최소화시켜 염증 발생 가능성을 낮추었다.

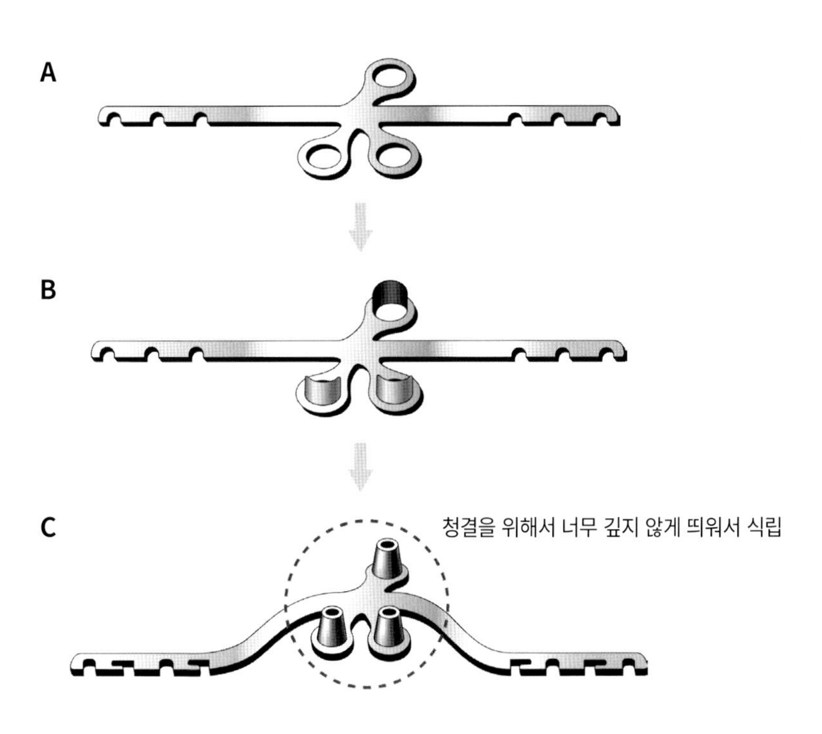

그림 2-5. 스크류 튜브의 변화
A: 초창기 디자인, B: 반원형 스크류 튜브, C: 원형 스크류 튜브

2 레버 암의 notch 변화

기존의 구개부 장치의 레버 암의 notch에 탄성체인을 연결하기 위해서는 스케일러를 사용하여 레버암을 구개조직으로부터 들어줘야 했다. 이 훅은 구개부 연조직과 대략 15도를 이루고 있어 파워 체인을 걸 때 환자의 불편감 없이 바로 연결이 가능해졌다(그림 2-6).

구개부 장치의 레버 암의 notch에 탄성체인을 연결하였을 때 레버 암이 휘는 단점이 있었다. 레버 암의 notch가 있는 부분의 폭은 다른 부위의 레버 암보다 얇아 강성이 약하기 때문이다. 이에 notch에서 훅으로 대체하면 폭의 감소로 인한 강성 문제를 해소할 수 있다.

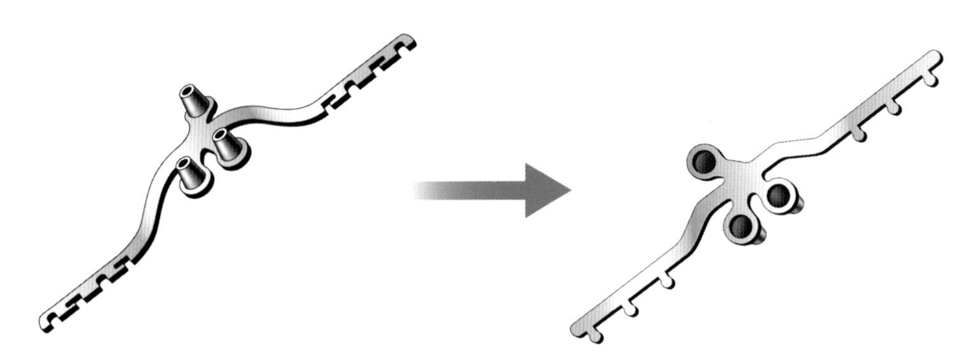

그림 2-6. 기존의 notch 디자인에서 탄성체인을 연결하기 쉽도록 훅으로 디자인을 변형하였으며, 전체적인 장치 부피도 감소하여 환자의 불편감을 최소화하였다.

3 스크류 홀의 위치

혼합치열기와 초기 영구치열기 환자에서 스크류 홀의 위치는 상악골 성장 부위인 정중구개봉합(mid-palatine suture)을 피하기 위해서 중요하다.

특히, 청소년기의 환자들에게 구개부 장치를 구개부위에 식립할 때, 성장 부위인 정중구개봉합을 피하기 위해 봉합 주변 부위로 미니 임플란트가 식립되도록 디자인하였다(그림 2-7, 8). 식립된 미니 임플란트와 봉합부 간의 거리는 1.5 mm를 넘어야 한다.

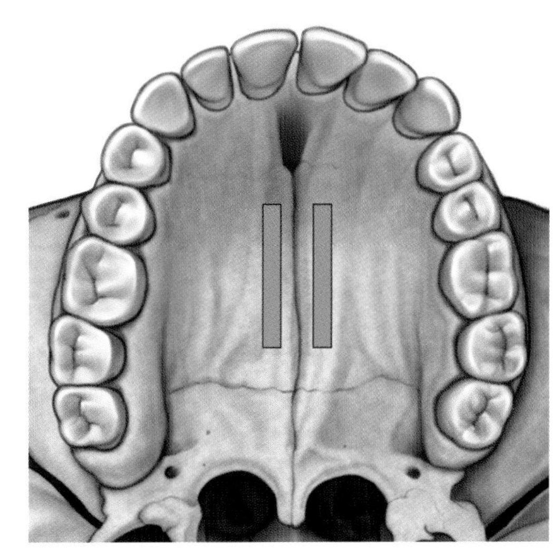

그림 2-7. 미니 임플란트와 봉합부 간의 거리가 1.5 mm를 넘는 부위에 식립한다.

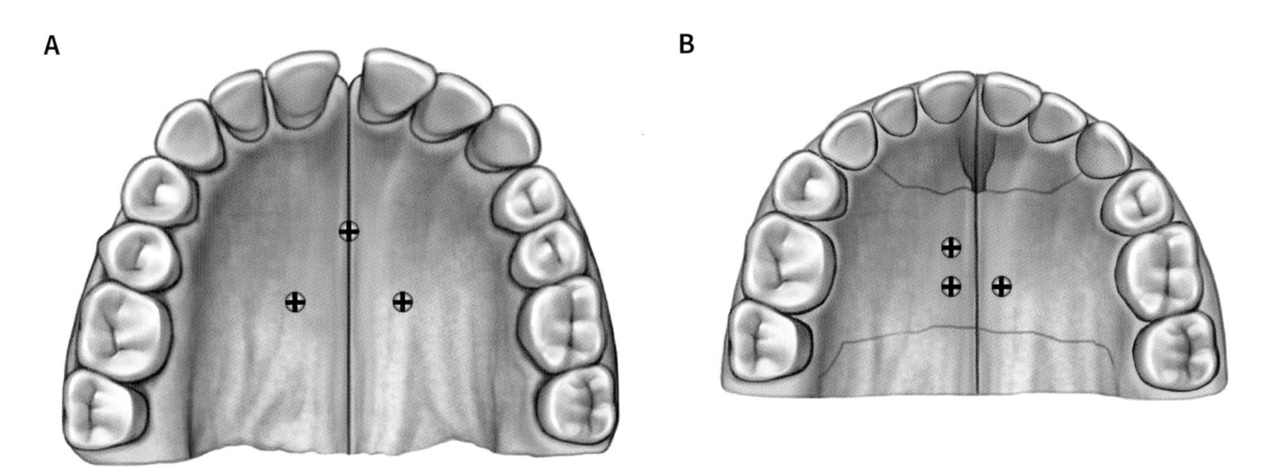

그림 2-8. 구개부 미니 임플란트 식립 부위. A: 성장이 완료된 혼합 치열기는 정중구개봉합에 식립이 가능하다. B: 성장기인 혼합치열기는 정중구개봉합을 피해 식해 식립해야 한다.

미니 임플란트는 구치부연조직 두께가 얇은 전방부(제1, 2 소구치 사이)에 식립하게 되어 연조직 염증 발생 가능성이 적다.

구개부 장치는 전방에 1개, 후방에 2개의 미니 임플란트가 사용된다. 이는 힘 적용 시 원심구개호선에 가해지는 후방 힘의 반작용으로 레버 암에 가해지는 전방 힘에 효과적으로 저항하기 위해서이다. 원심구개호선으로부터 더 거리가 멀 수록 물리적인 토크 값이 더 크므로, 이에 저항하기 위해서 후방에 2개의 미니 임플란트를 식립하는 것이 더 유리하다(그림 2-9).

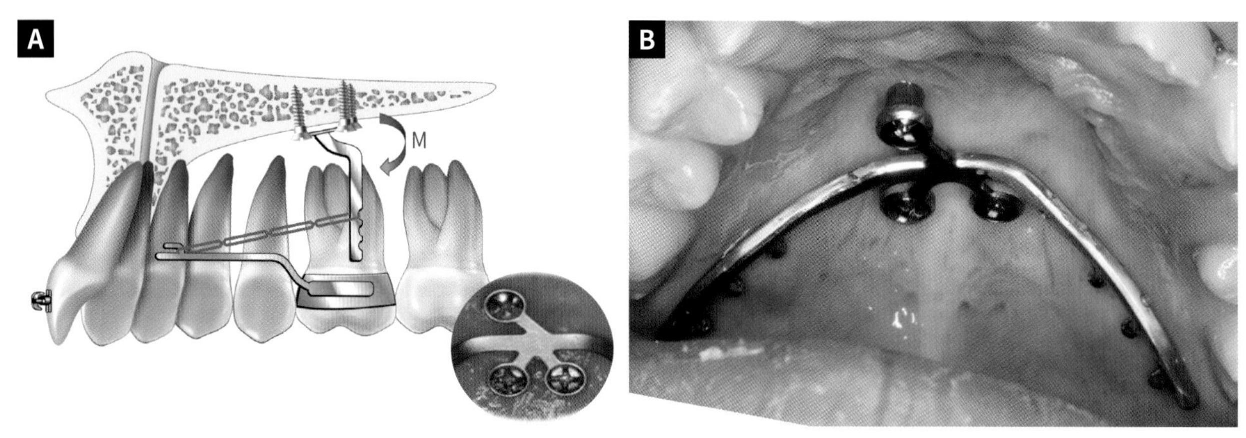

그림 2-9. 미니 임플란트 식립 모습. 전방부 1개, 후방부 2개가 식립되어 있다.

구개부 장치를 사용하여 구치 후방 이동력을 가했을 때, 구개부 장치의 전방부가 구개측으로 압하되는 경향이 발생하기 때문에 전방부 미니 임플란트 및 구개부 장치의 훅이 구개 연조직에 묻히는 현상이(impingement) 발생할 수 있다. 그러므로 식립 시 구개부 장치의 전방부는 후방부에 비해 구개면과 공간을 더 갖도록 한다. 필요시 전방 미니 임플란트는 10 mm 이상 길이를 식립할 수 있다.

> **임상 팁**
> 탄성체인의 적용은 식립 직후가 아닌 식립 2주 후 환자의 구강 상태가 양호한지 확인 후 적용하는 것이 추천된다.

Q. 구개부에 식립하는 미니 임플란트는 모두 같은 길이로 할까요?

원심구개호선에 탄성체인으로 연결하면 구개부 장치에 전방 이동 힘이 발생하므로 전방 미니 임플란트에 더 큰 힘이 가해집니다. 그러므로 전방에 식립하는 미니 임플란트는 후방의 것보다 더 긴 것을 식립해야 합니다.

후방 이동 힘을 가하면 전방부 미니 임플란트에 가해지는 힘이 집중되어 미니 임플란트가 구개 연조직에 묻히는 현상(impingement)이 발생할 수 있습니다. 이러한 현상으로 구개조직과 구개부 장치 사이 공간이 협소해져 식편압입 및 구개부 염증 발생 가능성이 높아집니다. 이를 방지하고자 전방부 임플란트는 후방부 임플란트보다 구개조직 사이 공간을 더 확보하면서 식립합니다. 필요시, 전방부 미니 임플란트는 후방부 미니 임플란트 10 mm 보다 더 긴 12 mm의 미니 임플란트를 식립할 수 있습니다.

2-3 구개부 장치를 이용한 치아 이동 생역학

구개부 장치를 이용하여 상악 치아에 힘을 가할 경우, 레버 암의 notch 위치와 원심구개호선 훅의 수직적 위치를 다양하게 조합하여 상황에 맞는 최적의 힘 방향을 가할 수 있다. 그러므로 우선 환자의 골격적 치성적 문제를 파악한 후 적절한 방향의 힘을 가해야 한다.

1 구개부 장치 레버암의 notch 위치

좌우 레버 암에는 3개의 notch가 있고, 이는 치아 협측의 브라켓 호선 레벨에서 각각 상방으로 4, 7, 10 mm에 위치한다. 상악 제1대구치의 저항중심과 힘의 관계에서 레버 암의 가장 근단측에 위치한 10 mm notch에 힘이 가해지면 힘의 방향이 상악 제1대구치의 저항중심을 지나게 되어 함입과 함께 적은 후방경사 경향을 보이게 된다. 반대로 가장 치관측에 위치한 4 mm notch에 힘이 적용되면 후방경사 경향이 보다 커지며 정출이 일어난다(그림 2-10).

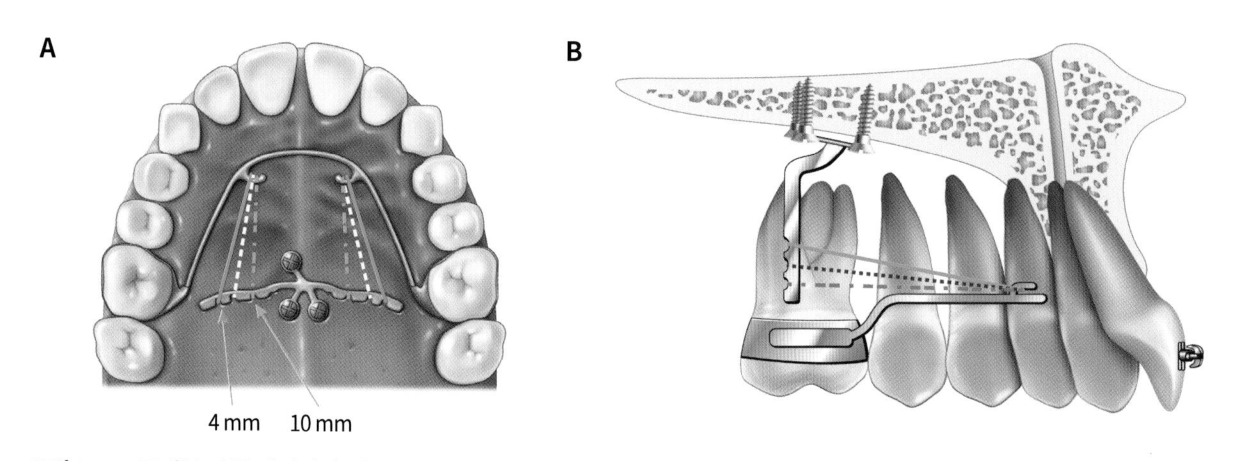

그림 2-10. 구개부 장치 레버암의 위치와 힘의 방향. A: 교합면, B: 시상면

임상 팁

과개 교합 환자에서는 4 mm notch에 파워 체인을 걸어주어 구치부 후방 이동 시 대구치의 정출을 유도한다. 반면, 오픈 바이트 환자에서는 10 mm notch에 파워체인을 걸어 대구치 후방 이동 시 대구치 함입을 유도한다.

1) 구개부 장치 레버 암의 notch 위치에 따른 치아 이동 양상

힘의 방향과 상악 제1대구치의 저항중심 간의 관계는 치료 효과를 이해하는 데 중요하다. 구개부 장치가 와이어 레벨에서 4, 10 mm 위치에 있는 2개의 notch을 사용했을 때 전달되는 힘의 방향은 다양하다. 유한요소 연구 결과에 따르면 구개부 장치에 10 mm 위치의 notch 부분에 탄성체인을 걸면 4 mm에 연결했을 때보다 제1대구치의 치체 이동과 함입이 더 많이 발생한다(그림 2-11).[5]

A

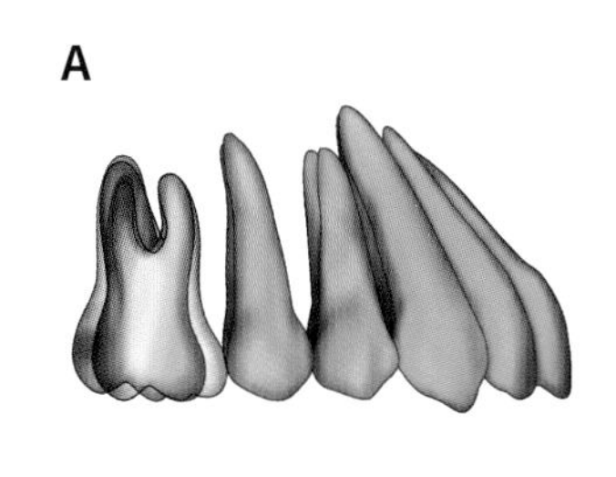

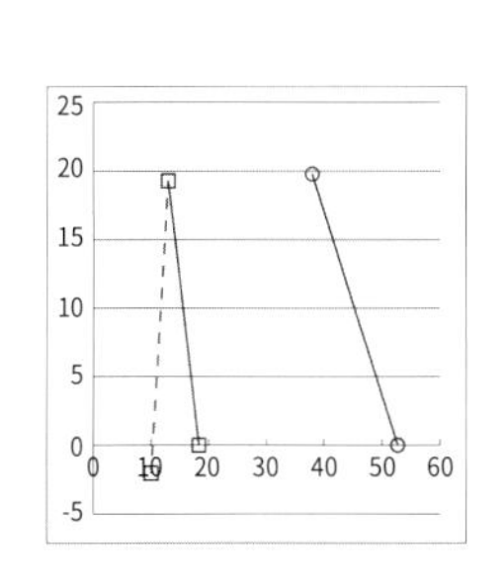

B

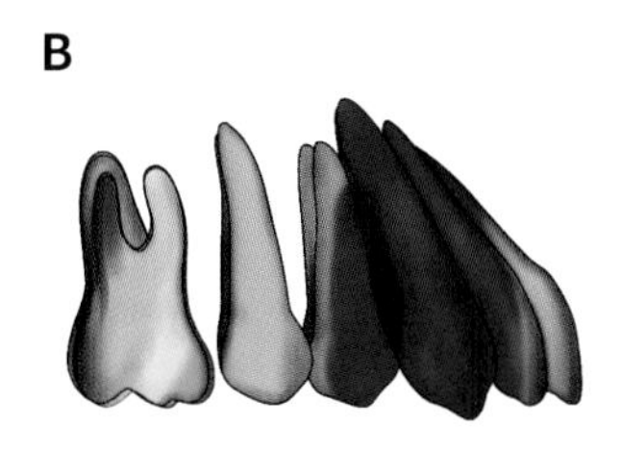

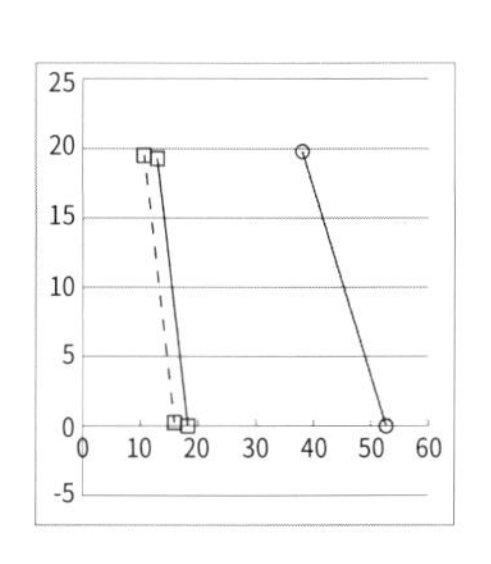

그림 2-11. 구개부 장치. A: 4 mm, B: 10 mm
10 mm의 notch에 연결하면 치체 이동과 함입이 4 mm에 걸었을 경우보다 더 많이 일어난다.

2 원심구개호선 훅의 전후방, 수직적 위치와 힘의 방향

원심구개호선 중간에 훅을 만들면 발음 시 혀 움직임에 제한이 발생한다. 그러므로 견치의 설면결절(cingulum) 부근에 훅을 제작하고 원심구개호선도 구개면에 근접하게 주행한다. 견치의 설면결절에 훅을 제작하는 또 다른 이유는 힘의 작용 범위를 길게 할 수 있기 때문이다.

구개부 장치와 원심구개호선을 탄성체인으로 연결하여 힘을 가할 때, 힘의 방향은 치조골의 외형(alveolar bone housing)을 고려하여 치열궁의 형태와 평행하게 가해주어야 한다. 즉, 원심구개호선은 구개에서 치열궁 형태와 평행하게 제작되어 제1대구치와 연결되어야 한다(그림 2-12).

원심구개호선는 스테인레스 강으로 제작하고 직경은 1.1–1.2 mm이다. 또한 제1대구치 밴드와 납착을 통해 연결하고 견치의 설면결절에 위치한 훅 또한 치관 방향으로 위치되는지, 치근 방향으로 위치되는지에 따라서 환자와 술자가 느끼는 불편감이 상이하다. 치관 방향으로 위치하면 술자 입장에서 탄성체인을 걸어주기 용이하지만 환자가 느낄 때 조금 더 불편감이 있는 반면, 치근 방향으로 위치하면 술자 입장에서 탄성체인 연결이 어렵지만 환자 입장에서는 보다 불편감을 적게 느낀다(그림 2-13).

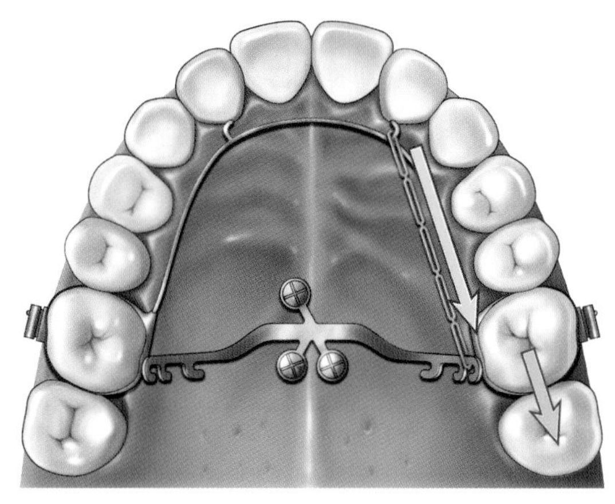
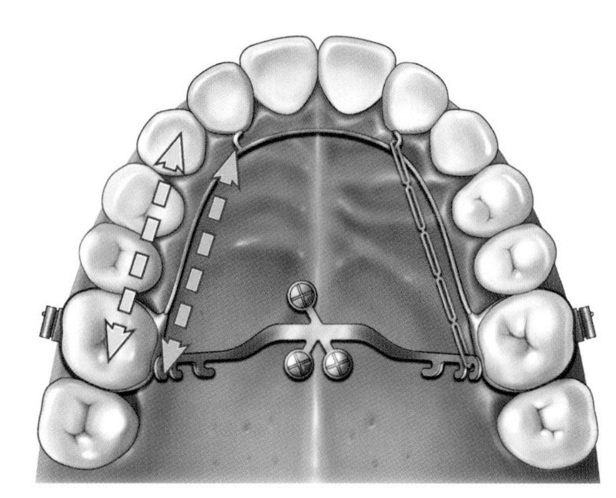

그림 2-12. 힘의 방향과 치열궁은 평행하여 치조골의 외형(alveolar bone housing)을 유지해야 한다. 그리고 원심구개호선도 최대한 구개면에 근접하게 주행하여 발음 시 혀 움직임에 제한이 생기지 않도록 한다.

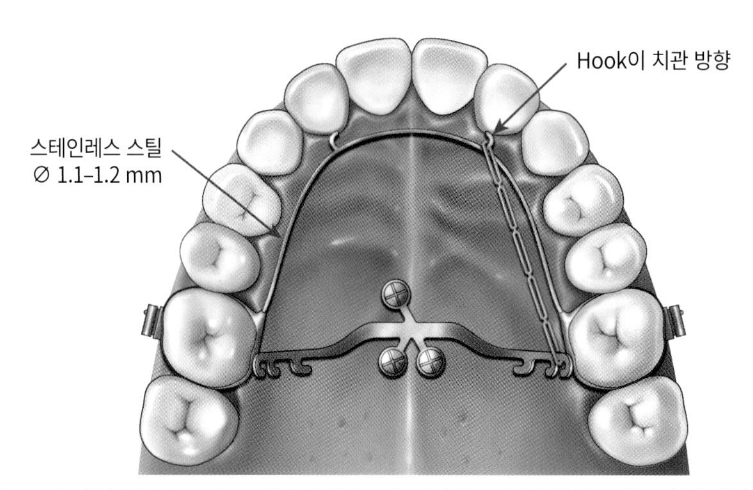

그림 2-13. 원심구개호선은 스테인레스강으로 제작하고 훅의 위치는 대게 치관 방향으로 위치한다.

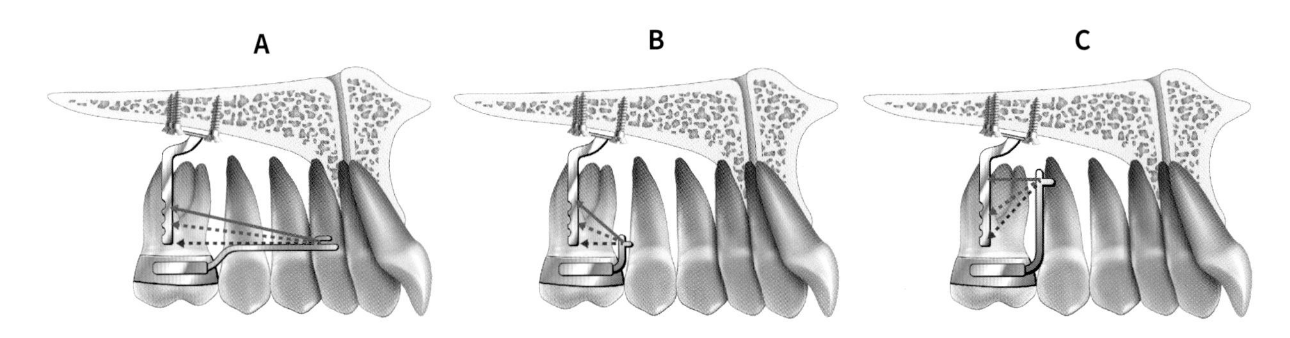

그림 2-14. 원심구개호선의 위치에 따른 다양한 힘 벡터를 보여주는 그림이다.
A: 일반적인 원심구개호선의 위치, B: 장안모 증례에서 구치부 함입을 위한 위치, C: 단안모 증례에서 구치부 정출을 위한 위치

그림 2-14A의 형태가 원심구개호선의 일반적인 길이와 높이를 보여 주는 기본 형태이지만, 환자의 골격적 특성을 고려하여 힘 방향을 조절하기 위해 다양한 디자인으로 조정될 수 있다. 그림 2-14B는 원심구개호선이 짧고 후방에 위치하는 경우로 대구치의 함입이 발생하여 장안모(high angle) 증례에 유리하다. 반면에 원심구개호선이 짧고 상방에 위치하는 경우로 대구치의 정출이 일어나 단안모(low angle) 증례에 유리하다.

3 원심구개호선 훅의 수직점 위치에 따른 치아 이동 양상

실제 임상에서는 원심구개호선 훅의 수직적 높이 차이를 두지 않고 하나의 훅만 적용하지만, 유한 요소 분석을 통하여 원심구개호선 훅의 수직적 높이 차이를 다양하게 적용했을 경우 치아의 이동 양상에는 어떠한 변화가 생길지에 대한 연구를 진행했다.

아래는 원심구개호선 훅에 수직적 높이 차이를 0, 4, 7, 10 mm 적용했을 경우 전체 치아 이동 양상을 보여주는 유한요소 분석 그림이다(그림 2-15, 16).

하지만 상기 분석은 어느 치아에 직접적인 힘을 가했을 때 효과적인지를 분석하였으나 임상에서는 제1대구치에 힘을 적용한다. 이러한 연구 결과에서 원심구개호선 훅의 수직적 위치가 길수록 더 치체 이동이 일어났으며 짧을수록 비조절성 원심 경사 이동(uncontrolled distal tipping)이 일어난다. 또한 짧은 원심구개호선 훅에 연결할수록 함입되는 경향이 있고, 길면 정출되는 경향이 있다.[6]

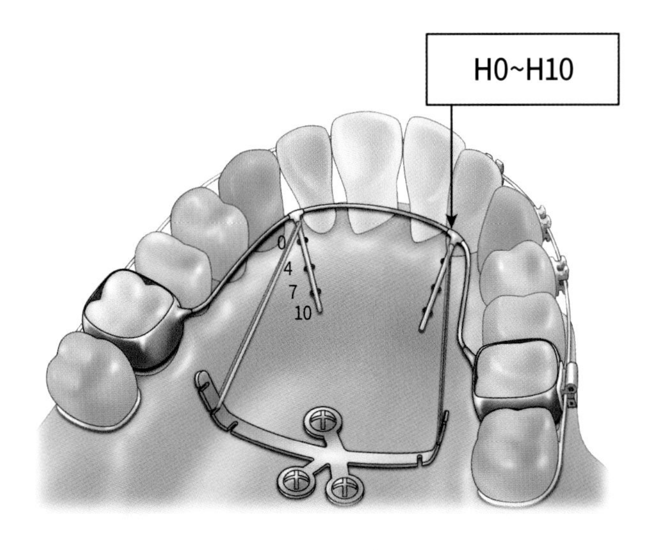

그림 2-15. 원심구개호선 훅의 수직적 위치

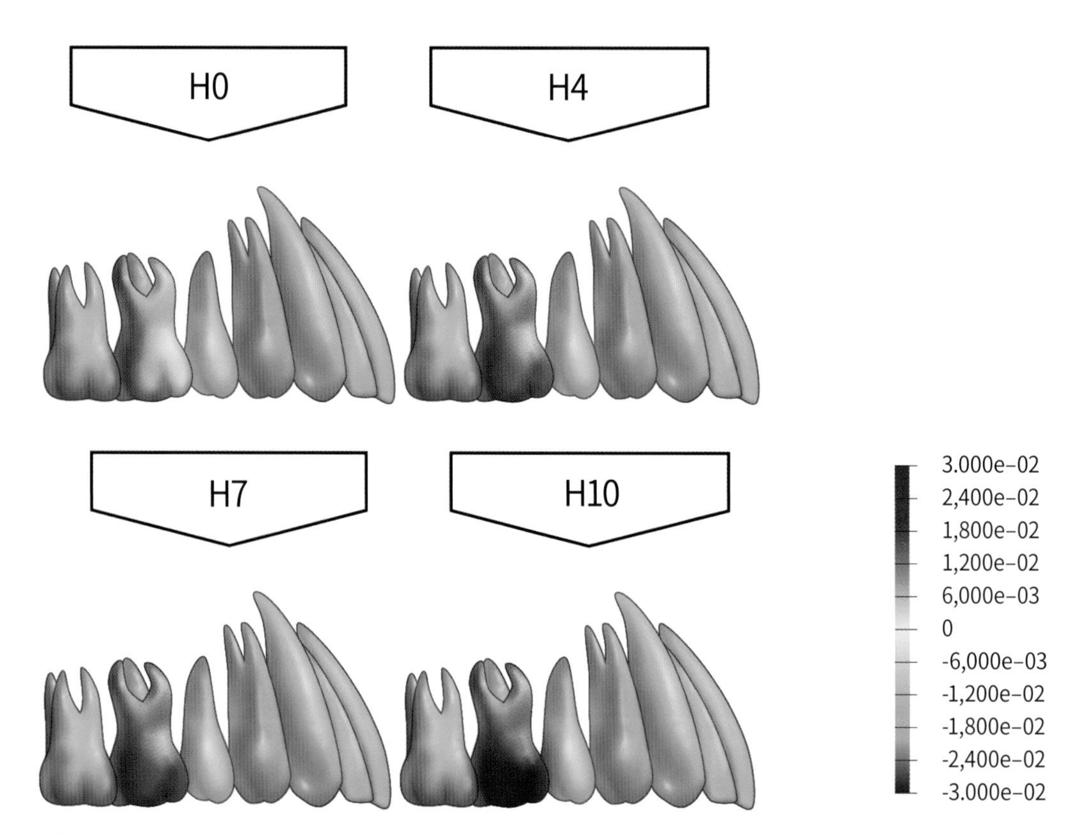

그림 2-16. 원심구개호선과 구개부 장치를 이용하여 각각 제1소구치, 제2소구치, 제1대구치에 밴드를 연결하여 힘을 가했을 경우, 그리고 각각의 경우에서 원심구개호선 훅의 수직적 높이(0, 4, 7, 10 mm)에 다른 치아 이동양상을 유한요소 분석한 결과

4 Q & A

Q. 상악 치열 후방 이동 시 제3대구치 발치해야 하나요?

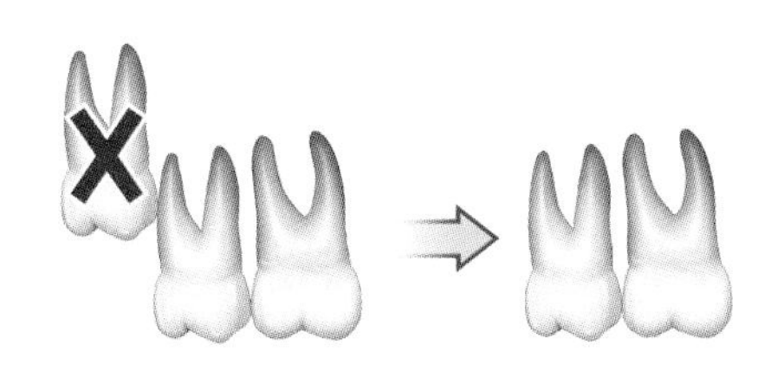

그림 2-17. 성인 환자에서 제3대구치 발치가 추천된다.

A 성인에서는 보다 효율적인 구치부 후방 이동을 위해서는 구개부 장치를 장착한 후 탄성체인을 이용하여 힘을 주기 직전에 제3대구치 발치하는 것이 추천됩니다. 이는 국소치유촉진현상(Regional acceleratory phenomenon, RAP)을 이용하여 더 효율적인 후방 이동을 도모하기 위함입니다(그림 2-17). 하지만 성인이 아닌 청소년기 환자에서는 제3대구치를 발치하지 않고 후방 이동하는 것이 추천됩니다(보다 자세한 내용은 7장 참고).

Q. 구개부 장치를 이용하여 후방 이동 시 적용하는 힘의 양은 얼마나 되나요?

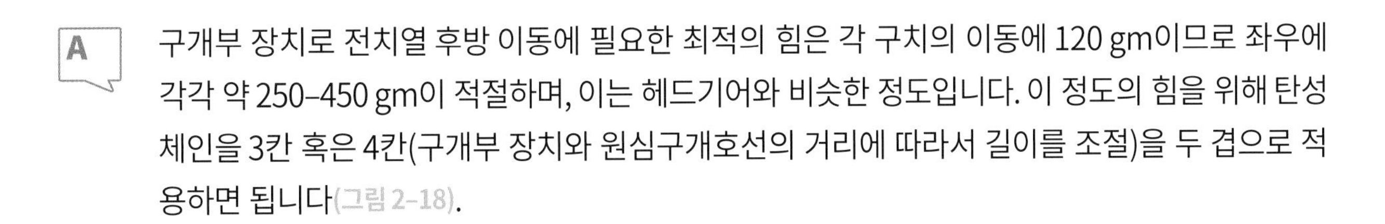

A 구개부 장치로 전치열 후방 이동에 필요한 최적의 힘은 각 구치의 이동에 120 gm이므로 좌우에 각각 약 250-450 gm이 적절하며, 이는 헤드기어와 비슷한 정도입니다. 이 정도의 힘을 위해 탄성체인을 3칸 혹은 4칸(구개부 장치와 원심구개호선의 거리에 따라서 길이를 조절)을 두 겹으로 적용하면 됩니다(그림 2-18).

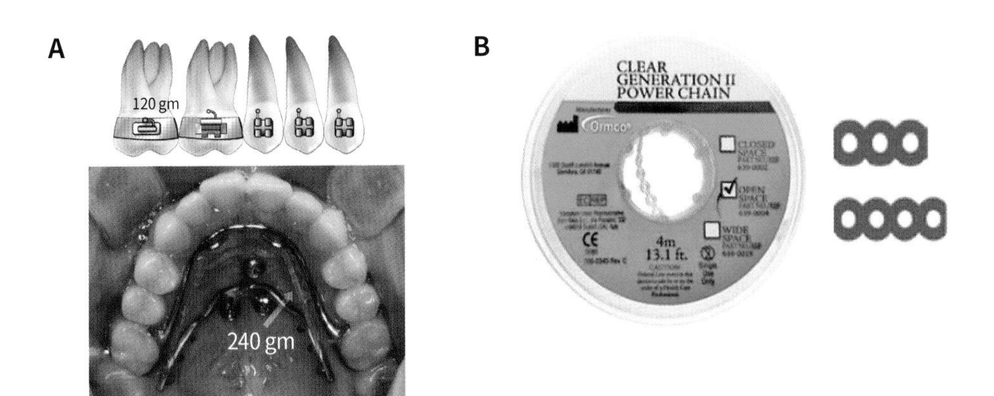

그림 2-18. A: 구치 이동 시 필요한 힘의 크기(120 gm)와 구개부 장치에서 적용하는 힘의 크기(240 gm), B: 탄성체인과 각각 3칸, 4칸으로 잘라진 모습

Q. 구치부 후방 이동 시 제2대구치에 브라켓 부착을 해야 하나요?

전치열 후방 이동 중에는 제2대구치에 밴드나 브라켓, 튜브를 접착해야 합니다. 제2대구치까지 교정용 호선이 연결되지 않으면 제2대구치가 원심으로 경사지고 제1대구치는 함입되어서 결과적으로 occlusal step이 형성될 수 있습니다. 이러한 현상들을 방지하기 위해서 제2대구치에 밴드나 브라켓, 튜브 접착을 통한 교정용 와이어 연결을 해야 합니다(그림 2-19, 20).

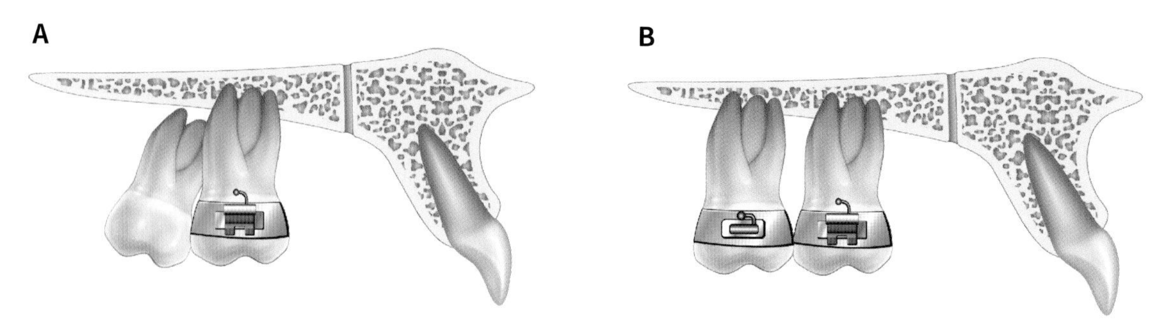

그림 2-19. A: 제2대구치까지 호선을 연결하지 않을 경우 발생하는 현상에 대한 그림, B: 제2대구치까지 연결한 경우 발생하는 현상에 대한 그림

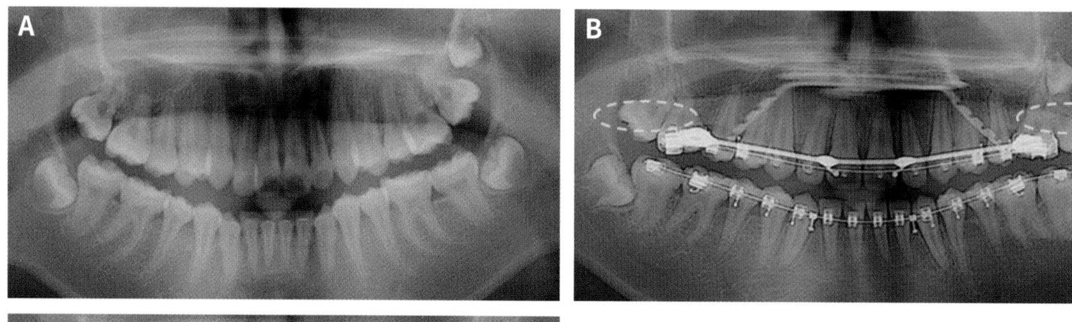

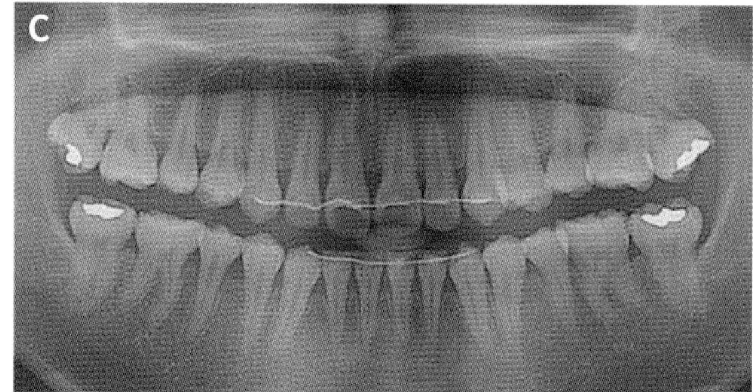

그림 2-20. 제2대구치에 브라켓 부착 없이 후방 이동한 경우 후방경사된 파노라마 사진
A: 초진, B: 치료 중, C: 치료 종료 후에도 제2대구치의 후방 경사가 심한 것을 확인할 수 있다.

Q. 제2대구치의 후방경사를 예방하기 위한 방법에는 어떤 것이 있나요?

제2대구치에 브라켓을 부착하여 후방 이동 시, 제2대구치가 종종 후방경사되는 현상을 보입니다. 이를 보상하기 위해서 아래와 같은 방법을 고려할 수 있습니다.

제1대구치는 비교적 치체 이동이 되지만, 제2대구치는 제1대구치 치관에서 힘을 받으므로 경사 이동이 될 수 있습니다. 현재 흔하게 쓰이는 제2대구치의 브라켓 prescription angulation은 0도입니다. 구개부 장치를 이용하여 구치부 후방 이동을 시키면 제2대구치가 후방경사되므로, (+) angulation으로 브라켓 부착을 하면 이를 사전에 예방할 수 있습니다(그림 2-21).

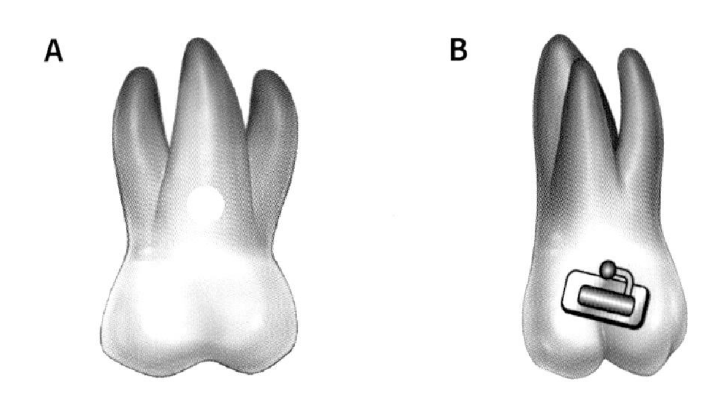

그림 2-21. A: 제2대구치의 회전 중심, B: 제2대구치에서 (+) angulation으로 브라켓 부착

Q. 장안모과 단안모에서의 치아 이동 양상은 어떻게 되나요?

장안모의 경우 치체 이동이 일어나는 반면, 단안모는 경사이동이 일어납니다. 반면에 치아의 후방 이동량에서는 단안모가 더 크며, 제1대구치에서 각각 장안모 환자에서는 2.7 mm, 단안모 환자에서는 4.3 mm 후방 이동량을 보였습니다. 이는 구개의 깊이에 따라 즉, 장안모는 구개가 깊은 반면 단안모는 구개가 얕아 힘의 방향에 차이가 있기 때문입니다. 구개가 깊은 장안모는 힘의 적용방향이 제1대구치의 저항중심에 가깝게 힘이 적용되어 치체 이동이 발생하며 구개가 얕은 안모는 저항 중심과 힘의 적용방향이 가깝지 않아 경사이동이 발생합니다(그림 2-22).

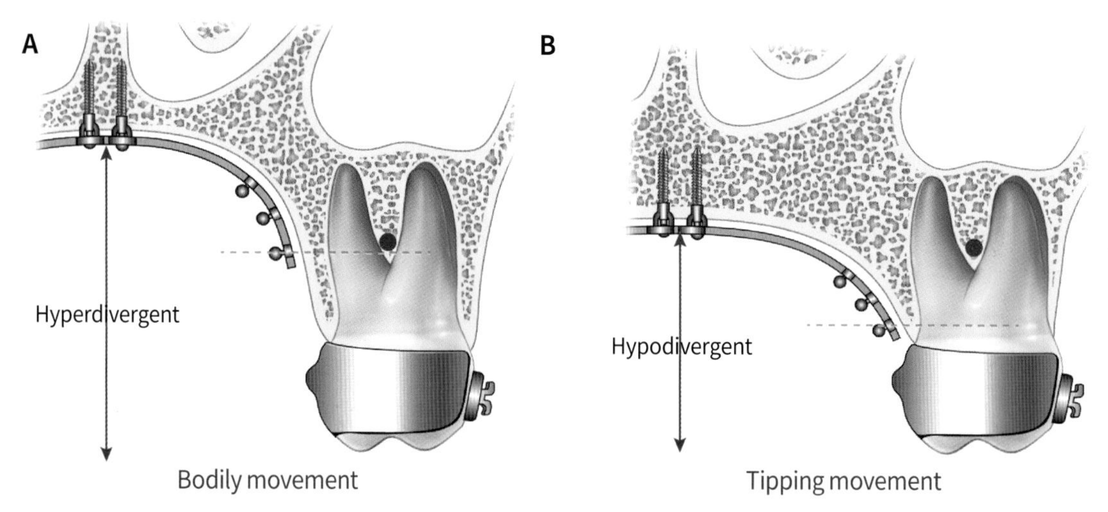

그림 2-22. 치열 후방 이동 시 제1대구치의 이동 양상
A: 장안모- 치체 이동, 구개의 깊이가 깊어 저항 중심과 힘의 적용방향이 가깝다. B: 단안모-경사이동, 구개의 깊이가 얕아 저항 중심과 힘의 적용방향이 가깝지 않다.

결론적으로 구개궁의 형태 및 크기는 구개부 장치의 힘의 방향을 결정하는데 있어서 매우 중요하며 이는 치료의 결과와 밀접하게 관련이 있으므로 치료 전에 환자의 구개궁 형태를 확인 후 기성 구개부 장치의 notch 수직적 높이를 조절하거나 환자 맞춤형 구개부 장치를 제작하는 것이 추천됩니다.

임상 팁

단안모에서는 가급적 레버암의 끝에서 가까운 부분에 힘을 주어 치아의 후방 이동 시 정출을 유도한다.

Q. 효율적인 돌출입 비발치 교정의 simple & easy한 생역학은 무엇인가요?

구개부 장치를 이용하여 상악 치열 후방 이동을 하였을 때 상악 구치부는 후방 이동과 함께 상방으로 함입 이동을 하며 이로 인해 상, 하 구치부 간 교합의 이개가 발생합니다(그림 2-23A, B). 하악 치열에 미니 임플란트를 식립하여 후방 이동을 실시하면서 동시에 상, 하 대구치 간에 수직 고무줄(box elastic)을 적용합니다(그림 2-23C). 그 결과, 하악 제2대구치가 정출하면서 후방 이동하기 때문에 치은에 묻히는 현상(impingement)이 방지되며 최대한으로 하악 치열을 후방 이동할 수 있습니다. 또한 동시에 상, 하 구치부 간 교합 이개가 해소되며 교합평면이 재구성됩니다(그림 2-23D). 그러므로 하악 치열 후방 이동을 할 때 상, 하 대구치 간 수직 고무줄을 적용하는 환자의 협조가 매우 중요합니다.

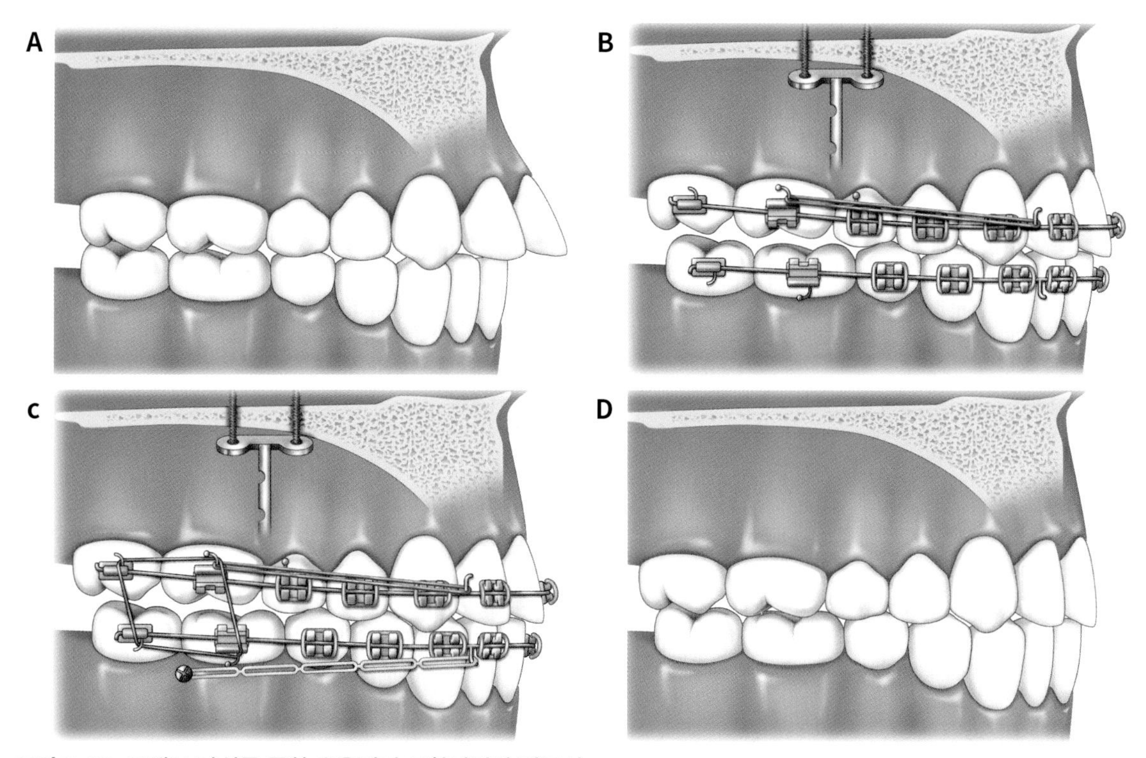

그림 2-23. 구개부 장치를 통한 효율적인 교합평면의 재구성
A: 초진 시, B: 상악 구치부 후방 이동 시 발생하는 구치부 이개현상, C: 하악 치열 후방 이동 시, 수직고무줄을 통해 하악 구치부 정출을 시행한다. D: 치료 후

2-4 구개부 장치의 적응증

구개부 장치는 상악 전체 치열을 후방으로 이동시키는데 큰 장점을 가지고 있는 장치이다. 상악 대구치가 원심 이동할 동안 소구치 및 견치의 원심 이동도 같이 일어나므로 전체 치료기간을 줄일 수 있다.

상악 제1대구치를 후방 이동시킴으로써 치열 공간 확보 및 교합 관계 회복에 도움을 준다. 특히, 발치가 필요한 정도의 제II급 부정교합이나 크라우딩을 가진 환자에서 발치 없이 비발치로 치료를 할 수 있다.

구개부에 위치해 교정력을 주는 다양한 장치가 있다. Pendulum appliance도 그 중 하나인데, 이러한 후방 이동 장치들에 비해서 구개부 장치는 치아에 치체 이동/압하력을 더욱 효과적으로 줄 수 있다는 장점이 있다. 그 밖의 장점에 대해서는 앞서 1장에서 기술한 바 있다.

다음과 같은 경우에서 구개부 장치를 사용했을 때 효과적이면서도 만족스러운 결과를 달성할 수 있다. 이에 대해 본 챕터에서는 간략히 다루고 추후 5-6장, 10장에서 보다 자세히 알아보도록 하자.

1 상악골 돌출

상악골 돌출이 있거나 치성 II급 관계를 가진 환자에서 상악 편악 발치를 통해 교합 관계를 회복하는 것이 일반적으로 고려될 수 있으나 구개부 장치를 사용하면 비발치로 돌출 및 교합 관계 달성이 가능하다 [그림 2-24, 자세한 내용은 9장의 심한(Severe) 돌출입 치료 전략 증례 참고].

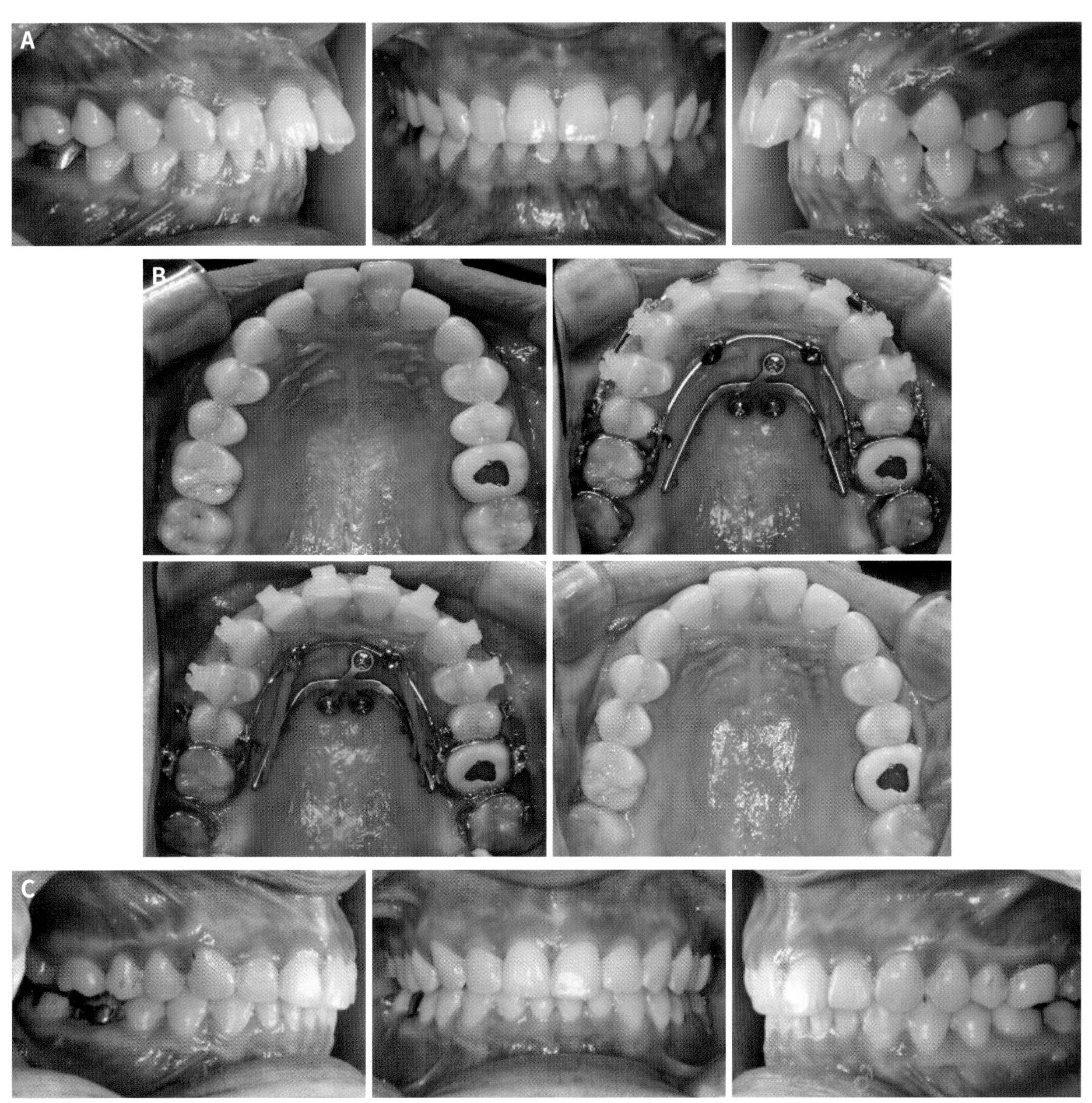

그림 2-24. 상악골 돌출을 보이는 환자에서 구개부 장치를 이용하여 치료한 모습
A: 치료 전, B: 치료 중, C: 치료 후

2 발치를 고려할 수 있는 중등도 이상의 크라우딩

치아 배열 공간이 부족하면서 입술 돌출이 있거나 돌출을 원하지 않을 때, 제1대구치 후방 공간을 이용한 상악 치열 후방 이동을 통하여 상악 전치의 돌출을 방지하면서 크라우딩을 해소할 수 있다. 구개부 장치는 상악 전체 치열 후방 이동에 효과적인 장치로 발치 없이도 충분한 공간 확보에 도움을 준다(그림 2-25, 자세한 내용은 8장의 상악 크라우딩 증례 참고).

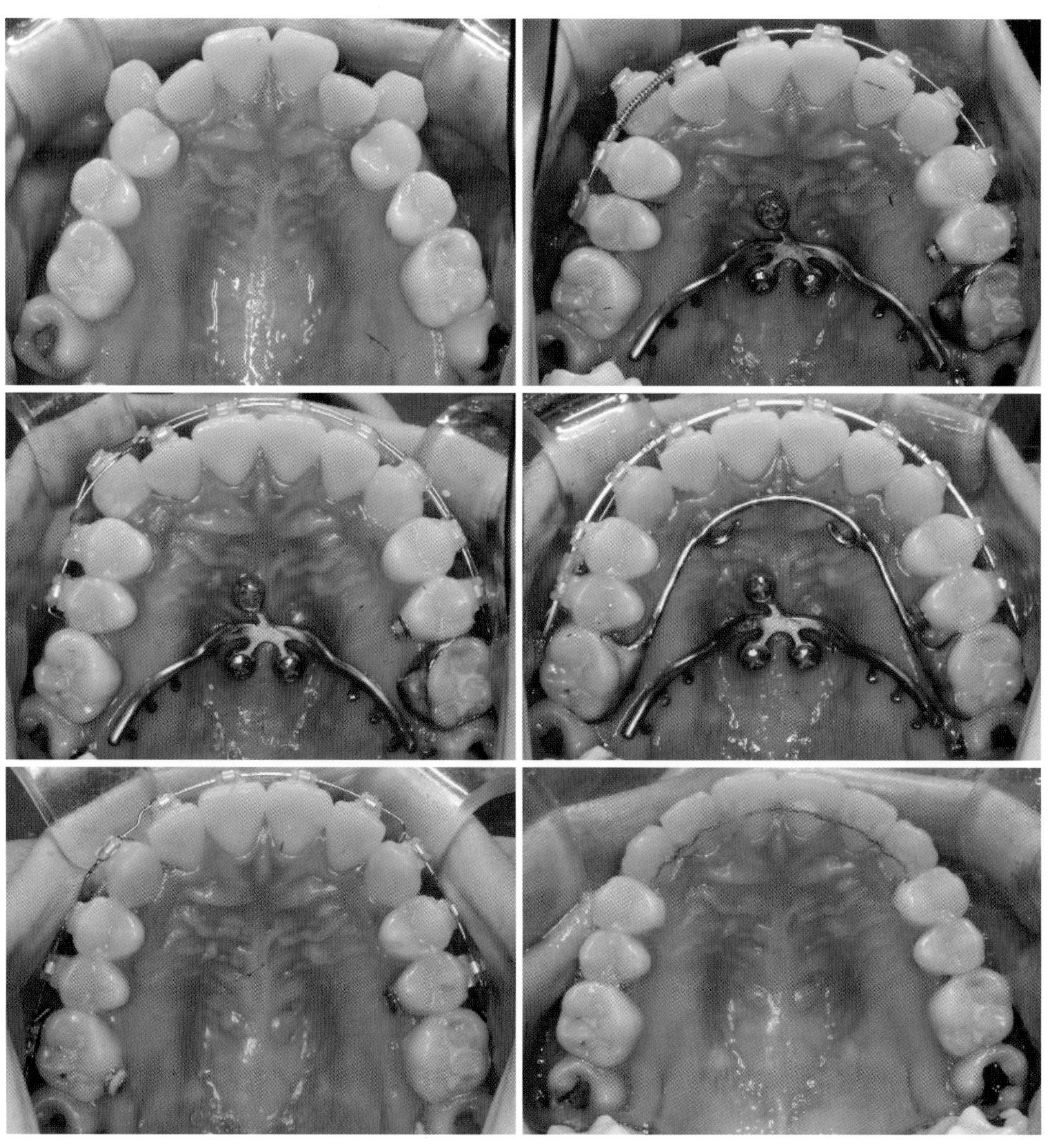

그림 2-25. 중등도 이상의 크라우딩을 보이는 환자에서 구개부 장치를 이용하여 치료한 모습

3 상악 측절치 block out 치료

상악 측절치가 block-out된 경우에 공간을 확보하기 위해 구개부 장치를 이용한다. 구개부 장치는 상악 전체 치열 후방 이동에 효과적인 장치로 발치 없이도 충분한 공간 확보에 도움을 준다. 다음은 상악 측절치 block-out을 해소하기 위해 구개부 장치를 사용하여 치료한 증례이다(그림 2-26, 자세한 내용은 10장의 술전 교정치료 시 block-out된 측절치 공간 확보 증례 참고).

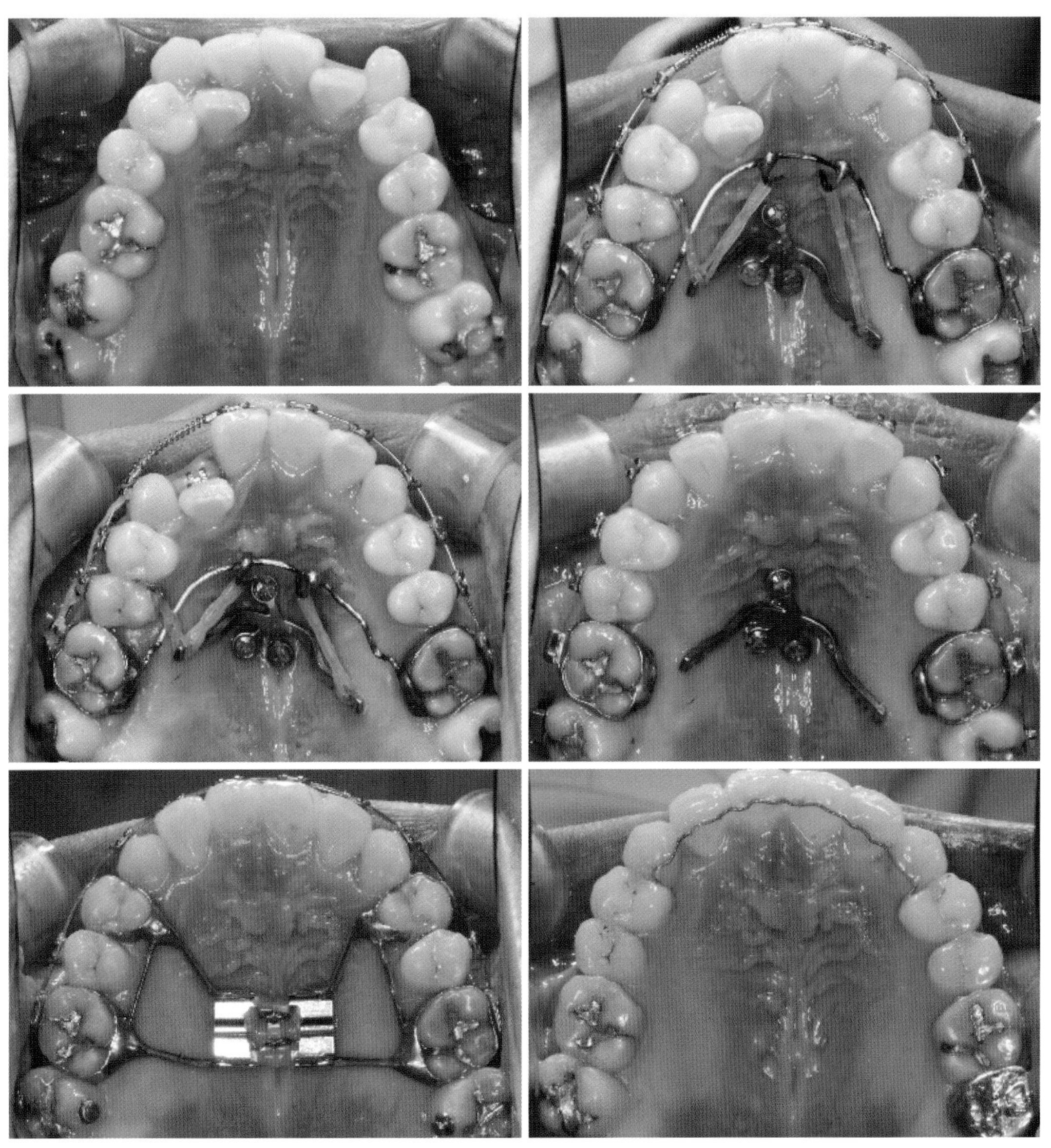

그림 2-26. 상악 측절치가 block-out된 환자의 치료 증례. 초기에 구개부 장치를 통해 치아 배열을 완료하였고 하악과의 횡적 교합을 맞추기 위해 추후에 상악골확장장치를 이용하였다.

4 매복치를 위한 공간 확보

치아가 매복되어 block-out된 경우 맹출 공간의 재확보를 위하여 구개부 장치가 활용될 수 있다. 다음은 상악 우측 제2소구치의 매복과 맹출 공간이 부족한 좌측 제2소구치의 공간을 확보하기 위해 구개부 장치를 사용한 증례이다(그림 2-27, 자세한 내용은 10장의 제2소구치 비발치 교정 증례 참고).[8]

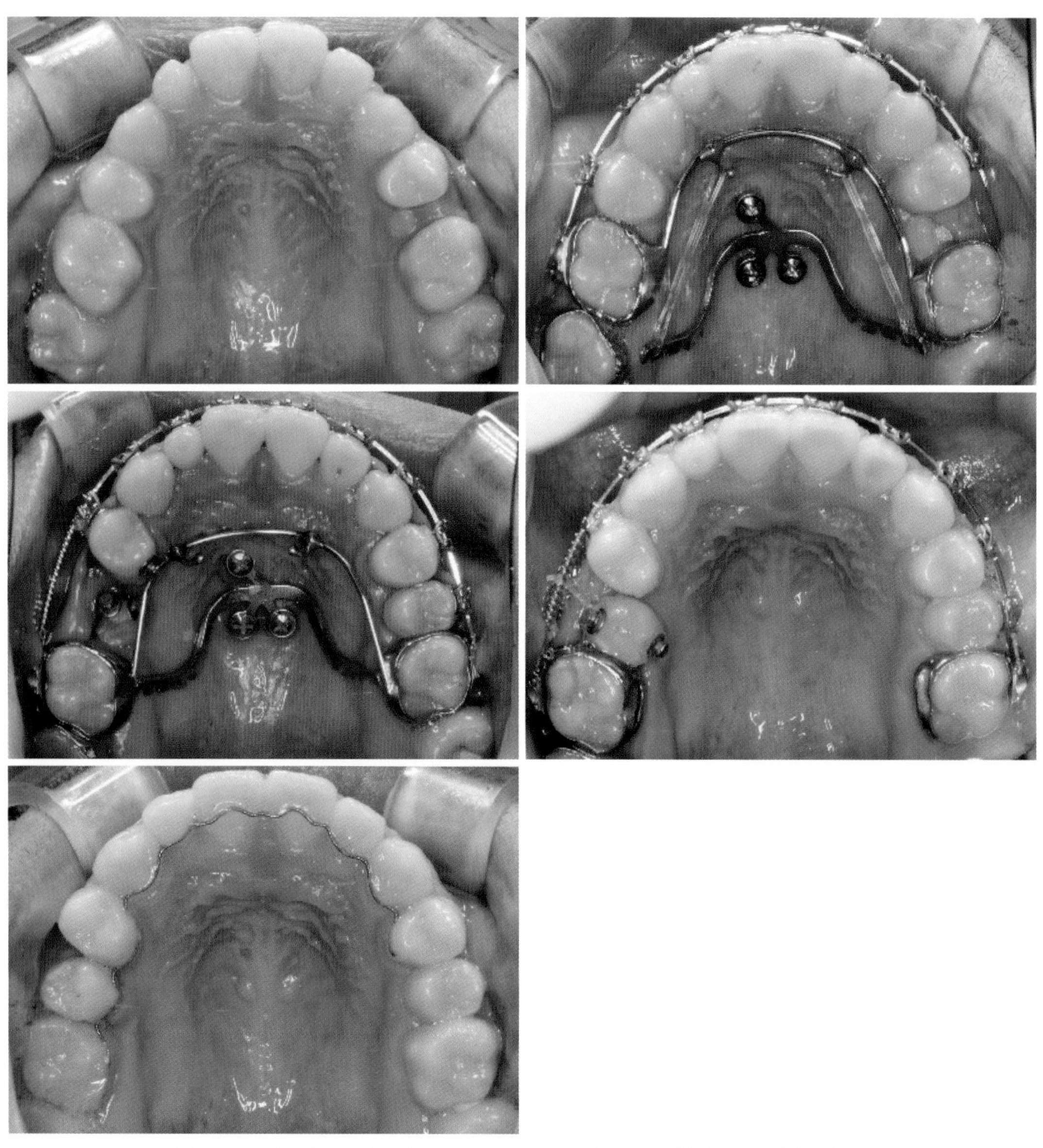

그림 2-27. 구개부 장치를 이용하여 상악 좌우 제2소구치의 공간을 확보한 모습

5 개방교합과 돌출입 치료

개방교합과 돌출입을 보이는 환자에서 구개부 장치를 이용한 전치열 후방 이동과 구치부 함입을 통하여 치료가 가능하다. 다음은 전치부 개방 교합과 돌출입을 보이는 환자에서 구개부 장치를 통하여 치료한 증례이다(그림 2-28, 자세한 내용은 7장의 개방교합과 돌출을 동반한 성장기 환자의 비발치 교정 증례 참고).[9]

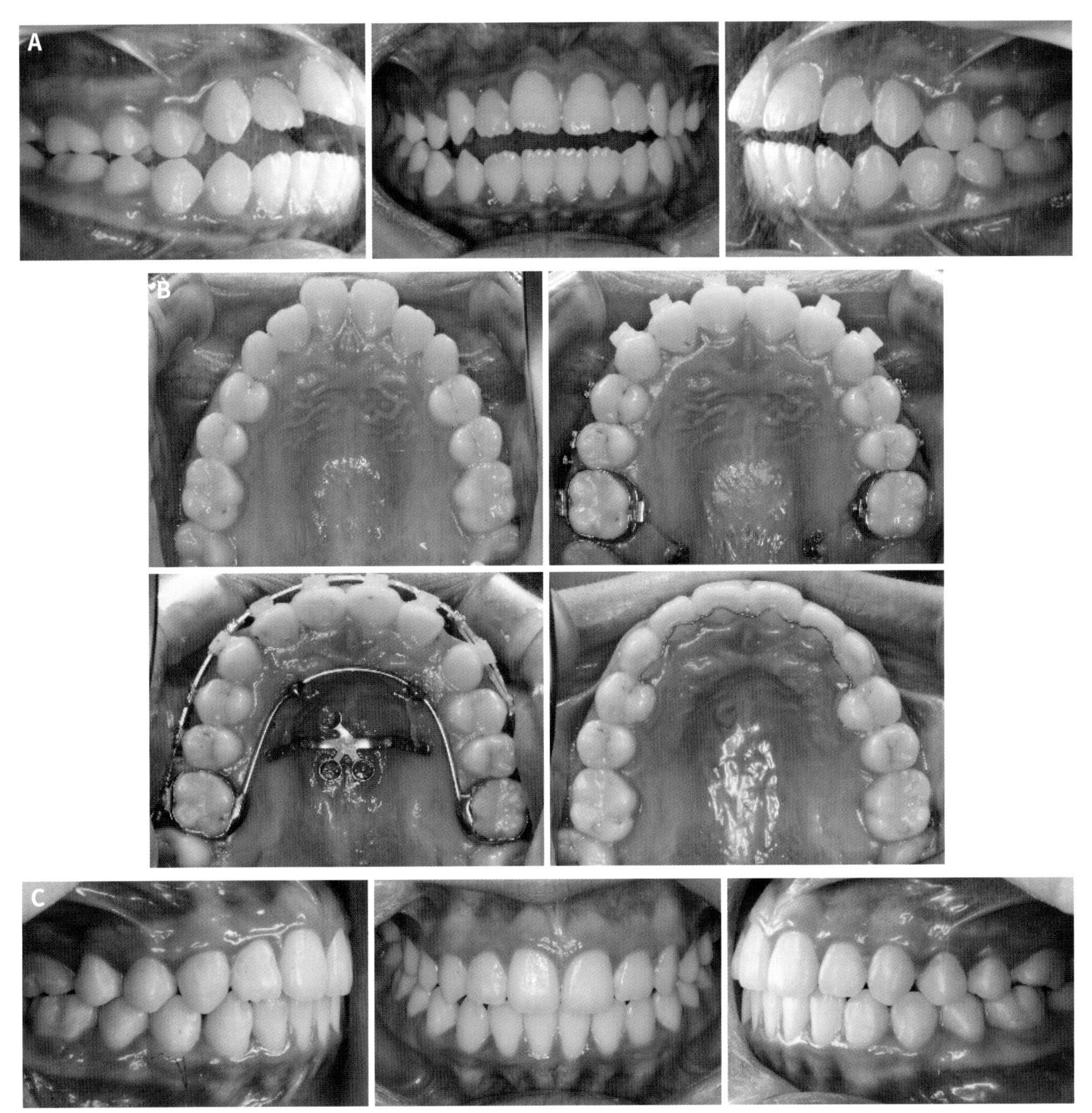

그림 2-28. 개방교합을 보이는 환자에서 구개부 장치를 이용하여 치료한 모습. A: 치료 전, B: 치료 중 교합면 모습, C: 치료 후

6 악교정 수술 환자에서 상악 구치부 후방 이동 및 함입

악교정 수술 환자의 수술 전 교정 시, 구개부 골성 장치를 이용할 수 있다. 다음은 상악 전치부 각도 개선과 상악 구치부 압하로 양악 수술을 편악 수술로 마무리한 증례이다(그림 2-29, 자세한 내용은 10장의 수술 교정 증례 참고).

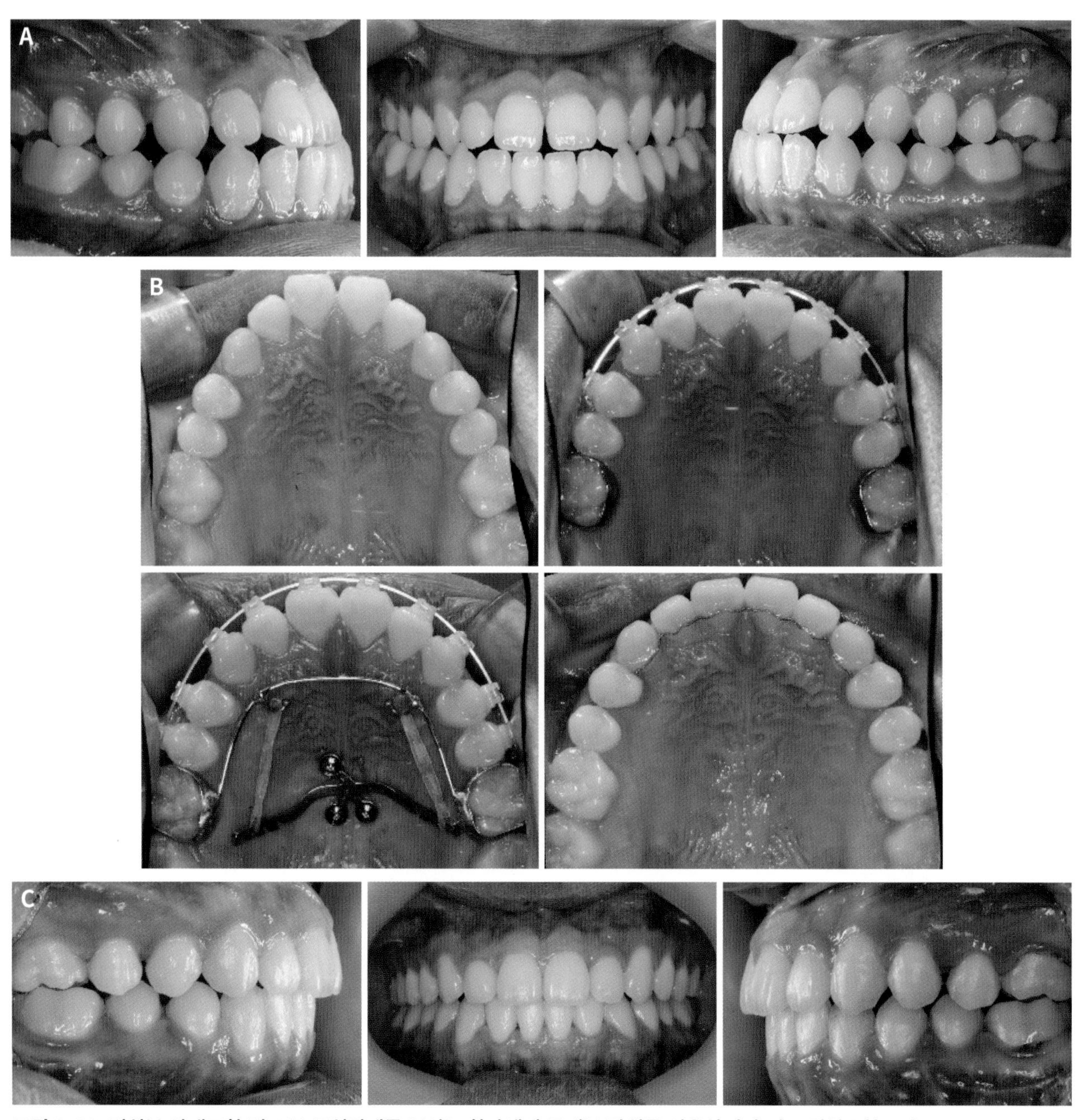

그림 2-29. 전치부 반대교합 및 III급 구치관계를 보이는 환자에서 구개부 장치를 이용하여 술전 교정치료한 모습
A: 치료 전, B: 치료 중 교합면 모습, C: 악교정 수술 후

2-5 구개부 장치와 발음

구개부 장치를 식립하면 발음을 하는데 어려움을 줄 것이라 예상되지만 실제로 그렇지 않다. 구개부 장치의 사용과 관련된 발음 변화 및 적응 평가에서 구개부 장치 식립 후 (T) 및 (N)의 발성개시시간(Voice Onset Time)이 증가했지만, 2주 후 정상으로 감소하였다. 일부 환자에게서 발음에 일시적인 어려움이 유발될 수 있으나 1-2주 내에 대부분 적응하여 큰 문제가 없다.[10] 술자는 구개부 장치 식립 후에 발음에 미치는 일시적 영향에 대해 환자 또는 보호자에게 미리 설명하는 것이 추천된다(그림 2-30, 31).

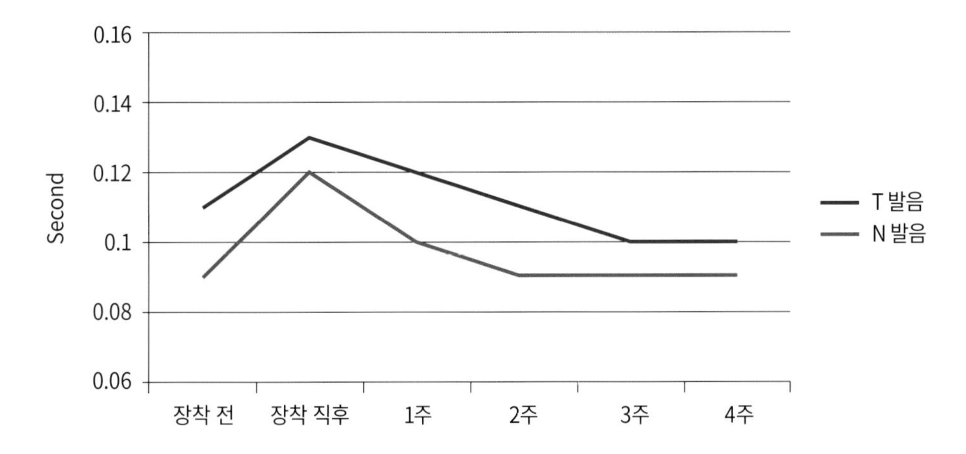

그림 2-30. 구개부 장치 사용과 발음 변화 및 적응 평가에서 일시적으로는 발음에 어려움을 느낄 수 있지만, 대부분의 환자가 1-2주 내에 적응하였다.

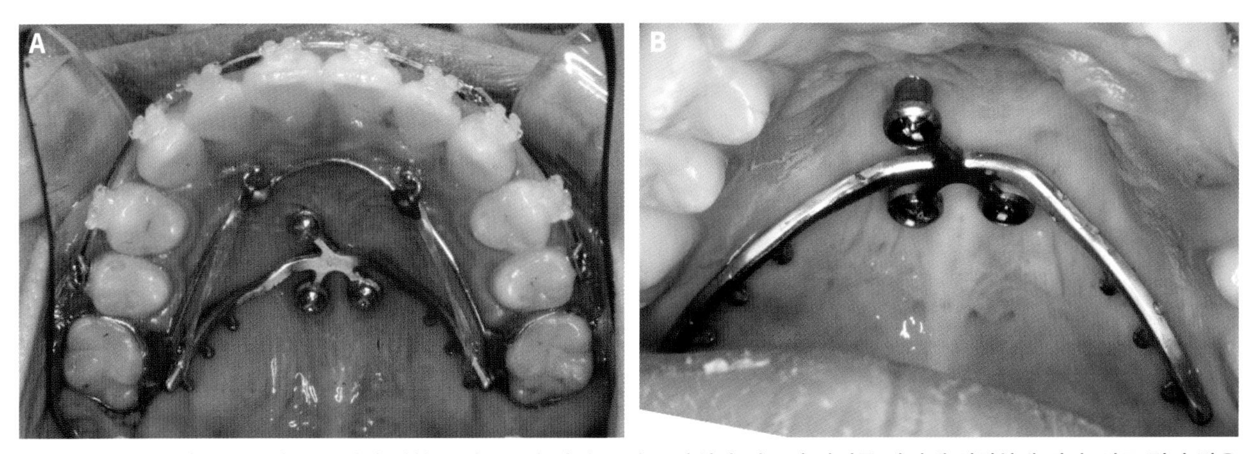

그림 2-31. 일반적으로는 발음 문제에 대한 우려로 A와 같이 구개부 장치과 연조직 사이를 가깝게 식립하게 된다. 연구 결과 발음 문제에 큰 영향 없이 환자들이 잘 적응하므로 B와 같이 충분한 공간을 띄어 줌으로써 염증이 생기지 않도록 하는 것이 중요하다.

참고문헌

1. Kook YA, Kim SH, Chung KR. A modified palatal anchorage plate for simple and efficient distalization. J Clin Orthod. 2010;44(12):719-43.
2. Kook YA, Lee DH, Kim SH, Chung KR. Design improvements in the modified C-palatal plate for molar distalization. J Clin Orthod. 2013;47(4):241-68.
3. Kook YA, Lim HJ, Park JH, Lee NK, Kim Y. 3D digital applications of the modified C-palatal plate for molar distalization. J Clin Orthod. 2021;55(12):773-81
4. 정규림. 임상치과교정학. 명문출판사; 1998년.
5. Yu IJ, Kook YA, Sung SJ, Lee KJ, Chun YS, Mo SS. Comparison of tooth displacement between buccal mini-implants and palatal plate anchorage for molar distalization: a finite element study. Eur J Orthod 2014;36(4):394-402
6. Lee JY, Park JH, Lee NK, Kim J, Chae JM, Kook YA. Biomechanical Analysis for Total Arch Distalization according to Location of Force Application and Types of Temporary Skeletal Anchorage Devices, Clin J Korean Assoc Orthod 2021;11(2):89-101
7. Jung CY, Park JH, Ku JH, Lee NK, Kim Y, Kook YA. Dental and skeletal effects after total arch distalization using modified C-palatal plate on hypo- and hyperdivergent Class II malocclusions in adolescents. Angle Orthod 2021;91(1):22-9.
8. Kook YA, Park JH, Bayome M. Space regaining with modified palatal anchorage plates. J Clin Orthod. 2015 Sep; 49(9):587-95
9. Kook YA, Park JH, Kim Y, Ahn CS, Bayome M. Orthodontic Treatment of Skeletal Class II Adolescent with Anterior Open Bite using Mini-Screws and Modified Palatal Anchorage Plate. J Clin Pediatr Dent. 2015;39(2):187-92.
10. Joo MC, Bayome M, Kang SJ, Ham LK, Lee NK, Park JH, et al. Evaluation of modified C-palatal plates on speech articulation using acoustic analysis. Orthod Craniofac Res 2022; doi:10.1111/ocr.12610.

03

구개부의 해부학과 구개부 장치의 식립

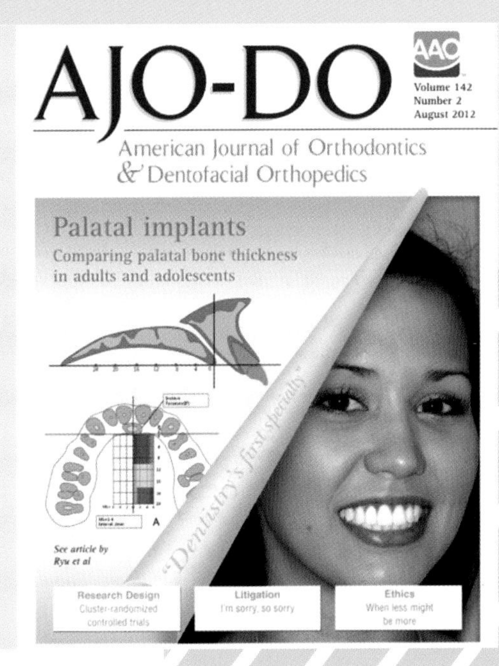

3-1. 구개부의 해부학적 특성

3-2. 구개부 장치의 안전한 식립 부위

3-3. 함기화(Pneumatization)된 구치부 치아의 후방 이동과 치근 흡수

3-4. 구개부 장치 준비 및 식립

3-5. 장치 식립 전후 관리

영상 1. 구개부 장치 식립 영상

3-1 구개부의 해부학적 특성

구개부위 골 두께, 밀도, 연조직 두께는 성공적인 장치 식립을 위한 중요한 요소이다.

혼합치열기에서는 좁은 치근간 공간과 맹출하는 영구치로 인해 협측면에 골성 고정원을 식립하는 것이 어렵기 때문에 치아 구조물이 없는 구개부위가 선택되어 왔다. 이 부위는 충분한 골의 양과 질을 가지며, 염증에 대한 감수성이 낮고 비의도적인 치근 손상의 위험이 적으며 치아이동에 방해가 되지 않는다.

정중구개봉합의 상호교차가 아동기나 후기 청소년기까지 지속되므로 이 부위는 식립 시 피해야 한다. 불완전하게 유합된 정중구개봉합에 골성 고정원을 식립하는 것은 젊은 환자에게서 합병증을 유발할 수 있다. 또한 구개융기가 있는 부위는 골밀도가 크므로 골성 고정원의 파절가능성을 평가하고 사전 드릴링(pilot drilling)을 고려해야 한다.

해부학에 대한 기본적인 이해를 통해 성공률을 높이고 발생가능한 합병증을 줄일 수 있다. 특히 청소년기의 구개부위 골의 두께, 밀도와 연조직 두께를 평가하여 구개부 골성 고정원의 가장 이상적인 식립 위치를 제시할 수 있다.

1 CBCT를 이용한 구개골의 두께 평가

Q. 구개골의 두께는 왜 중요한가요?

A 구개골의 두께는 연조직의 두께와 반비례하는 경향이 있습니다. 따라서 구개골의 두께를 알아야 합니다.

구개골의 두께는 구개부 장치의 성공률에 영향을 주는 중요한 요소이다. 구개부위는 골의 양이 많고 골질이 단단하기 때문에 장치의 식립에 있어서 안정적이고 신뢰할 만한 부위가 된다.

성별 간에 비교하면, 남자의 구개골 두께가 여자보다 더 두껍다. 안면 성장 유형과 구개골 두께 사이의 관계에서는 개방교합과 발산형 골격 성장 패턴을 보이는 환자 집단에서의 구개골 두께가 정상 교합인 사람보다 유의하게 적다.

초기(8.0세)와 후기 혼합 치열기(11.5세) 구개골의 두께는 구개의 정중선을 기준으로 보면 전방부(4.9 mm)보다 중앙부(5.9 mm)와 후방부(6.5 mm)에서 두껍다. 또한 중앙과 측방 부분에서는 전방부의 두께가 가장 두꺼웠다. 측방 영역은 중앙 및 정중선 영역보다 골 두께가 유의하게 작았다. 한편 성인에서도 구개골의 두께는 구개의 정중선을 기준으로 전방부(4.7 mm)보다 중앙(5.5 mm)과 후방(5.91 mm)에서 더 두꺼웠고, 중앙과 측방 부분에서는 전방부의 두께가 가장 두꺼웠다.[1)]

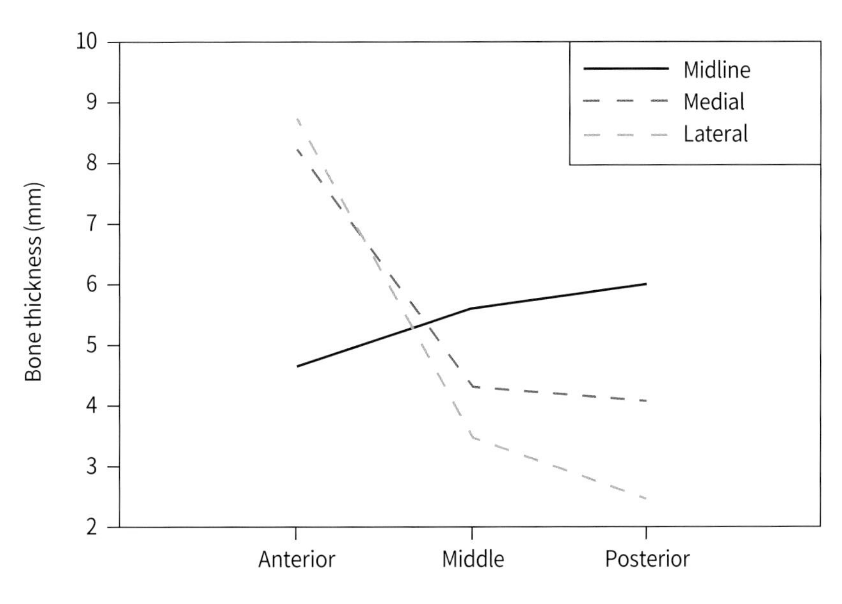

그림 3-1. 내외측과 전후방 위치 사이의 상호작용을 보여주는 구개골 두께

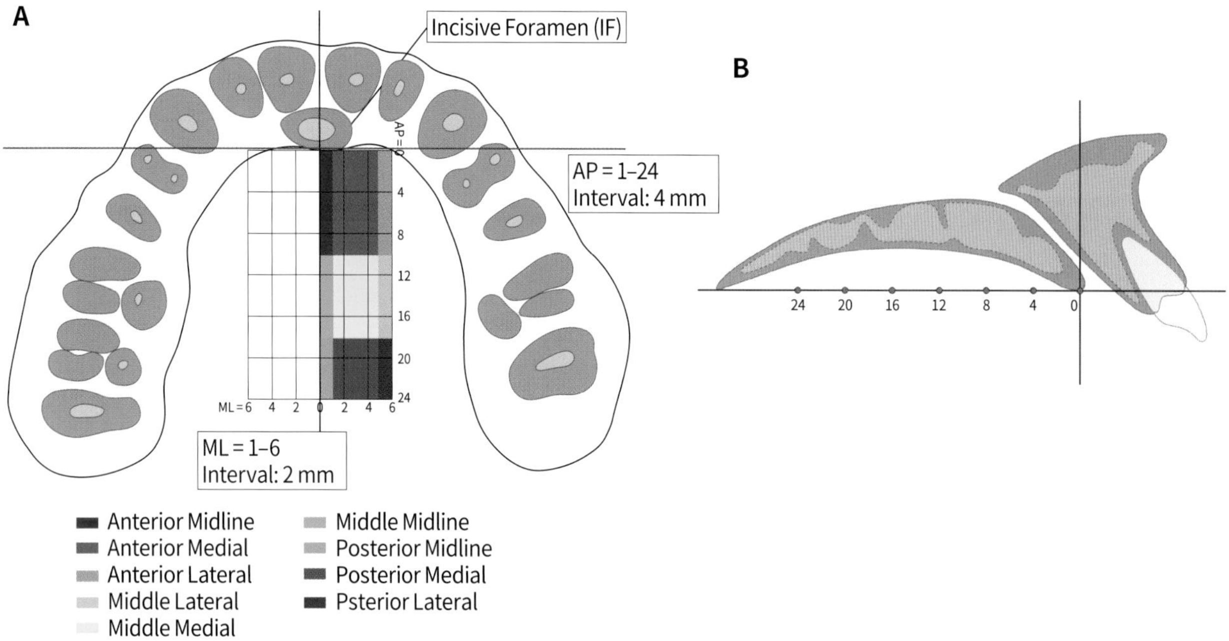

A

Incisive Foramen (IF)

AP = 0

AP = 1–24
Interval: 4 mm

ML = 6 4 2 0 2 4 6

ML = 1–6
Interval: 2 mm

B

24 20 16 12 8 4 0

- Anterior Midline
- Anterior Medial
- Anterior Lateral
- Middle Lateral
- Middle Medial
- Middle Midline
- Posterior Midline
- Posterior Medial
- Psterior Lateral

그림 3–2. CBCT를 이용한 구개골 두께 평가
A: 교합면, B: 시상면, 정중선에서는 후방 부분의 골 두께가 가장 두껍고, 측방 부위보다 중앙 부위가 더 두껍다.

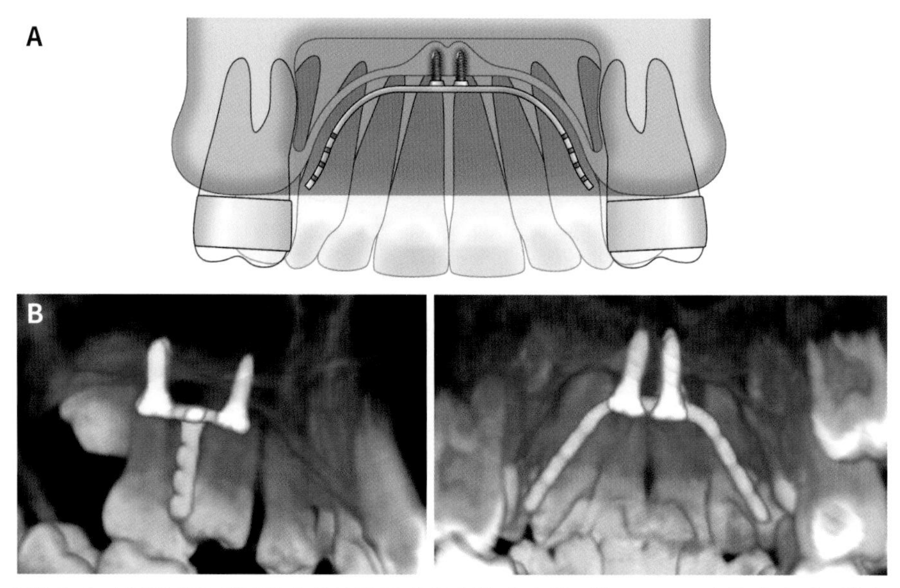

그림 3–3. 식편압입을 방지하기 위하여 구개와 장치 사이에는 최소 3 mm의 공간이 필요하다.

그러므로 구개부 장치를 안정적으로 지지하기 위해 10 mm 길이의 미니 임플란트가 구개부위에 식립되며, 구개 연조직의 평균적 두께 2 mm를 고려할 때 적어도 5 mm 이상의 골 두께가 필요하다. 따라서 위 연구 결과에서 얻은 구개 부위 골 두께만을 가지고 판단할 때, 구개부 장치가 안정적으로 식립될 수 있는 부위는 구개의 전방 부위 혹은 중앙 부위를 포함한 정중구개부위이다(그림 3-5).

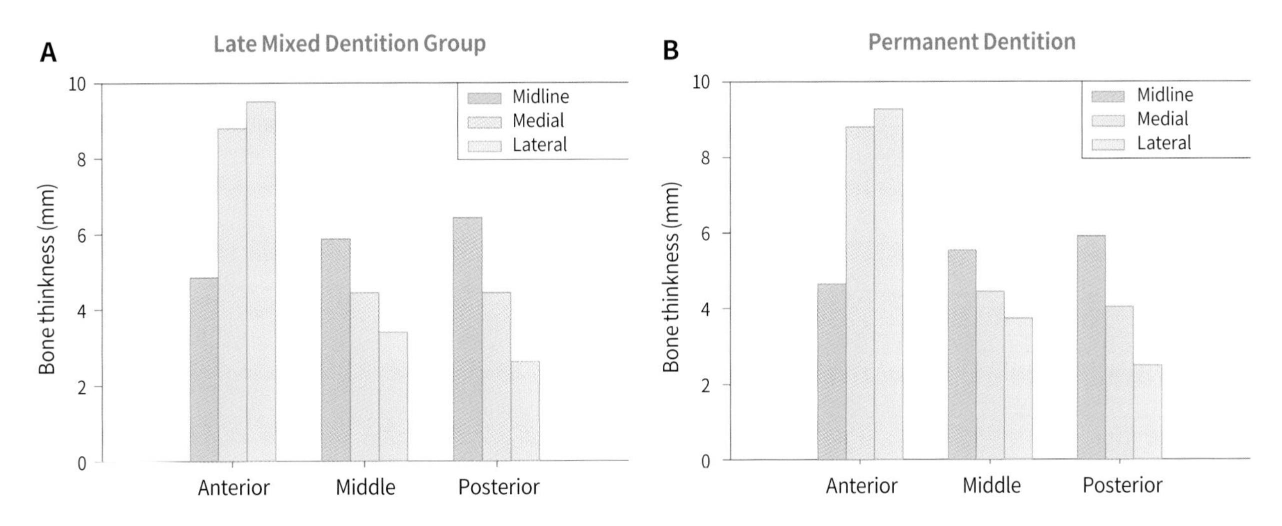

그림 3-4. 구개골의 부위별 두께. A: 후기 혼합치열기, B: 영구치열기

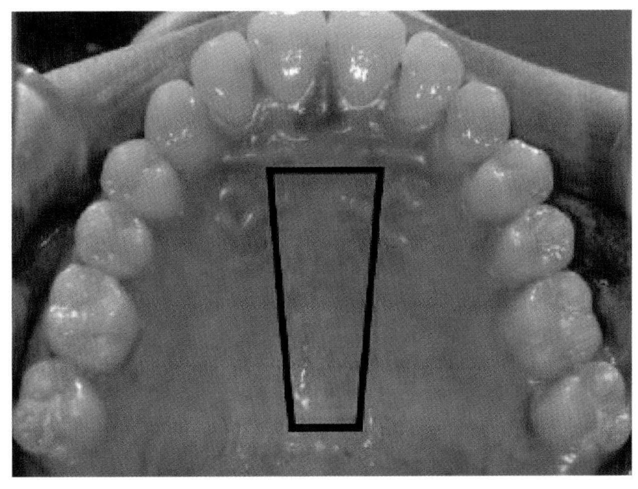

그림 3-5. 구개 골 두께가 두꺼운 영역

Q. 경구개에 골융기가 있는 경우는 구개부 장치 식립이 가능한가요?

A 구개골 융기가 있는 환자에서도 사전 드릴링을 이용하여 충분히 구개부 장치를 식립할 수 있습니다.

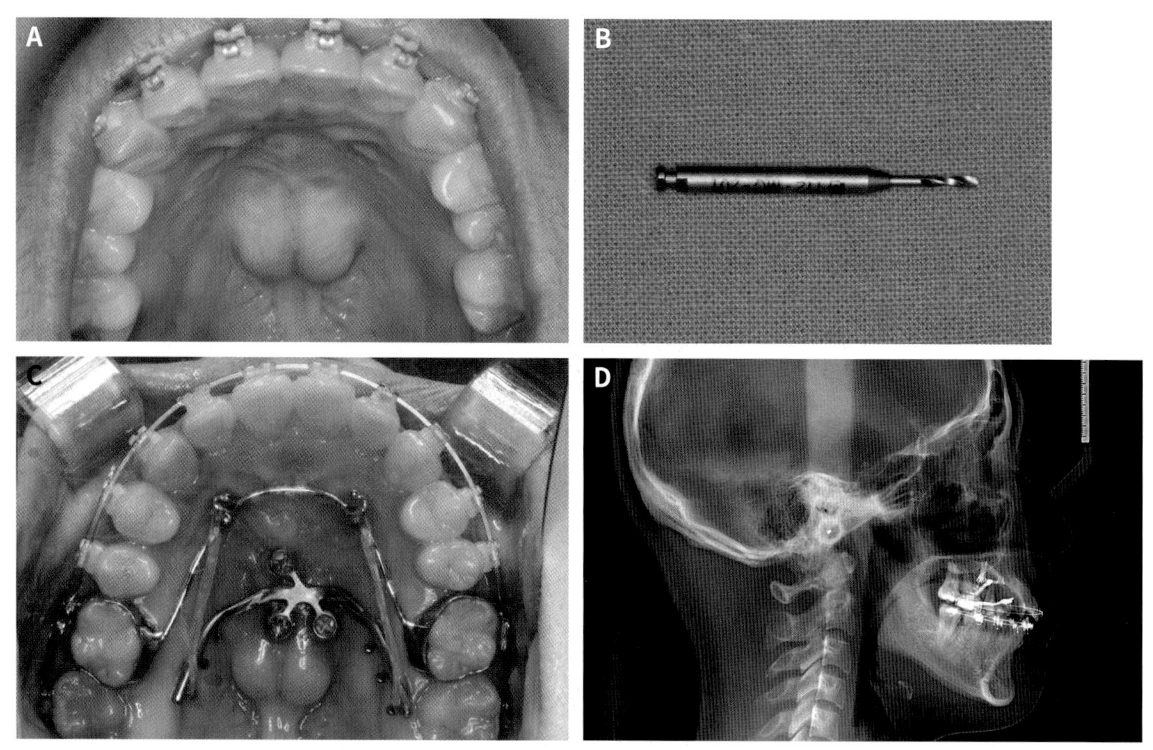

그림 3-6. 구개골 융기가 발달한 환자에서의 구개부 장치 식립
A: 정중구개봉합 부위에 구개골 융기가 발달한 환자의 교합면, B: 사전 드릴링을 위한 핸드피스용 드릴, C: 구개골 융기상에 식립된 구개부 장치를 이용하여 상악 제1대구치를 후방 이동하는 모습, D: 구개골 융기상에 식립된 구개부 장치를 보여 주는 방사선 사진

Q. 구개골 융기가 있는 환자에서 식립 후 점막이 눌려 염증 반응이 일어나지는 않을까요?

A 연조직의 두께가 얇으면 염증이 덜 발생합니다. 골 융기가 있는 부분의 점막이 일반적으로 얇기 때문에 골융기에 사전드릴링을 한다면 문제없이 식립이 가능합니다.

2 CBCT를 이용한 구개부의 밀도 평가

Q. 구개부의 밀도는 식립 시 왜 중요할까요?

성인보다 청소년기에 구개골 밀도가 낮기 때문에 미니 임플란트 식립 시에 저항이 크지 않아 이동식 토크 드라이버를 사용했을 경우 30 N.cm으로도 충분합니다. 또한 여성의 경우가 남성보다 구개골 밀도가 높아서 식립 시 저항감이 발생합니다.

골성 고정원 식립 시 통상적으로 고려되는 협측 피질골의 경우 실패율은 성인보다 청소년에서 높은데, 이는 청소년의 미성숙한 골과 더불어 더 얇은 피질골 층이 원인일 수 있다.

성장기 환자와 성인 환자 모두 남자보다 여자의 구개골 밀도가 더 높으며, 구개 정중선 주위에서 견치와 제1소구치 사이 전방부에서의 골밀도는 후방부에 비해 더 크다고 하였다. 또한 측방 영역과 비교해서 정중주위부에서 더 큰 구개골 밀도를 가지며, 후측방에서 밀도가 감소한다고 하였다.[2)]

또한 성인(24.7세)과 청소년(12.2세) 두 집단에서 모두 피질골은 전방에서 후방으로 그리고 내측에서 측방으로 갈수록 감소한다고 하였다. 후기 혼합치열기에서 피질골의 밀도는 후방부(128.8 HU)에 비해 전방(143.9 HU) 및 중앙부(145.5 HU)에서 더 컸다. 성인집단에서는 내외측으로의 변화가 뚜렷하게 나타나지 않지만 청소년 집단에서는 그 변화가 뚜렷했다. 청소년의 경우에 전방부에서의 피질골 밀도는 성인의 후방부의 밀도와 비슷하다. 따라서 청소년에게서는 구개부 장치를 전방부에 식립하는 것이 좋다.

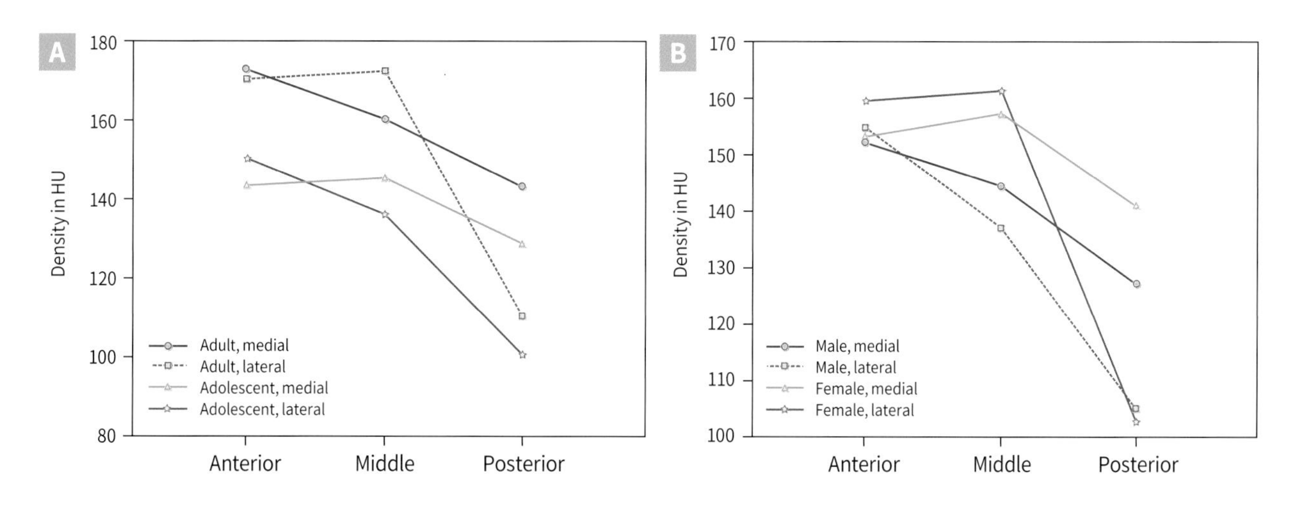

그림 3-7. 구개 영역에 따른 해면골 밀도의 비교. A: 성인 대 청소년, B: 남자 대 여자

결론적으로 정중구개주위 부위는 충분한 피질골 밀도를 가지고 있어 최적의 식립 부위로 추천되며, 전후방적으로는 약 제2소구치 부위에 근접한 절치공에서 15 mm 후방부위가 높은 피질골 밀도를 보이므로 최적의 식립 부위로 추천된다. 따라서 청소년에게서 미니 임플란트를 전방부에 식립하는 것이 권장된다.

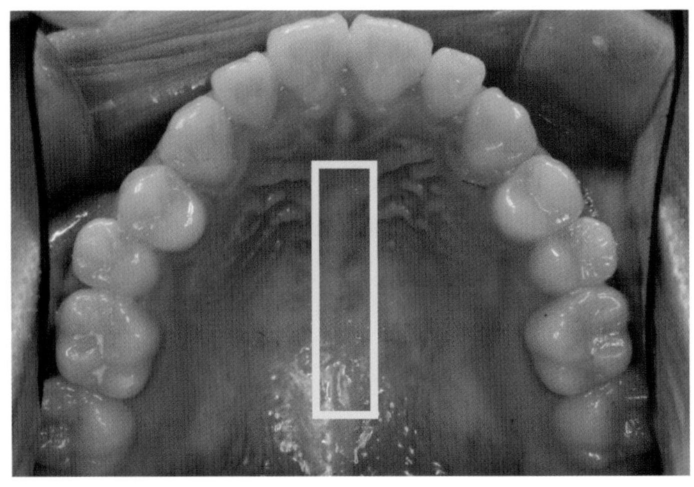

그림 3-8. 구개골의 골밀도가 가장 높은 영역

3 구개부의 연조직 두께 평가

Q. 연조직의 두께는 왜 중요한가요?

A 연조직의 두께는 염증 발생과 직결됩니다. 두꺼운 연조직은 염증 발생 가능성을 높입니다.

점막의 유형이 골성 고정원의 성공률에서 중요한 요소일 수 있다. 염증은 골성 고정원 실패의 원인 중 하나이다. 구개의 각질화된 비가동성 점막은 이점으로 여겨졌으며, 구개에서 골성 고정원 식립의 낮은 실패율에 중요한 역할을 할 수 있다. 그러나 골성 고정원을 식립하기에 가장 적합한 부위를 식별하기 위해 구개 연조직의 두께를 평가하는 것이 중요하다.[3)]

초음파 장치를 사용하여 남자보다 여자의 구개 연조직이 더 두껍다는 것이 밝혀졌다. 청소년과 성인 사이에 구개 연조직 두께 차이가 크지 않음을 보고했으나, 연령과 측정부위의 내외측 위치 사이에는 유의한 상호작용이 있었으며, 청소년이 내측으로는 더 얇은 구개 연조직을 가지며 측방으로는 성인에 비해 더 구개 조직이 더 두껍다.[4)]

Q. 임상적으로 구개부 장치는 어디에 식립해야 하나요?

전후방적인 연조직의 두께는 전방에서 후방부로 갈수록 점진적으로 증가하므로 연조직 두께가 얇은 내측 정중부위에 식립해야 합니다.

추가적으로 악궁 형태에 따라서 미니 임플란트 식립 후 염증 발생에 유의한 차이를 보이는데, 그 이유는 구개의 형태가 테이퍼형인 집단이 난형 및 사각형인 집단에 비해 연조직의 두께가 더 넓기 때문이다. 따라서 구개가 테이퍼형인 환자는 치열궁 확장을 통해 구개의 형태를 난형으로 변화시킨 후 구개부 장치 장착을 권유한다.

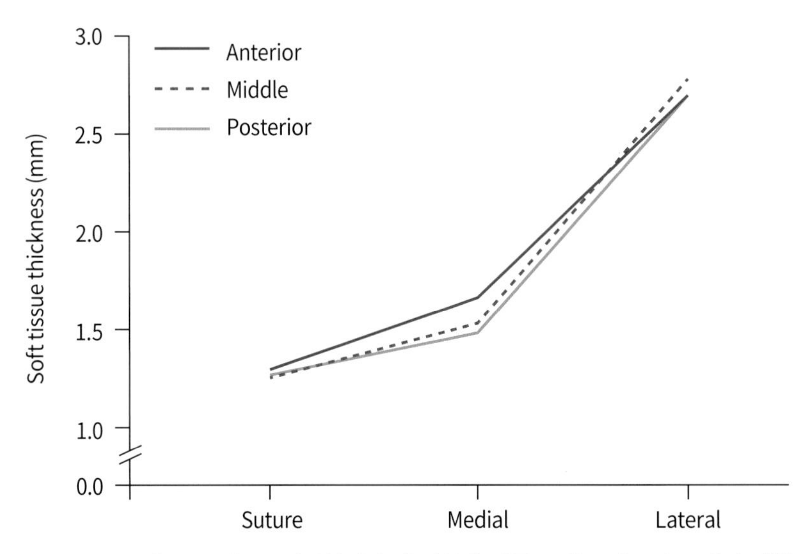

그림 3-9. 정중구개봉합의 측방 위치에 따른 구개부 연조직 두께의 변화

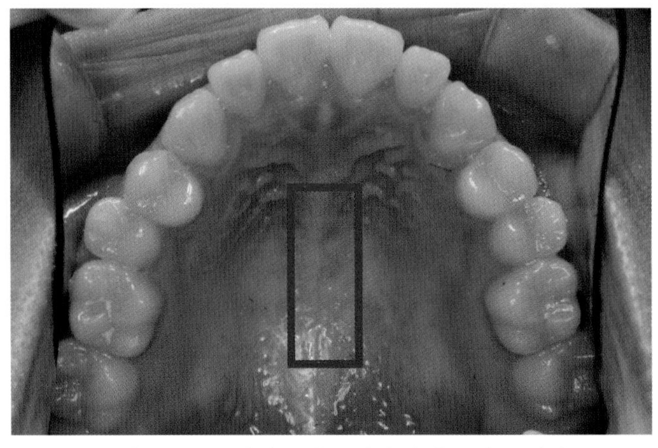

그림 3-10. 구개 연조직 두께가 가장 두꺼운 영역

Q. 식립해야 하는 부위에 구개 주름(rugae)이 상당히 발달한 환자의 경우는 어떻게 해야 할까요?

우선 구개 주름 부위에 식립하는 것은 기피해야 합니다. 그 이유는 구강 위생관리 어려움과 상악 전치부의 후방 이동으로 인한 구개 주름이 깊어질 수 있기 때문입니다. 실제로 미니 임플란트를 심었을 때, 구개 주름 부위에 심었을 경우 연조직 염증이 빈발하였습니다. 따라서 구개 주름이 발달한 환자에서는 염증 가능성을 고려하여 식립에 유의해야 합니다.

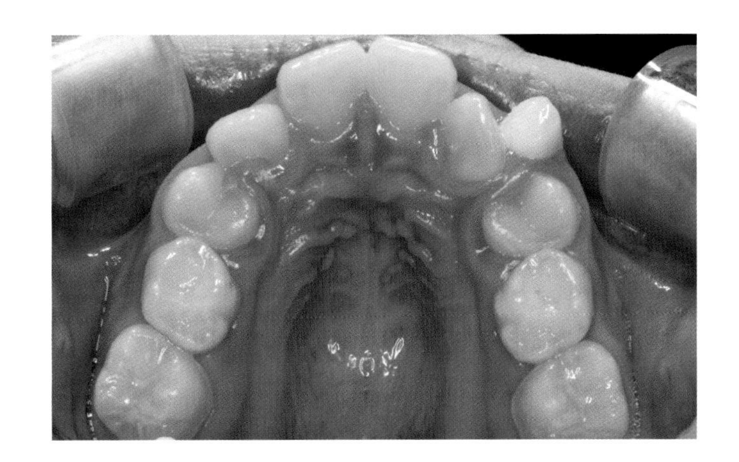

임상 팁

구개 주름 부근에는 미니 임플란트 식립을 피하자! 그 이유는 구강 위생관리의 어려움과 상악 전치부의 후방 이동으로 구개 주름이 깊어질 수 있으므로 염증 발생이 더 쉽기 때문이다.

3-2 구개부 장치의 안전한 식립 부위

Q. 골 두께, 밀도와 연조직 두께를 종합적으로 고려했을 때 가장 이상적인 식립 위치는 어디인가요?

구개부위 골 두께, 밀도와 연조직 두께를 모두 고려했을 때 아래의 그림과 같이 빨간색은 연조직, 검은색은 골두께, 그리고 노란색은 골밀도이므로 공통으로 포함하는 부분에 미니 임플란트가 식립되어야 합니다. 가장 적절한 부위는 제2소구치 혹은 제2유구치와 제1대구치 사이에 위치한 정중구개부위 주위 근방 2 mm입니다.

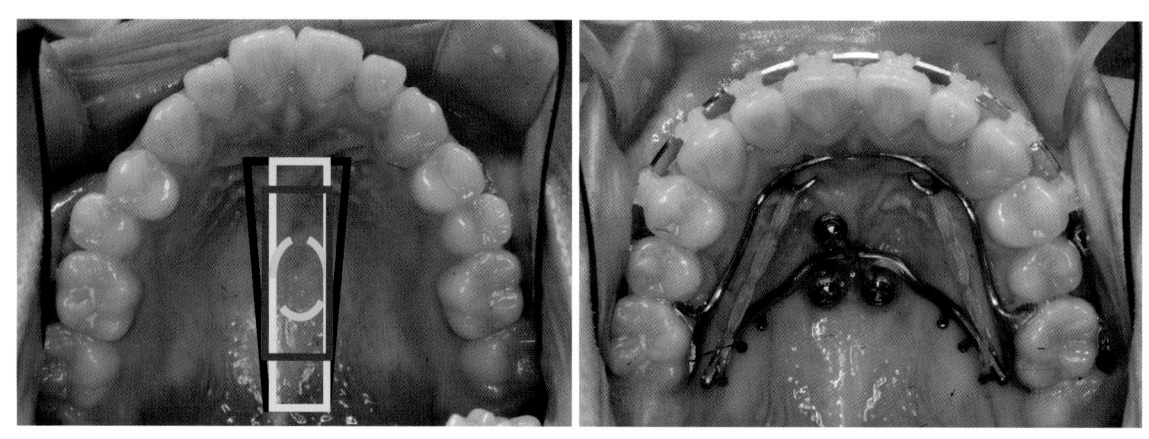

검정색: 구개골 두께, 노란색: 구개골 밀도, 빨간색: 구개 연조직 두께

임상의의 탄탄한 해부학적 배경지식은 최적의 의사결정을 내리고 구개부 장치를 이용한 비발치 치료의 성공에 중요하다.

3-3 함기화(Pneumatization)된 구치부 치아의 후방 이동과 치근 흡수

Q. 함기화된 치근을 가진 구치부 치아도 후방 이동이 가능할까요?

A 함기화된 경우에도 그렇지 않은 경우와 같이 충분히 구개부 골성 고정원을 이용하여 원하는 만큼의 후방 이동을 시킬 수 있습니다.

상악동저(sinus floor)의 함기화는 구치부 치근이 상악동 내로 돌출되게 하는 요소이다. 이러한 비율은 소구치에서는 3–14% 정도이고, 대구치에서는 각각 19–30% 정도로 보고된다. 과거에는 치근이 상악동의 함기화된 공간 내로 이동할 시에 치근 흡수가 많이 발생하고 치체 이동이 힘들 것으로 여겨졌다.

구개부 골성 장치를 이용하여 함기화된 구치부를 후방 이동할 시 함기화된 경우와 그렇지 않은 경우에서 이동량에 차이가 있는지 연구하였으며, 그 결과 함기화 유무에 상관없이 후방 이동량에는 차이가 없다고 하였다.

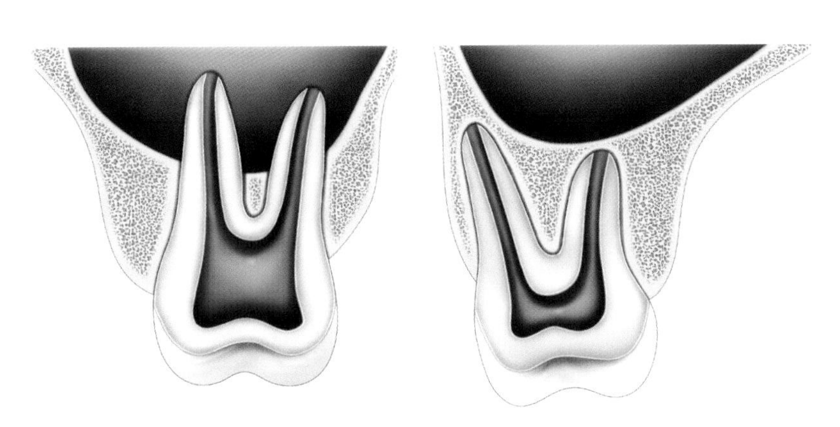

그림 3-11. 상악동의 함기화 여부는 치아의 후방 이동량에 영향을 주지 않는다.

결론적으로 함기화 여부에 관계없이 II급 구치관계를 갖는 환자에서도 구개부 장치를 사용하여 비발치 교정을 통하여 효율적인 구치부 치열의 치체 이동이 가능하다.

결론적으로 함기화된 그룹에서 제2대구치의 경사가 조금 더 있었을 뿐, 함기화된 치아와 그렇지 않은 치아에서 치아의 전후방적 그리고 수직적 치아 이동량에는 유의미한 차이가 없었다. 그러므로 II급 부정교합 환자의 교정치료에서, 상악 구치부의 치근이 함기화된 상악동 내 공간에 위치하더라도 그렇지 않은 치아들과 차이가 없기 때문에 비발치 교정으로도 교정치료가 가능하다.[5]

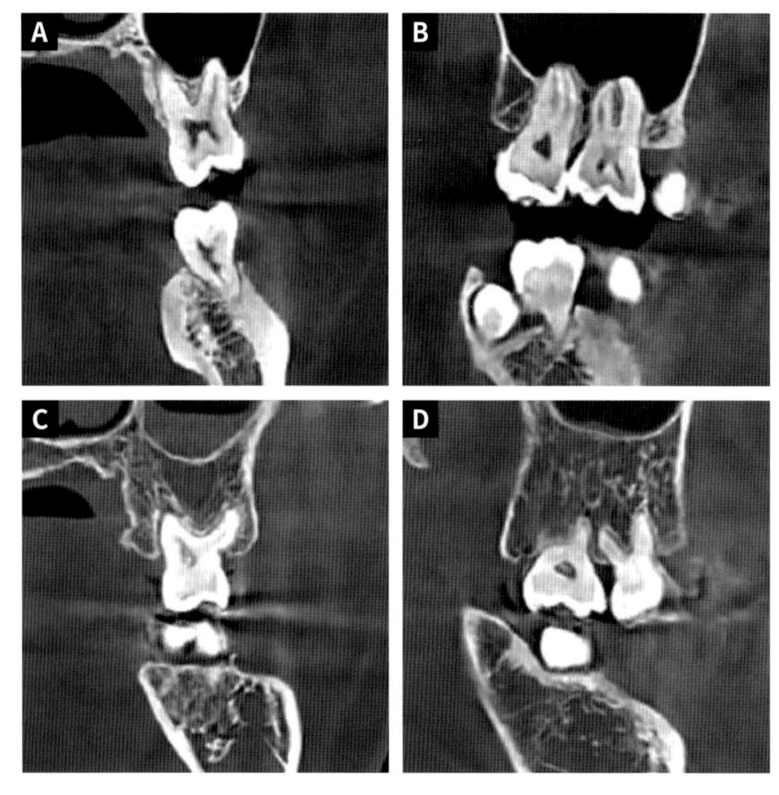

그림 3-12. CBCT 상에서의 상악 구치 치아와 상악동저 관계
A, B: 상악동이 함기화된 경우
C, D: 상악동이 함기화되지 않은 경우
(출처: Kim et al.[5]의 허가를 받아 인용)

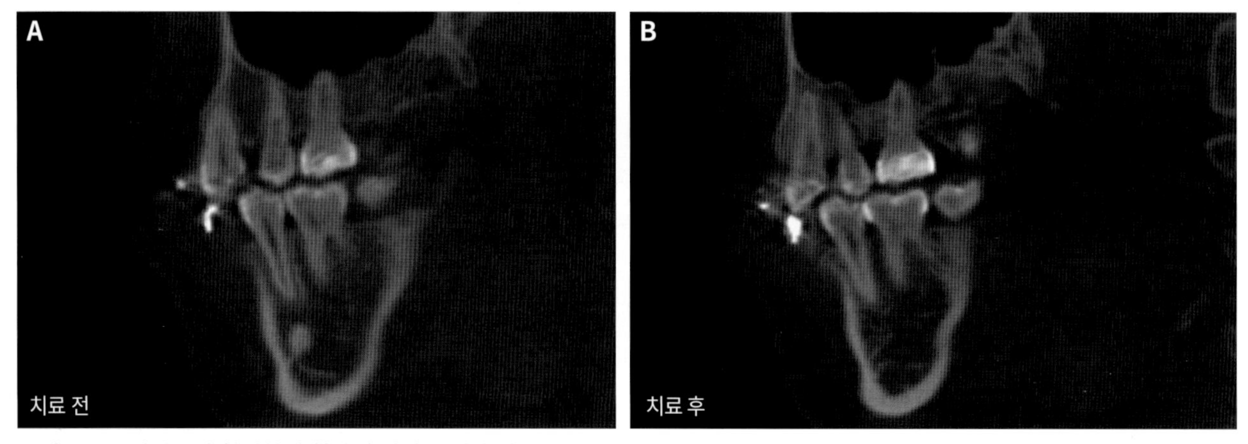

그림 3-13. 상악동이 함기화된 환자의 상악 치열 후방 이동
A: 상악 치열 후방 이동 전, 상악동이 함기화로 인해 이동할 치아의 치근까지 내려와 있다. B: 상악동의 함기화에도 불구하고 상악 치열의 후방 이동량이 충분히 얻어졌다.

Q. 함기화된 치근을 가진 구치부 치아의 후방 이동 시에 치근 흡수는 문제 없나요?

A 구개부 장치가 적절한 기간 동안 올바르게 적용된다면 상악 제1대구치에 유해한 작용 없이 상악 치아를 후방 이동시킬 수 있다.

상악 구치의 후방 이동량이 클 때 치근 흡수의 위험성이 제기될 수 있다. 구개부 장치를 이용한 상악 치열의 후방 이동 시 나타나는 치근 흡수의 양상을 CBCT를 이용하여 비교한 결과, 제2대구치의 원심 협측 치근에서 가장 많은 양의 치근 흡수(약 1.06 mm)를 보였고, 견치에서 가장 적은 양의 치근 흡수(약 0.67 mm)를 보였다.

한편, 후방 이동 기간과 치근 흡수 정도의 관계는 제1대구치에서 유의한 상관관계를 보였다. 즉, 후방 이동 기간이 길어질수록 제1대구치의 치근 흡수량이 증가하는 것으로 나타났기 때문에, 구개부 장치가 적절한 기간 동안 올바르게 적용된다면 상악 제1대구치에 유해한 작용 없이 상악 치아를 후방 이동시킬 수 있다.

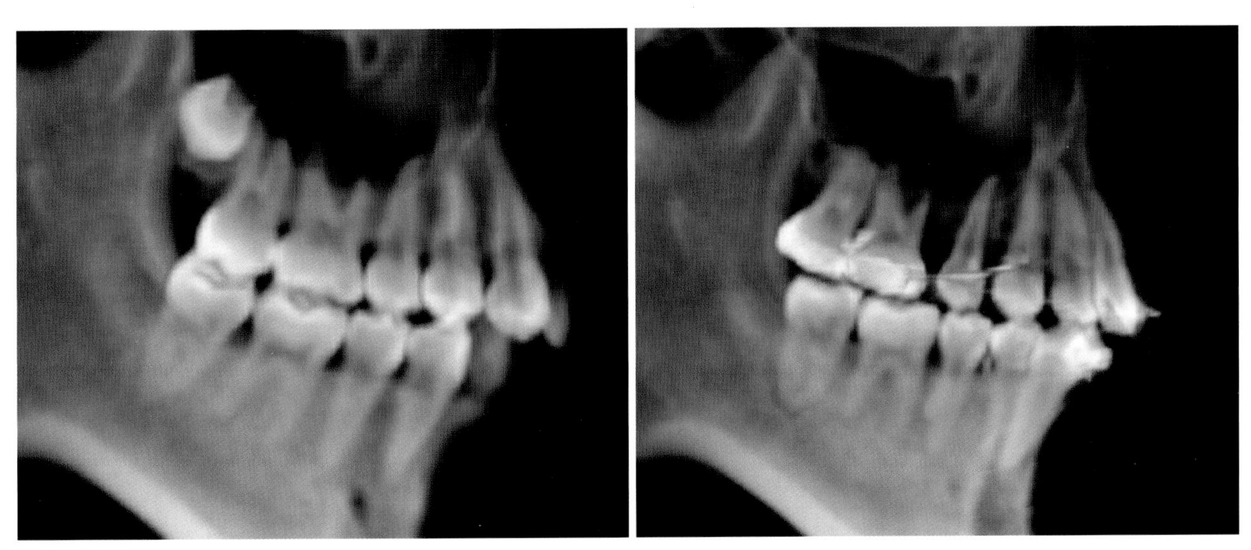

그림 3-14. 제2소구치 후방 영역에서 상악동이 함기된 환자에서 상악 구치부를 상당량 후방 이동할 때 유의할 만한 치근 흡수가 관찰되지 않았다.

치료 과정 중 과도한 제1대구치의 치근 흡수가 나타난 경우

만 10세 여자 환자가 큰 수평피개를 주소로 내원하였다. 골격성 및 치성 II급 부정교합으로 진단되었으며, 상악 전치열을 후방 이동 위해 구개부 장치를 이용하여 제1대구치에 후방 이동력을 가했다. 상악 치열 후방 이동을 통해 적절한 수평피개를 이룰 수 있었지만, 안타깝게도 양측 상악 제1대구치 협측 치근의 흡수 소견이 관찰되었다. 치근 흡수의 명확한 이유는 알 수 없었지만 제1대구치에 과도한 교정력을 가하지 않기 위해 제1대구치 대신 제2소구치에 밴드를 적용한 후 후방 이동력을 가하여 치료를 진행하였다.

제1대구치에 악정형적인 힘을 가해도 대다수의 치료에서는 치근 흡수가 일어나지 않는 것이 일반적이다. 하지만 만에 하나 발생할 수 있는 치근 흡수를 위해서 주기적으로 치근단 방사선 사진을 촬영하는 것을 추천한다.[6-8]

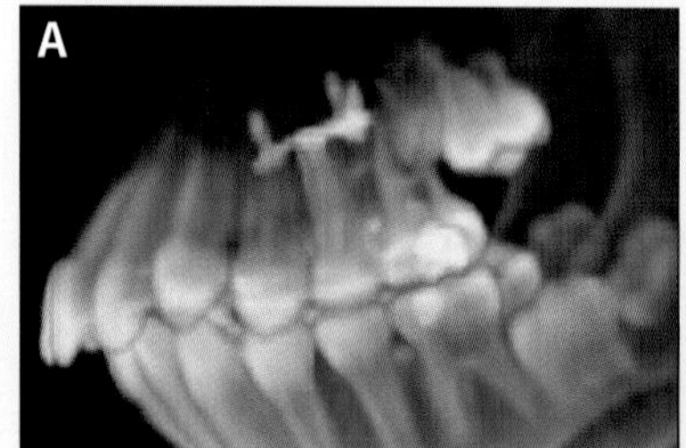

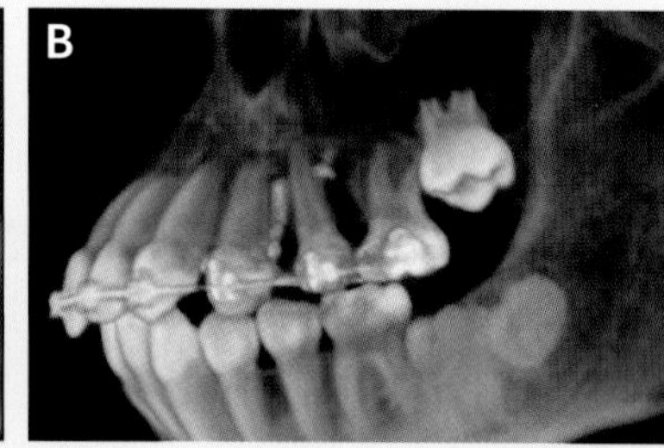

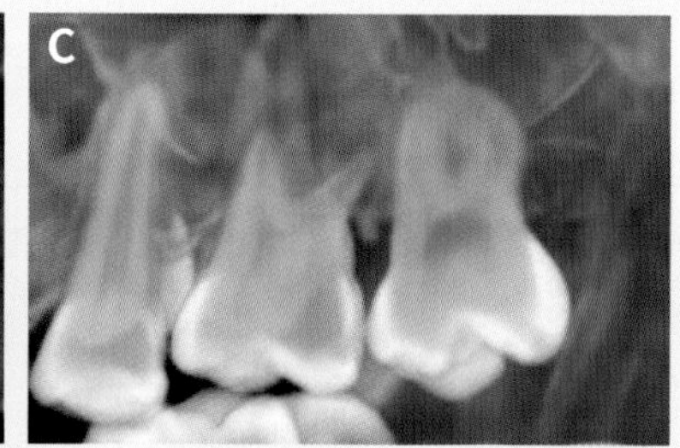

그림 3-15. 상악 치열 후방 이동 중 제1대구치 치근 흡수가 발견된 증례의 CBCT 영상
A: 상악 치열의 후방 이동 전, B: 제1대구치에 밴드를 적용하여 상악 치열을 후방 이동하는 모습, C: 제1대구치의 협측 치근이 흡수 소견을 보였다.

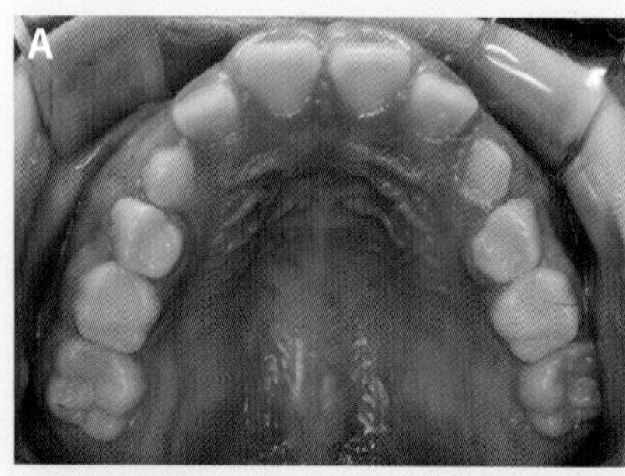

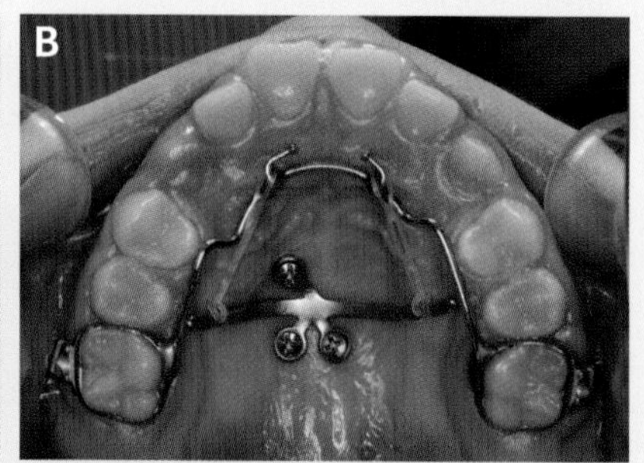

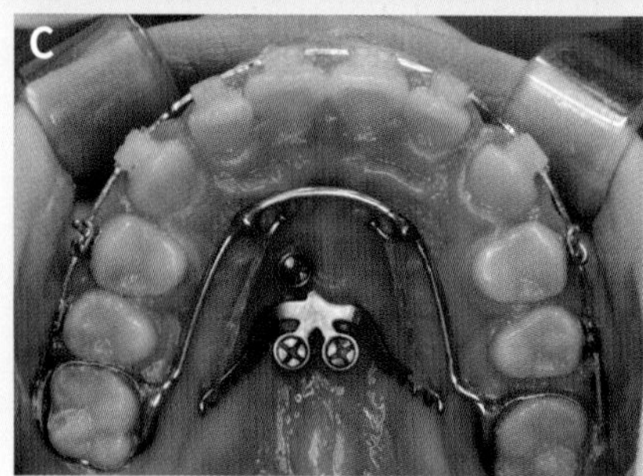

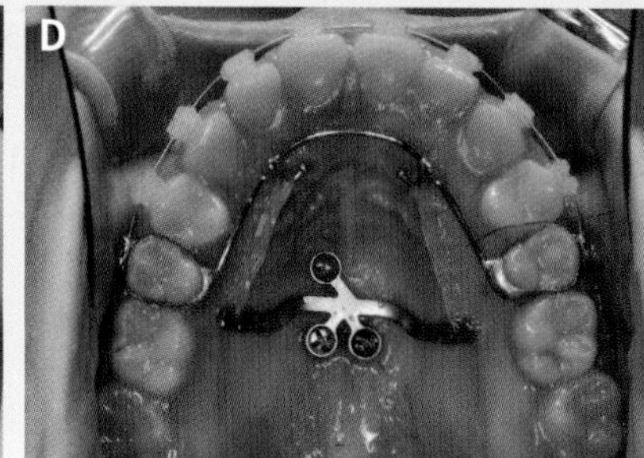

그림 3-16. 상악 치열 후방 이동 중 제1대구치 치근 흡수가 발견된 증례의 상악 교합면
A: 초진 시, B: 제1대구치에 밴드를 적용하여 후방 이동력을 가한 모습, C: 제1대구치의 후방 이동 후 협측 치근의 흡수 소견을 보였다. D: 제1대구치 대신 제2소구치에 밴드를 적용하여 후방 이동을 지속할 수 있었다.

3-4 구개부 장치 준비 및 식립

구개부 장치를 이용한 비발치 치료법은 밴드와 연결된 원심구개호선과 골성 고정원 장치를 이용하여 진행된다.

1 모형 상에서 구개부 골성 고정원의 조절

환자의 구개 모양에 맞게 기성품의 구개부 골성 고정원의 개별 조절을 시행한다. 골성 고정원 장치의 미니 임플란트를 구개에 식립할 때는 모델 상에서 구개골의 두께와 밀도 및 연조직 두께를 고려하여 적절한 식립 위치를 결정한다.

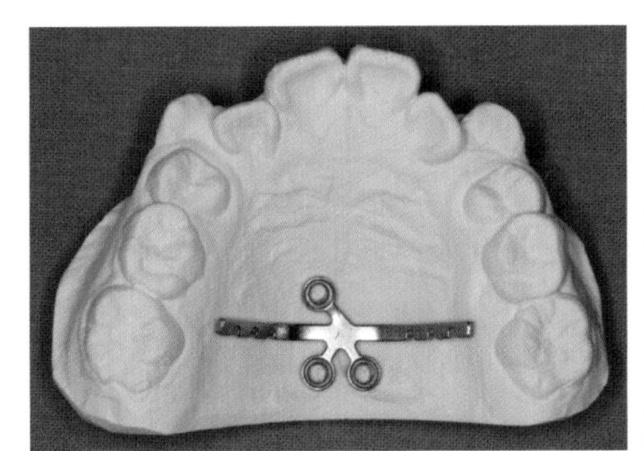
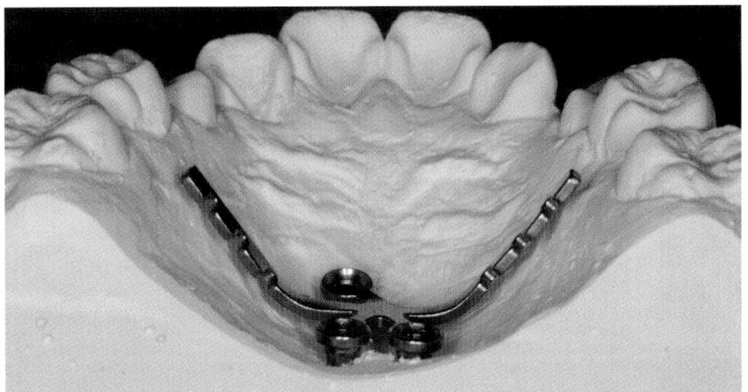

그림 3-17. 치아 모델상 제작된 구개부 장치

2 지그의 제작과 구강 내 시적 과정

원심구개호선은 모형 상에서 제작되어 상악 제1대구치의 밴드로 구강 내에 장착되고, 구개부 장치는 미니 임플란트를 이용하여 구개에 고정한다. 구개부 장치를 모델 상에서 먼저 위치시킨 후 지그를 사용하여 구강 내에 그대로 옮기게 된다. 이 때 사용하는 지그는 실리콘 지그와 PETG 지그, 두 종류가 있다.

실리콘 지그는 구개면과 구개부 장치 사이에 개재되는 지그로, 식립 시 가시성이 좋으며 구개면과 구개부 장치 사이를 일정 양만큼 띄우는 데 유리한 장점이 있다. 반면, 식립 후 지그의 제거가 어렵다는 단점이 있다.

PETG 지그는 실리콘 지그와 달리 구개부 장치를 지그가 덮고 있어 식립 후 제거가 용이하다는 장점이 있는 반면, 식립 과정에서 구개부 장치의 레버암과 구개 연조직 사이 공간을 일정 양만큼 띄우기 어렵다는 단점이 있다. 이를 보완하기 위하여 레진으로 원하는 간격만큼 block-out을 해 주면 원하는 양으로 구개부 장치와 구개면 사이의 공간을 확보할 수 있다.[9)]

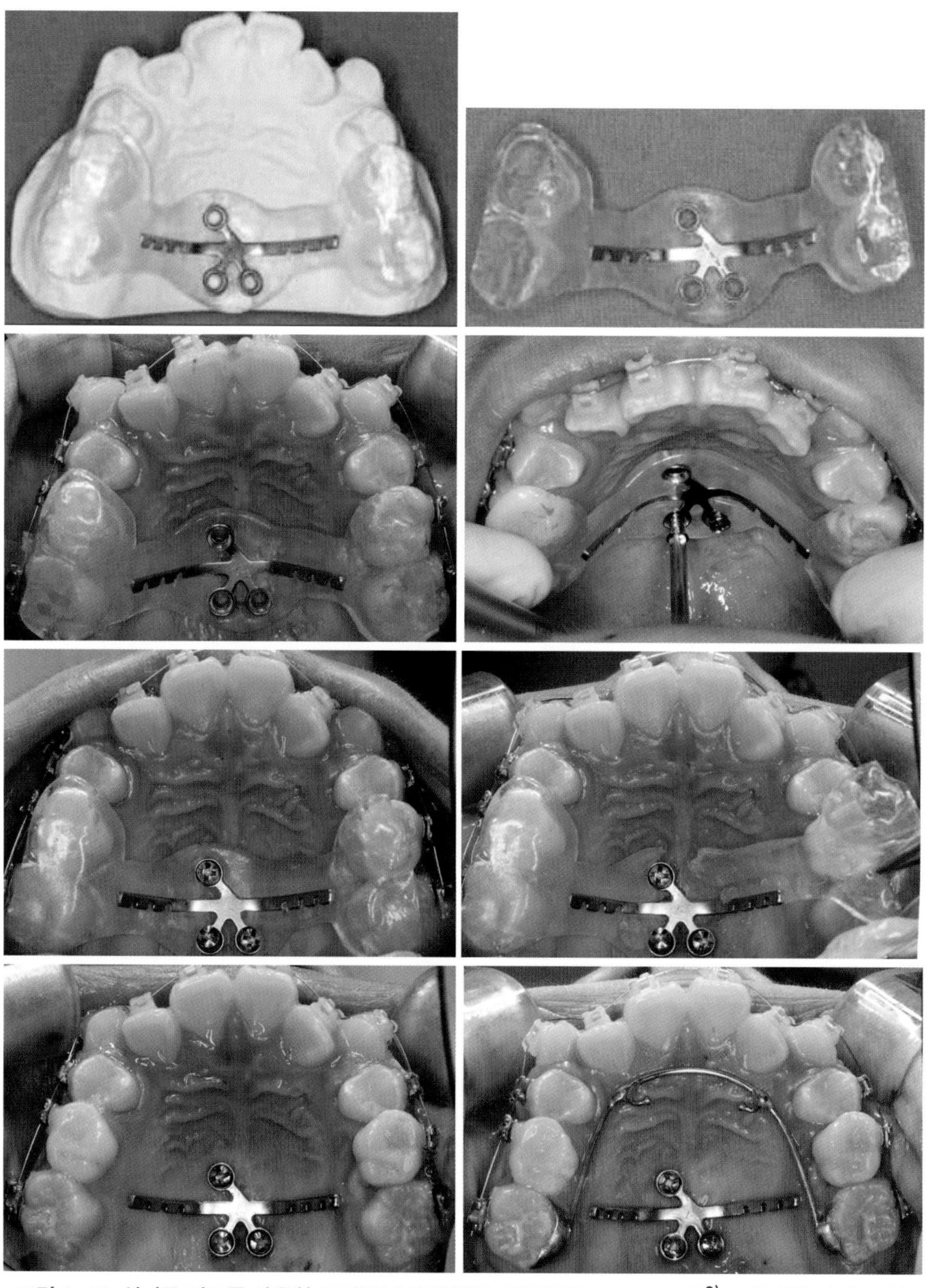

그림 3-18. 실리콘 지그를 사용한 구개부 장치의 식립 과정(출처: Kook et al.[9)]의 허가를 받아 인용)

3 구개부 장치 식립 과정

여기서는 PETG 지그를 사용한 구개부 장치 식립 과정을 소개하고자 한다.

먼저, 소독과 함께 구개부위에 1:100,000 에피네프린과 0.5 mL 리도카인-HCL 2%를 사용하여 침윤마취를 시행한다. 장치 식립과정은 그림 3-20에 나와 있다. 사전 드릴링은 일반적으로 필요하지 않으나, 골융기가 있거나 골밀도가 높은 경우는 식립 중 과도한 토크가 발생할 수 있으므로 사전 드릴링이 필요할 수 있다(그림 3-20B).

지그에 인기되어 있는 구치부 교합면에 맞추어 지그-골성 고정원 장치 어셈블리를 구강 내에 위치시킨다. 지그가 구개부 장치 상방에 위치한다. 위생관리를 위해 경구개면과 구개부 장치 사이의 공간확보는 putty로 제작된 지그로 한다(그림 3-20A). 술자가 미니 임플란트를 이동식 토크 드라이버를 이용하여 식립할 동안 1명의 보조자가 검지 손가락을 이용하여 지그를 눌러주어야 지그가 변형되지 않고 구개부 장치가 올바른 위치에 식립될 수 있다. 이 때 모터 유닛은 일반적으로 30 rpm의 속도와 30 Ncm 토크로 사용한다.

여성 혹은 성인의 경우 구개골이 단단하여 이동식 토크 드라이버(그림 3-19)로 식립이 되지 않을 수 있다. 이런 경우에는 임플란트 식립용 엔진을 30-40 Ncm, 25-60 rpm 정도로 설정하여 식립한다.

원심구개호선을 구강 내 치아에 접착시키고, 구개부 장치의 훅과 원심구개호선의 훅에 탄성체인을 연결한다. 이 때, 원하는 힘의 벡터를 고려하여 구개부 장치 상 훅의 수직적 위치를 선택하며, 탄성체인의 힘은 편측당 250-450 gm로 조절한다.

구개조직과 레버암 사이에는 4-5 mm의 공간이 확보되어야 하는데 그 이유는 구치를 후방 이동할 때 구개조직이 침범되는 것을 방지하기 위함이다. 특히나 구개 천장이 깊은 경우 이와 같은 현상이 두드러지게 발생할 수 있으므로 얕은 구개천장을 갖는 환자들에 비하여 더 세심한 주의를 기울여야 한다.

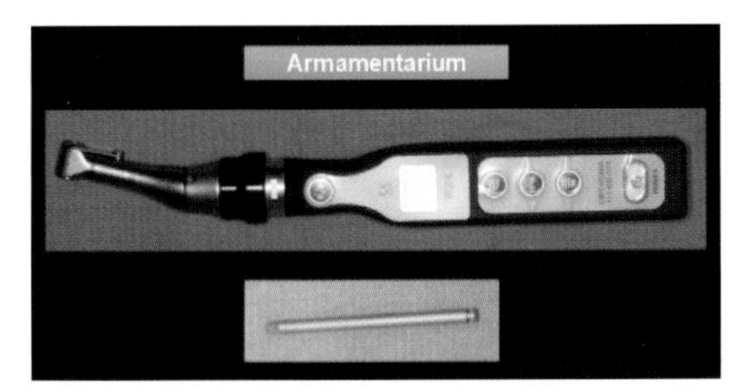

그림 3-19. 이동식 토크 드라이버와 맨드릴

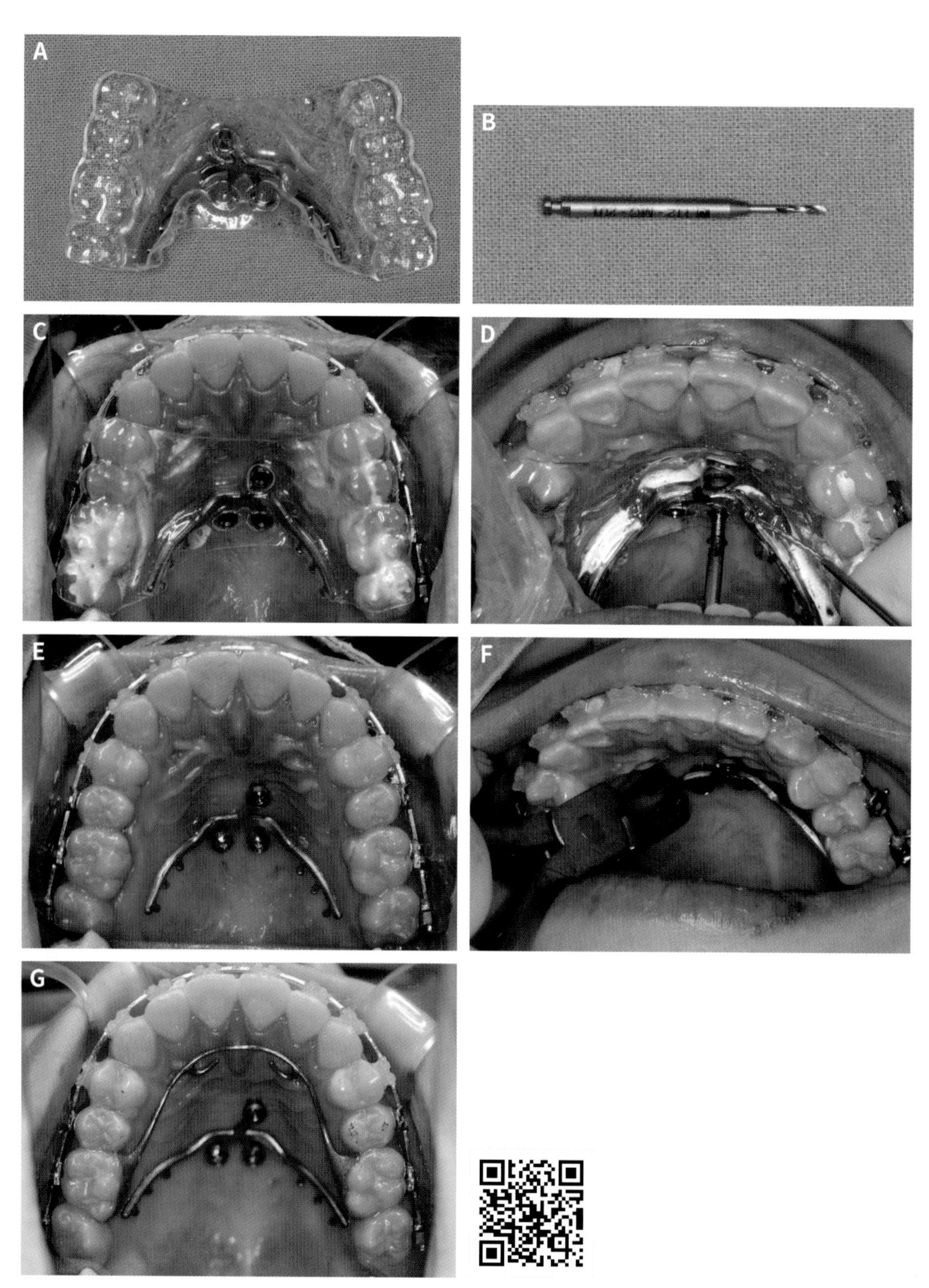

그림 3-20. PETG 지그를 사용한 구개부 장치의 식립 과정
A: PETG 지그 내에 위치한 구개부 장치로 노란색 화살표는 block-out을 위한 레진을 가리킨다. B: 사전 드릴링을 위한 핸드피스용 드릴, C: 환자의 구강 내에 지그를 위치시킨다. D: 미니 임플란트 드라이버를 이용하여 식립한다. 식립 시에는 식염수를 주수한다. E: 지그를 제거한 모습, F: 레진은 최종적으로 제거하고 레버암을 Weingart plier를 이용하여 구개면에 적합한다. G: 구개부 장치가 최종적으로 위치되어 힘을 가하는 모습

임상 팁

(1) 식립 시 생리식염수를 주수한다.

(2) 엄지와 검지로 교합면을 눌러 드릴링 시 지그가 흔들리지 않도록 유지한다.

구개 조직과 레버 암 사이에는 4–5 mm의 공간이 확보되어야 하는데 그 이유는 구치를 후방 이동할 때 구개 조직이 침범되는 것을 방지하기 위함이다. 특히나 구개 천장이 깊은 경우 이와 같은 현상이 두드러지게 발생할 수 있으므로 얕은 구개 천장을 갖는 환자들에 비하여 더 세심한 주의를 기울여야 한다.

성인 여성의 경우, 청소년기에 비해 골밀도가 높아 식립이 잘 안되는 경우가 있습니다. 이런 경우 사전 드릴링을 통해 미니 임플란트에 hole을 미리 만들어주거나, 임플란트 드릴엔진 혹은 렌치의 토크를 높여 식립할 수 있습니다.

Q. 미니 임플란트 식립이 잘 안되는 경우에는 어떻게 해야 할까요?

A 사전 드릴링을 통해 미니 임플란트의 hole을 미리 만들어주거나 혹은 완전히 구개부에서 분리 후 다시 재식립을 하는 방법이 있습니다. 이때 미니 임플란트가 파절되지 않았다면 굳이 교체하지 않아도 됩니다.

4 원심구개호선 구강 내 장착 과정

1) 밴드 타입 원심구개호선

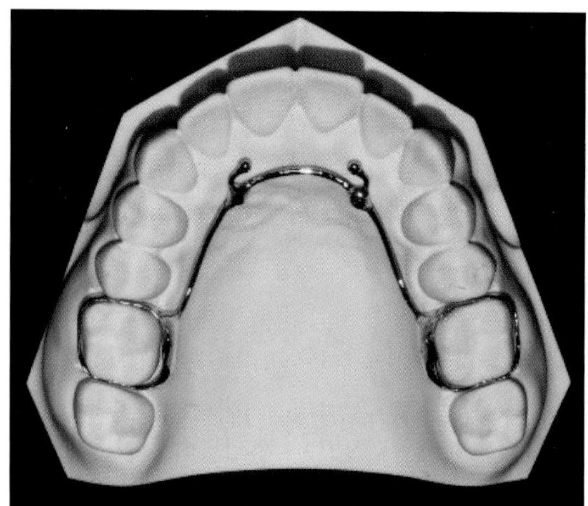
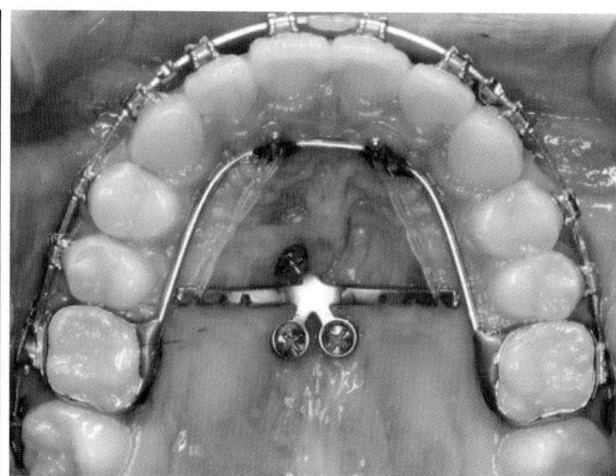

그림 3-21. 밴드 타입 원심구개호선

2) 밴드 타입 원심구개호선의 제작 과정(그림 3-22)

(1) 기성품 밴드를 이용하여 밴딩을 한 후 pick-up 인상채득하고 석고 모델을 제작한다.

(2) 석고 모델 상에서 1 mm 기공용 와이어를 이용해 retraction arch 제작하여 밴드 위에 위치시킨다.

(3) 밴드와 arch를 납착하여 최종적인 원심구개호선을 제작한다.

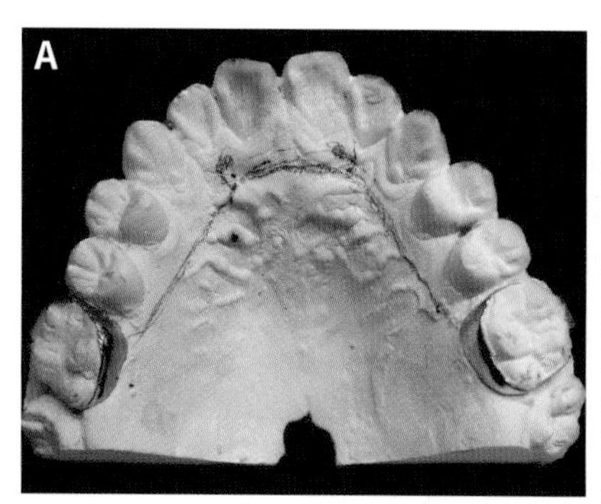

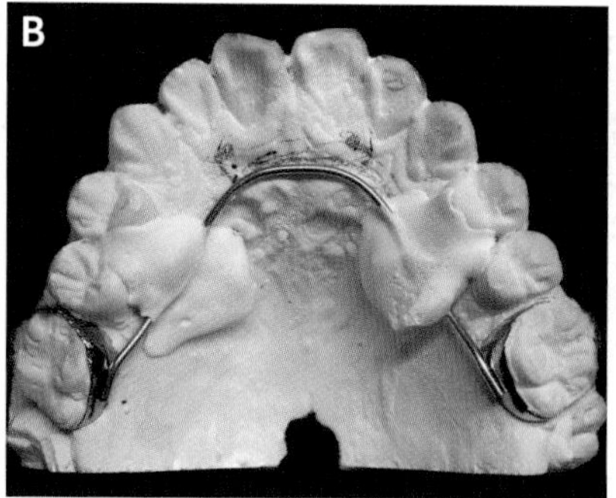

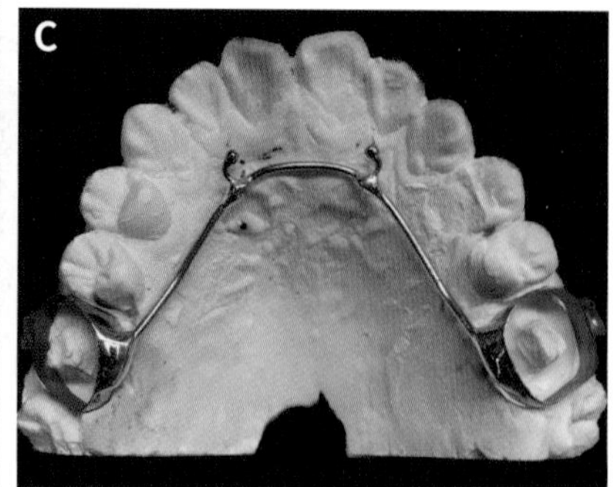

그림 3-22. 밴드 타입 원심구개호선의 제작 과정
A: 밴드가 포함된 석고모델, B: 1 mm 기공용 와이어를 구부려 고정, C: 납착 후 제작된 원심구개호선

5 접착 타입 원심구개호선

1) 접착 타입 원심구개호선

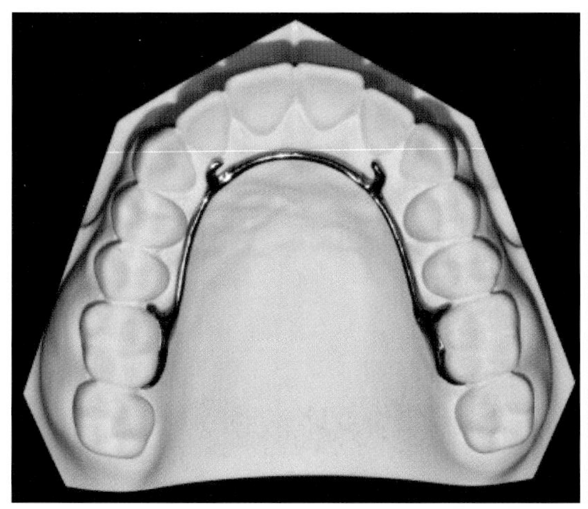
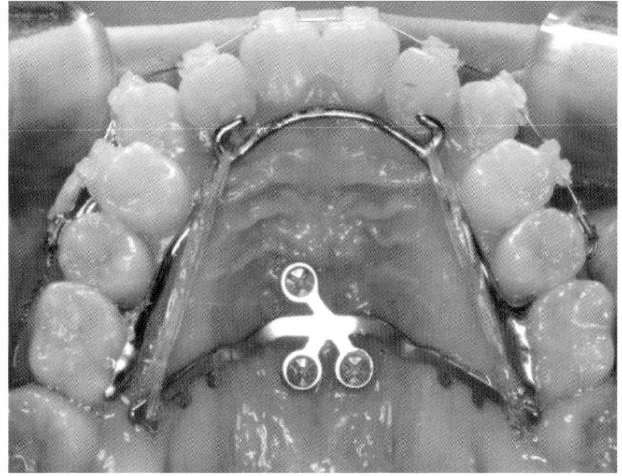

그림 3-23. 접착 타입 원심구개호선

1) 접착 타입 원심구개호선의 제작 과정(그림 3-24)

(1) 구강 내 스캐너를 이용해 상악 치열과 구개면에 대한 디지털 인상채득을 시행한다.

(2) 인상채득 된 디지털 모델 상에서 Exocad Dental CAD 소프트웨어를 이용하여 1.2 mm 두께의 훅, 와이어와 1.5 mm의 두 개의 본딩 패드로 구성된 PRA를 디자인한다.

(3) 디자인된 원심구개호선 파일을 밀링 기계에서 티타늄 금속을 이용해 밀링하여 환자별 맞춤 원심구개호선을 제작한다.

A
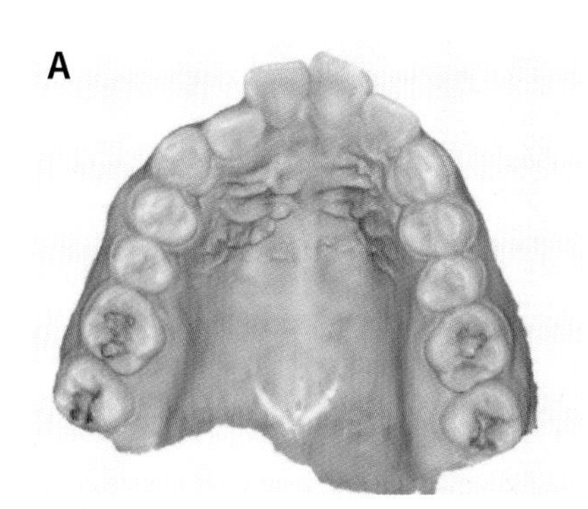
B
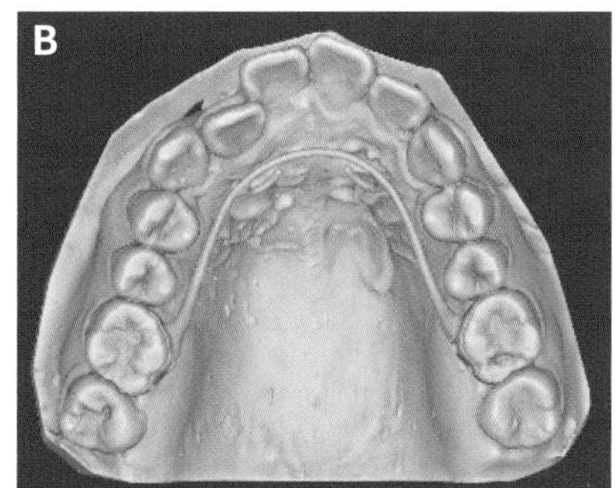
C
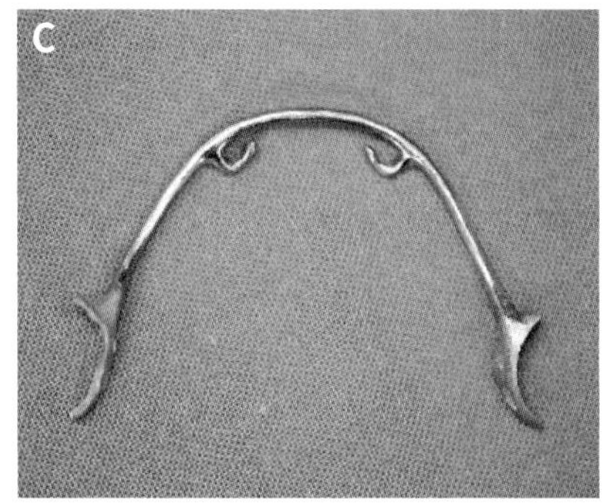

그림 3-24. 접착 타입 PRA의 제작 과정. A: 디지털 인상채득, B: 디지털 모델에서 PRA 디자인, C: 접착 타입 PRA

3-5 장치 식립 전후 관리

1 식립 전후 약물 처방

구개부에 식립하는 미니 임플란트는 2 mm × 10 mm (직경 × 길이) 대부분 nasal cavity를 관통하게 된다. 그러므로 이 부위의 염증을 방지하기 위해 식립 당일 오전에 예방적 항생제를 복약하고 오도록 반드시 안내한다. 또한 식립 후 불편감은 개인차 존재하므로, 통증 있는 경우 아세트아미노펜 등의 진통제와 항생제를 하루 3회로 3일 복용량으로 처방한다.

2 염증 발생 시 해결법

구개부 장치를 식립하기 전에 미리 환자에게 예방적 항생제 및 진통제를 처방한다. 철저한 구강 위생 교육을 반드시 시행하여 염증이 발생하지 않도록 한다(그림 3-25).

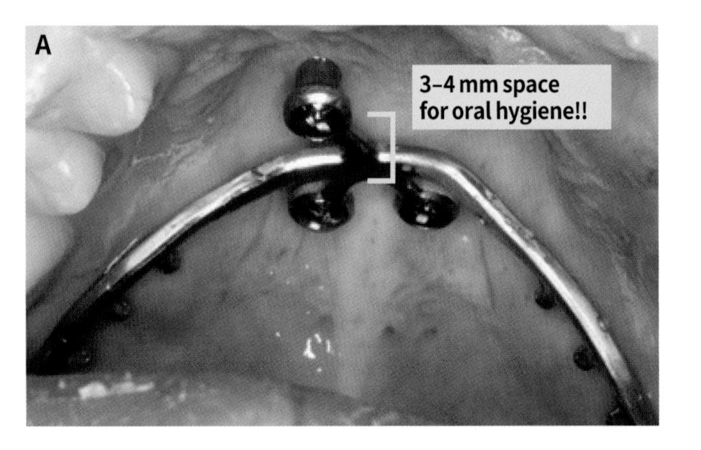

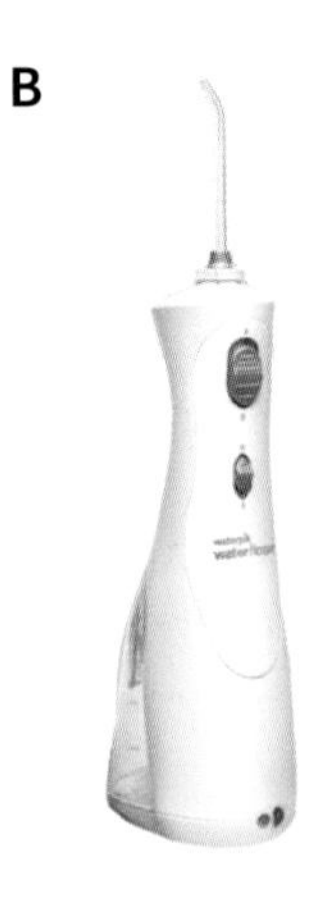

그림 3-25. 염증 발생 방지 및 해결. A: 염증 발생을 최소화하기 위해 구개면과 구개부 장치 사이에 3-4 mm의 간격을 부여한다. B: 염증이 발생한 경우 적절한 구강 위생 도구의 사용이 필요하다.

Q. 미니 임플란트의 탈락 없이 구개부 염증만 발생한 경우는 어떻게 하나요?

포타딘으로 소독 후 식염수로 세척을 하여 구개부 장치와 구개부 사이에 낀 이물질 제거와 소독을 진행합니다. 그리고 환자에게는 진통 소염제를 처방합니다.

만약 치은이 구개부 장치의 미니 임플란트 위로 과증식하여도 미니 임플란트에 동요도만 없다면 교정치료를 마무리하는 데 문제는 없습니다(그림 3-26).

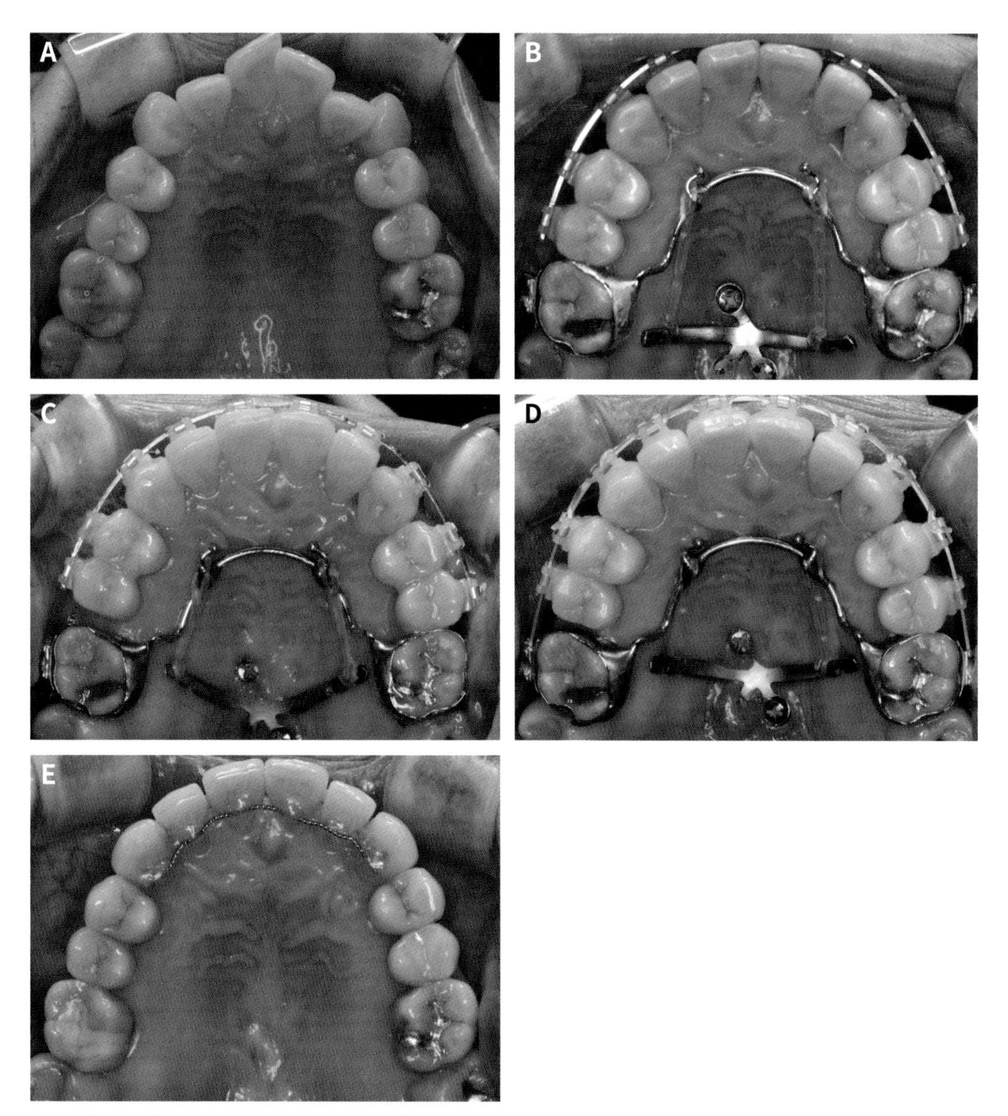

그림 3-26. 미니 임플란트 주위 염증 소견이 관찰되었으나 포타딘 소독 및 살라인 세척을 통해 염증을 해결한 후 치료가 완료된 사례. A: 초진 시, B: 치료 6개월 뒤 미니 임플란트 주위 염증이 발생한 모습, C, D: 미니 임플란트 상방으로 구개부 조직이 과증식한 모습, E: 구개부 장치를 조기 제거하지 않고 치료 완료 후 모습

미니 임플란트를 덮을 정도의 염증이 발생한 경우, 과증식한 구개부 연조직을 전기소작기(bovie) 또는 치과용 레이저를 이용하여 제거할 수도 있다. 과증식한 연조직 제거 부위에는 페리덱스 연고를 도포하는 것도 추천된다(그림 3-27, 28).

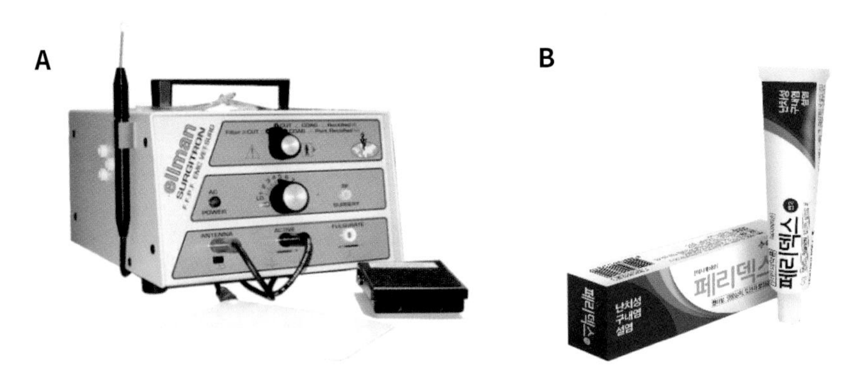

그림 3-27. 염증 발생 시 처치법. A: 전기소작기(bovie)를 사용한 연조직 제거, B: 페리덱스 연고(dexamethasone 성분의 구내염 치료제) 도포

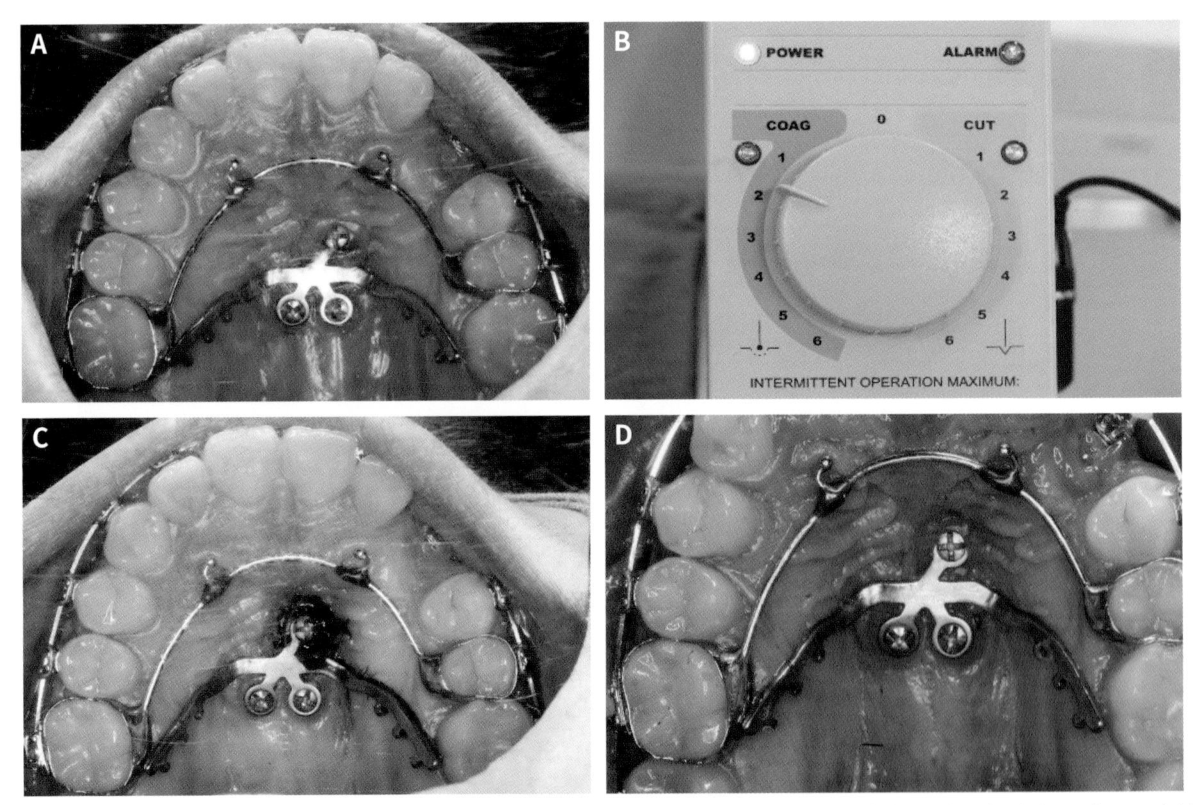

그림 3-28. A: 구개부 미니 임플란트 주위 연조직이 염증으로 인하여 과증식한 경우, 이를 제거해 줄 필요가 있다. 우선 국소마취로 구개부위를 마취한다. B: 전기소작기를 높은 전류로 설정할 경우 구개부 장치의 금속 부위와 닿으면 자동적으로 전원이 차단되므로, 응고 레벨 1-2 정도의 약한 전류가 흐르게 한다. C: 이후 과증식한 염증 부위를 절제한다. D: 절제 부위에는 술후 페리덱스 연고를 도포해준다.

참고문헌

1. Ryu JH, Park JH, Vu Thi Thu T, Bayome M, Kim Y, Kook YA. Palatal bone thickness compared with cone-beam computed tomography in adolescents and adults for mini-implant placement. Am J Orthod Dentofacial Orthop 2012;142:207-12.
2. Han S, Bayome M, Lee J, Lee YJ, Song HH, Kook YA. Evaluation of palatal bone density in adults and adolescents for application of skeletal anchorage devices. Angle Orthod 2012;82:625-31.
3. Vu T, Bayome M, Kook YA, Han SH. Evaluation of the palatal soft tissue thickness by cone-beam computed tomography. Korean J Orthod 2012;42:291-6.
4. Lee SM, Park JH, Bayome M, Kim HS, Mo SS, Kook YA. Palatal soft tissue thickness at different ages using an ultrasonic device. J Clin Pediatr Dent 2012;36:405-9.
5. Kim S, Lee NK, Park JH, Ku JH, Kim Y, Kook YA, et al. Treatment effects after maxillary total arch distalization using a modified C-palatal plate in patients with Class II malocclusion with sinus pneumatization. Am J Orthod Dentofacial Orthop 2022;162:469-76.
6. Kim NH, 3D evaluation of root resorption of maxillary dentition after distalizing by modified C-palatal plate using CBCT images. Graduate school of dental science. Gradudate school of clinical dental science, The Catholic University of Korea; 2015.
7. Lee SY, CBCT evaluation of root resorption after maxillary total arch distalization using modified C-palatal plate in Class II patients with sinus pneumatization. Gradudate school of clinical dental science, The Catholic University of Korea; 2021.
8. Choi YH, Evaluation of root resorption after maxillary total arch distalization using modified C-palatal plate (MCPP) in Class II patients with sinus pneumatization. Gradudate school of clinical dental science, The Catholic University of Korea; 2021.
9. Kook YA, Lee DH, Kim SH, Chung KR. Design improvements in the modified C-palatal plate for molar distalization. J Clin Orthod 2013;47:241-68.

04

3D CAD/CAM을 이용한 디지털 원심구개호선과 지그

4-1 CAD/CAM을 이용한 디지털 원심구개호선

1 디지털 원심구개호선 제작과정

구강 스캐너를 이용하여 상악 치열과 구개면의 디지털 정보를 얻은 후(그림 4-1A), Exocad Dental CAD 소프트웨어를 이용하여 원심구개호선 장치를 구개면에 맞추어 디자인을 한다(그림 4-1B). 원심구개호선은 1.2 mm의 훅과 1.5 mm의 두 개의 본딩 pad와 .048"와이어로 구성되도록 한다. Stereolithographic (STL) 디자인 파일을 밀링 기계에서 a titanium grade 23 alloy, ASTM F136 재료를 이용해 밀링함으로써 환자별 맞춤 원심구개호선을 제작한다(그림 4-1C, D). 원심구개호선 외면을 폴리싱하고 본딩 pads의 접착 효율을 높여주기 위해 sandblast를 추가적으로 시행한다(그림 4-1E).

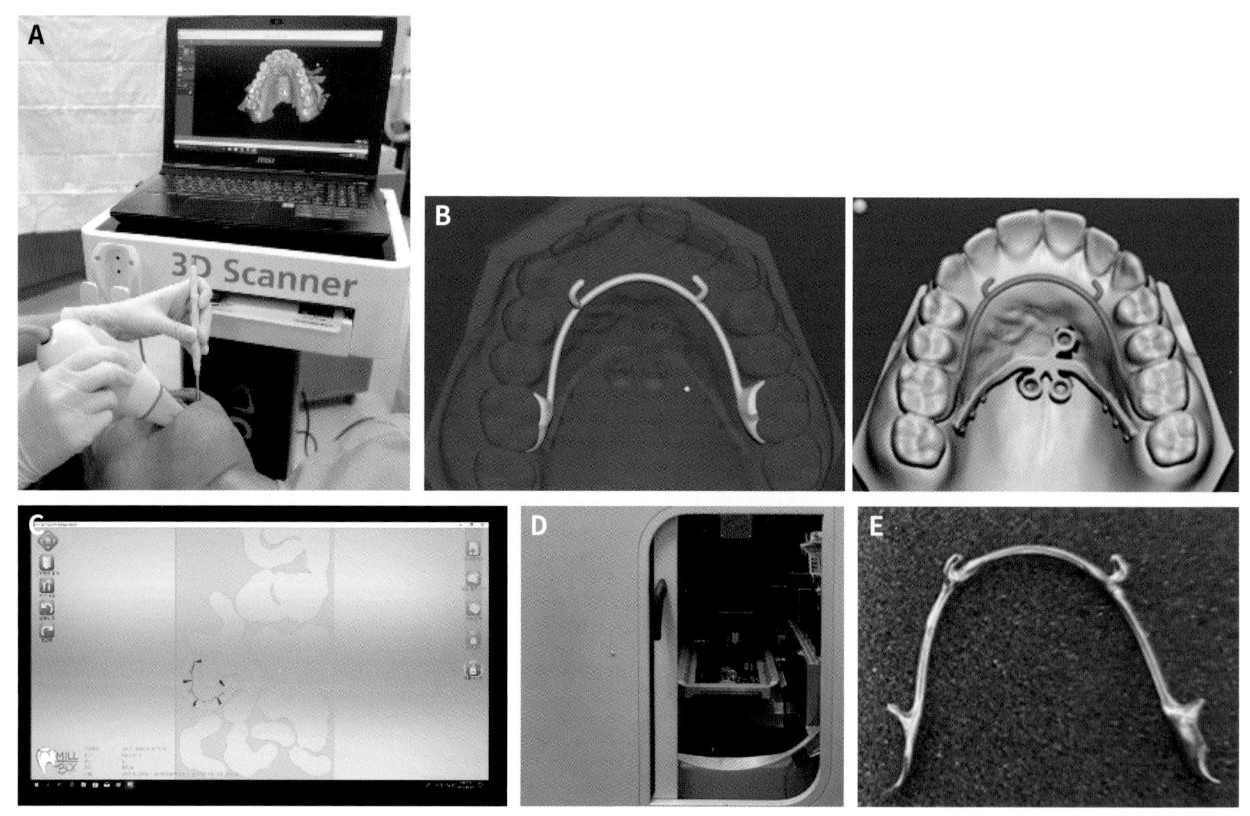

그림 4-1. A: 구강 스캐닝, B: 원심구개호선 디자인, C: STL 디자인 파일의 export, D: 밀링기계를 이용해 원심구개호선 제작, E: 완성된 원심구개호선(출처: Kook et al.[1]의 허가를 받아 인용)

2 디지털 원심구개호선의 특징과 장점

1) 대구치와 접착하는 면에 2개의 홀(hole)을 형성하여 접착용 레진의 유지력을 향상시킬 수 있다(그림 4-2A).

2) 대구치와 접착하는 면의 폭경을 증가시키고 mesh를 추가함으로써 유지력을 강화시킬 수 있다.

3) 대구치의부터 근심-구개측 면까지(제1대구치와 제2소구치 사이의 면) 접착면(bonding pad)이 연장됨으로 원심구개호선의 유지력이 좋아지고, 일반 스테인리스 스틸의 밴드형 원심구개호선에 비해 견고성(rigidity)이 3배로 높아진다. 따라서 구개부 장치를 이용하여 상악 치열의 후방 이동을 할 시, 힘 벡터의 전달이 유리하다(그림 4-2B).

4) 치아와 적합성이 우수하여 치아 우식증의 발생 가능성이 적다.

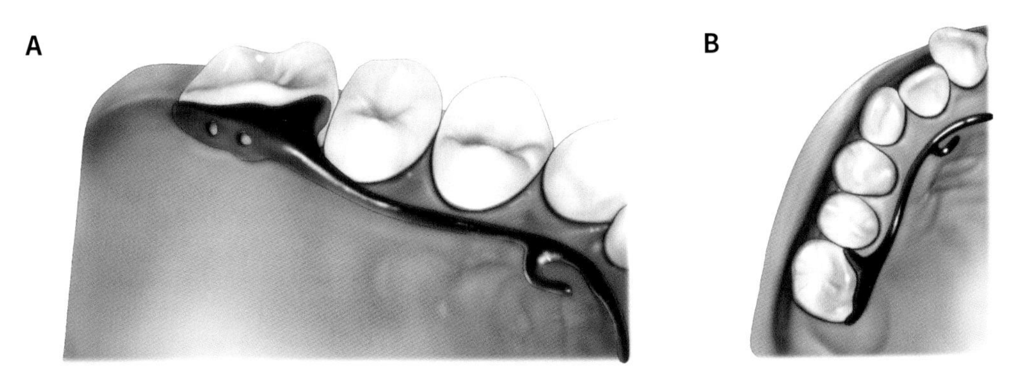

그림 4-2. 디지털 원심구개호선. A: 원심구개호선 접착면, B: 원심구개호선 위치

3 원심구개호선 구강 내 장착과정

1) 모델상에서 원심구개호선 적합성 체크

치아 모델상에서 원심구개호선의 패드가 제1대구치의 구개면을 따라 잘 적합되어 있는지 확인한다.

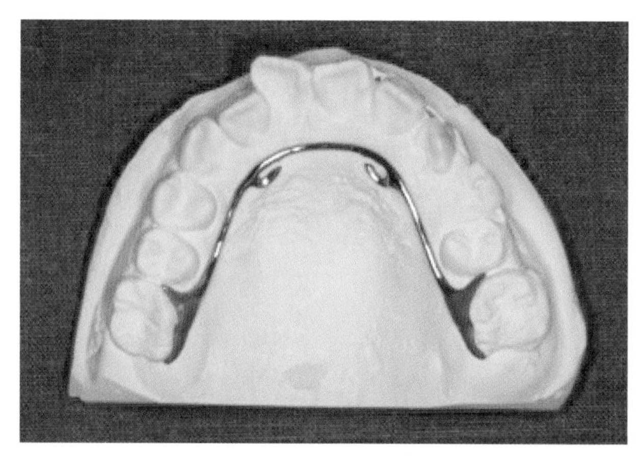

그림 4-3. 치아 모델상 원심구개호선 적합성 체크

2) 구강 내 디지털 원심구개호선의 접착 가이드라인

(1) 디지털 원심구개호선을 구강 내에서 시적하여 적합성을 사전 평가한다. 이 때 원심구개호선의 적합 경계부가 교합 간섭을 주지 않는지 체크해야 한다.
(2) 치면세마 후 37% phosphoric acid로 법랑질 표면을 1분가량 에칭한다.
(3) 치면을 물로 씻어내고 건조한 후 일반적인 3M transbond XT light cure adhesive primer 대신에 Tokuyama universal bond 즉, bond A와 B를 1:1 혼합하여 도포한다.
(4) 원심구개호선 접착면에 sandblasting 하고 동일한 방법으로 Tokuyama universal bond를 도포한다. 이후 Transbond XT adhesive를 원심구개호선 접착면에 올려 준다.
(5) 원심구개호선을 치아 표면에 적합한 후 충분히 광중합을 시행한다.

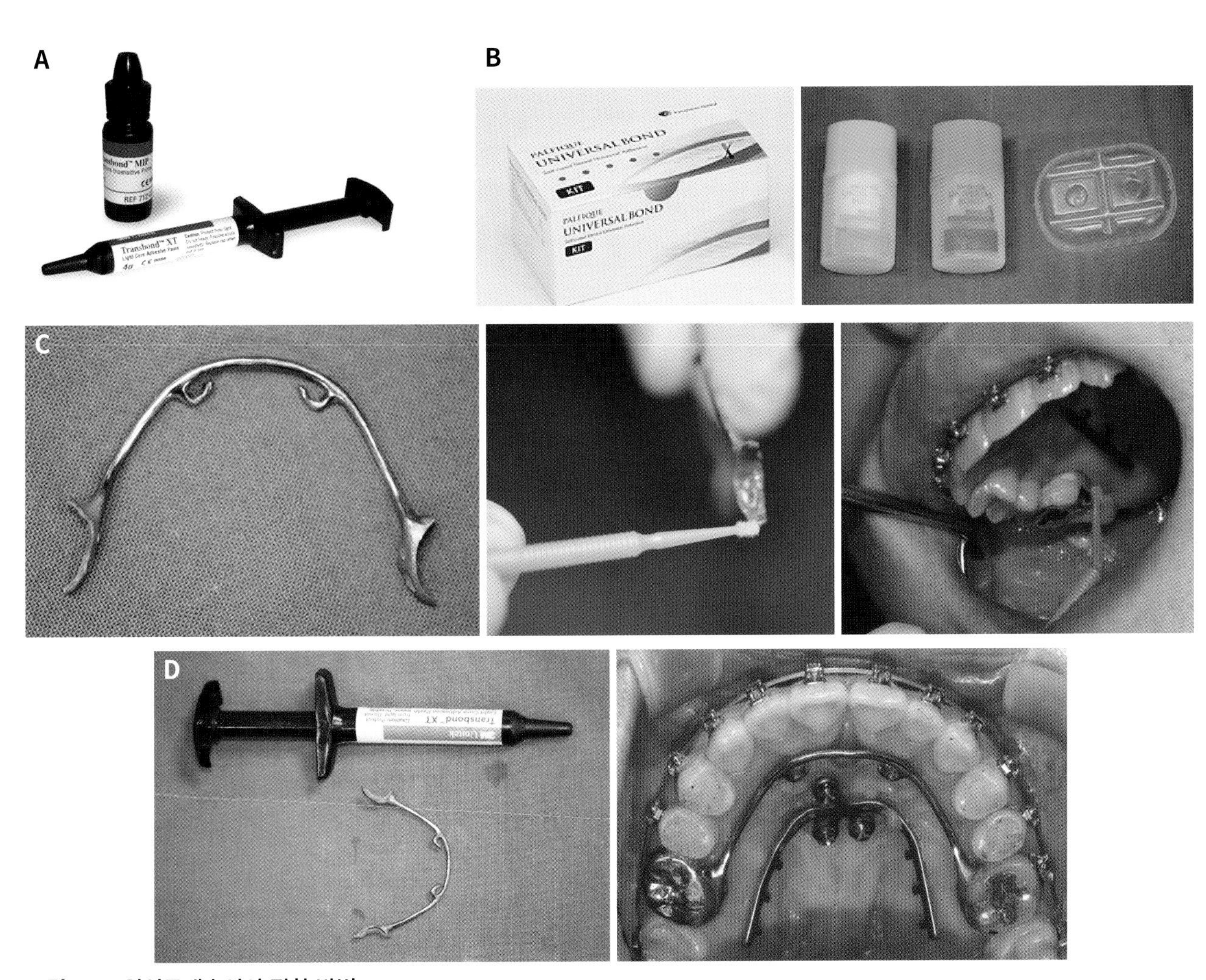

그림 4-4. 원심구개호선의 접착 방법
A: 3M unitek Transbond XT adhesive kit, B: Tokuyama universal bond kit, C: 치아와 원심구개호선 접착면에 Tokuyama universal bond를 도포한다. D: 원심구개호선 접착면에 Transbond XT adhesive 올려주고 치아에 위치한 후 광중합을 시행한다.

4-2 3D 프린팅을 이용한 지그

구개부 장치 식립용 지그는 구강 또는 모델의 스캐너를 이용하여 환자의 상악 구개 부위를 스캔, 소프트웨어 프로그램 상에서 surgical guide 혹은 wafer를 제작하는 것과 비슷하게 3D 가상모델을 이용하여 제작 가능하다.

구개부 장치를 석고 모형 상의 적절한 위치에 적합하고 이를 스캐너를 이용하여 디지털 인상 채득을 한다(그림 4-5A, B). 디지털 모형 상에서 구개부 장치를 구강 내로 정확히 옮겨줄 지그를 Exocad Dental Cad 소프트웨어를 이용하여 디자인한다(그림 4-5C, D, E). 디자인된 지그에 supports를 추가한 후 DLP 프린터를 이용하여 레진 프린팅을 하며(그림 4-5F), cleaning과 curing 과정 후에 지그 supports를 제거한다. 지그에 구개부 장치를 위치시켜서 식립 전 autoclave를 시행한다(그림 4-5G).

기존에 기공실에서 제작하여 사용되어 온 매뉴얼 지그는 지지용 레진을 이용해 고정원 장치와 구개부 사이 공간을 유지하였다. 그러나 디지털 지그는 지지용 레진 없이도 장치와 구개부 사이 공간을 유지할 수 있으며, 미니 임플란트 식립 시 식립 부위를 직접 보고 공간을 확인하면서 식립할 수 있는 장점이 있다.

1 3D 프린팅 지그와 원심구개호선의 특징

표 4-1. CAD/CAM을 이용한 3D 프린팅 지그와 원심구개호선의 특징

	3D 프린팅 지그	디지털 원심구개호선
용도	구개부 장치 식립 가이드	밴드 없이 구치부에 힘 적용
디자인 장치	Exocad	Exocad
프린팅 장치	DLP 3D 프린터	메탈 밀링
재료	Nextdent SG	Titanium grade 23 alloy (Ti-6Al-4V ELI)
프린트 시간	30분	60분
장점	• 구개부 연조직에서 구개부 장치의 균일한 공간 확보 • 정확한 위치에 식립 가능 • 구개부 장치 안정적 식립과 용이한 지그 제거	• 스테인리스 스틸보다 3배 견고 • 제1대구치의 회전이 적게 발생 • 구강 내 불편감이 적음 • 치아우식 발생 위험성이 낮음 • 적은 내원 횟수

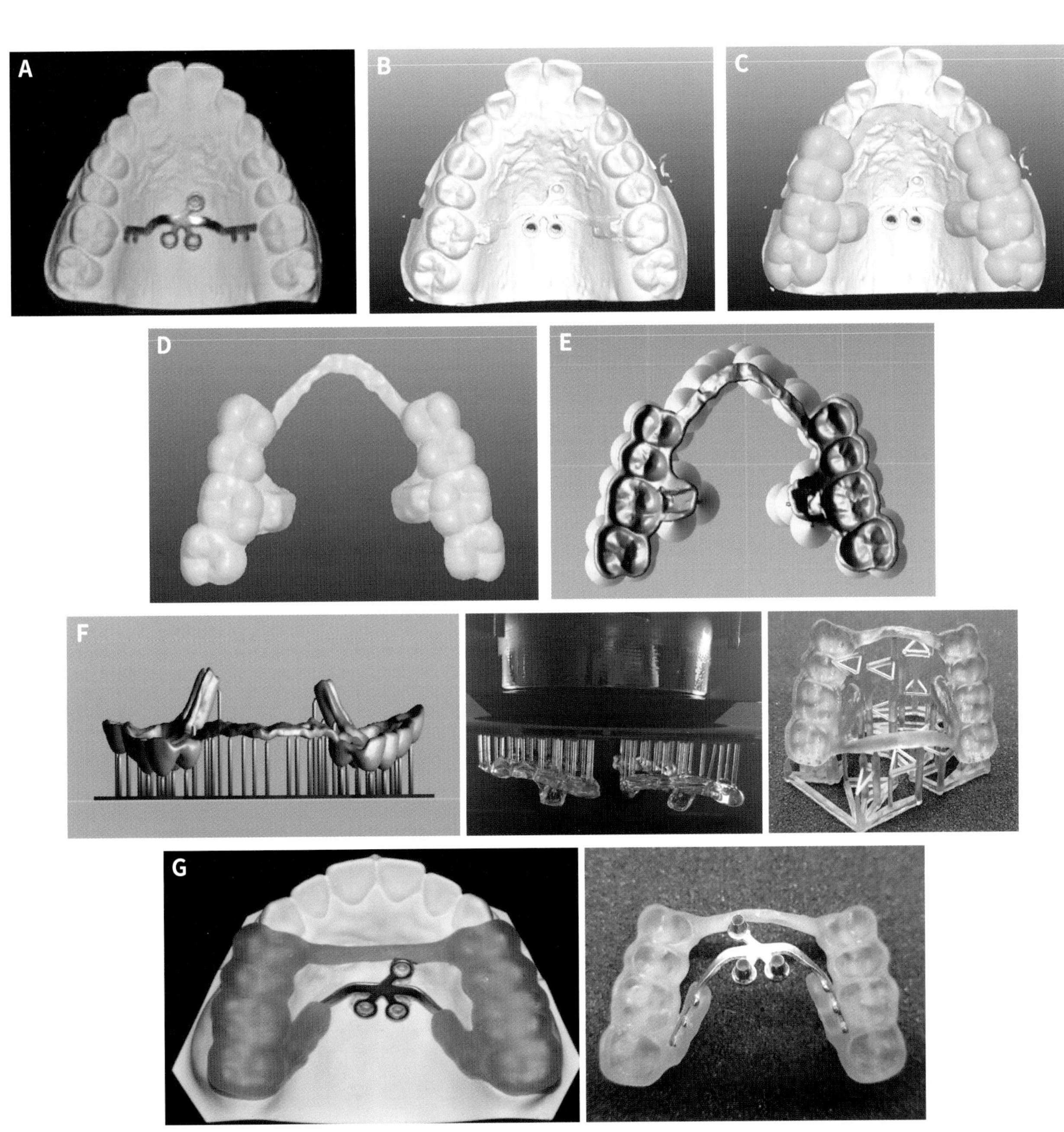

그림 4-5. A: 구개부 장치의 식립 위치와 적합, B: 모델과 구개부 장치에 대한 디지털 인상 채득, C: 디지털 모형 상에서 지그 디자인, D: 디자인된 지그의 교합면, E: 지그의 내면, F: 3D 프린팅된 지그, G: 구개부 장치가 위치된 프린팅된 지그를 모델 상에 적합 (출처: Kook et al.[1])의 허가를 받아 인용)

2 3D 지그와 원심구개호선의 구강 내 장착과정(그림 4-6)

1) 구개부 장치와 원심구개호선 장착 전의 교합면
2) 구개부 장치와 원심구개호선의 구강 내 시적하여 적합성을 평가한다.
3) 구개부 장치를 식립(3장 참고)하고 원심구개호선을 접착한다(그림 4-6B, C, D).
4) 구개부 장치와 원심구개호선의 장착이 완료되면, 2주 후 구강 위생 및 구개부 장치의 안정성과 원심구개호선의 접착 상태를 확인한 뒤, 후방 이동 또는 전방 이동을 위해 탄성체인을 이용해 힘을 적용한다.

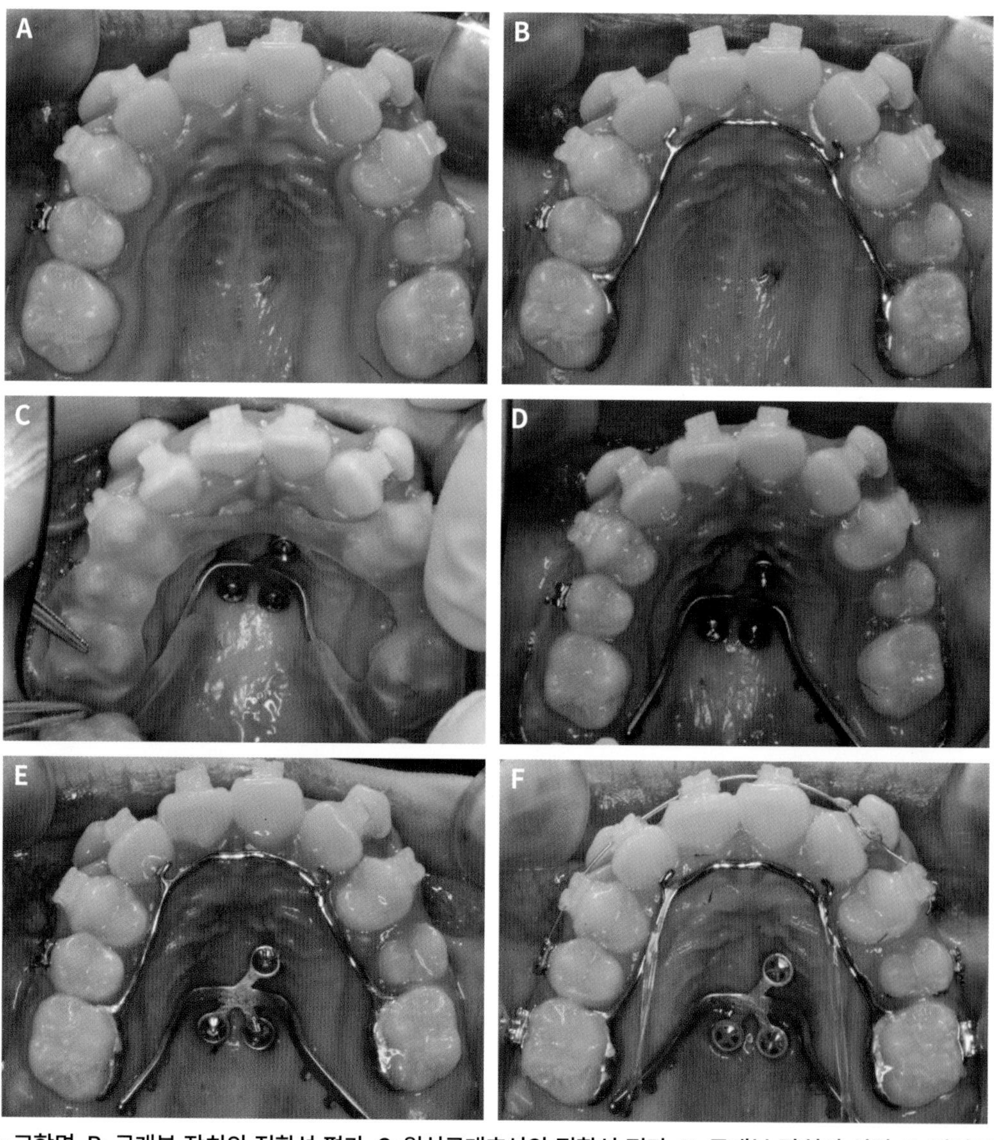

그림 4-6. A: 교합면, B: 구개부 장치의 적합성 평가, C: 원심구개호선의 적합성 평가, D: 구개부 장치의 식립, E: 원심구개호선의 접착, F: 구개부 장치와 원심구개호선의 장착이 완료된 모습. 식립 2주 구강 위생 상태와 식립 성공 확인 후 탄성체인 연결하여 힘을 적용한다. (출처: Kook et al.[1]의 허가를 받아 인용)

4-3 3D 기술을 이용한 구개부 장치

1 환자 맞춤형 3D 프린팅 구개부 장치

현재의 구개부 장치는 기성품을 조절하여 사용하고 있지만, 향후에는 환자 맞춤형 구개부 장치를 사용하게 될 것이다. CBCT 또는 3D 구강 내 스캐너로 얻은 구개골 및 연조직의 모양, 폭경과 두께 등의 평가를 통해 개개인별 가장 적절한 구개부 장치 즉, 레버암의 길이 및 굴곡, notch의 수와 위치, 스크류 튜브의 길이가 다양하게 결정될 수 있다. 이때 3D 소프트웨어 상에는 미리 골성 고정원 장치의 기하학적 구조 및 특성이 입력되어 있으며 원하는 위치의 구개면을 따라 SureSmile® 또는 Orametrix systems에서 사용하는 로봇 밴딩과정과 비슷하게 구개부 장치의 외형을 조절할 수 있다. 또한 구개부 장치의 개별적 3D 프린팅도 가능할 것이다.

1. 구개부 장치 디자인

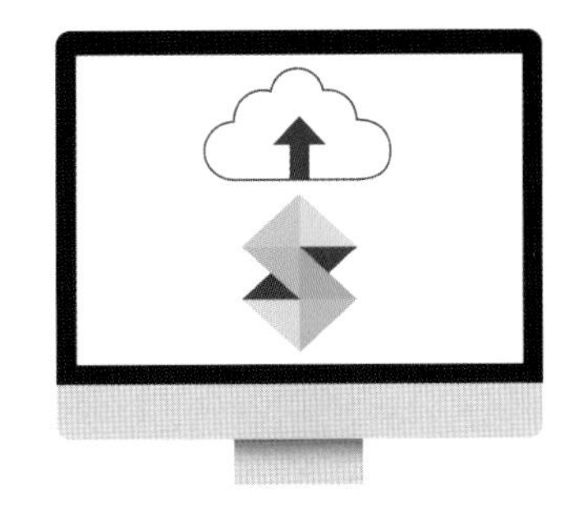

2. 구개부 장치 3D 프린팅

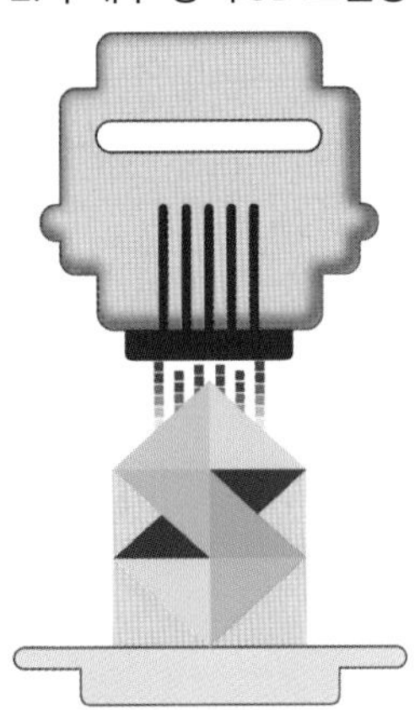

그림 4-7. 환자 맞춤형 3D 프린팅 구개부 장치

참고문헌

1. Kook YA, Lim HJ, Park JH, Lee NK, Kim Y. 3D digital applications of the modified C-palatal plate for molar distalization. J Clin Orthod 2021;55:773–81.

05

성장기 환자의 골격적인 변화

5-1 제2급 부정교합과 구개부 장치를 이용한 교정치료

상악 구치부 치아를 경사이동과 정출 없이 후방 이동시키는 것은 매우 힘든 과정이다. 전통적으로 제2급 부정교합의 치료를 위해 헤드기어를 이용하여 구치를 후방 이동시키고, 상악골의 성장을 억제하며, 구개의 회전을 유도하였다. 그러나 구치의 치체 이동이 어려우며, 환자의 협조도가 치료의 성공에 중요한 요소였다.

하지만 구개부 장치는 환자의 협조에 의지하지 않는 장점이 있으며, 무엇보다 구강 내에서 작용하므로 심미적인 면에서 환자에게 스트레스를 주지 않는 장점이 있다.

또한 현재 많이 사용되고 있는 협측 미니 임플란트를 앵커로 하는 교정의 단점인 의도하지 않은 티핑이 일어나는 것과 달리, 구개측에서 힘을 주어 치체 이동을 하므로 재발적인 면에서도 더 안정적이며 협측 미니 임플란트의 식립은 특히 혼합치열기인 성장기 환자에서 영구치배의 손상을 야기할수 있지만 구개부 장치는 구개측에 식립하므로 혼합치열기인 성장기 환자에서 영구치배의 손상 가능성에서도 벗어날수 있는 큰 장점이 있다(그림 5-1).

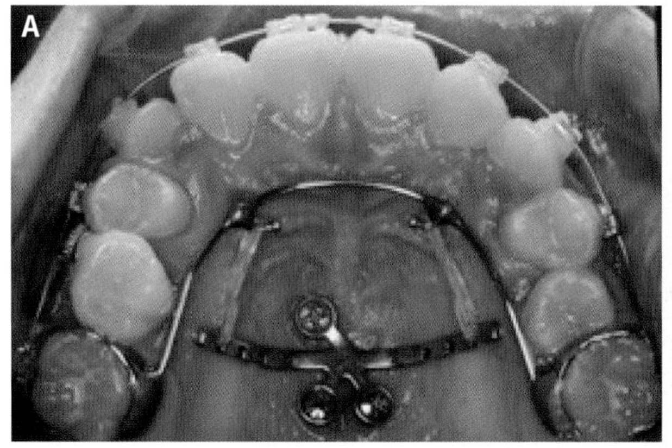

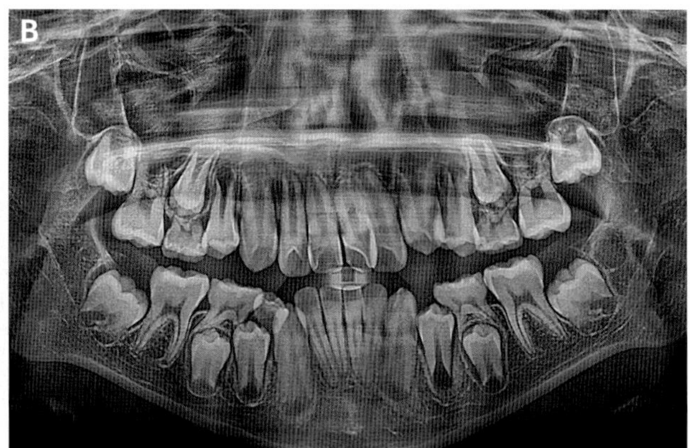

그림 5-1. 혼합치열기 환자에게 적용한 구개부 장치와 파노라마 방사선 사진

다음은 구개부 장치를 이용하여 혼합치열기 환자에서 성공적인 골격적 변화를 보인 증례이다.[1]

증례 1

11세 여자 환자가 상악의 덧니를 주소로 내원하였다(그림 5-2). 돌출된 상순과 긴 하안모를 보였으며 상악에서 치열 정중선이 3 mm 좌측으로 변위되어있었다. 초진 시 측모두부계측 방사선 사진 및 모델의 주요 계측치는 다음과 같다.

ANB: 3.0° FMA: 38.5°
수평피개: 4.5 mm, 수직피개: -1.5 mm, 크라우딩: 상악 8.5 mm, 하악 4.5 mm

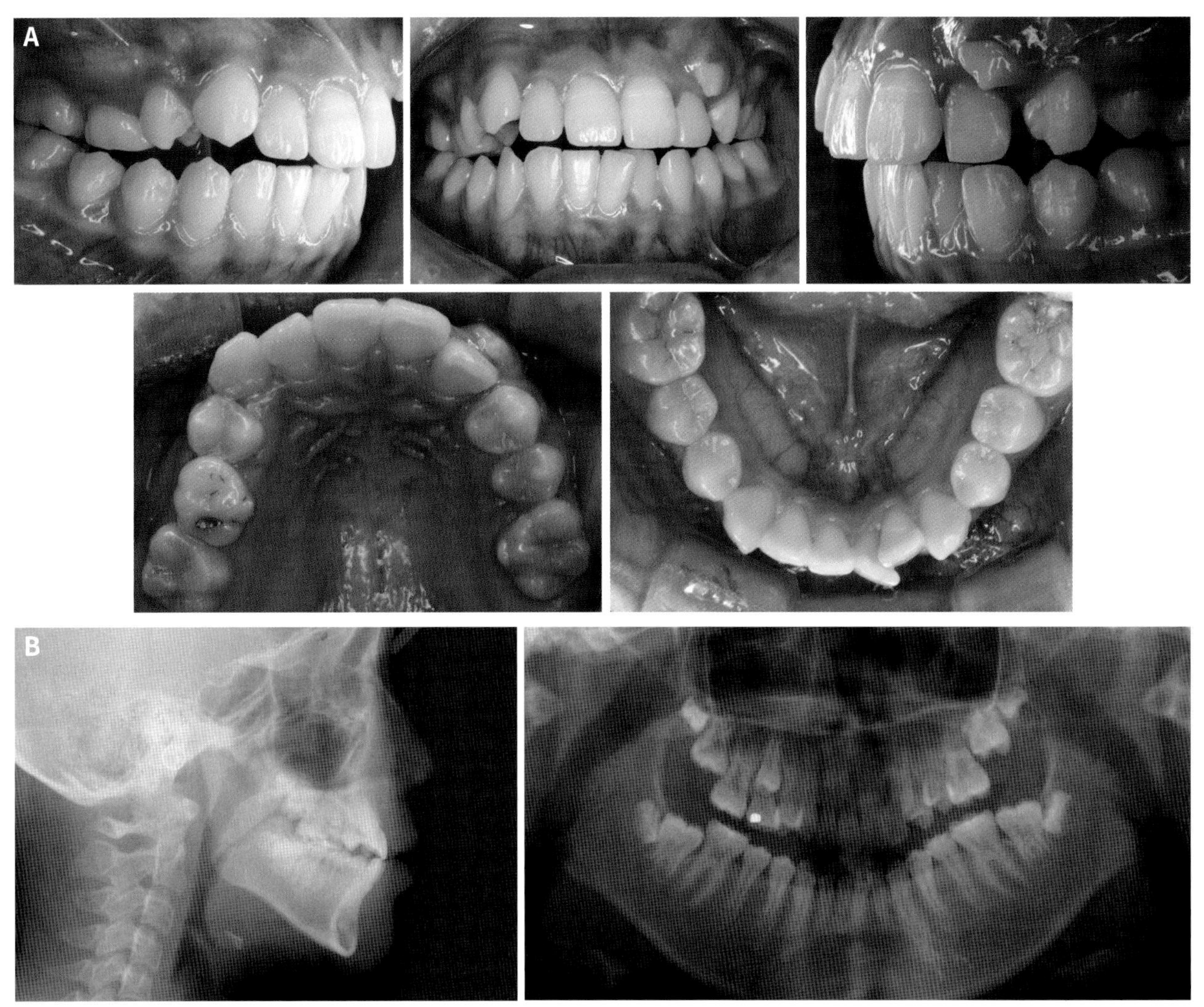

그림 5-2. A: 초진 시 구내 사진, B: 측모두부계측방사선 사진 및 파노라마 방사선 사진(출처: Kook et al.[1]의 허가를 받아 인용)

1 진단과 치료계획 및 치료과정(그림 5-3, 4)

1) 구개부 장치를 이용한 상악 치열 후방 이동

2) Blocked-out 된 견치가 위치할 공간을 오픈 코일 스프링으로 확보하면서 동시에 변위된 상악의 치열 정중선을 교정

3) 교정 완료 후 상악과 하악 가철식 유지장치(circumferential retainer) 제작

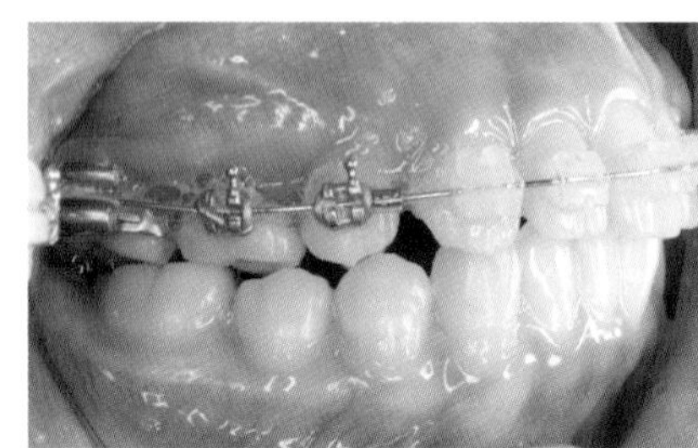
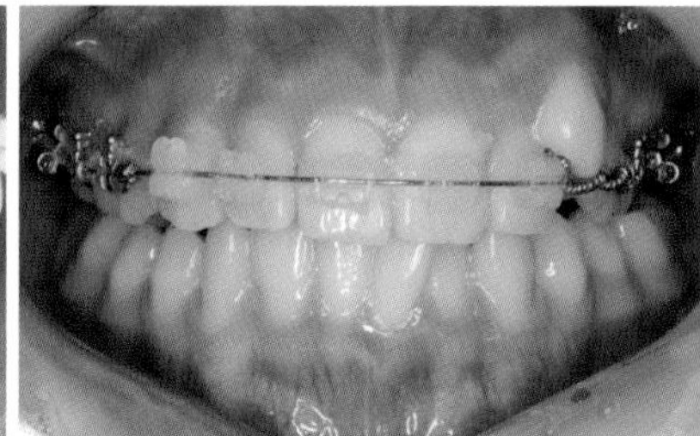
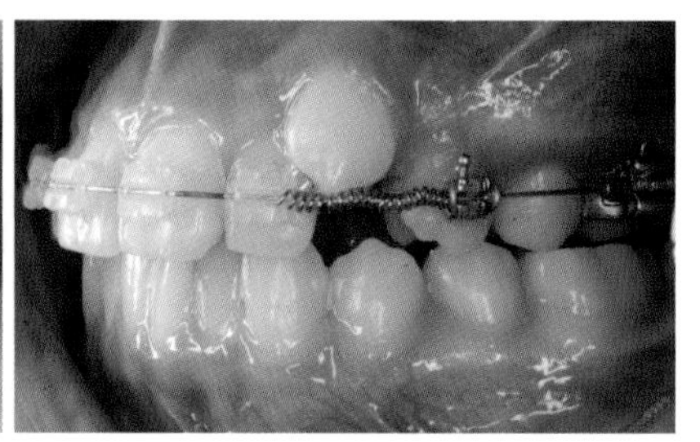

그림 5-3. 상악 치열 레벨링과 배열을 하는 모습, 오픈 코일 스프링을 적용하여 견치가 위치할 공간을 확보하고자 하였다.

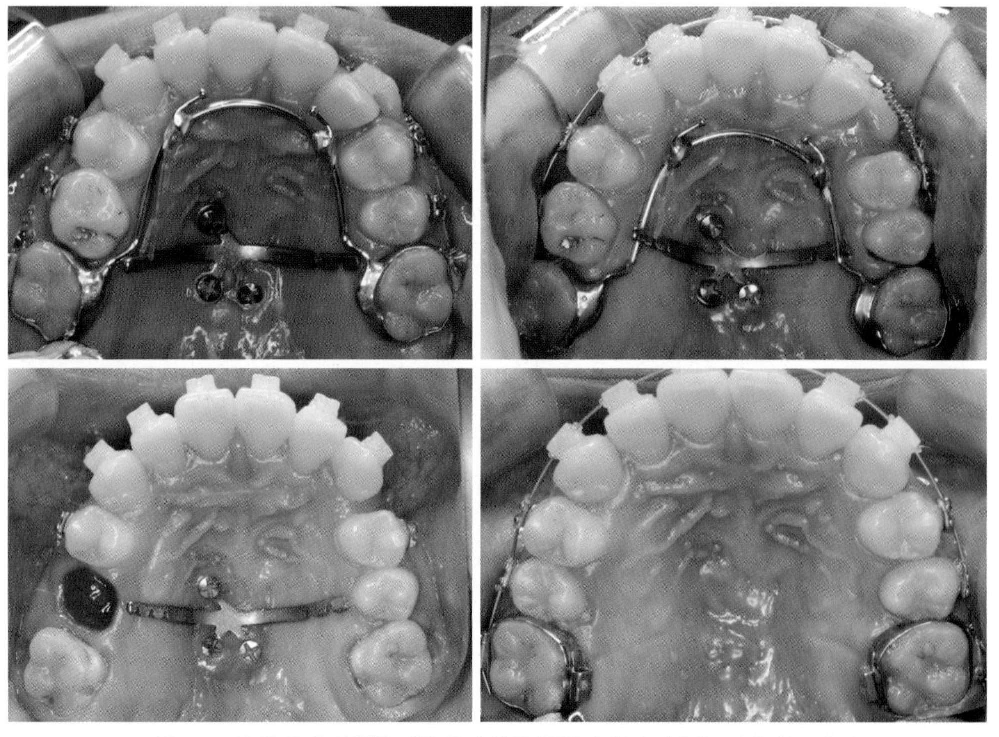

그림 5-4. 상악 구개 장치를 이용하여 상악 치열의 후방 이동을 시행하는 과정

2 치료결과(그림 5-5, 6, 7과 표 5-1)

환자의 개인 사정으로 인하여 중간에 교정치료를 중단해야 했지만, 16개월의 치료기간에도 불구하고 상악 구치의 후방 이동에 따른 정출 없이 하악평면각이 유지되어 환자의 장안모 경향이 악화 없이 개선되었다. 개방교합의 개선과 함께 적절한 구치관계를 얻을 수 있었다.

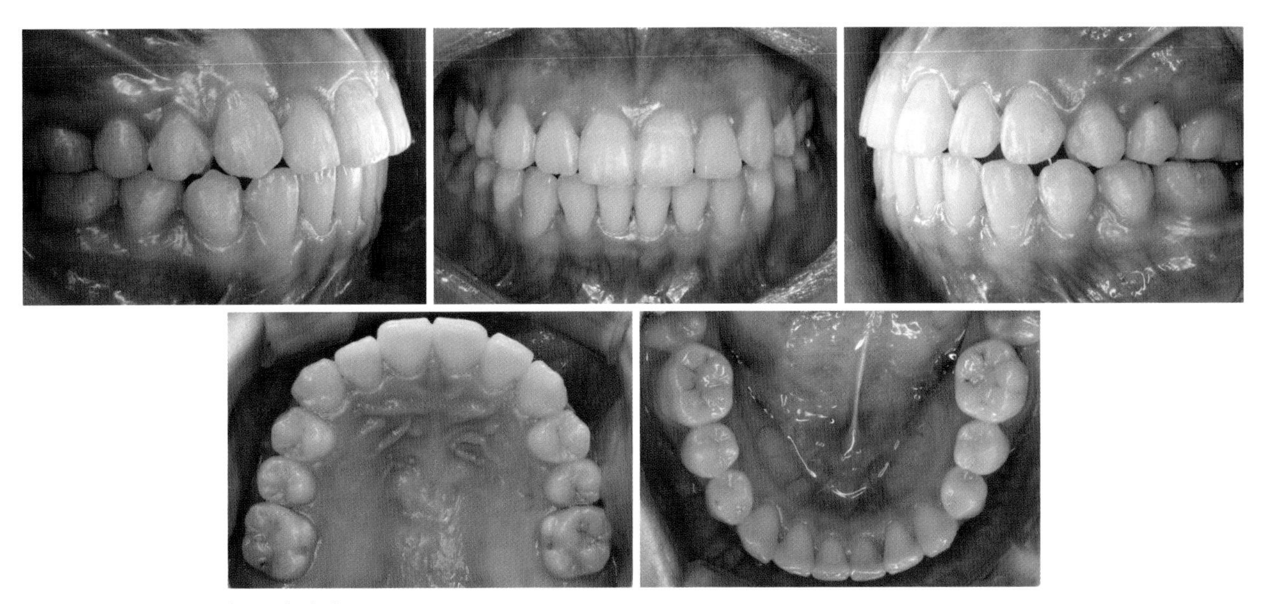

그림 5-5. 치료 종료 후 구내 사진

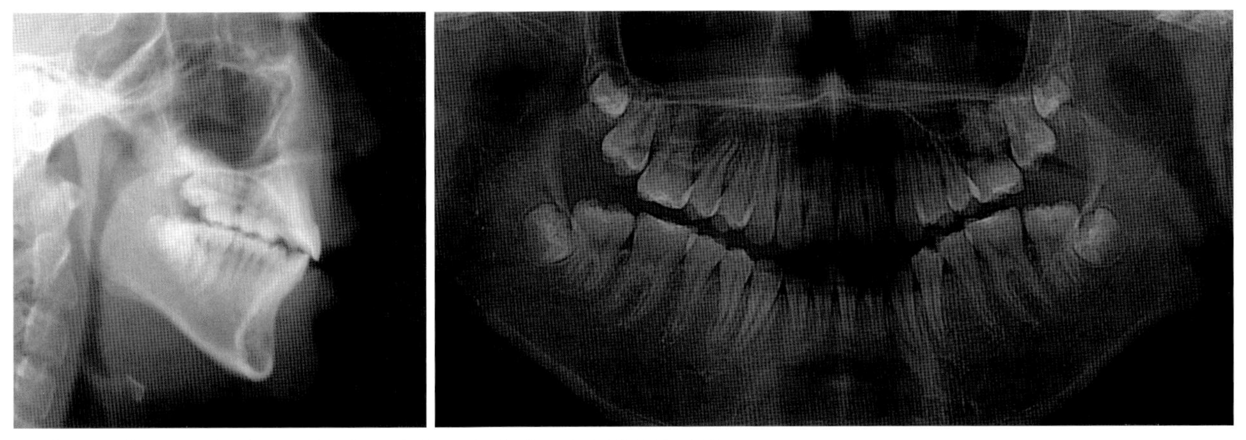

그림 5-6. 치료 종료 후 측모두부계측방사선 사진 및 파노라마 방사선 사진

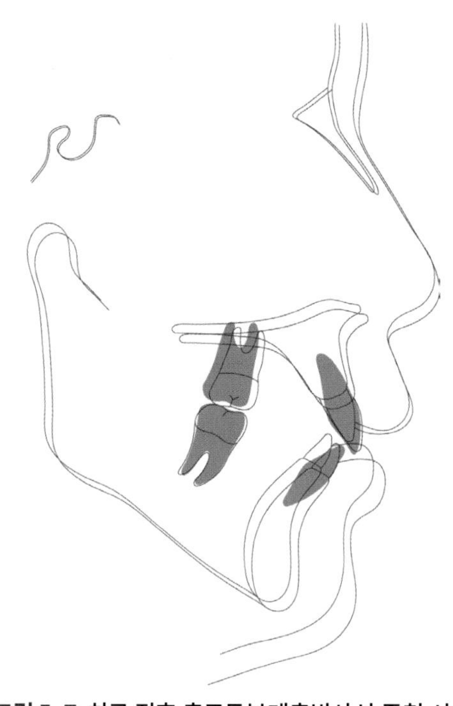

그림 5-7. 치료 전후 측모두부계측방사선 중첩 사진

표 5-1. 치료 전후 교정 계측 값

	Pre-treatment	Post-treatment
SNA	79.0°	79.5°
SNB	76.0°	75.5°
ANB	3.0°	4.5°
SN-GoGn	41.5°	43.5°
FMA	38.5°	41.3°
PA facial-height ratio	60%	65%
FH-U1	102.0°	101.5°
Overjet	4.5 mm	2.5 mm
Overbite	-1.5 mm	2.5 mm
Nasolabial angle	96.0°	97.5°
TVL-Upper lip	4.5 mm	4.5 mm
TVL-Lover lip	-5.0 mm	-3.0 mm

5-2 제2급 부정교합에서 구개부 장치의 골격적 효과

1 상악골 성장 억제를 위한 구개부 장치

제2급 부정교합을 보이는 청소년기 환자를 대상으로 상악 구치부 후방 이동 시 구개부 장치와 헤드기어의 악정형적 차이를 비교하였을 때, 큰 차이가 없었다(그림 5-8).

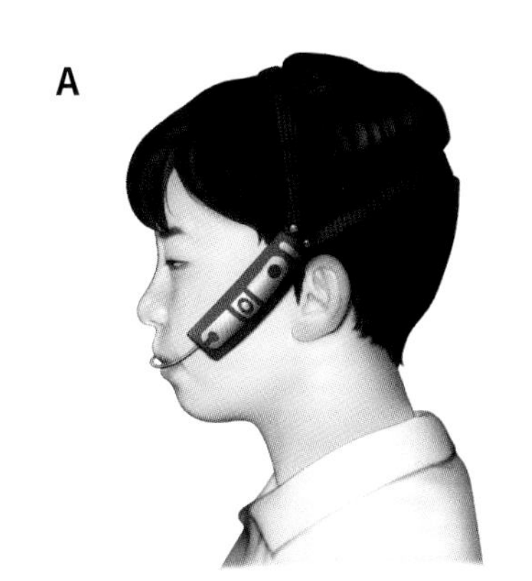

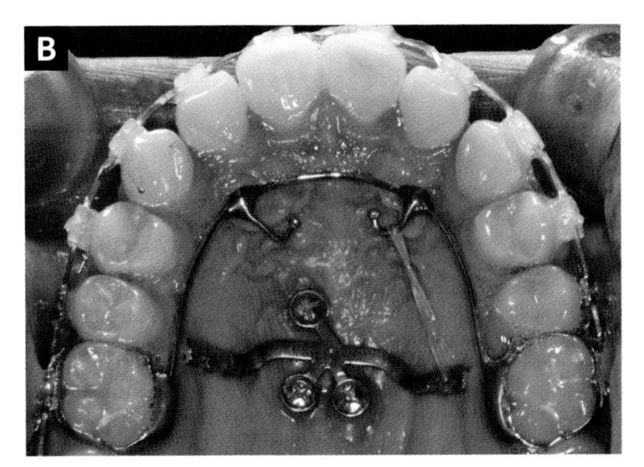

그림 5-8. 상악골 성장 억제를 위한 장치. A: 헤드기어, B: 구개부 장치

흔히 구개부에 골성 고정원 장치를 식립하는 것은 악정형 효과가 없을 것이라 생각되어 왔으나 연구 결과 헤드기어와 같은 악정형 효과가 있음이 밝혀졌다. 구치부 후방 이동량에서는 헤드기어의 경우는 1.8 mm의 이동을 보였지만 오히려 구개부 장치를 이용한 경우 평균 3.1 mm로 헤드기어보다 더 큰 이동량을 보였다.[2)]

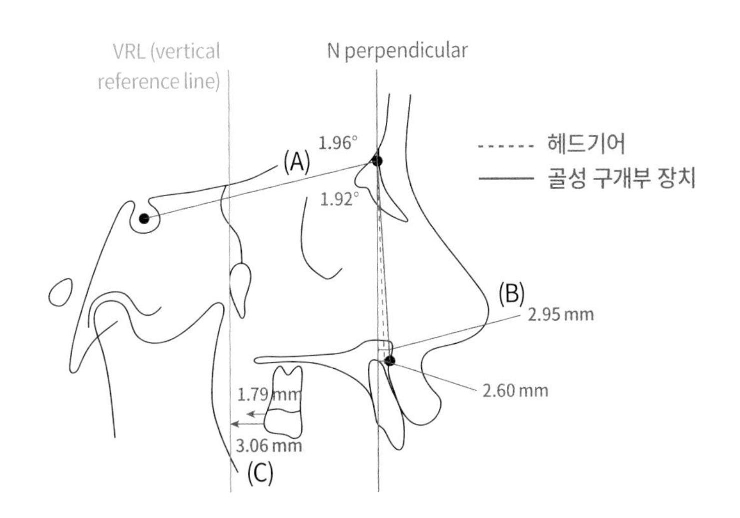

그림 5-9. 헤드기어와 상악 구개부 골성고정원 적용 시, 치료 전후 골격적 변화 비교
(A) SNA, (B) A point to N perpendicular (to FH), (C) First molar crown-VRL (vertical reference line)

증례 2

12세의 여자 환자가 무턱을 주소로 내원하였다. 돌출된 상순을 보였으며 볼록한 측모가 관찰되었다. 초진 시 측모두부계측 방사선 사진 및 모델의 주요 계측치는 다음과 같다(그림 5-10).

ANB: 7.0°, FMA: 32°
수평피개: 5.0 mm, 수직피개: 3.0 mm, 상하 치열궁의 경미한 크라우딩

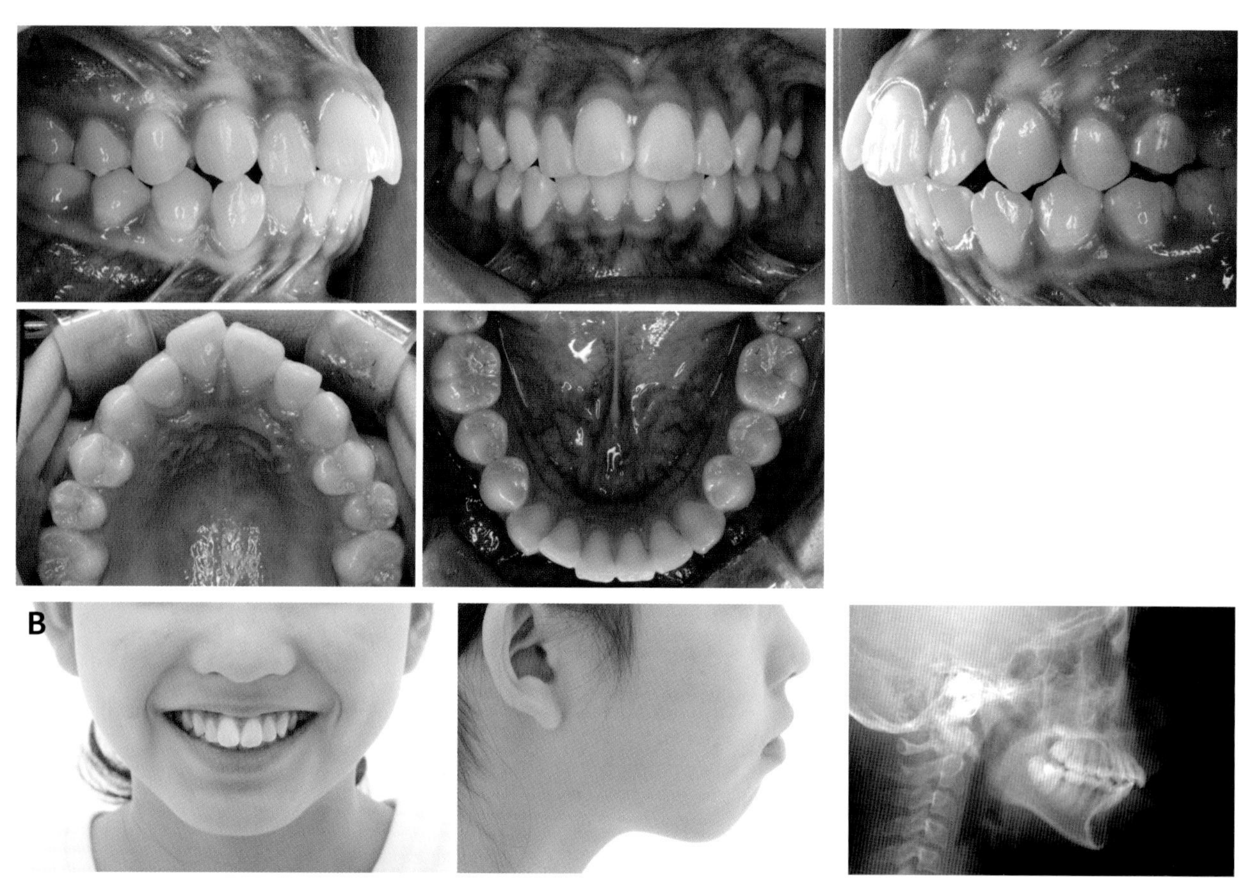

그림 5-10. A: 초진 시 구내 사진, B: 구외 사진 및 측모두부계측방사선 사진

1) 치료계획(그림 5-11)

(1) 상악 치열 배열 후, 구개부 장치를 이용한 상악 치열 후방 이동
(2) 하악 치열의 후방 이동을 위한 3급 고무줄 사용
(3) 교정 완료 후 상악과 하악 가철식 유지장치(circumferential retainer) 제작

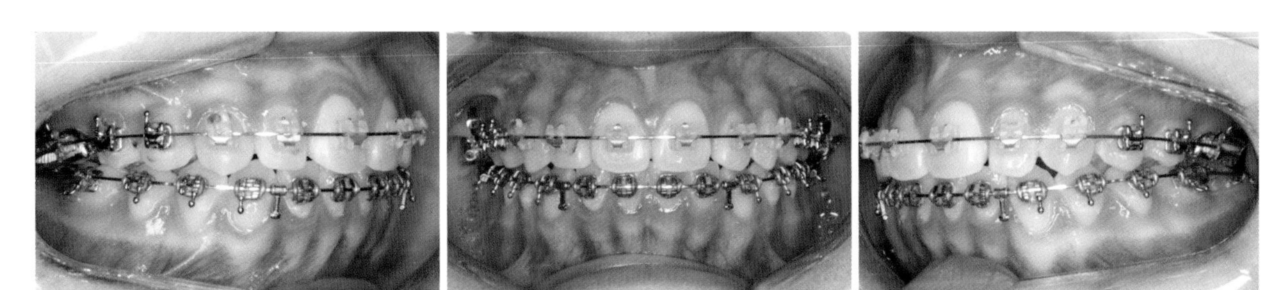

그림 5-11. 치료 중 상악과 하악에 브라켓 및 와이어를 결찰한 사진

2) 치료과정(그림 5-12)

14개월 후 상하악에 019 × 025"인치의 스테인리스강 와이어가 삽입되었다. 처음 식립한 구개부 장치에는 4개의 홀이 있으며 3개의 홀에만 미니 임플란트를 식립하였다. 치료 도중 구개부 염증 소견이 관찰되어 스크류 튜브가 도입된 구개부 장치로 교체 식립하였으며 하악 치열의 후방 이동을 위한 3급 고무줄 사용하였다.

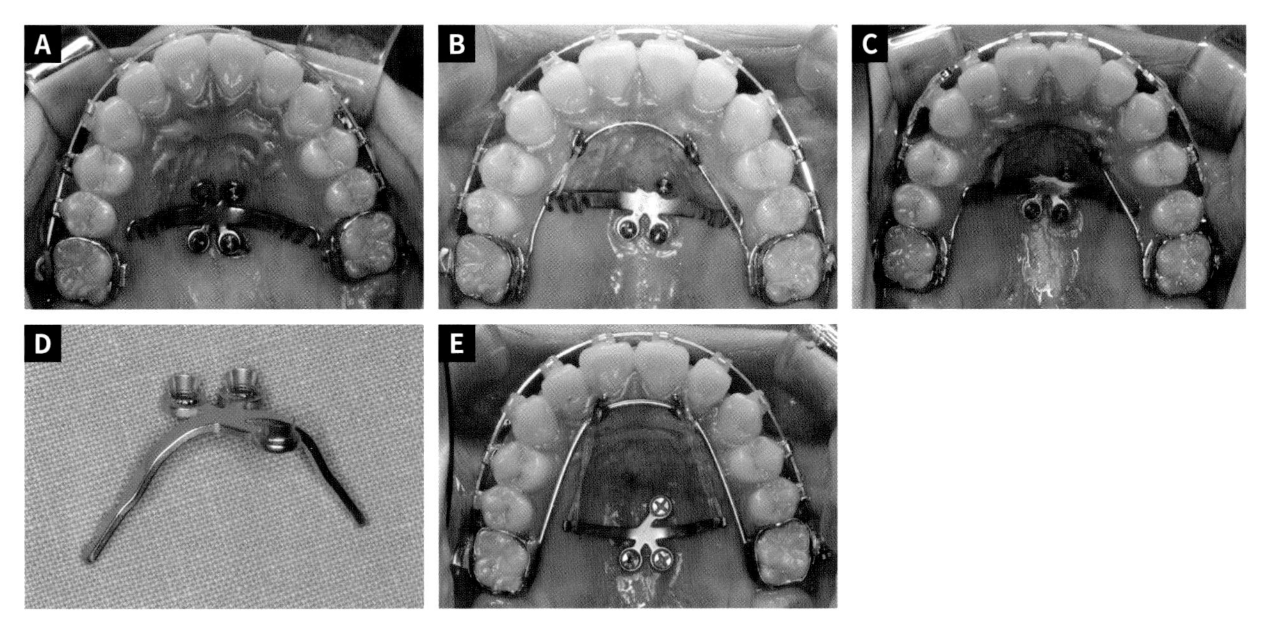

그림 5-12. 치료과정 사진: 구개부 장치의 변화 모습을 볼 수 있다.
A, B, C: 구개부 장치에 4개의 홀이 있으며 3개의 홀에만 미니 임플란트를 식립하여 고정하였다. D: 스크류 튜브가 있는 구개부 장치, E: 구개부 장치를 교체 식립한 모습(출처: Kook et al.[3]의 허가를 받아 인용)

3) 치료결과(그림 5-13, 14, 15와 표 5-2)

총 치료기간으로 33개월이 소요되었으며, 상악골의 전방 성장 억제와 상악의 구치부의 후방 이동, 하악 평면각의 유지와 함께 상하악 전치의 후방 이동에 따른 전치 위치 개선이 관찰되었다. 적절한 수평피개와 수직피개, 안정적인 교합과 함께 만족스러운 안모를 관찰할 수 있었다.[3)]

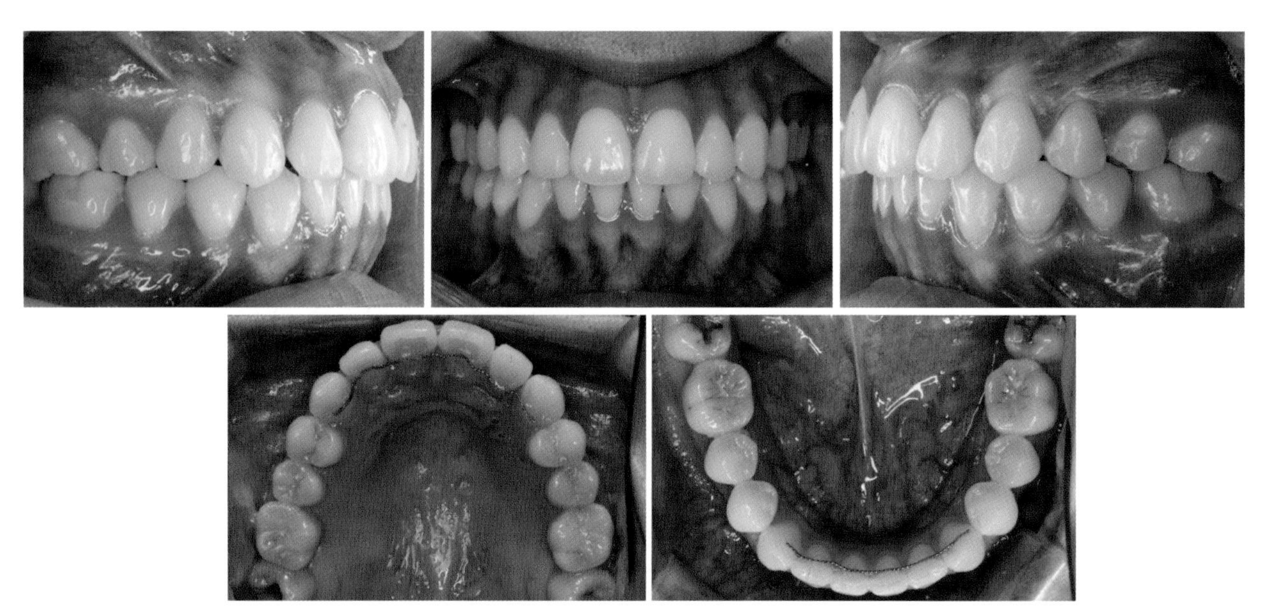

그림 5-13. 치료 완료 후 구내 사진

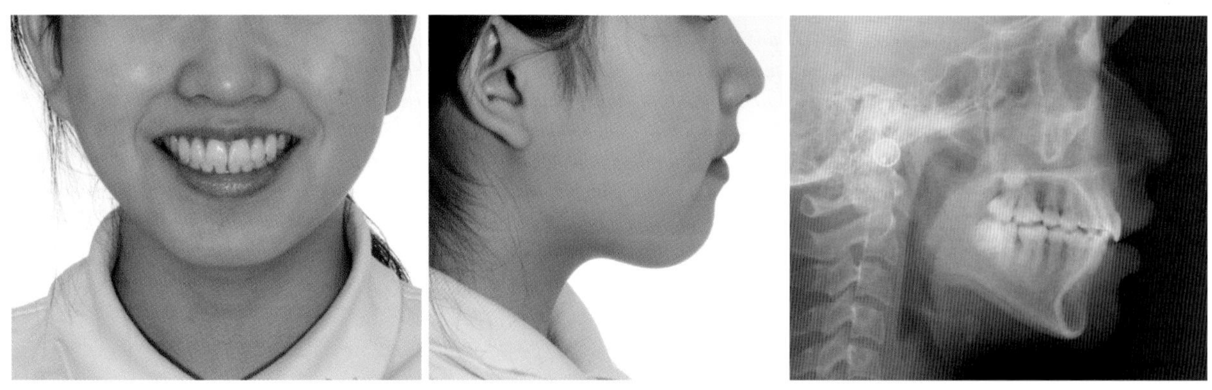

그림 5-14. 치료 완료 후 구외 사진 및 측모두부계측방사선 사진

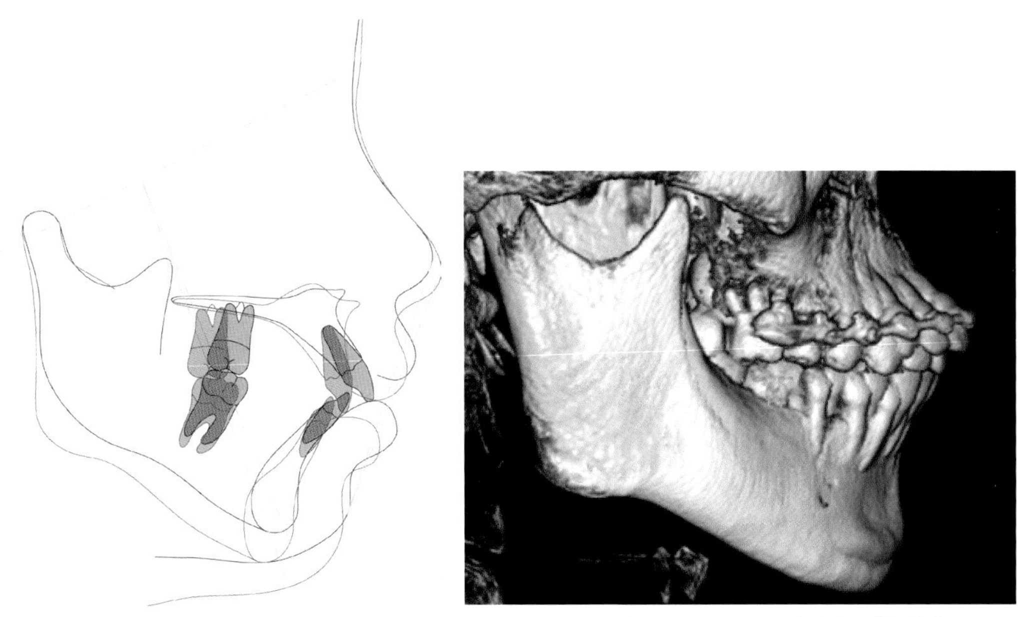

그림 5-15. 33개월간의 치료 전후 측모두부계측방사선 중첩 사진과 CBCT 시상면 중첩 사진
(출처: Kook et al.[3)]의 허가를 받아 인용)

표 5-2. 치료 전후 교정 계측 값

	Pre-treatment	Post-treatment
SNA	82.0°	81.0°
SNB	75.0°	75.0°
ANB	7.0°	6.0°
SN-GoGn	38.0°	37.5°
FMA	32.0°	31.5°
PA facial-height ratio	59%	60%
FH-U1	118.0°	105.0°
Overjet	5.0 mm	3.5 mm
Overbite	3.0 mm	4.0 mm
Nasolabial angle	112.0°	117.5°
TVL-Upper lip	5.0 mm	2.5 mm
TVL-Lover lip	0.0 mm	-4.5 mm

5-3 제3급 부정교합과 구개부 장치를 이용한 교정치료

3급 부정교합 구개장치는 Intra Oral-3급 부정교합 구개부 장치와 Extra Oral-3급 부정교합 장치가 있는데 Extra Oral-3급 부정교합 장치는 페이스 마스크와 병행하여 사용된다.

상악골의 열성장을 보이는 제3급 부정교합 환자는 구개부 장치와 페이스마스크를 사용하여 상악골 전방이동을 유도할 수 있다. 구개부 장치를 이용하는 경우 제3급 부정교합 환자에서 평균 2.3 mm의 상악골 전방 이동이 보였다. 또한 하악골의 시계방향 회전이 관찰되지 않고 하악 전치부의 후방경사 이동이 적게 일어난다.[4]

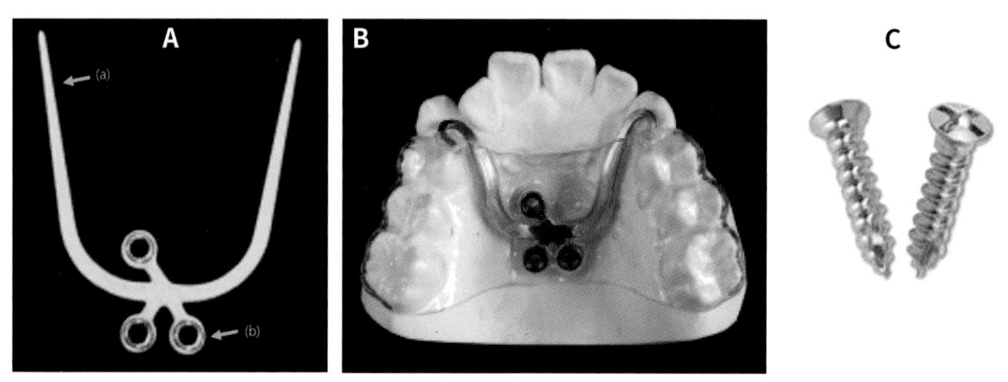

그림 5-16. Extra Oral-III급 구개부 장치. A: 구조 (a) 암(arm), (b) 스크류 홀, B: 지그, C: 미니 임플란트
(출처: Lee et al.[4]의 허가를 받아 인용)

1 성장기 환자에서 III급 구개부 장치 적용 시 고려사항

1) 적응증

환자의 유견치, 제1유구치, 제2유구치가 존재하는 경우에는 기존 방법(tooth borne)을 이용한 페이스마스크 치료가 가능하다. 하지만 앞서 말한 치아가 상실한 경우에는 기존의 방법을 사용할 수 없다. 특히 유견치가 상실된 경우에 제2유구치 혹은 제1대구치를 고정원으로 페이스마스크를 적용한다. 이 때 고정원 상실이 일어나 유견치 공간이 감소하여 견치가 날 공간이 부족해지는 현상이 나타난다. 대조적으로 III급 구개부 장치(bone borne)는 고정원 상실 문제를 일으키지 않는다. 그러므로 (1) 후기 혼합치열기, (2) 초기 영구치열기일 때가 III급 구개부 장치의 사용 적응증이다.

2) III급 구개부 장치

III급 구개부 장치의 암은 말단으로 갈수록 얇아지는 테이퍼(taper)한 형태이다. 술자가 환자의 구내 상황에 맞게 조정하여 구외 고무줄 적용을 위한 훅을 만들면 된다. 스크류 홀에 직경 2.0 mm, 길이 10 mm의 미니 임플란트를 식립하여 고정을 한다.

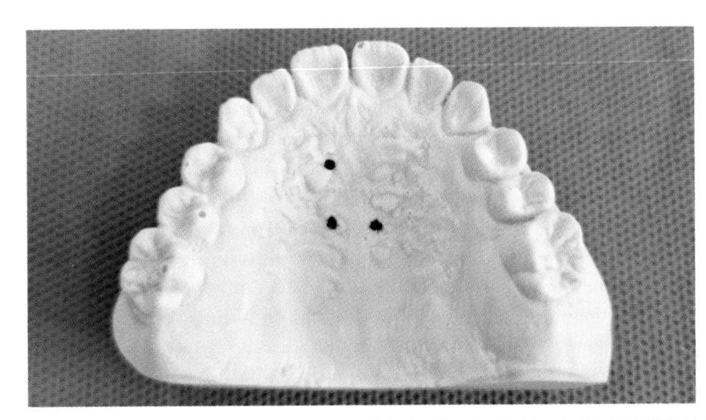

그림 5-17. III급 구개부 장치의 미니 임플란트 식립부위. 제1소구치와 제2소구치 사이와 견치와 제1소구치 사이이다. 후방부위에 두 개를 식립하고 전방부위에 한 개를 식립한다.

3) 구외력을 가하는 시기

식립 후 2주 동안 구내 위생관리가 잘 이뤄지는 것을 확인한 후 구외력을 가한다.

4) 힘의 양

구외고무줄(Elastic)의 사이즈 5/16", 힘은 16 oz를 추천한다. 2주 후 처음으로 힘을 가할 때는 5/16", 3.5 oz를 사용하고 1주일 후 16 oz로 교체한다(그림 5-18).

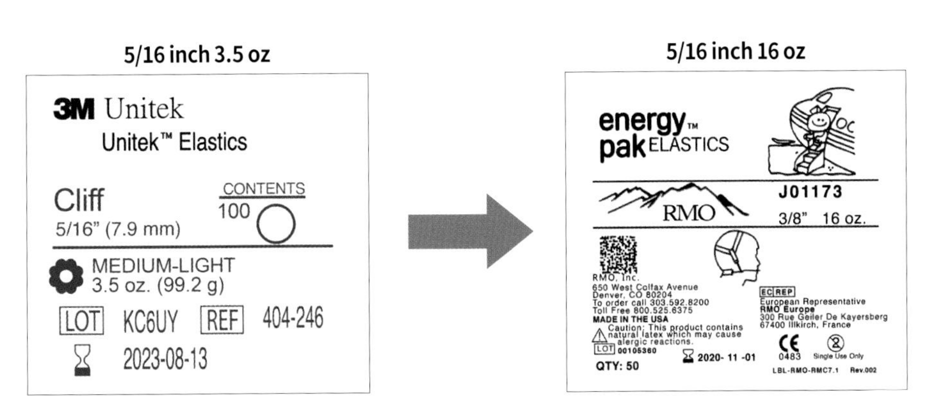

그림 5-18. 구외 고무줄

5) 구내 장착 과정

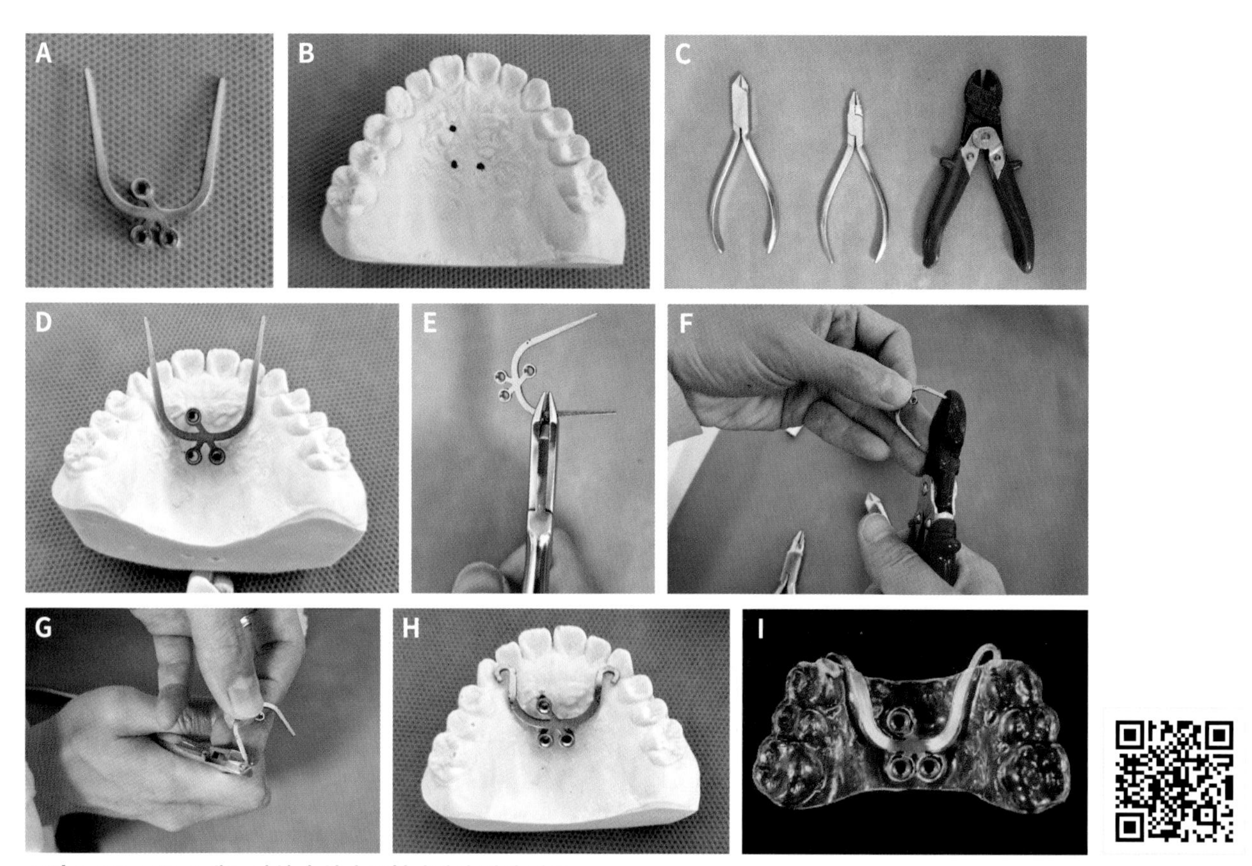

그림 5-19. III급 구개부 장치의 치아 모형상에서 제작 과정
A: III급 구개부 장치, B: 치아 모형. 미니 임플란트 식립 부위를 점으로 표시하였다. C: 사용하는 기구(three-jaw 플라이어, 영 플라이어, 커터), D: III급 구개부 장치를 치아 모형에 적합시킨다. E, F, G: 플라이어와 커터를 이용하여 III급 구개부 장치를 조절하는 모습으로, 암의 길이를 커터로 조절한 후에 플라이어를 사용하여 밴딩을 한다. 구개부 방향으로 밴딩을 실시하여야 고무줄 적용 시 유리하다. H: 조정이 완료된 모습, I: 구내 식립 전 지그를 제작한 모습

5-4 제3급 부정교합에서 구개부 장치의 골격적 효과

1 페이스마스크를 이용한 상악골 성장 유도

1) 후기 혼합치열기에서의 구개부 장치의 적용

증례 3

9세 남자 환자가 아래 치아가 앞으로 나왔다는 주소로 내원하였다. 초진 시 측모두부계측 방사선 사진 및 모델의 주요 계측치는 다음과 같다(그림 5-20).

ANB: 1.0°, FMA: 35.0°
골격성 III급 관계
III급 견치 및 구치 관계, 수평피개: -1.0 mm

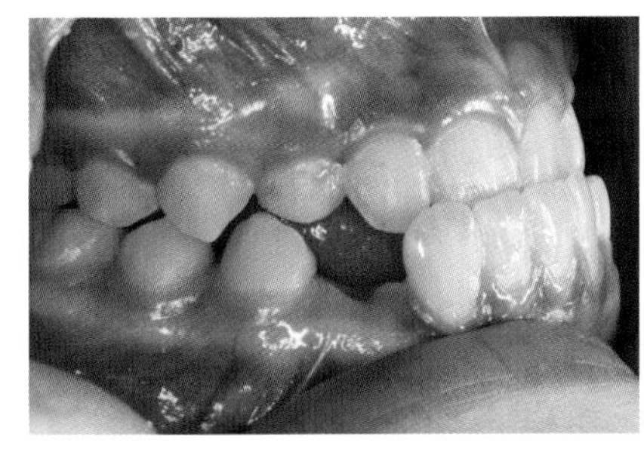
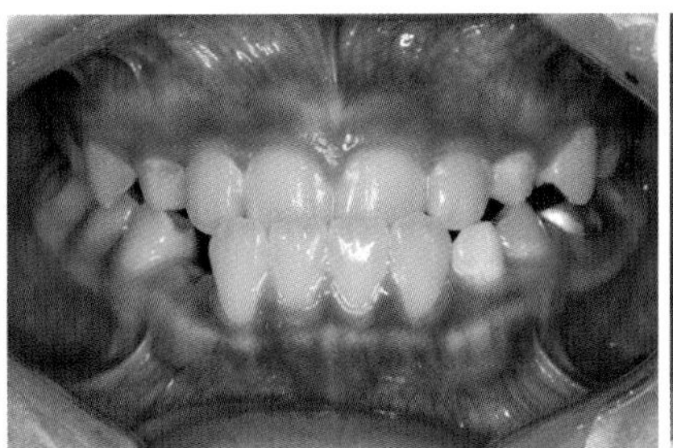
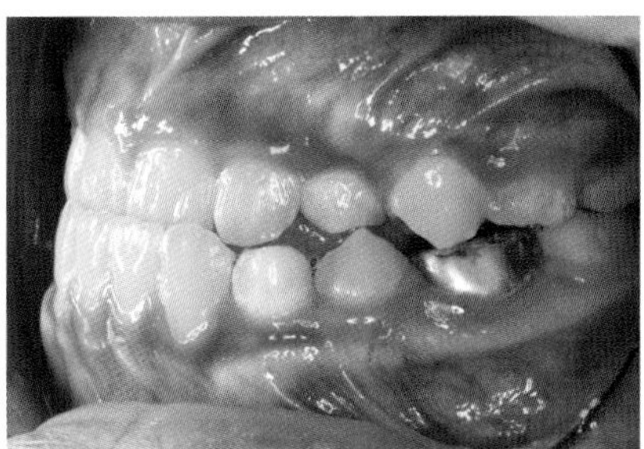

그림 5-20. 치료 전 반대교합을 보이는 후기 혼합치열기 환자의 구내 모습

(1) 치료계획

구개부 장치와 페이스마스크를 이용한 1단계 치료로 상악골의 전방 견인을 한 후 성장관찰을 하는 것으로 계획하였다.

(2) 치료과정

III급 구개부 장치 식립과 상악골의 전방견인을 위한 페이스마스크 착용을 7개월간 하였다(그림 5-21, 22, 23).

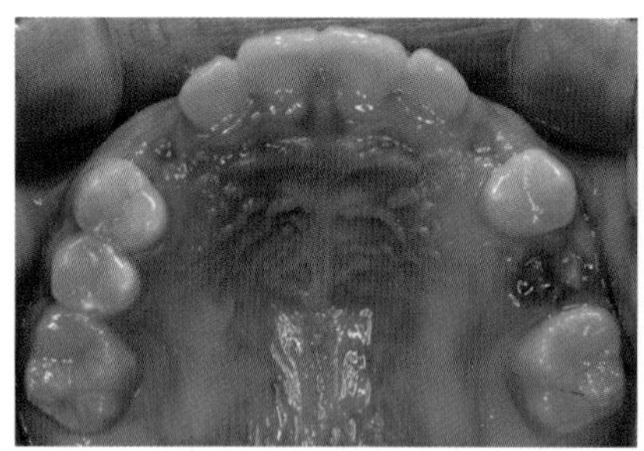
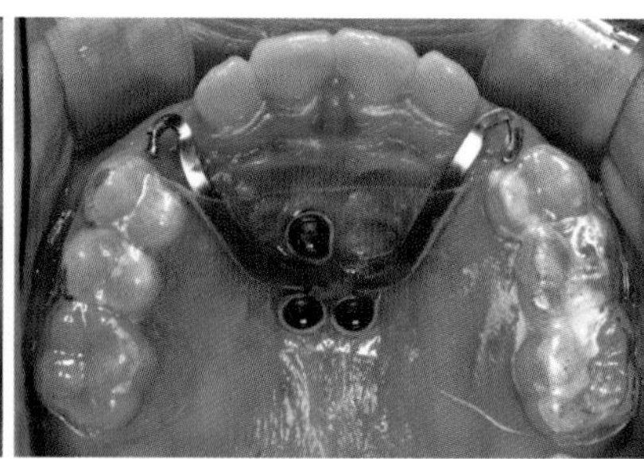
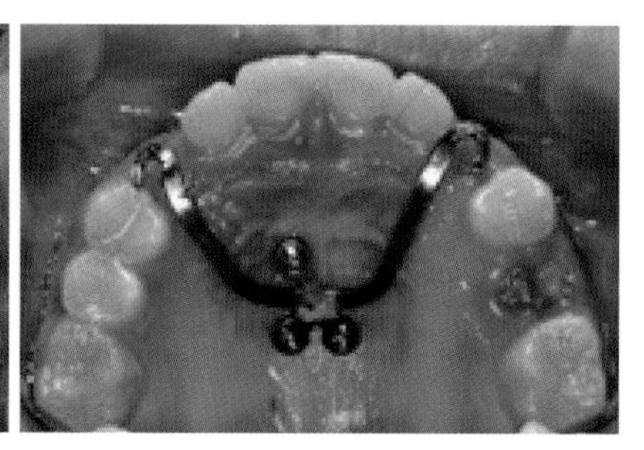

그림 5-21. III급 구개부 장치의 구강내 적용 과정
그림 5-21의 과정에 따라 제작된 III급 구개부 장치를 지그를 이용해 식립한다.

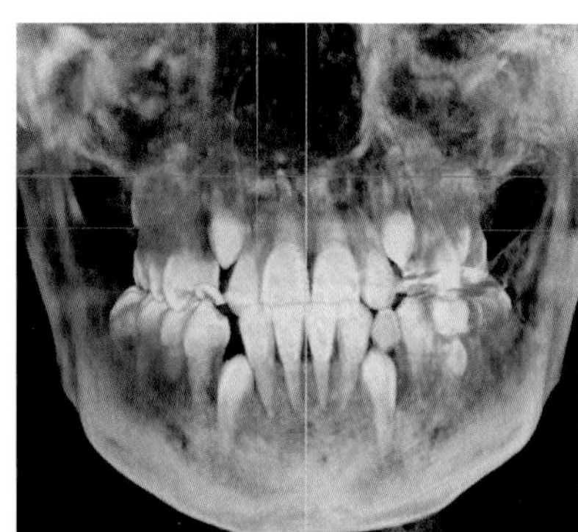
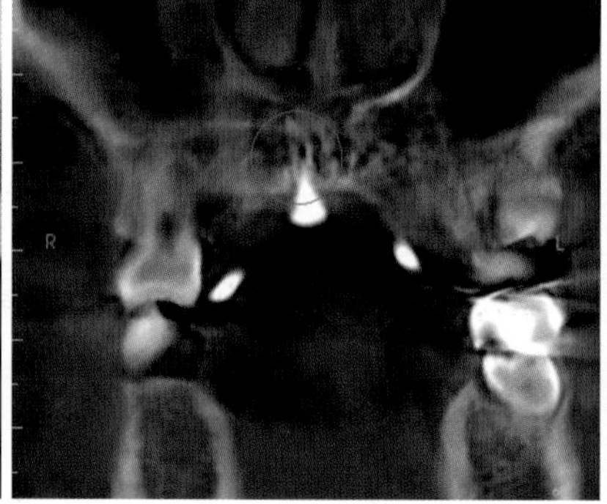
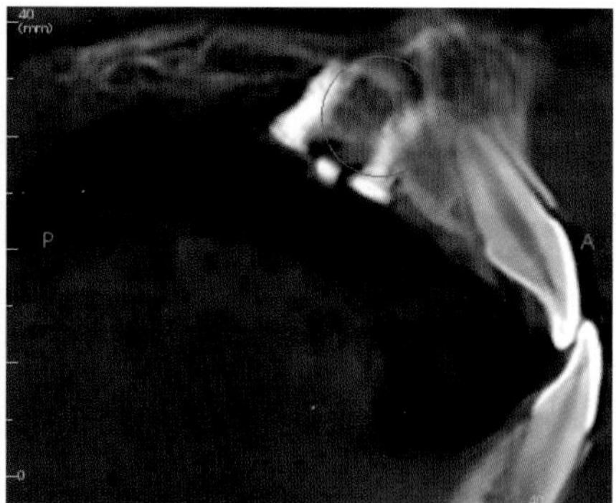

그림 5-22. 식립 후에는 CBCT를 촬영하여 전방부 미니 임플란트와 절치관과 관계를 평가하는 것이 필요할 수 있다.

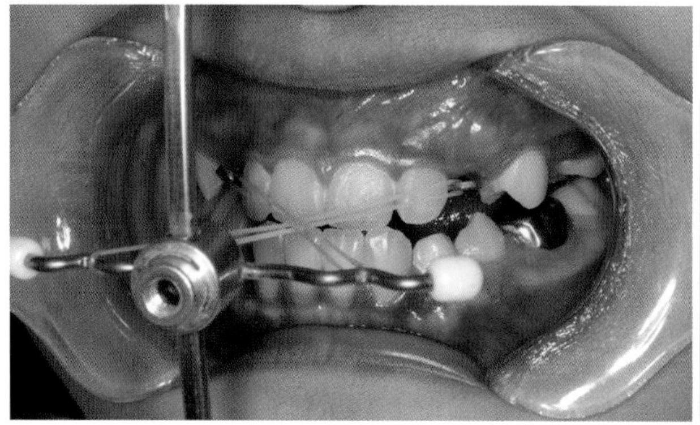
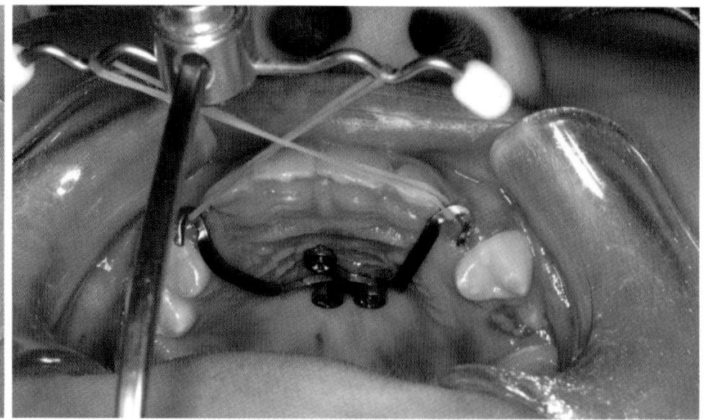

그림 5-23. 구외고무줄을 이용하여 III급 구개부 장치와 페이스마스크에 연결한다. (출처: Lee et al.[4]의 허가를 받아 인용)

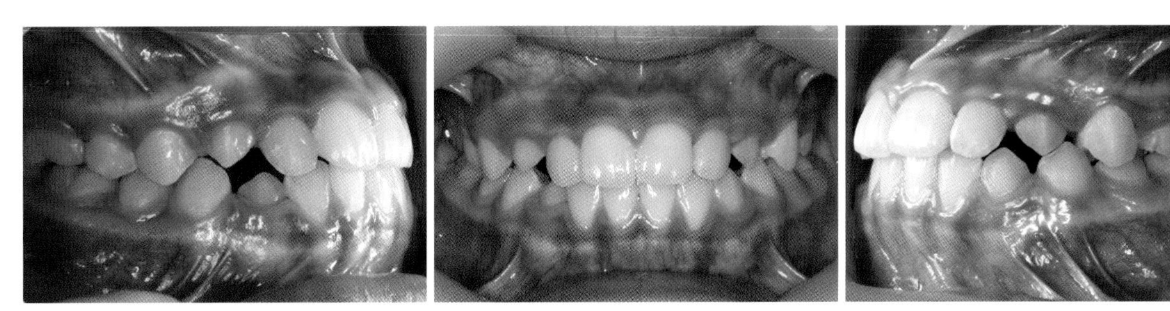

그림 5-24. 치료 후 정상적인 수평피개와 구치부 관계를 보인다.

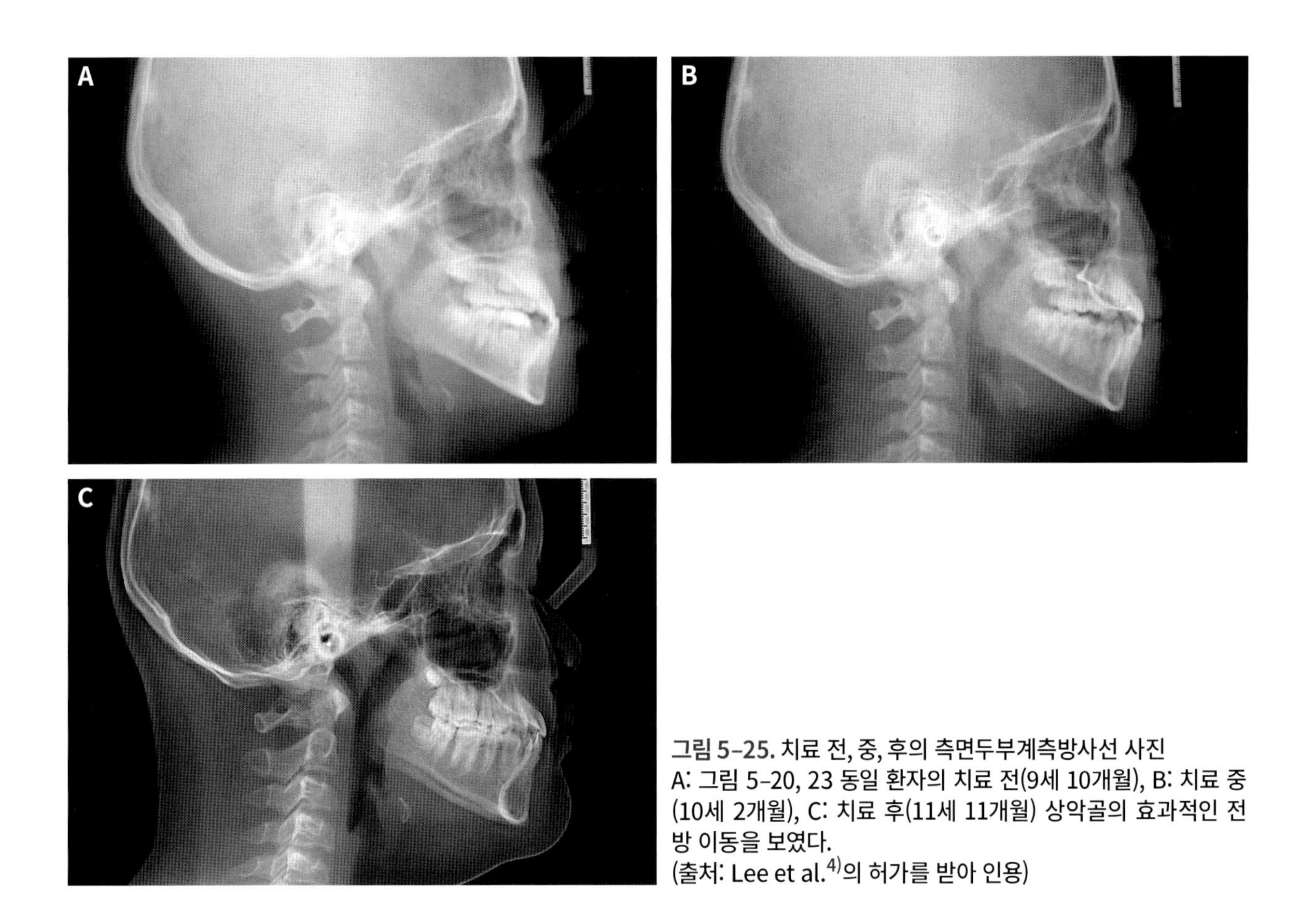

그림 5-25. 치료 전, 중, 후의 측면두부계측방사선 사진
A: 그림 5-20, 23 동일 환자의 치료 전(9세 10개월), B: 치료 중(10세 2개월), C: 치료 후(11세 11개월) 상악골의 효과적인 전방 이동을 보였다.
(출처: Lee et al.[4]의 허가를 받아 인용)

2) 영구치열기에서의 구개부 장치의 적용

증례 4

12세 여자 환자가 치열이 고르지 않고 주걱턱을 주소로 내원하였다. 하악골 과성장이 관찰되었으며 절단교합이 나타났다. 초진 시 측모두부계측 방사선 사진 및 모델의 주요 계측치는 다음과 같다(그림 5-26).

ANB: -3.5°, FMA: 22.0°
골격성 III급 관계
III급 견치 및 구치 관계

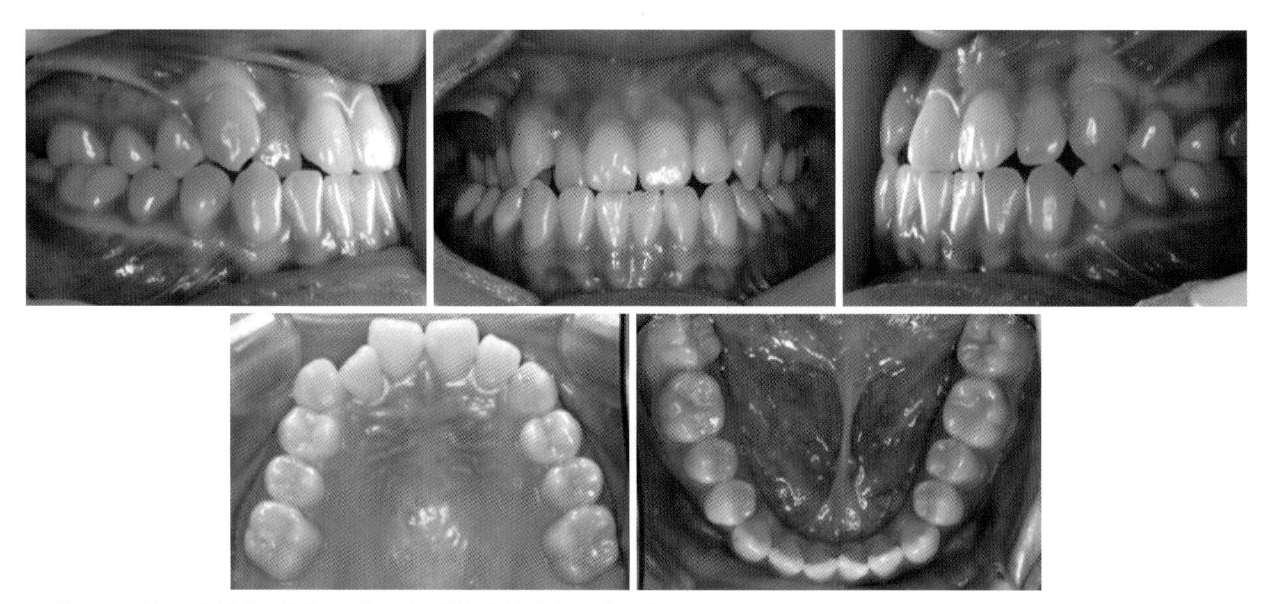

그림 5-26. 치료 전 절단교합을 보이는 영구치열기 환자의 구내 모습

(1) 치료계획

상악골 전방 견인과 확장을 통해 치아배열을 위한 공간 확보와 절단 교합을 해소한 후에 상악 전치부에 레벨링 및 배열을 시행하기로 하였다. 추후 성장 관찰을 통해 재발이 되는지 확인하기로 하였다.

(2) 치료과정

III급 구개부 장치 식립과 상악골의 전방견인을 위한 페이스마스크 착용을 10개월간 하였다. 이후 급속악궁확장장치를 이용하여 2개월 동안 상악궁 확장을 시행하였다. 이후 고정식 교정장치를 상악에만 부착하여 레벨링 및 배열을 시행하였다. 총 치료기간은 2년 4개월이었다(그림 5-27).

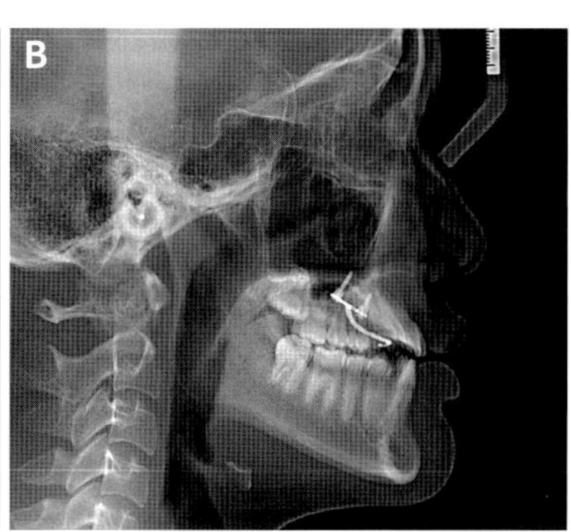
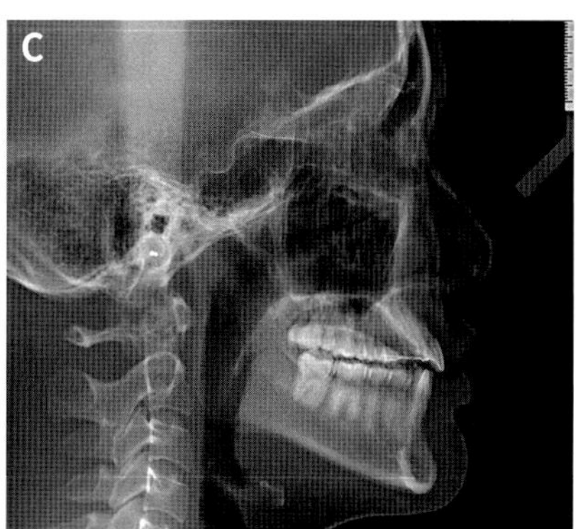

그림 5-27. 치료과정 중의 측모두부계측 방사선 사진. A: 환자의 치료 전, B: 치료 4개월 후 사진, C: 치료 완료 후

(3) 치료결과

상악골 전방 견인과 확장 및 레벨링 및 배열 후 ANB는 –3.5°에서 0.5°로 개선되었고, 수평피개는 절단교합에서 4.0 mm로 초기에 비해 상당량 개선되었다. 또한 상악골의 전방 견인으로 측모가 개선되었다(그림 5-28). 상악골 성장 유도를 위한 구개부 장치와 페이스마스크를 사용하여, 상악골의 전방 이동과 하악골의 시계방향 회전을 보였으며, 치아의 이동은 전통적인 치아 지지 장치보다 적었다. 그러므로 III급 구개부 장치는 성장기의 제3급 부정교합 환자에서 상악골 전방 이동을 위한 장치로 효과적이다.

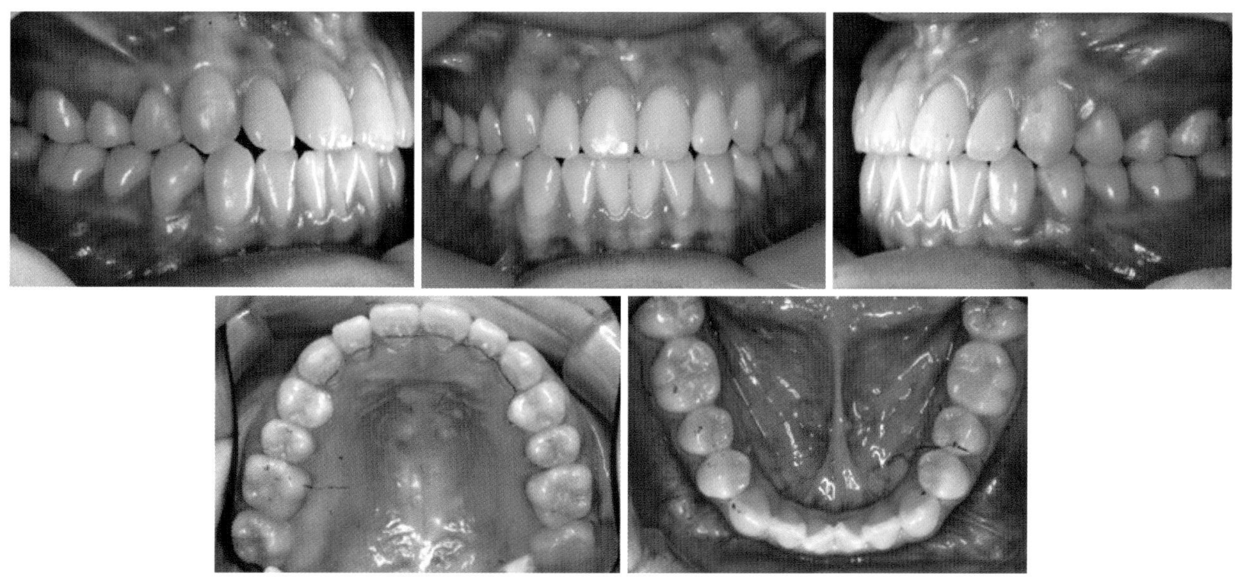

그림 5-28. 치료 후로 III급 구개 골성 고정원을 이용한 치료와 함께 브라켓을 이용해 상악 치열의 크라우딩 해소하여, 정상적인 수평피개와 구치부 관계를 보였다. 그러나 하악골의 잔여 성장을 고려하여 지속적인 성장 관찰이 필요하며, 성장 완료 후 추가적인 교정이 필요하다.

5-5 제3급 부정교합에서 상악 치열 전방 이동을 위한 구개부 장치

1 횡구개호선을 이용한 상악 전치열의 전방 이동

1) 전치부 반대교합을 가진 성장기 환자에서의 상악 전치열의 전방 이동

기존 구외장치를 이용한 상악 치열의 전방 이동은 환자의 협조도에 의존하였으며 상악 대구치의 정출 및 하악의 시계방향의 회전을 야기하였다.

구개부 장치를 이용하면 효과적으로 상악 치열을 전방 이동시킬 수 있었으며 환자의 협조도에 의존하지 않는다는 장점이 있다. 반면에 골격적 효과에 대한 것은 아직 밝혀지지 않았다(그림 5-29).[5]

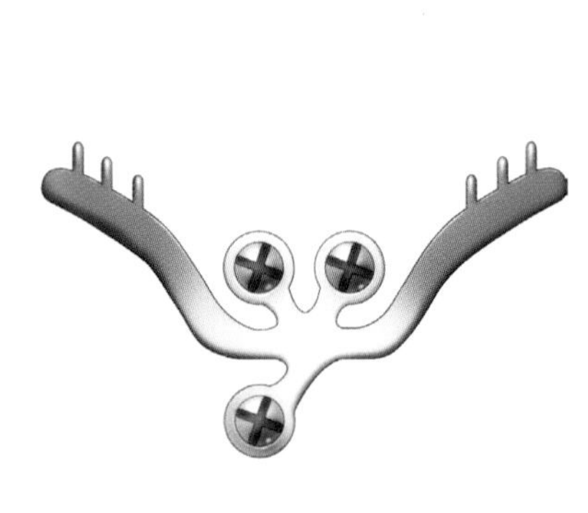

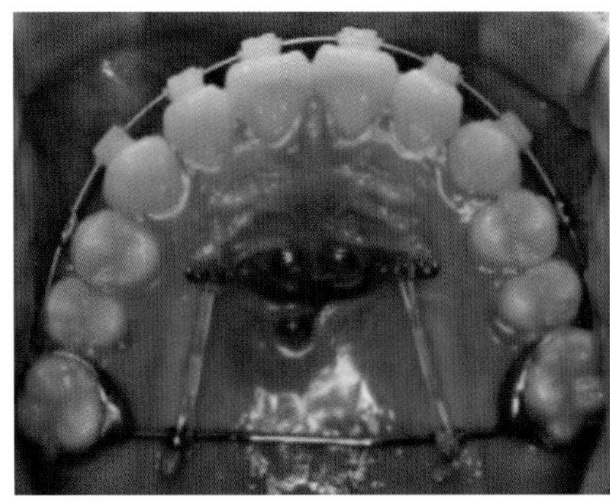

그림 5-29. 구개 횡선과 구개부 골성 장치 모습

수직적 골격 패턴에 따른 횡구개호선과 구개부 장치 적용 시 고려사항

구개부 장치를 전방에 장착하고, 횡구개호선의 작용점이 그보다 후방에 위치할 때 구개부 장치는 전체치열에 전방 이동 힘을 가하게 된다(그림 5-30).

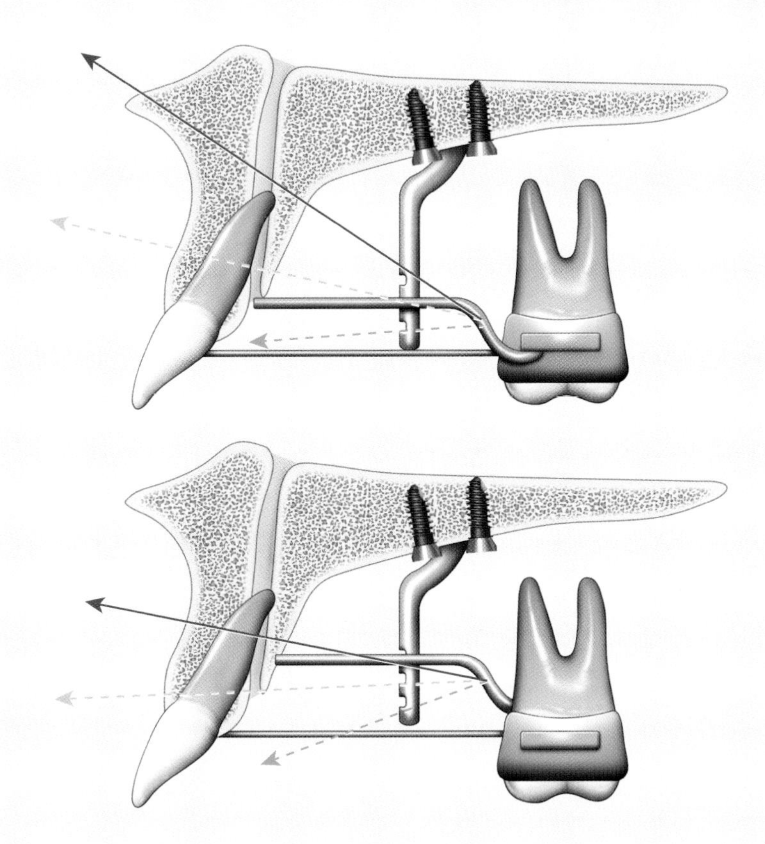

그림 5-30. 횡구개호선 훅의 위치를 통해 치열 전방 이동 시 힘의 벡터를 조절한다.

일반적인 구개부 장치의 적용과 같이 전방으로 향하는 힘의 방향도 횡구개호선의 훅의 위치와 구개부 장치에 적용되는 지점에 따라 얼마든지 조절이 가능하다. 이는 다양한 수직적 패턴의 치성 제3급 부정교합의 치료에서 유용하게 적용될 수 있다.

증례 5

12세 남자 환자가 턱이 튀어 나왔다는 주소로 내원하였다. 상악의 열성장으로 인해 하악의 돌출이 관찰되었으며 오목한 측모를 보였다. 초진 시 측모두부계측 방사선 사진 및 모델의 주요 계측치는 다음과 같다(그림 5-31, 32).

ANB: -3.1°, FMA: 29.9°
골격성 III급 관계
III급 견치 및 구치 관계, 수평피개: -1.5 mm

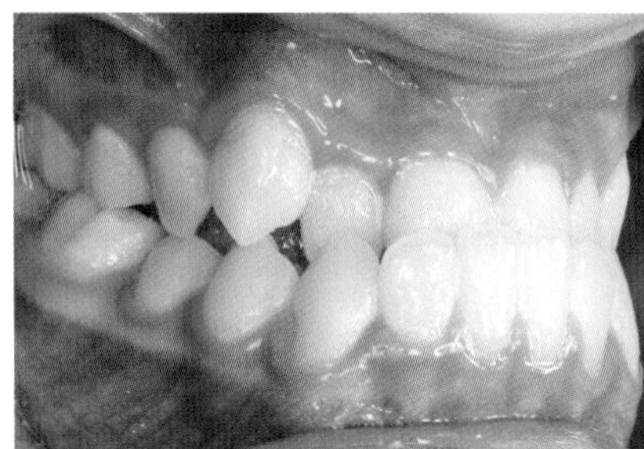
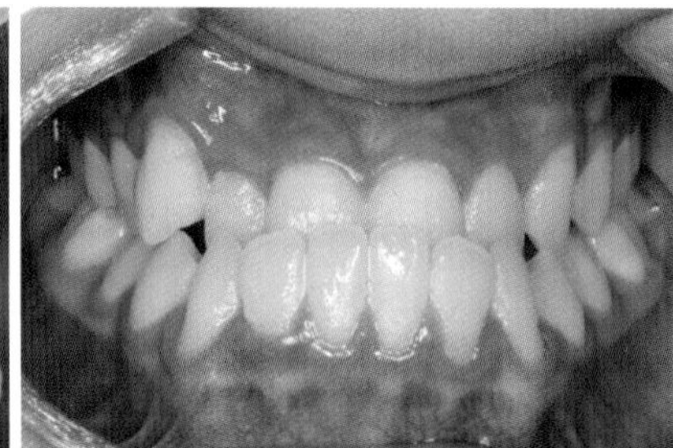
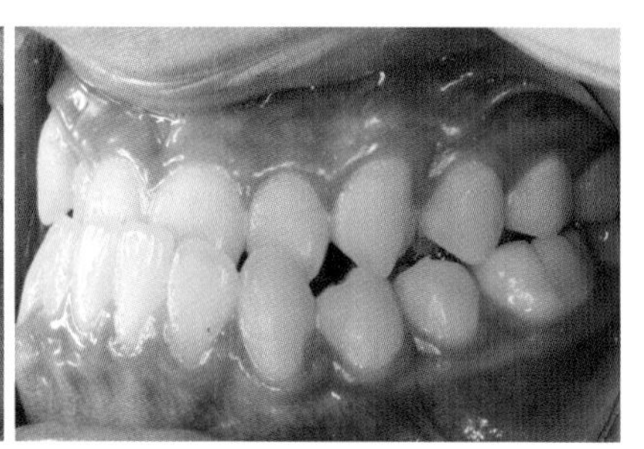

그림 5-31. 초진 시 구내 모습(출처: Kook et al.[5]의 허가를 받아 인용)

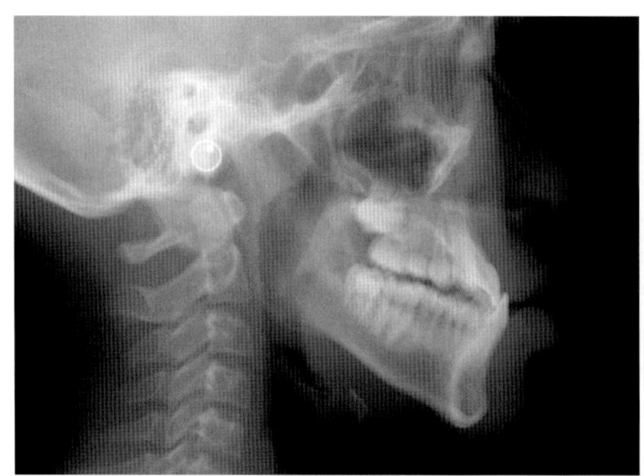
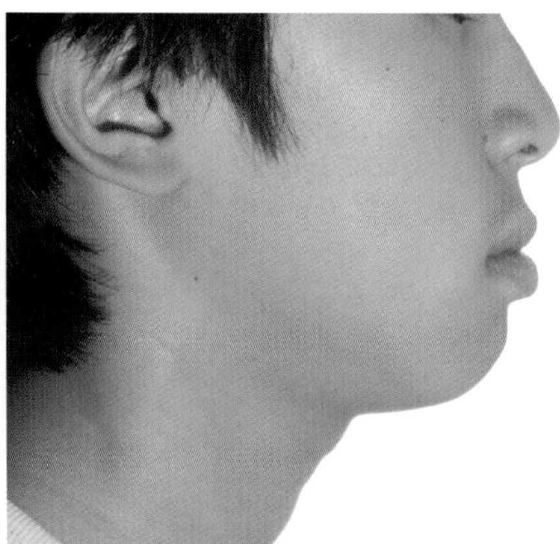

그림 5-32. 초진 시 측모두부계측방사선 사진과 측모 사진(출처: Kook et al.[5]의 허가를 받아 인용)

(1) 치료계획

전치부 반대교합 개선을 목적으로 상악 치열 배열 후, III급 구개 골성 고정원과 횡구개호선을 이용한 상악 전치열의 전방 이동하는 것을 1단계 치료로 계획하였다. 1단계 치료 후, 성장관찰을 통해 추가교정 여부를 확인하기로 하였다.

(2) 치료과정

0.019 × 0.025인치의 스테인리스강 호선까지 점차 호선 사이즈를 증가시켰다(그림 5-33). 구개부에 구개부 장치를 식립하였고, 제1대구치에 밴드 형식의 횡구개 호선을 적합시켜 구개부 장치와 횡구개 호선 사이에 탄성체인을 이용하여 300 g의 전방력을 가하였다. 탄성체인을 매 달마다 교체하였고, 전방 견인과 함께 치아의 배열이 완료되었다(그림 5-34, 35).

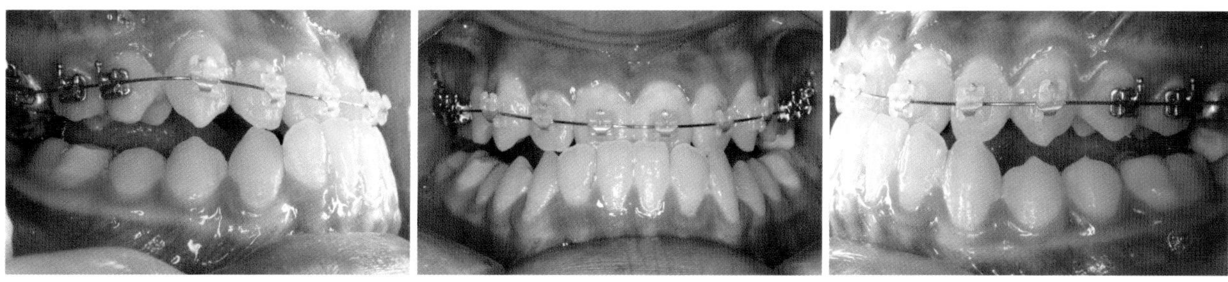

그림 5-33. 초기 상악 치열 배열 및 구치부에 레진 적용(출처: Kook et al.[5])의 허가를 받아 인용)

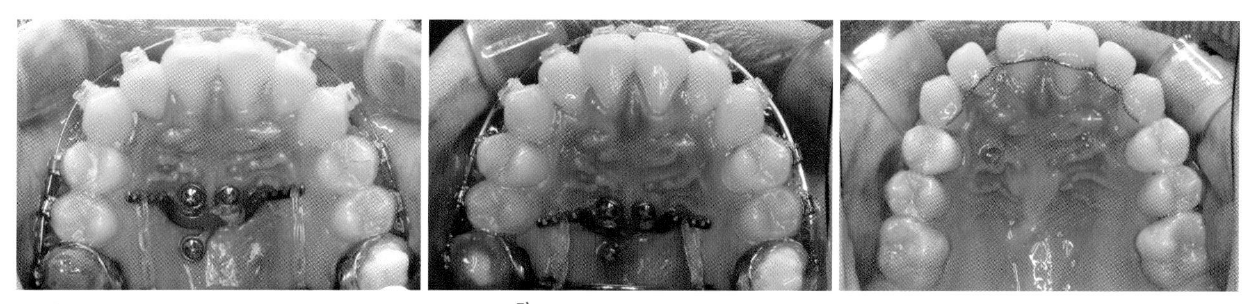

그림 5-34. 치료과정 중 구내 사진(출처: Kook et al.[5])의 허가를 받아 인용)

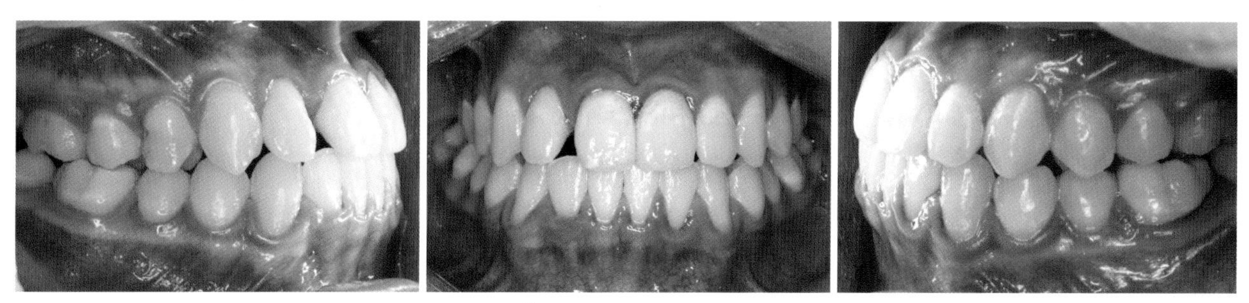

그림 5-35. 치료 완료 후 구내 사진(출처: Kook et al.[5])의 허가를 받아 인용)

(3) 치료결과

약 11개월의 전방견인 후에 적절한 수평피개가 형성되어서 구개부 장치를 제거하였다. 6개월 동안 하악의 성장을 관찰한 후, 교합이 안정적인 것을 확인하였다. 환자가 더 이상의 교정치료를 원하지 않아 상악의 공간을 해결하지 못하고 교정치료를 완료하였다.

안모 사진에서 심미적으로 보다 개선된 안모가 관찰된다. 적절한 수평피개와 수직피개가 형성되었고, 크라우딩이 해소되었으나, 상악 전치부의 공간, III급 구치 관계는 여전히 남아있다.

치료 전후의 측모도부계측방사선을 중첩해보면, 상악골은 전방으로 이동하였고, 하악 평면각에서는 변화가 관찰되지 않는 것을 볼 수 있다. 상악 전치부는 치료 전(U1 to SN, 108.0°)과 비교하여 순측으로 경사되었다(U1 to SN, 112.5°)(그림 5-36).

총 치료기간은 19개월로, 환자의 나이를 고려했을 때 1년 주기의 성장관찰을 추천했다(그림 5-37). 추후 하악골의 전방성장 양상에 따라 수술적 치료방법을 고려할 수 있다고 설명하였다. 교정치료 완료 후 9년 후, 23세 때의 측모두부계측방사선 사진상에서 ANB값 -0.5, FMA값 32.0°, U1 to SN 값 113.0°로 안정적인 유지결과를 나타났다(그림 5-38).

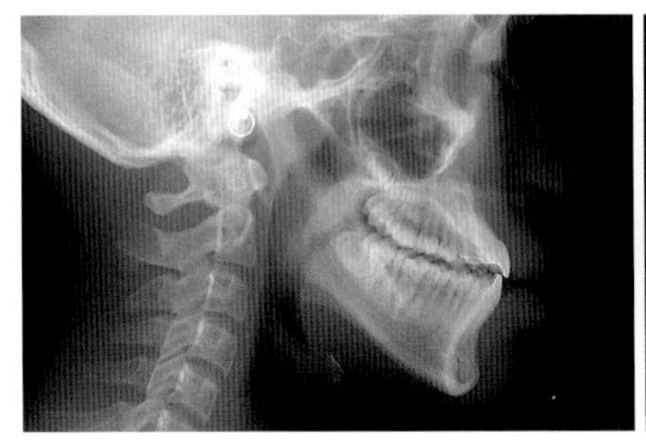
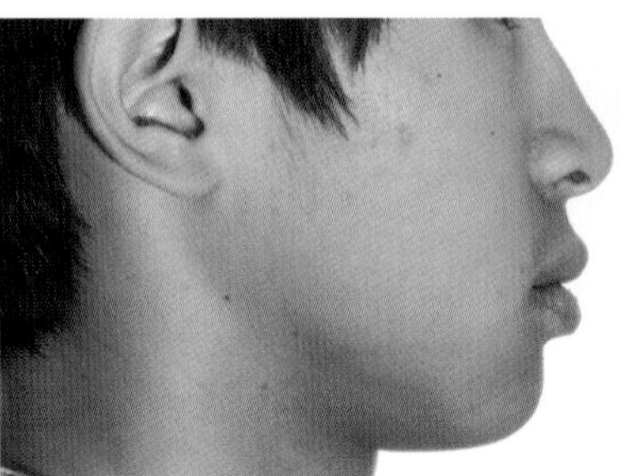
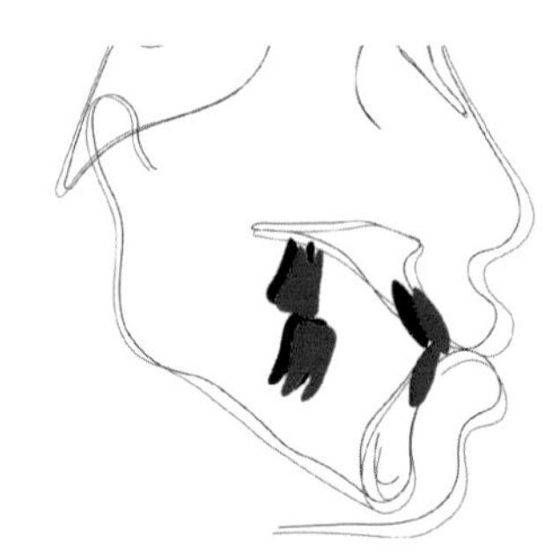

그림 5-36. 치료 완료 후 측모두부계측방사선 사진, 측모 사진 및 치료 전 후 측모두부계측방사선 중첩 사진. 치료 전(U1 to SN, 108.0°)과 비교하여 치료 후(U1 to SN, 112.5°)로 상악 전치부는 순측으로 경사되었다. (출처: Kook et al.[5])의 허가를 받아 인용)

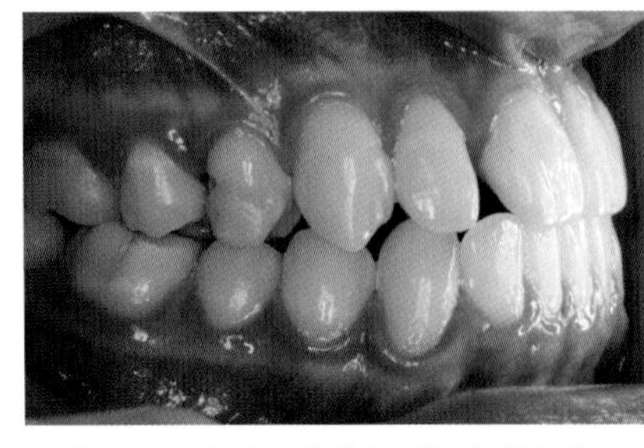
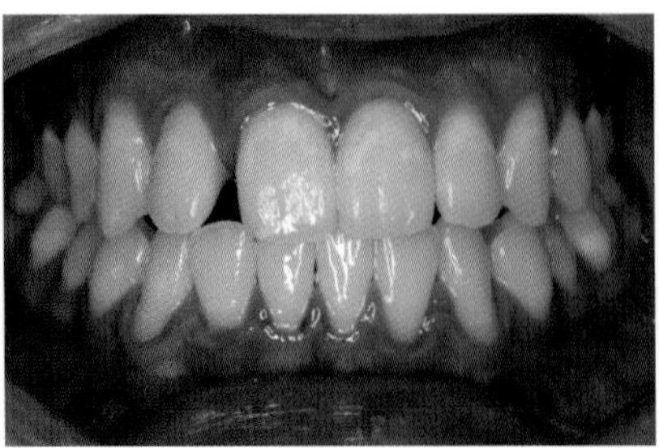
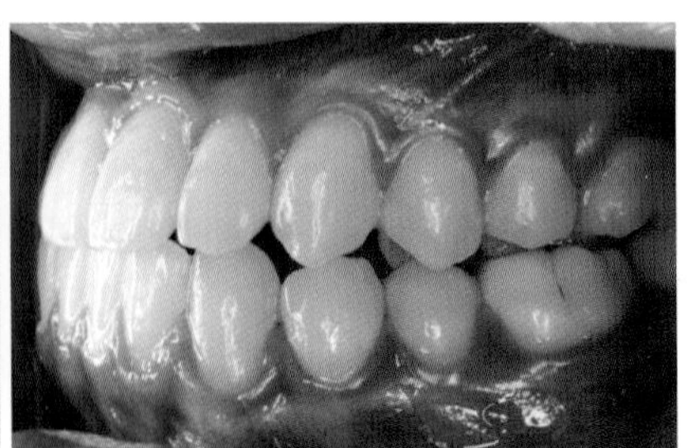

그림 5-37. 유지 1년 후 구내 사진(출처: Kook et al.[5])의 허가를 받아 인용)

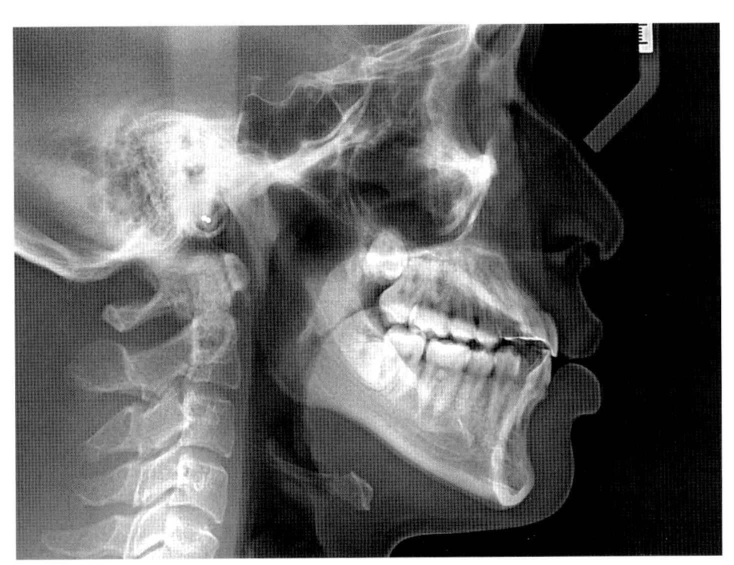

그림 5-38. 유지 9년 후 측모두부계측 방사선 사진. ANB: -0.5, FMA = 32.0°, U1 to SN = 113.0°으로 양호하게 유지되고 있음을 알 수 있다. (출처: Kook et al.[5]의 허가를 받아 인용)

2) III급 성인 환자에서 상악 치아 전방 이동을 통한 역교정치료

증례 6

19세 여자 환자가 타 의원에서 상악 제1소구치를 발치하고 교정치료를 종료하였으나 상악 치아가 안으로 들어갔다는 주소로 내원하였다. 초진 시 측모두부계측 방사선 사진 및 모델의 주요 계측치는 다음과 같다.

ANB: -0.5°, FMA: 27.5° , U1 to FH 118.5°
골격성 III급 관계
III급 견치 및 구치 관계, 수평피개: 1.5 mm

(1) 치료계획

상악 치열 전방 이동을 위한 구개부 골성 고정원과 구개 횡선 적용하여 III급 구치관계를 개선하고자 하였다.

(2) 치료과정

고정식 교정장치를 부착하였고 골성 고정원 식립과 구개 횡선을 이용하여 상악 치열 전방 견인을 총 3년간 치료를 진행하였다. 환자의 협조도가 저조하여 다소 치료기간이 길어졌다(그림 5-39, 40).

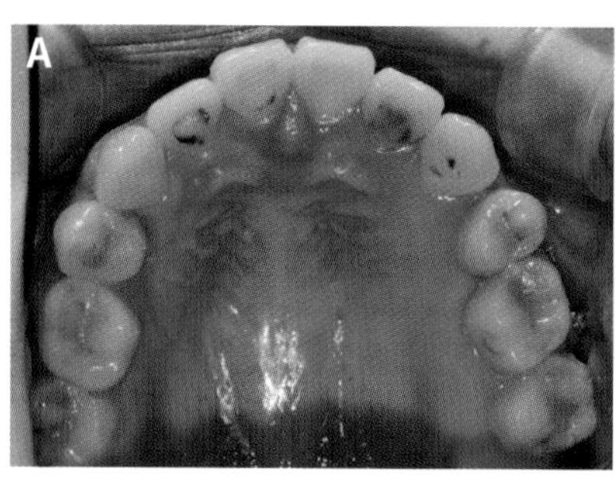

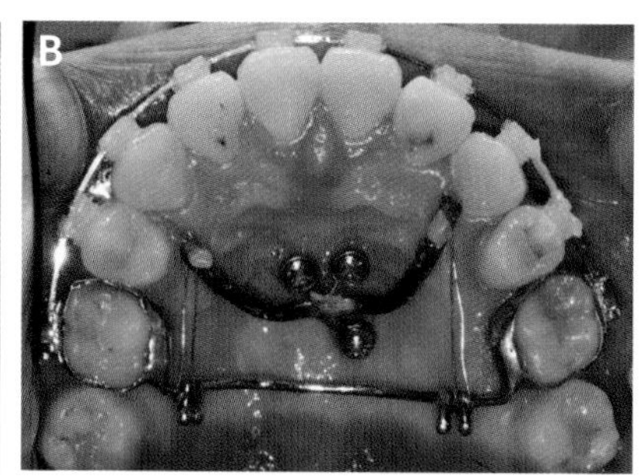

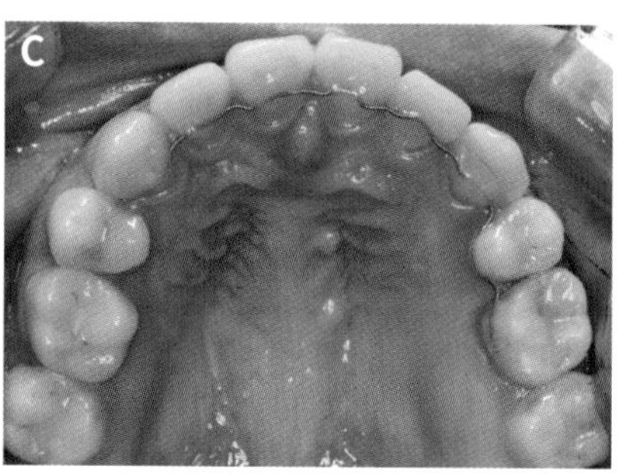

그림 5-39. 구내 치료과정. A: 초진 시 모습, B: 구개부 골성 장치를 적용한 모습, C: 치료 완료 후 모습
(출처: Kook et al.[5]의 허가를 받아 인용)

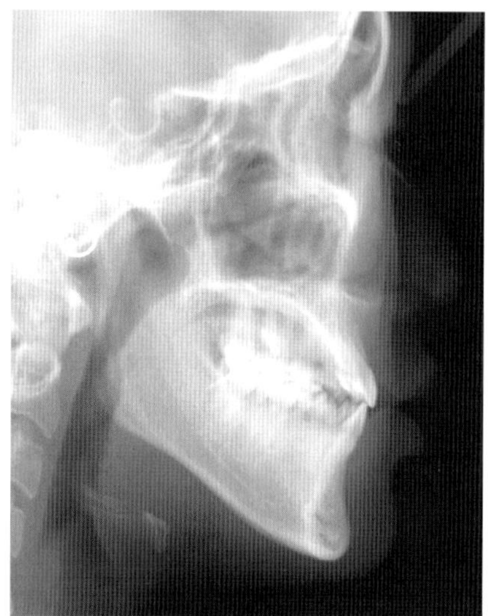
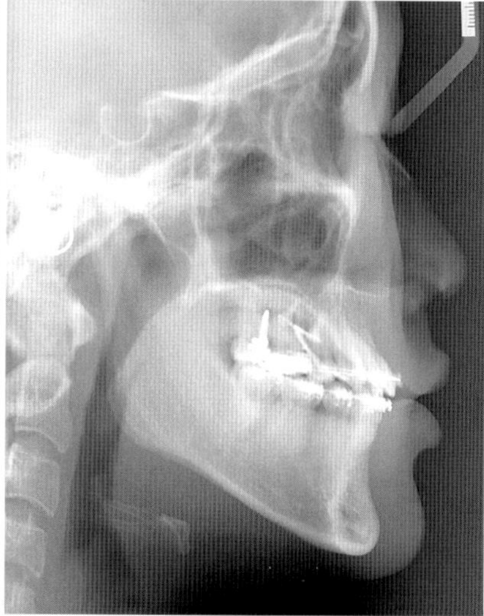
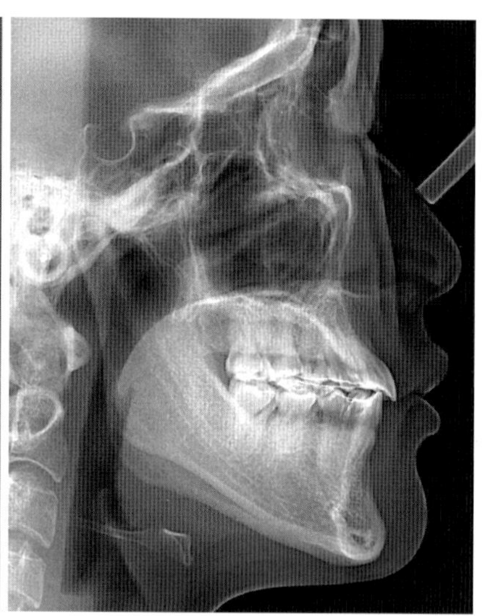

그림 5-40. 측모두부계측방사선 사진. A: 초진 시 모습, B: 8개월 후 모습, C: 치료 완료 후 모습

임상 팁

3급 부정교합 환자에서 상악 치열 전방 이동 시 상악 전치부 재발을 고려하여 오버커렉션하는 것을 추천한다.

또한 불가피하게 하악 치열을 후방 이동시키고자 할 경우 하악 치열 후방 이동으로 인해 친포인트가 더 강해지는 것을 방지하기 위해 하악 구치부 정출을 유도하여 구치부 후방 이동 시 하악골을 후하방(시계방향)으로 회전시키는 것이 좋다.

(3) 치료결과

3년간의 구개부 골성 고정원과 구개 횡선을 이용한 치료로 ANB 0.5°, 수평피개 3.0 mm, 그리고 U1 to FH 128.0°로 변화되어 측모가 개선되었다. 또한 환자의 주소였던 발치 교정 후 혀 공간이 부족하여 혀가 씹힌다는 불편감이 해소되었다고 한다. 골격성 제3급 부정교합으로 수술을 원치 않은 경우에 보상성 치료로 상악 치열 전방 견인이 효과적이다.

참고문헌

1. Kook YA, Kim SH, Chung KR. A modified palatal anchorage plate for simple and efficient distalization. J Clin Orthod 2010;44:719–30.
2. Sa'aed NL, Park CO, Bayome M, Park JH, Kim Y, Kook YA. Skeletal and dental effects of molar distalization using a modified palatal anchorage plate in adolescents. Angle Orthod 2015;85:657–64.
3. Kook YA, Lee DH, Kim SH, Chung KR. Design improvements in the modified C-palatal plate for molar distalization. J Clin Orthod 2013;47:241–8.
4. Lee YS, Park JH, Kim J, Lee NK, Kim Y, Kook YA. Treatment effects of maxillary protraction with palatal plates vs conventional tooth-borne anchorage in growing patients with Class III malocclusion. Am J Orthod Dentofacial Orthop 2022;162:520–8.
5. Kook YA, Park JH, Kim Y, Ahn CS, Bayome M. Sagittal correction of adolescent patients with modified palatal anchorage plate appliances. Am J Orthod Dentofacial Orthop 2015;148:674–84.

06

성장기 환자에서의 구치부 위치 변화

6-1 미맹출 상악 대구치 위치 변화

성장기 환자에서 상악 치열의 후방 이동 치료를 위한 최적의 시기는 상악 제2대구치가 맹출하기 전이라고 알려져 있다. 하지만 제2, 3대구치의 맹출이 되지 않은 상황에서 제1대구치의 후방 이동을 진행할 경우, 미맹출된 구치의 맹출 지연 혹은 맹출 장애의 가능성에 대한 의구심이 제기될 수 있다. Pendulum 장치를 사용한 기존의 개념에서는 미맹출 대구치의 치배가 지렛대로 작용하여 제1대구치가 후방으로 경사되고 이는 후방 미맹출 대구치의 맹출을 방해하는 결과를 초래한다고 여겨져, 통상적으로 제 3대구치의 발치가 고려되었다(그림 6-1, 8).

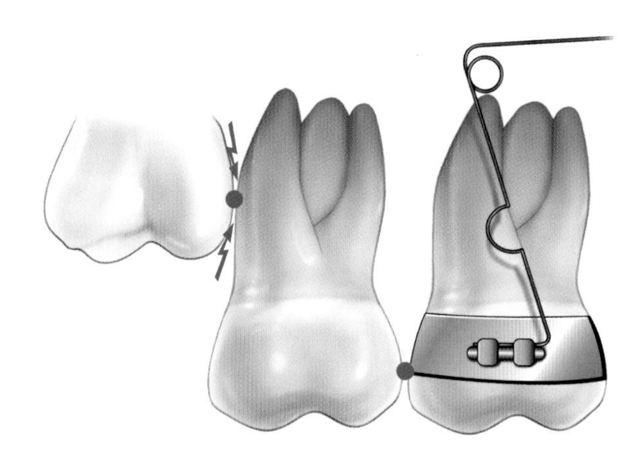

그림 6-1. Pendulum 장치를 이용하여 상악 제1대구치의 후방 이동을 실시할 때의 모습이며, 이는 제3대구치의 맹출을 방해한다고 여겨졌다.

또한 제2대구치를 후방으로 이동하게 되면 제3대구치의 치배가 위치하는 상악 결절의 공간이 줄어들고, 이로 인하여 제 3대구치의 위치 이상이나 맹출 장애가 발생할 것으로 생각할 수 있다(그림 6-2).

하지만 CBCT를 이용한 연구에 의하면 제2대구치를 후방으로 이동시켜도 상악 결절의 부피는 대조군과 비교했을 때 차이가 없었다(그림 6-3). 이러한 결과는 상악 제1대구치의 후방 이동이 제2, 3대구치의 맹출에 영향을 끼치지 않았다는 것을 의미한다.

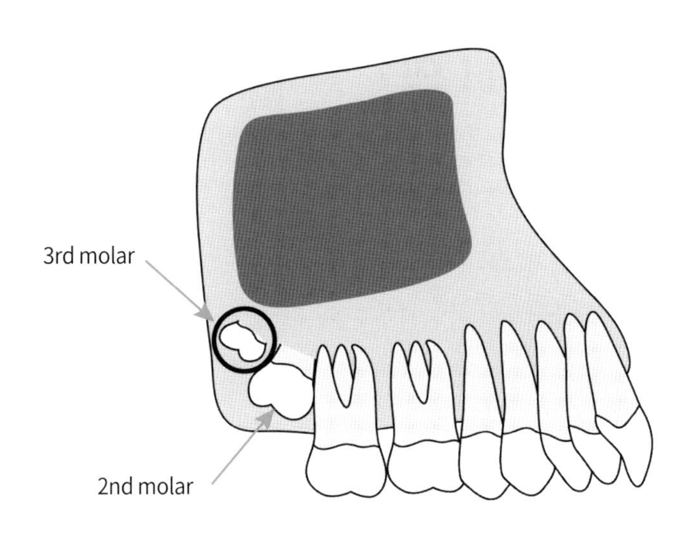

그림 6-2. 상악 제2대구치 및 상악 제3대구치 치배의 모습. 이전에는 상악 제1대구치를 후방 이동시켰을 때, 제2대구치 및 제3대구치의 맹출 장애가 발생할 것으로 생각되었다.

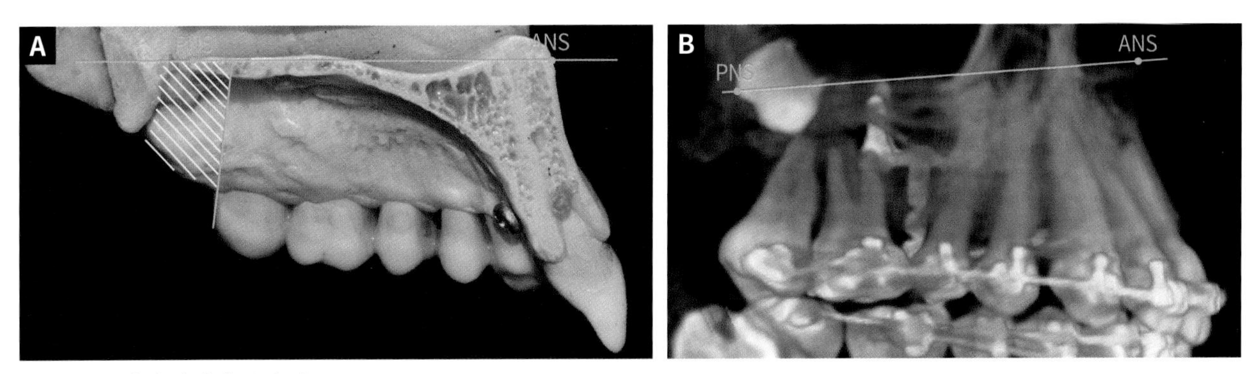

그림 6-3. 상악 결절의 부피 비교
A: 제2대구치 후방 이동 전의 상악 결절 부피(대조군), B: 제2대구치 후방 이동 후의 상악 결절 부피로, 대조군(A)과 차이가 없었다.

1 제2, 3대구치 위치 변화

구개부 장치를 이용한 상악 후방 이동은 대구치의 원심 경사를 최소화하면서 많은 양의 후방 이동을 얻을 수 있다. 구개부 장치를 이용한 제1대구치 후방 이동 시 제2대구치 맹출 여부에 따라 구치부의 3차원적 위치를 평가한 연구에서, 제2대구치 맹출 여부와 관계없이 제2대구치는 정상 맹출하였고, 제2대구치가 맹출하기 전에 제1대구치를 후방 이동한 경우 제3대구치의 맹출 방향이 오히려 더 양호하였다. 이 결과를 통해, 제1대구치를 후방 이동할 때 발육 중인 제3대구치를 발치하지 않아도 됨을 알 수 있었다 (그림 6-4, 5).

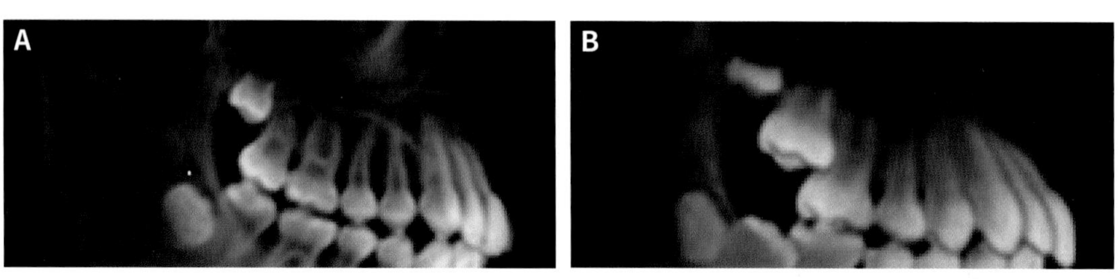

그림 6-4. 상악 제1대구치 후방 이동 시 제2대구치의 위치 평가. A: 제2대구치가 완전히 맹출한 경우, B: 제2대구치의 맹출이 완료되지 않은 경우

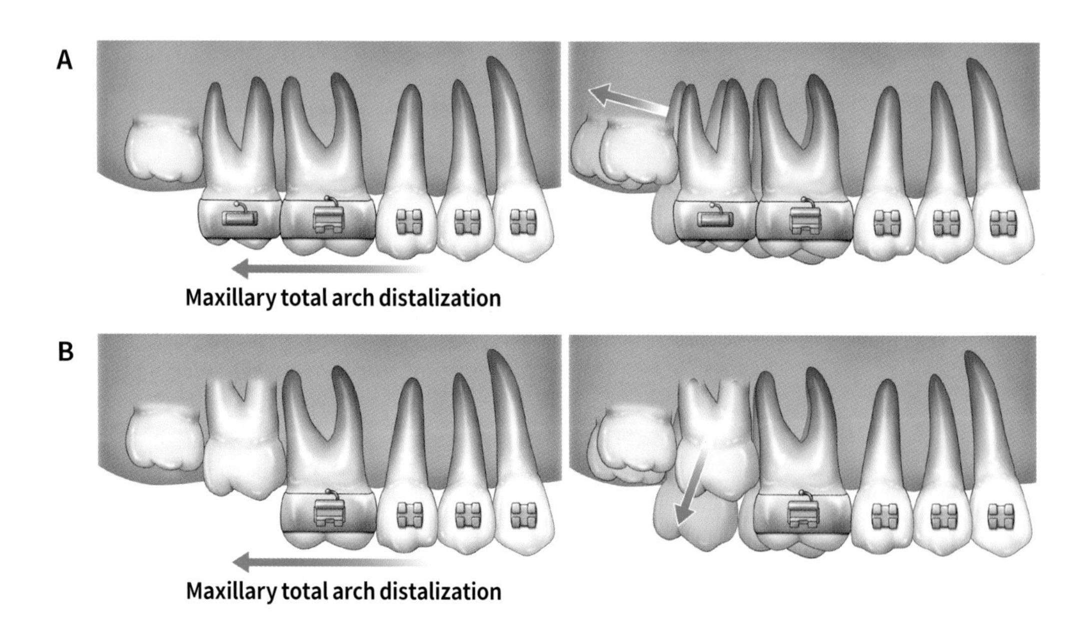

그림 6-5. 상악 제2대구치의 맹출 여부에 따른 상악 치열 후방 이동의 장기적 평가
A: 제2대구치가 맹출된 상태에서 후방 이동할 경우, 제3대구치는 원심 경사된다. B: 제2대구치가 미맹출된 상태에서 후방 이동할 경우, 제2대구치는 정상 맹출하며 A에 비해 제3대구치는 양호한 맹출 방향을 보인다.

구개부 장치를 이용하여 제1대구치의 후방 이동을 실시하면 레버암에서 탄성체인을 적용하는 위치에 따라 제1대구치의 이동 양상을 조절할 수 있다. 구개부 장치의 레버암에서 10 mm 위치에 탄성체인을 적용하는 것이 미맹출 제2대구치의 맹출에 유리하다(그림 6-6). 이는 후방 이동되는 치아의 원심 경사를 유발하는 pendulum 장치나 상악 협측 미니 임플란트와 다른 양상을 나타낸다(그림 6-7).

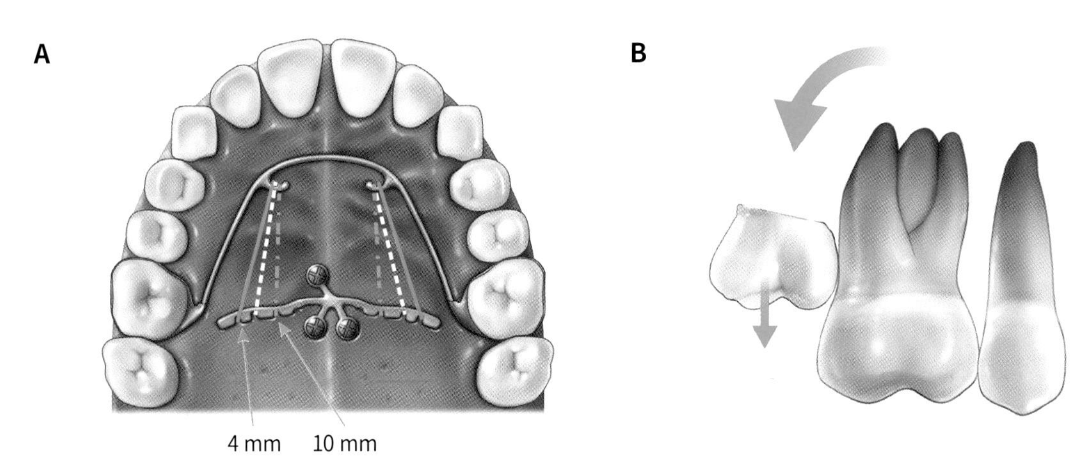

그림 6-6. 상악 구개부 장치를 이용하여 제1대구치의 후방 이동을 실시하였을 때의 모습
A: 구개부 장치의 레버암 상에서 탄성체를 적용하는 위치에 따라 치아 이동 양상이 달라진다. B: 레버암의 10 mm 위치에 탄성체를 적용하면, 제1대구치의 후방 이동 시 원심 경사가 발생하지 않아 후방 미맹출 대구치의 맹출에 방해가 되지 않는다.

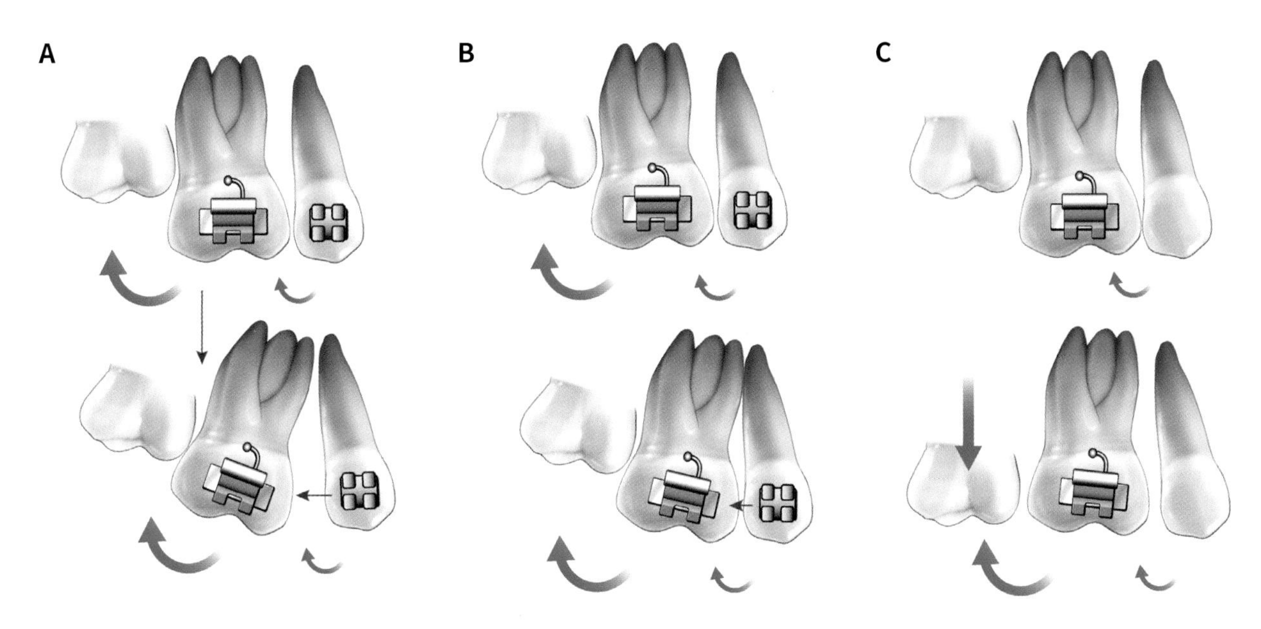

그림 6-7. 제1대구치 후방 이동 시 사용되는 장치별 치아 이동의 양상
A: Pendulum 장치를 사용한 경우 제1대구치의 원심 경사가 가장 많이 일어난다. B: 상악 협측 미니 임플란트를 이용하는 경우에도 제1대구치의 원심 경사로 제2대구치의 맹출에 방해가 될 수 있다. C: 구개부 장치를 사용하여 치근 이동을 도모하면 제2대구치의 정상 맹출을 기대할 수 있다.

2 제3대구치 위치 변화의 장기적인 평가

기존에는 상악 구치부 후방 이동 시에 제3대구치의 미맹출 치아의 위치이상과 맹출 장애가 우려되어 치배 적출이 추천되었다(그림 6-8). 하지만 위에서 기술한 바와 같이 구개부 장치를 사용했을 때 단기적으로 제3대구치는 양호한 맹출 방향을 나타내어 발치의 필요성이 감소하였다(그림 6-9).

또한 상악 치열의 후방 이동에 따른 제3대구치의 단기적인 전하방 혹은 후상방 이동과 관계없이, 대부분 장기적으로 정상 맹출하는 경향이 있다(그림 6-10).[2)]

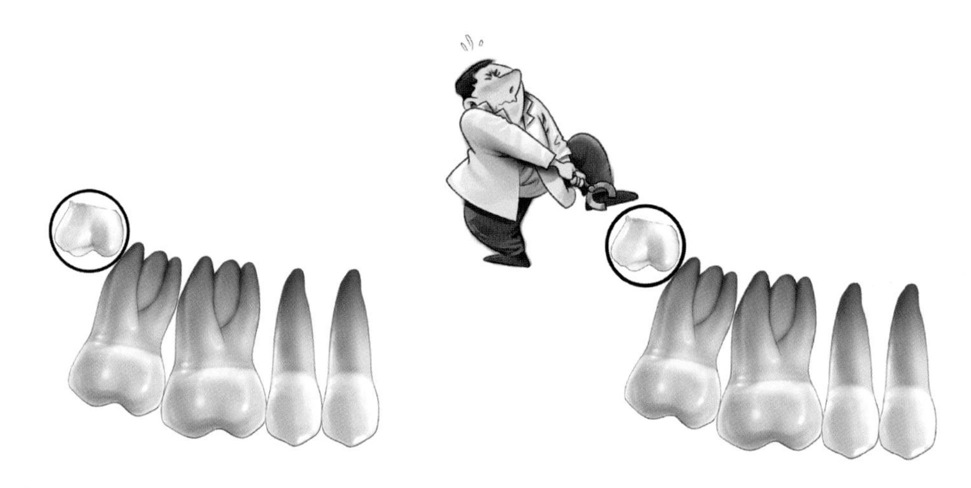

그림 6-8. 발육 중인 제3대구치는 구치부 후방 이동을 위해 발거가 추천되었으나 현실적으로 제거가 쉽지 않다.

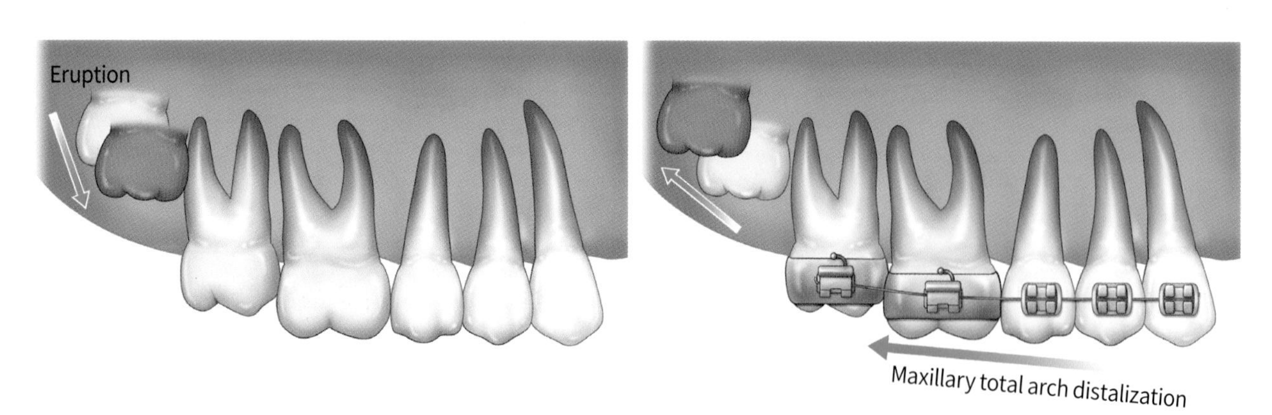

그림 6-9. 구개부 장치를 사용하여 상악 치열 후방 이동 시 제3대구치 위치 변화
A: 후방 이동 치료를 하지 않을 때 제3대구치는 전하방으로 이동한다. B: 구개부 장치로 상악 후방 이동 시에는 일반적으로 제3대구치가 후상방으로 이동한다.

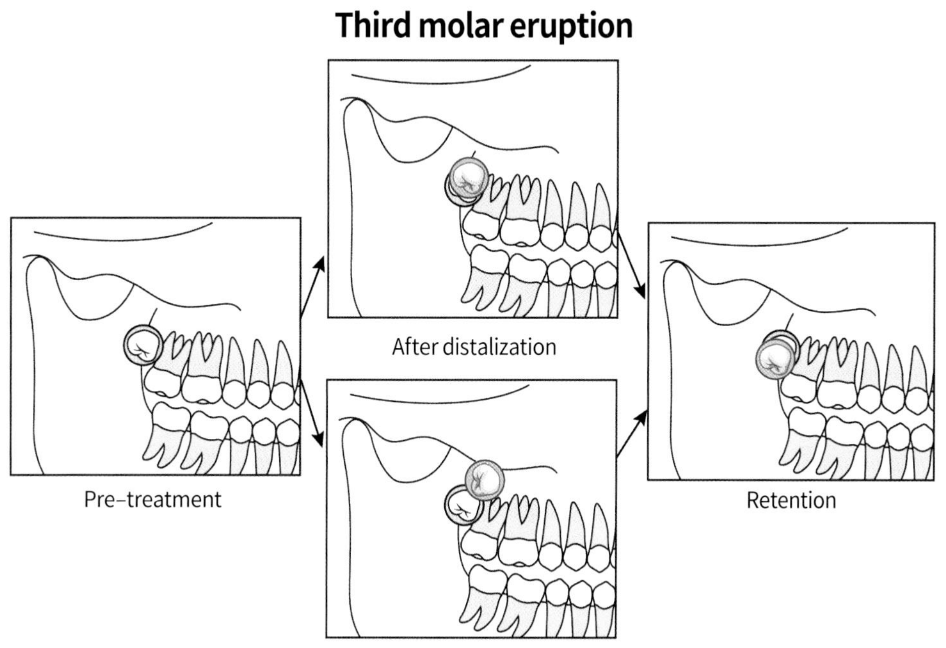

그림 6-10. 치료과정 중 상악 제3대구치의 위치 변화. 제3대구치가 상방으로 위치되었으나 유지기간 동안 정상적으로 맹출되고 있음을 알 수 있다.

하지만 장기적인 관찰에도 불구하고 제3대구치가 정상적으로 맹출하지 않는 경우도 더러 있다. 양호한 위치에서 정상적으로 맹출하는 제3대구치와 정상적으로 맹출하지 않아 발거가 필요한 제3대구치의 특징에 대해 알아보고자 한다.

1) 양호한 위치

제3대구치가 양호한 위치에서 정상적으로 맹출하는 첫 번째 경우는, 상악 치열 후방 이동 중 제3대구치의 치배가 상대적으로 하방으로 위치하는 경우이다. 아래 증례에서 후방 이동 중 제3대구치 치배가 지속적으로 하방으로 내려와 유지기간 동안 양호하게 맹출한 것을 확인할 수 있다(그림 6-11).

제3대구치가 양호하게 맹출하는 두 번째 경우는 치배가 후상방으로 위치하나 교합면 방향이 양호한 경우로, 치료 후 제3대구치가 후상방으로 이동했으나 유지 기간 동안 하방으로 정상 맹출 되고 있음이 확인된다(그림 6-12).

결론적으로 구개부 장치로 상악 치열을 후방 이동시켰을 때 두 경우를 장기적으로 관찰한 결과 모두 하방으로 잘 맹출하였다.

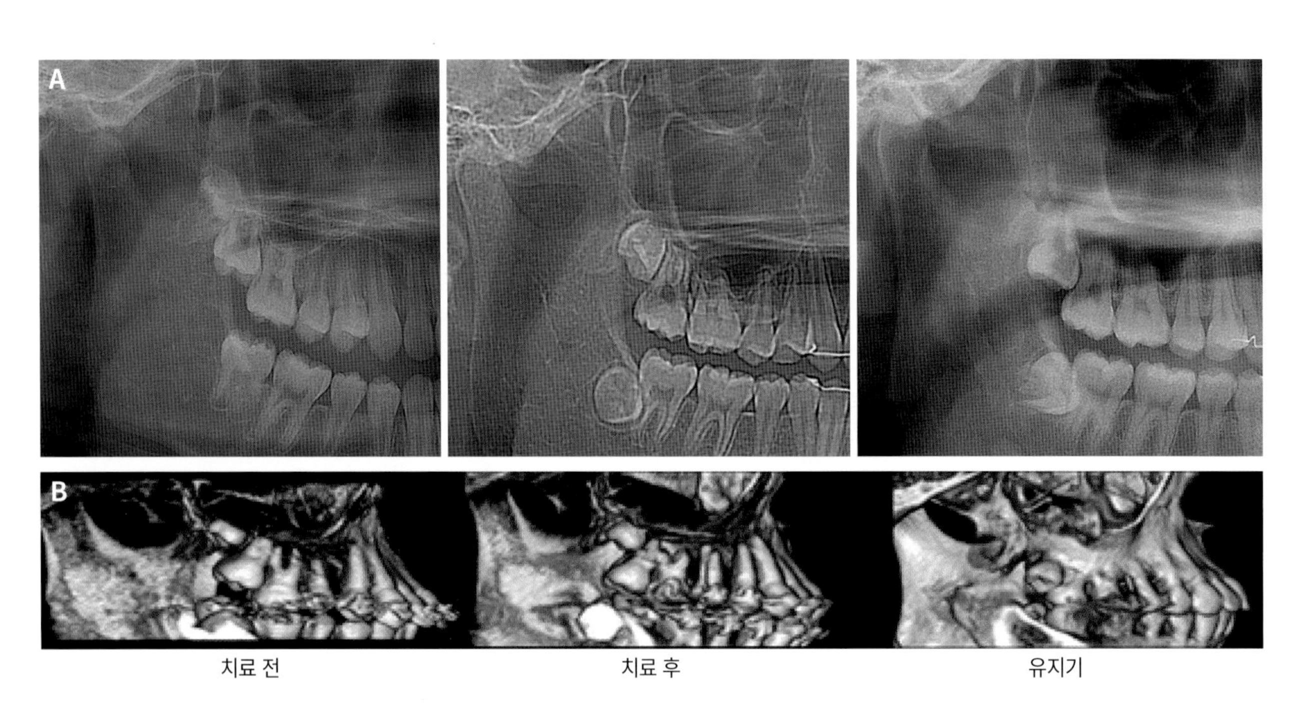

그림 6-11. 상악 치열 후방 이동 시부터 유지 기간까지 지속적으로 맹출이 잘 이뤄진 경우의 파노라마 및 CBCT 영상
A: 파노라마 방사선 사진, B: CBCT 영상

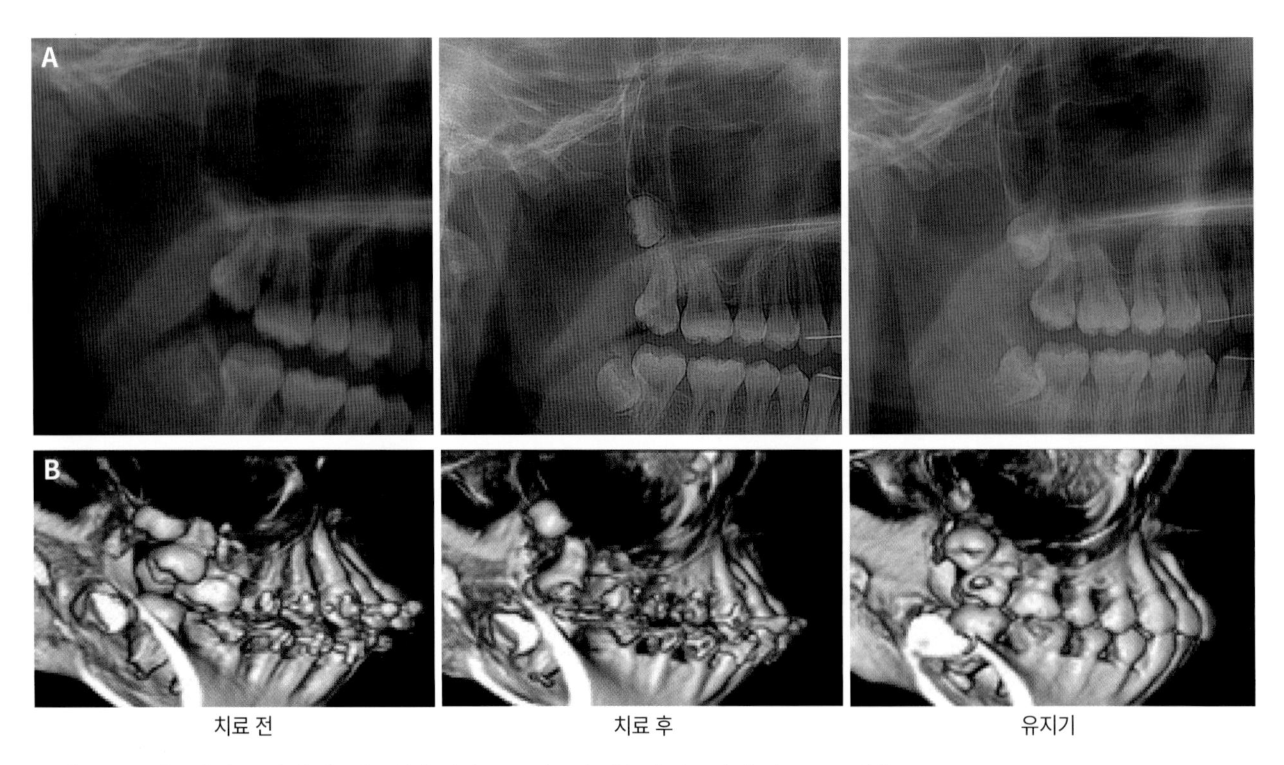

그림 6-12. 치료과정 중 상악 제3대구치가 상방으로 이동된 경우의 파노라마 및 CBCT 영상
A: 파노라마 방사선 사진, B: CBCT 영상

(1) 제2, 3대구치 맹출의 장기 관찰 증례

11세 여자 환자가 돌출입과 덧니를 주소로 내원하였다. 파노라마 방사선 사진상 상악 제2대구치는 아직 맹출 중이었으며 상악 및 하악에서 총 4개의 제3대구치 치배가 관찰되었다. 상악엔 유견치, 제1유구치 및 제2유구치가 잔존하였으며, II급 구치 관계, 과도한 수평피개 및 상악 우측 견치의 이소 맹출이 관찰되었다(그림 6-13). 측모두부방사선 사진의 주요 계측치는 다음과 같다.

수평피개: 7 mm, 수직피개: 5 mm
ANB: 5.0°, FMA: 25.0°, U1–FH: 108.5°, IMPA: 96.0°

상악에만 브라켓을 부착하고 구개부 장치를 이용하여 상악 치열 후방 이동을 진행하였다(그림 6–14~16).

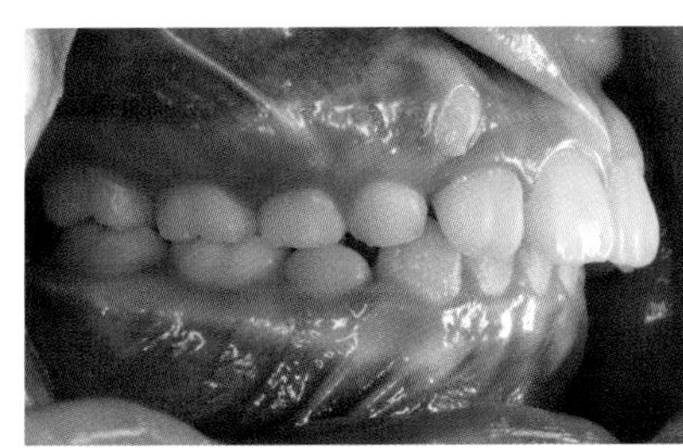
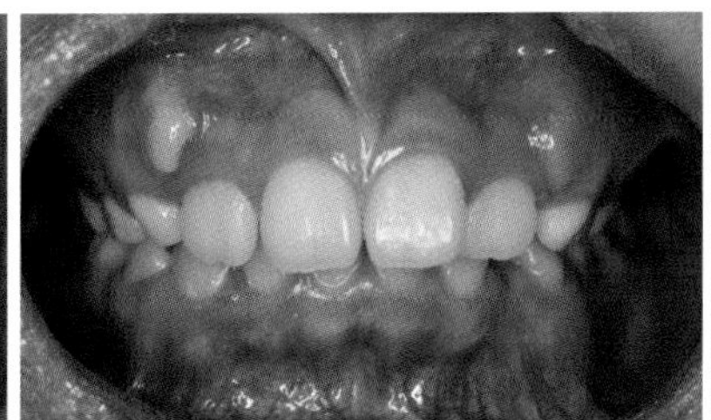
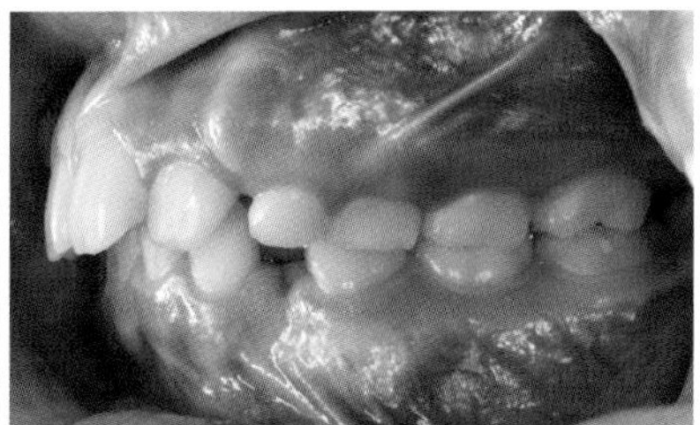
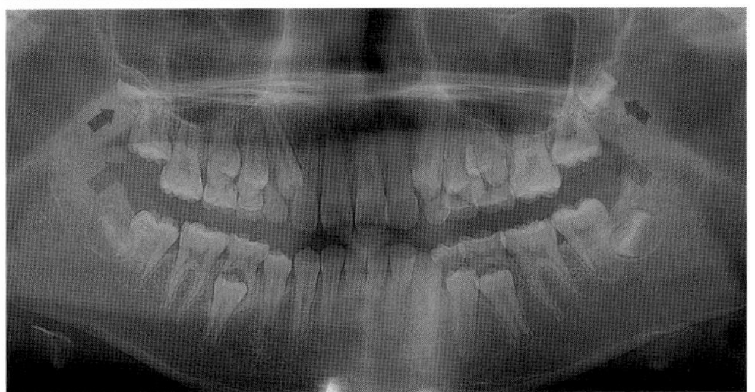

그림 6–13. 초진 시 구내 사진 및 파노라마 방사선 사진

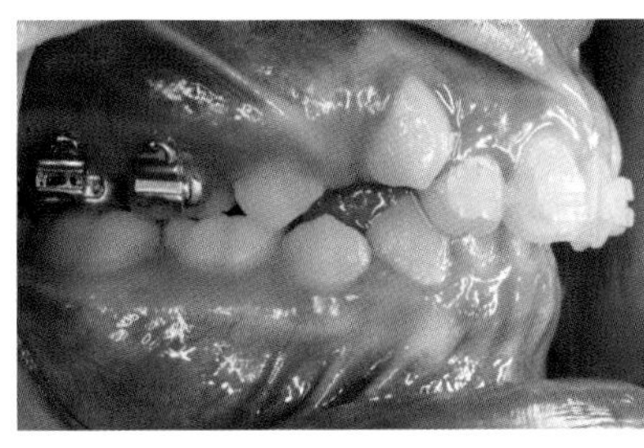
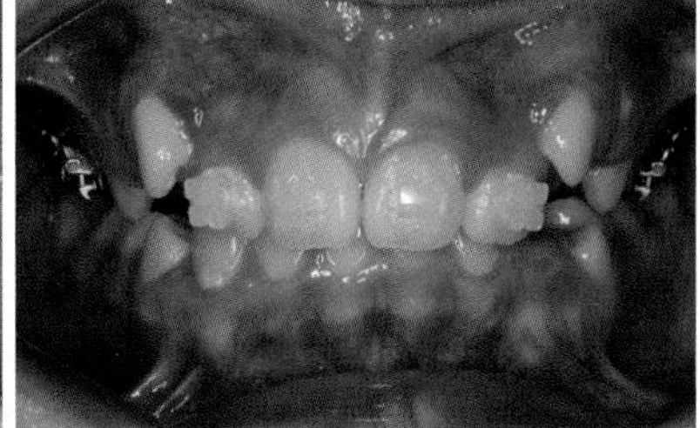
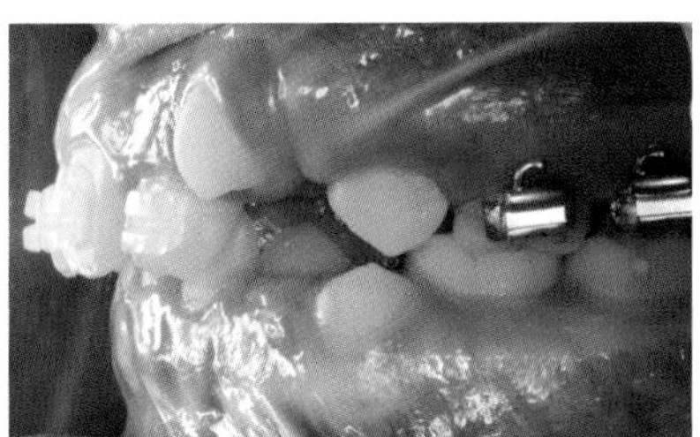

그림 6–14. 치료 5개월 후 구내 사진

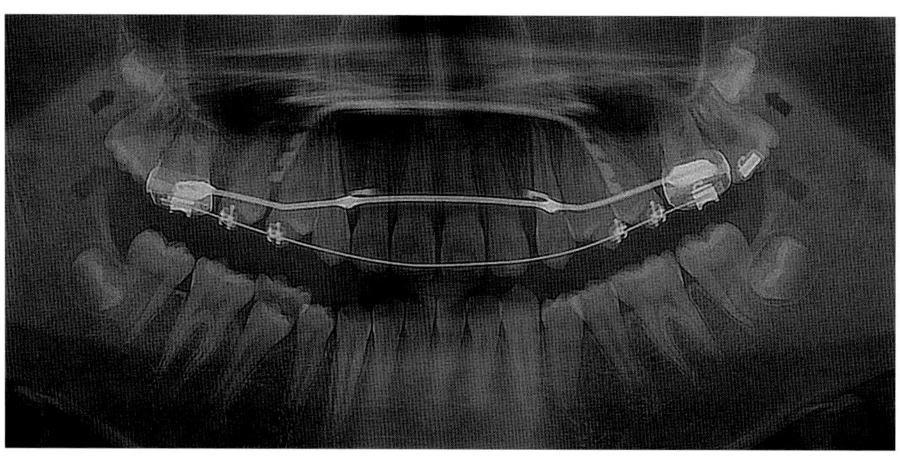

그림 6-15. 치료 11개월 후 파노라마 방사선 사진. 구개부 장치를 통하여 상악 치열을 후방 이동하였으며 제2대구치의 맹출이 원활히 이뤄졌다.

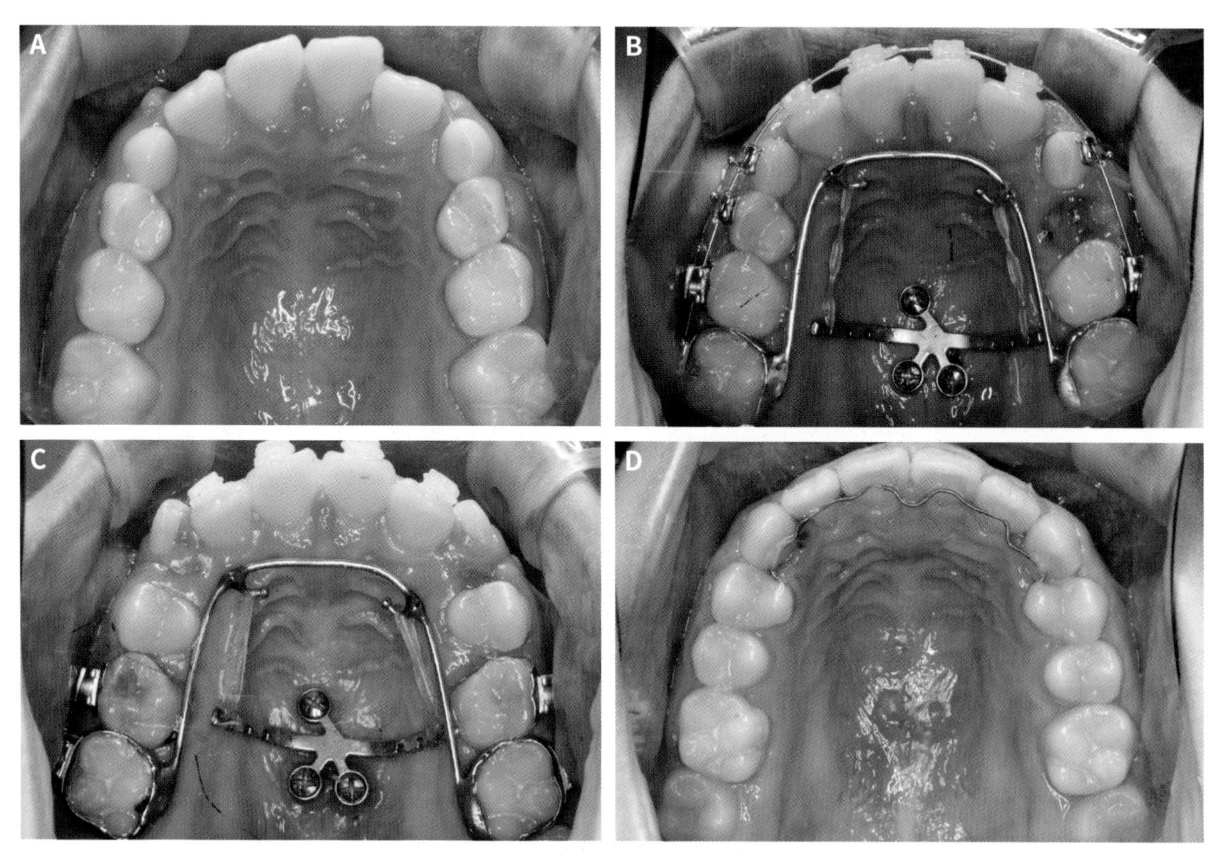

그림 6-16. 치료과정 모습. A: 초진, B: 치료 1개월, C: 5개월, D: 치료 종료 시 상악 교합면 사진

총 21개월의 치료기간 후 교정치료 종료 시 양호한 상악 치아 배열 및 안모 개선이 관찰되었다. ANB는 0.5° 감소하였으며, I급 구치 관계, 상, 하악 전치의 각도 개선이 관찰되었다. 유지 3년 후와 8년 후, 안모는 더욱 개선되었으며 파노라마 사진상에서 상악 제3대구치는 양호한 맹출을 보였다(그림 6-17~20).

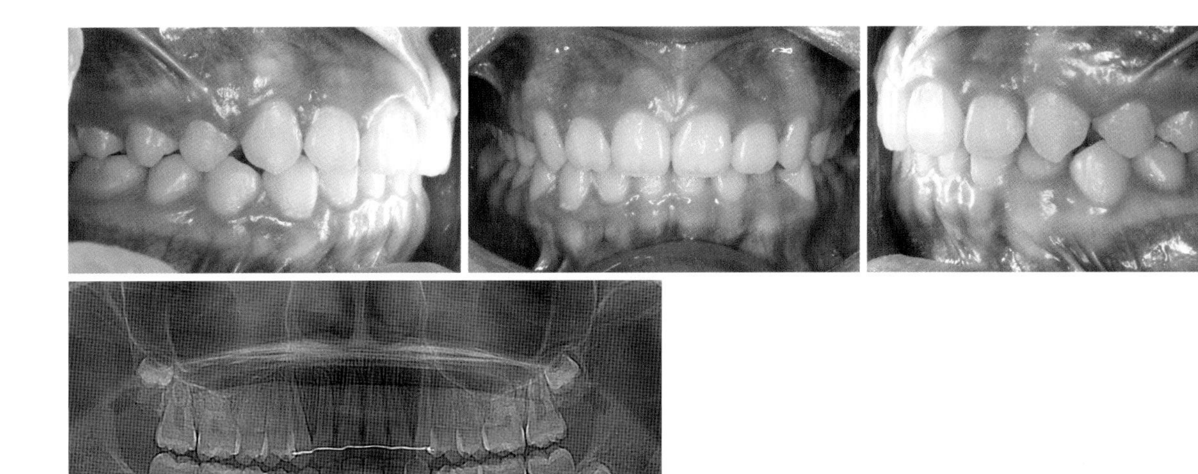

그림 6-17. 치료 종료 시 구내 사진과 파노라마 방사선 사진

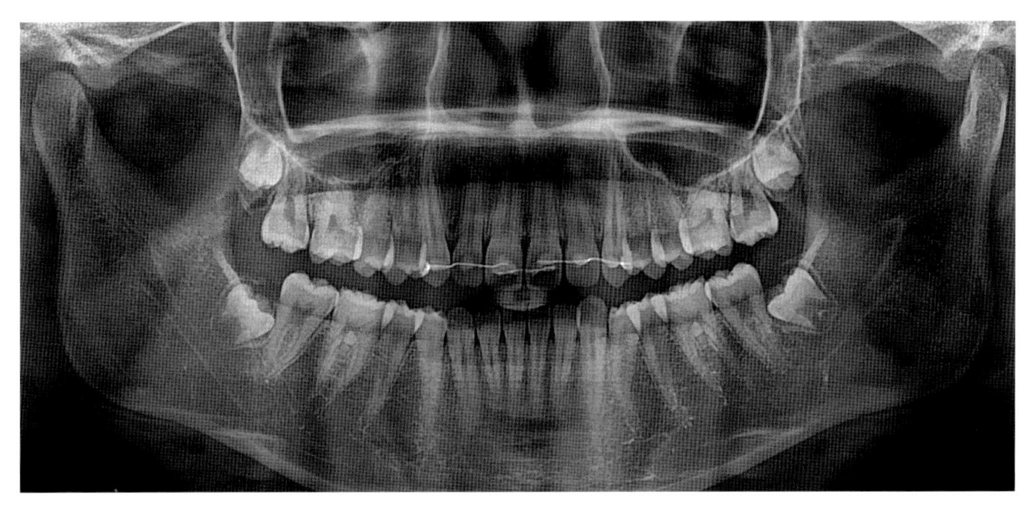

그림 6-18. 치료 종료 3년 후 파노라마 방사선 사진으로, 제3대구치의 양호한 맹출이 관찰된다.

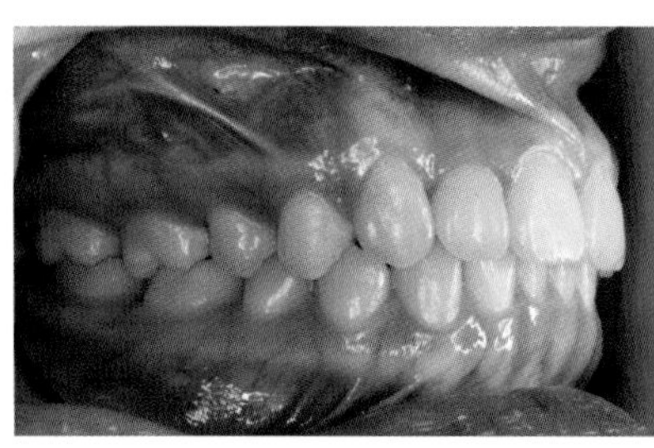
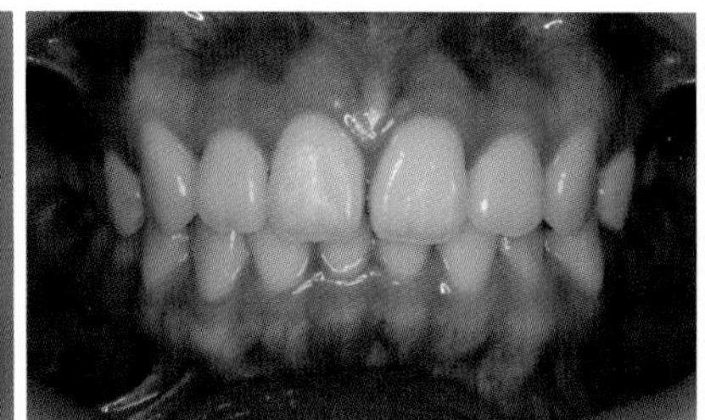
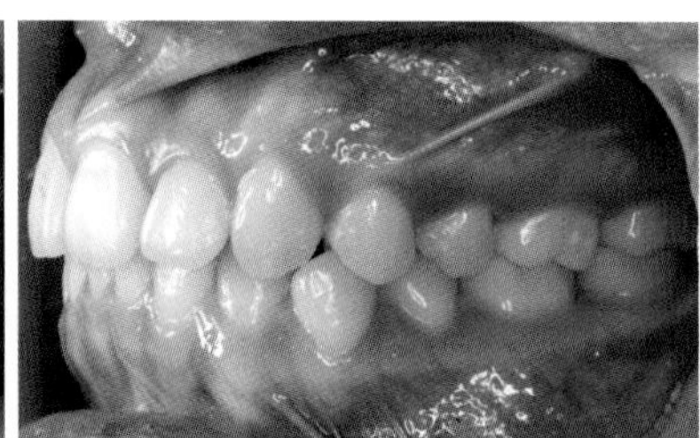

그림 6-19. 치료 종료 8년 후 구내 사진

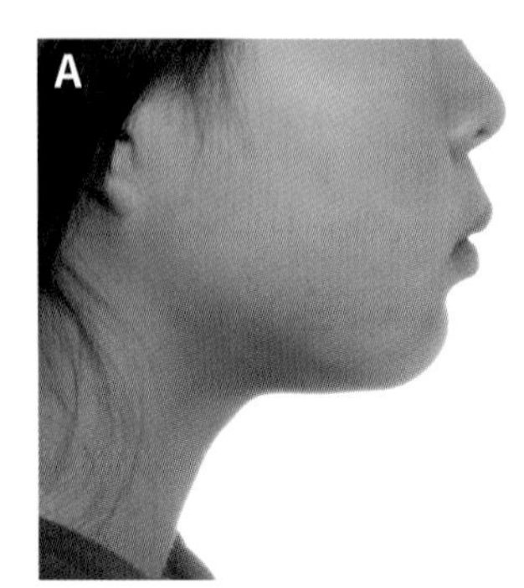

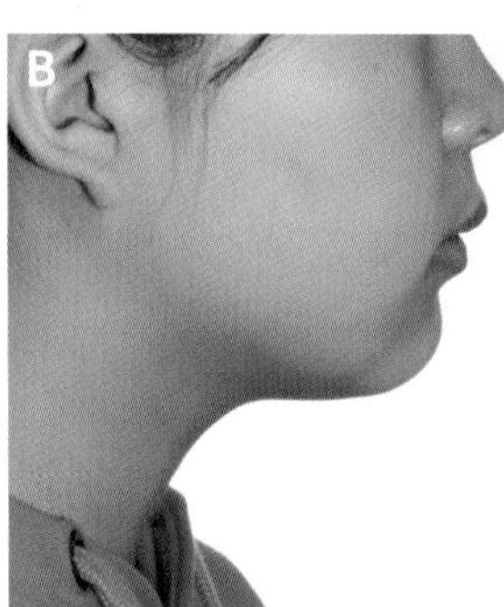

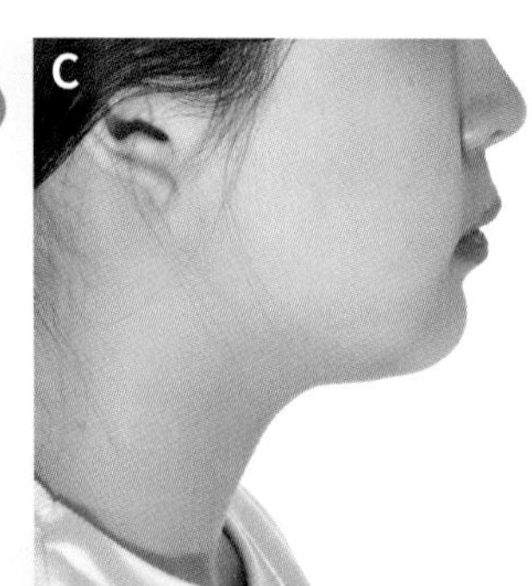

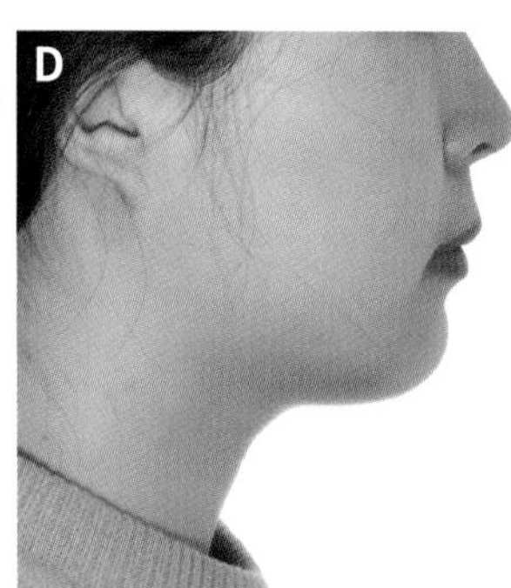

그림 6-20. 안모의 변화 과정. A: 초진, B: 치료 종료, C: 유지 3년 후, D: 유지 8년 후 모습

2) 조기 발거가 필요한 위치

정상적인 상악 제3대구치의 치배는 제2대구치의 원심측에서보다 원심방향으로 위치되어 있다. 그러나 제3대구치의 치배가 생성 단계부터 심하게 근심으로 경사된 경우(그림 6-21, 22), 혹은 심하게 구개측으로 경사된 경우(그림 6-23)는 정상 맹출이 어려울 수 있다. 제3대구치의 초기 위치는 CBCT를 통해서 더욱 자세하게 확인할 수 있다. 그러므로 치료 시작 전에 제3대구치 치배의 위치 이상이 의심된다면 CBCT를 촬영해 봄으로써 치료 후 맹출 가능성에 대해 어느 정도 예상해 볼 수 있다.

(1) 근심으로 경사된 제3대구치 치배

치료 전 제3대구치의 치배가 심하게 근심으로 경사된 경우, 구개부 장치를 이용한 치료과정 중 제3대구치가 제2대구치의 치근 흡수를 유발할 수 있으므로 주기적인 관찰이 필요하다(그림 6-21, 22). 또한 필요에 따라 발거가 요구될 수 있다.

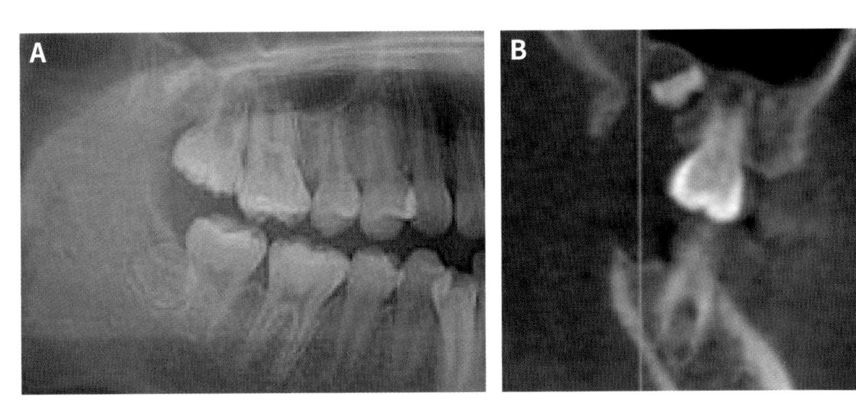

그림 6-21. 파노라마 및 CBCT 상에서 비정상적으로 심하게 근심으로 경사되어 있는 제3대구치의 치배가 관찰된다.
(출처: Kang et al.[3]의 허가를 받아 인용)

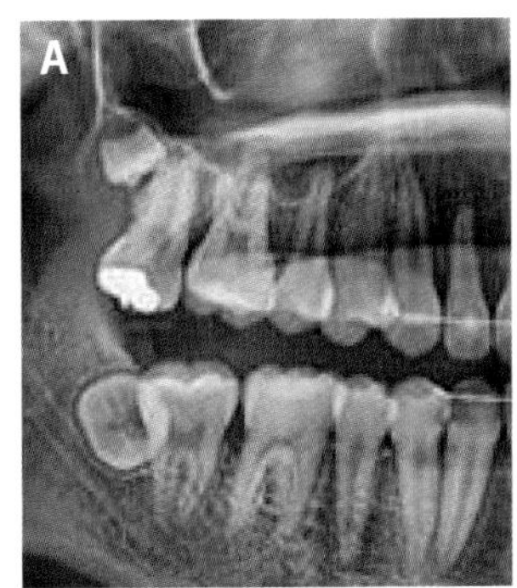

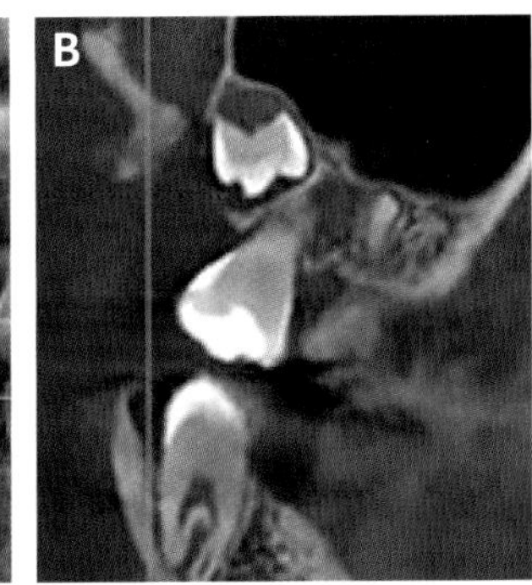

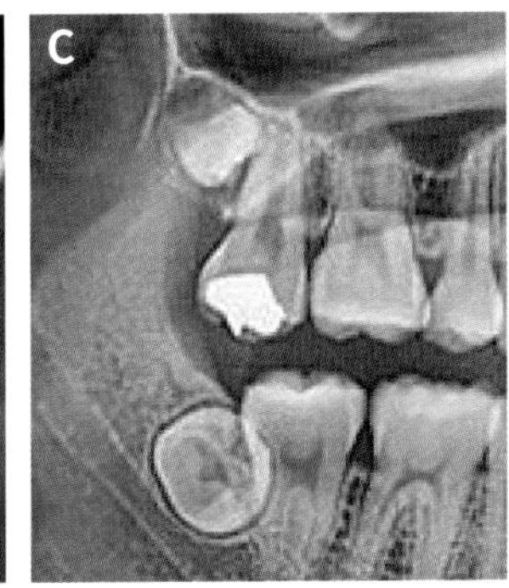

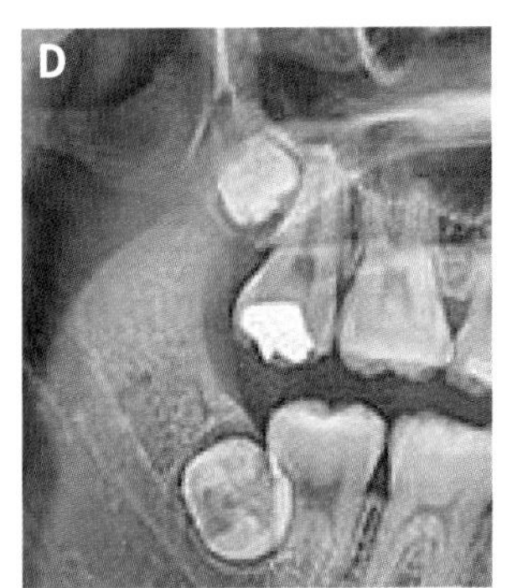

그림 6-22. 근심 경사된 제3대구치의 상악 치열 후방 이동 후 양상
A: 파노라마 방사선 사진, B: CBCT 영상으로, 제3대구치가 심하게 근심으로 위치되어 있음을 확인할 수 있다. C: 유지 1년 6개월 후 파노라마 방사선 사진, D: 유지 3년 10개월 후 파노라마 방사선 사진. 제3대구치가 정상적으로 맹출하지 못하고 있다.
(출처: Kang et al.[3]의 허가를 받아 인용)

(2) 구개측으로 경사된 제3대구치 치배

치료 전 제3대구치의 치배가 심하게 구개측으로 경사된 경우에도 구개부 장치를 이용한 치료과정 중 제3대구치가 제2대구치의 치근 흡수를 유발할 수 있으므로 CBCT를 통한 장기적인 관찰이 필요하며 경우에 따라 발거가 요구될 수 있다(그림 6-23, 24).

제3대구치가 근심 혹은 구개측으로 경사되어 있을 때 인접한 치아의 치근에 영향을 주지 않는 한, 정기적인 관찰을 하다가 인접 치근 흡수 등의 문제가 있을 경우 발치를 통해 해결해주면 된다.

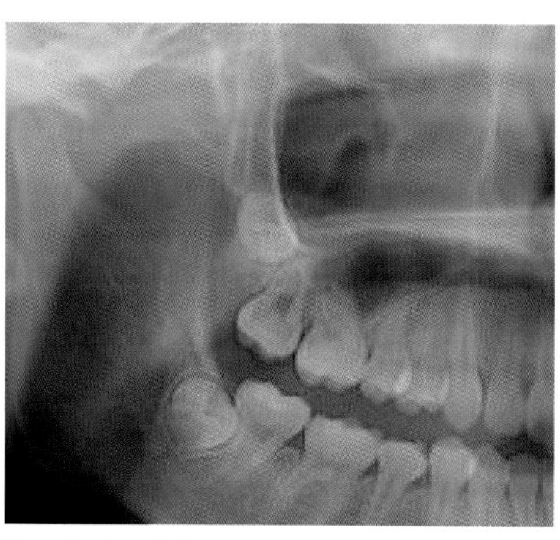
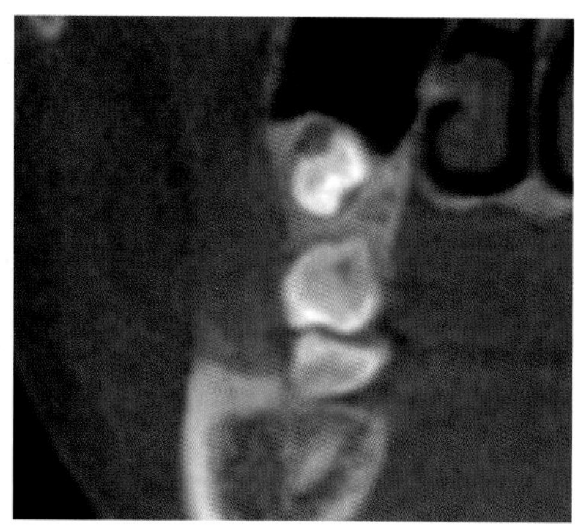

그림 6-23. 치료 전 파노라마 및 CBCT 상에서 비정상적으로 심하게 구개측으로 경사되어 있는 제3대구치 치배를 확인할 수 있다. (출처: Kang et al.[3])의 허가를 받아 인용)

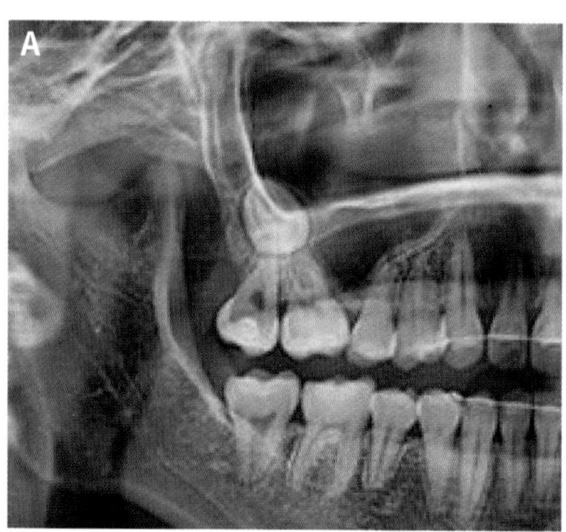

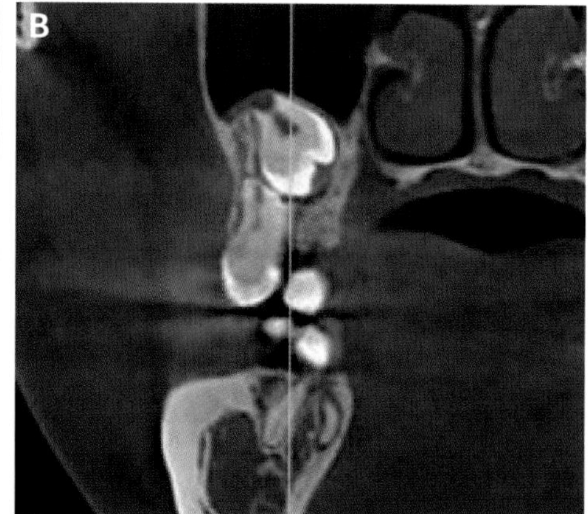

그림 6-24. 상악 치열 후방 이동 후 제3대구치의 방사선 영상
A: 파노라마 방사선 사진, B: CBCT 영상. 심하게 구개측으로 위치된 제3대구치는 정상적으로 맹출하지 못하고 제2대구치의 치근 흡수를 유발할 수 있다. (출처: Kang et al.[3])의 허가를 받아 인용)

임상 팁

제3대구치의 발치 가이드라인

상악 치열의 후방 이동을 요하는 청소년기 환자에서 제2대구치는 일반적으로 완전 맹출되어 있고, 장기적으로 제3대구치는 후방 이동 후 적절한 위치로 맹출하므로 사전에 발치할 필요가 없다. 하지만 제3대구치의 치배가 근심이나 구개측으로 경사된 경우에는 제3대구치의 맹출 양상을 지속적으로 평가하여, 인접 치아의 치근 흡수 등의 위험성이 있을 경우 발치하는 것이 추천된다.

6-2 미맹출 하악 대구치 위치 변화

하악 치열을 후방 이동하는 방법은 다음과 같다. 첫 번째로 골격성 고정원 식립을 최소화하기 위해 상악의 골격성 고정원 장치를 이용하는 방법이다. 상악 골격성 고정원장치와 하악 치열간 악간 고무줄을 통해 전체 하악 치열의 후방 이동을 도모한다. 두 번째로는 하악 제1대구치와 제2대구치 사이에 미니 임플란트를 식립하고 이를 고정원으로 하여 전체 하악 치열을 후방 이동하는 방법이 있다(그림 6-25).

상악 치열 후방 이동 시 구개부 장치와 원심구개호선을 이용하여 제1대구치에 직접 힘을 가하기 때문에 치체 이동이 용이한 반면, 하악 치열 후방 이동 시에는 제1대구치에 직접 힘을 가하기 힘들고, 교정용 호선과 전방 훅을 이용해 전치열 후방력을 전달하기 때문에 치체 이동이 어렵다.

하악 치열을 후방 이동한 청소년기 환자에서 하악 제3대구치를 장기 관찰한 결과, 치료받지 않은 경우에 비하여 후방 이동을 한 경우 제3대구치가 하방과 협측으로 더 이동하였다(그림 6-26). 따라서 하악 치열을 후방 이동시킬 때, 발육 중인 제3대구치의 매복될 가능성을 고려하여 주기적인 관찰과 함께, 필요시 발치가 추천된다.[4)]

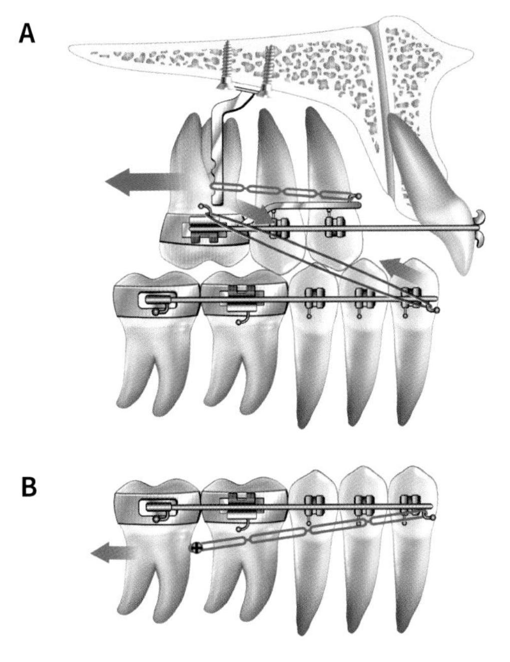

그림 6-25. 하악 치열 후방 이동의 두 가지 방법
A: 구개부 장치와 III급 고무줄을 이용한 하악 치열의 후방 이동, B: 미니 임플란트를 이용한 하악 치열의 후방 이동

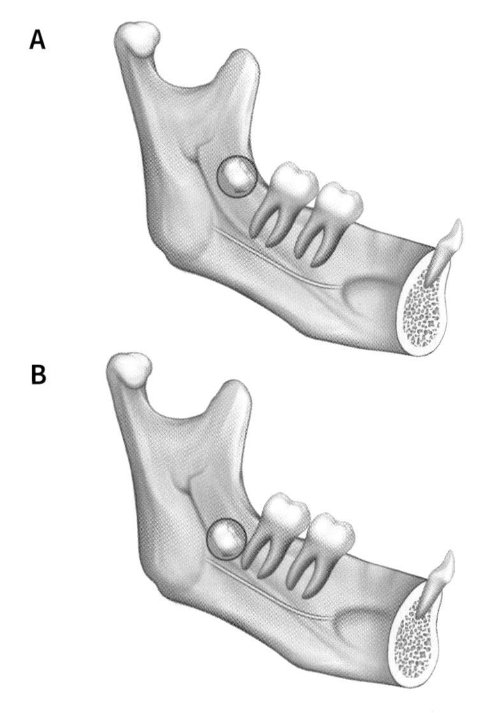

그림 6-26. 청소년기에 하악 치열 후방 이동 시 제3대구치의 위치 변화. A: 치료 전, B: 치료 후

증례 1

11세 여자 환자가 상순의 돌출감을 주소로 내원하였다. 환자는 I급 구치 관계를 보였으나 과도한 수평피개를 나타냈다(그림 6-27). 측모두부방사선 사진의 주요 계측치는 다음과 같다.

ANB: 4.3°, FMA: 32.5°, U1-SN: 112.0°, IMPA: 93.0°
수평피개: 6.5 mm

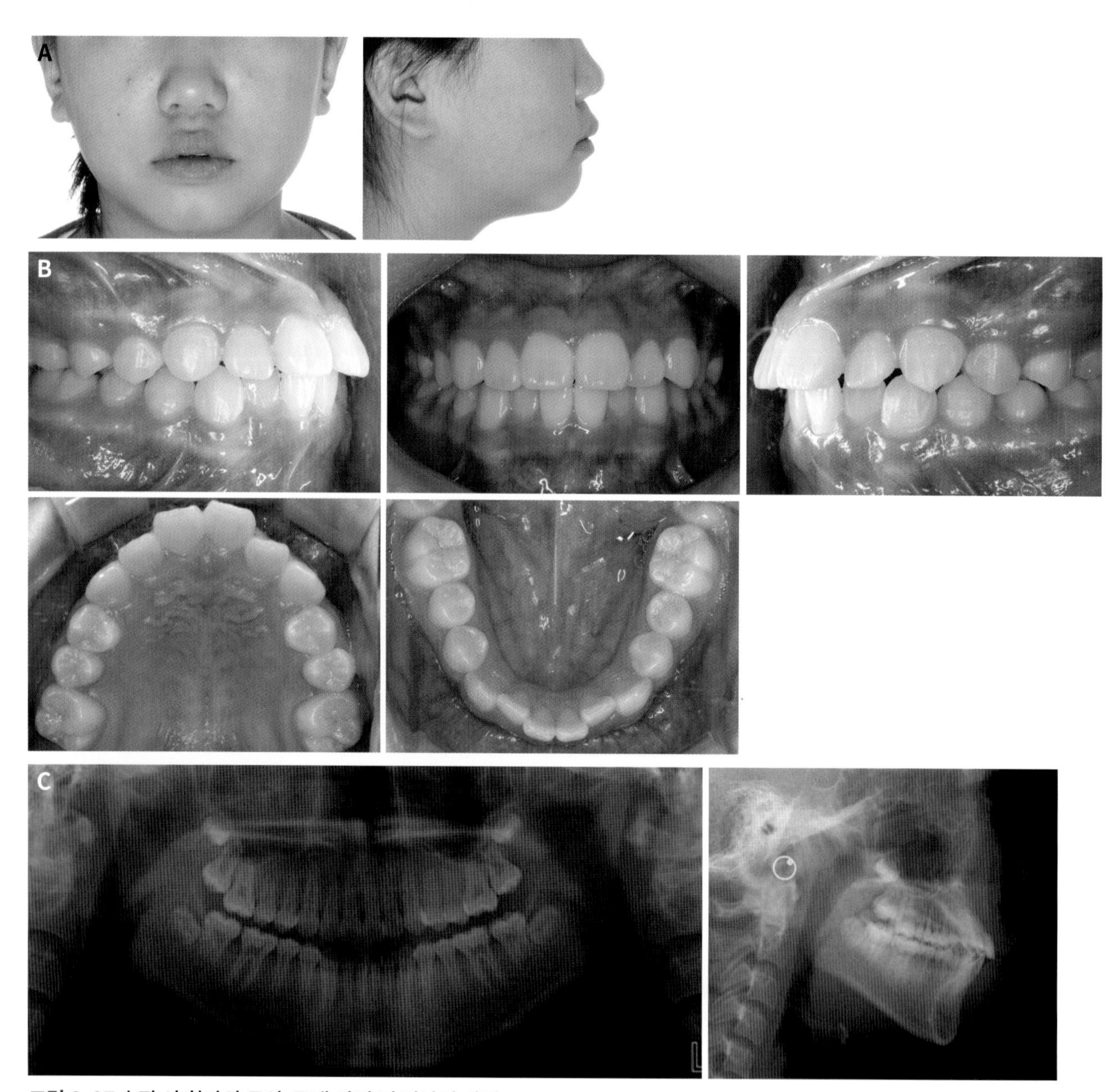

그림 6-27 초진 시 환자의 구외, 구내 사진 및 방사선 사진
A: 구외 사진, B: 구내 사진, C: 파노라마 방사선 사진 및 측모두부계측방사선 사진(출처: Kook et al.[6])의 허가를 받아 인용)

1 치료계획 및 과정

입술의 돌출감을 개선하기 위하여 구개부 장치를 사용한 상악 치열의 후방 이동이 계획되었다. 환자의 I급 구치 관계를 유지하면서 하악 전치부의 크라우딩을 해소하기 위해 하악 치열 또한 전체적으로 후방 이동하기로 했다. 이 환자에서는 상악 구개부 장치로 고정원을 보강한 후 III급 고무줄을 이용하여 하악 치열에 후방 이동력을 가했다(그림 6-28).

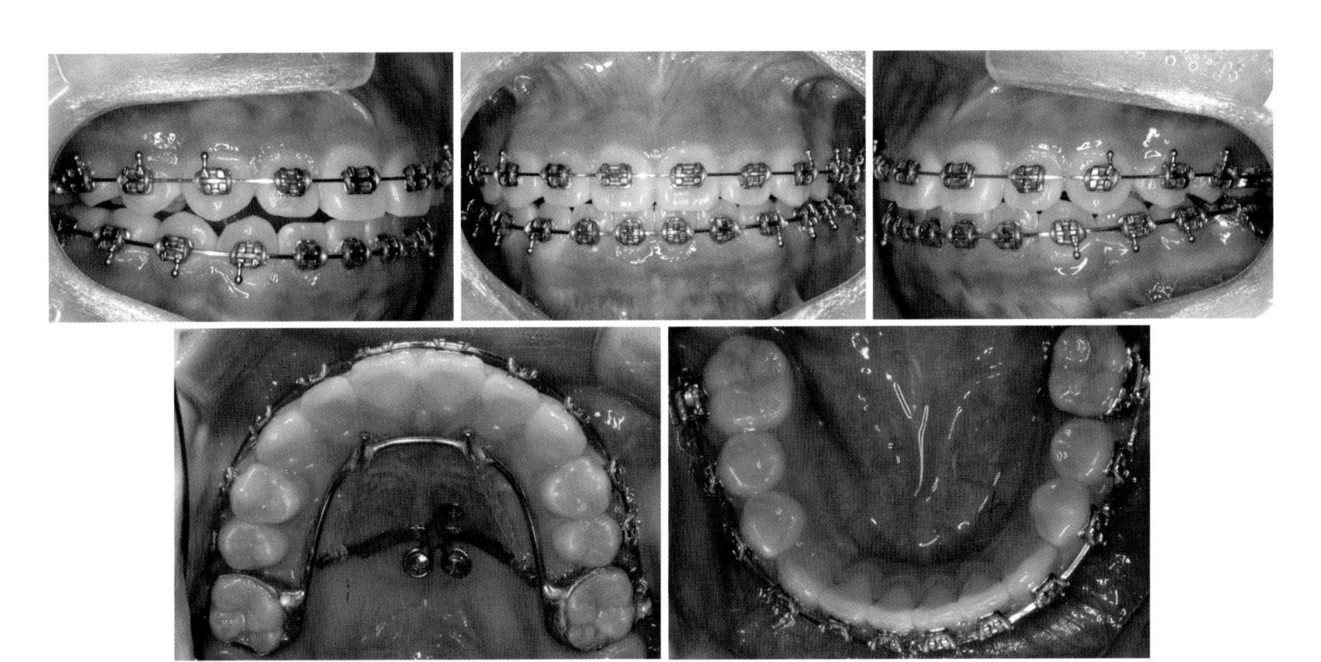

그림 6-28 치료과정 중 구내 사진

2 치료결과

I급 구치 관계를 유지하면서 적절한 수평 피개를 얻게 되었으며, 돌출감이 해소되어 치료 전보다 개선된 안모를 보였다(그림 6-29). 교정치료 중 상악 제3대구치는 후상방으로 이동했지만 치료 종료 시 파노라마 사진상에서는 다시 하방으로 잘 맹출하고 있는 것을 확인할 수 있었다. 반면, 하악 제3대구치는 하악 치열 후방 이동 후 유지 기간을 거치며 수평매복 상태가 더욱 심해져 발치를 진행하였고, 상악 제3대구치도 동시에 발치하였다(그림 6-30).[5]

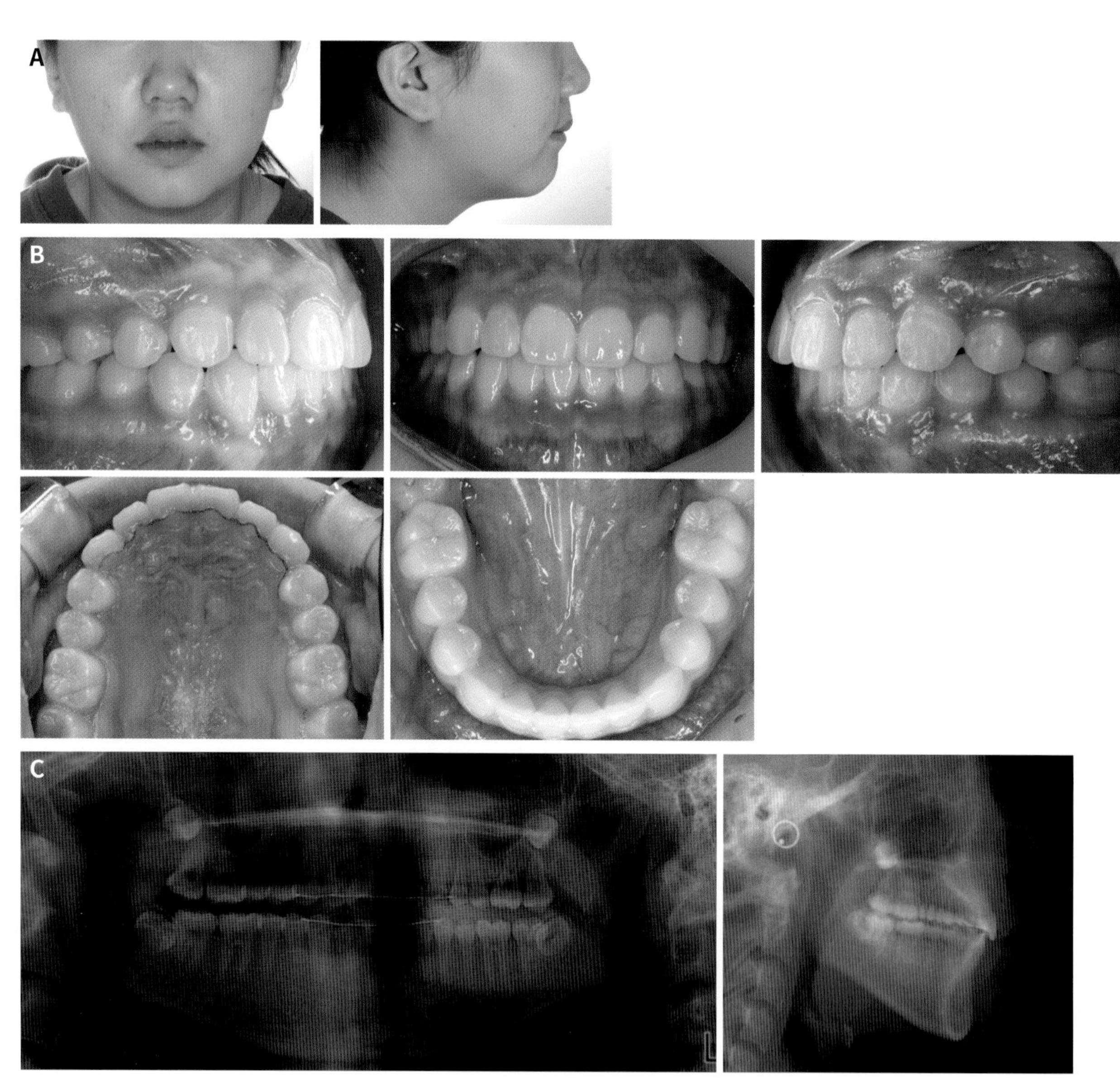

그림 6-29. 교정치료 완료 후 환자의 구외, 구내 사진 및 방사선 사진
A: 구외 사진, B: 구내 사진, C: 파노라마 방사선 사진 및 측방두부계측방사선 사진

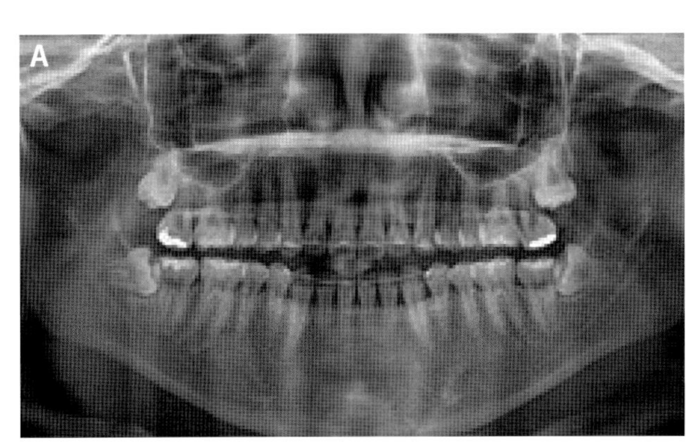

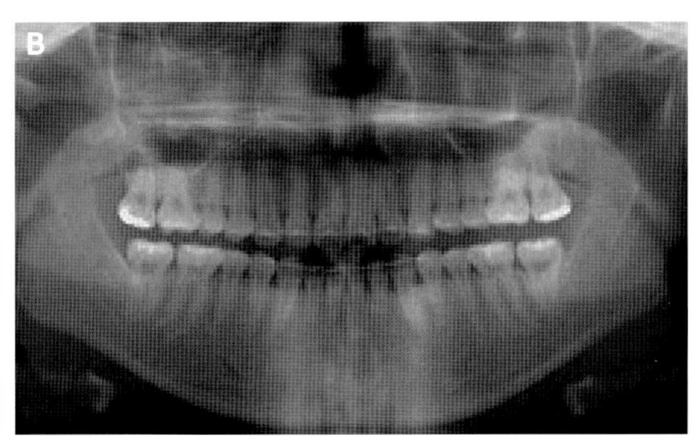

그림 6-30. 상하악 치열 후방 이동을 위한 교정치료 후, 상악 제3대구치는 정상적으로 맹출되었다. 그러나 하악 제3대구치의 경우 정상적으로 맹출되지 않고 수평 매복되어 발치를 진행하였다.
A: 유지 기간 중 하악 제3대구치의 수평 매복이 심화된 것을 보여주는 파노라마 방사선 사진, B: 수평 매복된 하악 제3대구치와 함께 상악 제3대구치도 발치한 모습

참고문헌

1. Lee YJ, Kook YA, Park JH, Park J, Bayome M, Vaid NR, et al. Short-term cone-beam computed tomography evaluation of maxillary third molar changes after total arch distalization in adolescents. Am J Orthod Dentofacial Orthop 2019;155:191-7.
2. Park JH, Kim Y, Park JH, Lee NK, Kim SH, Kook YA. Long-term evaluation of maxillary molar position after distalization using modified C-palatal plates in patients with and without second molar eruption. Am J Orthod Dentofacial Orthop 2021;160:853-61.
3. Kang H, Lee NK, Kim J, Park JH, Kim Y, Kook YA. Factors associated with the maxillary third molar position after total arch distalization using a modified C-palatal plate in adolescents. Orthod Craniofac Res 2021;24 Suppl 1:31-8.
4. Hong HR, Lee NK, Park JH., Ku JH, Kim J, Bayome M, et al. Long-Term CBCT Evaluation of Mandibular Third Molar Changes after Distalization in Adolescents. Appl. Sci. 2022, 12, 4613.
5. Kook YA, Park JH, Kim Y, Ahn CS, Bayome M. Sagittal correction of adolescent patients with modified palatal anchorage plate appliances. Am J Orthod Dentofacial Orthop 2015;148:674-84.

07

비발치 교정치료의 생역학

7-1 제1급 부정교합의 치료 전략

제1급 부정교합 비발치 치료에서의 중요 핵심 포인트는 하악 치열의 후방 이동이다. 그림 7-1에서처럼 비발치 치료가 발치와 유사한 치료 효과를 얻기 위해서는 상악 치열과 함께 하악 치열의 후방 이동이 필요하다.

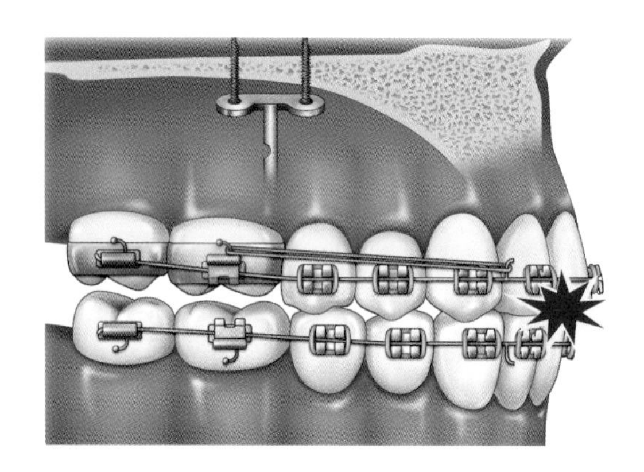

그림 7-1. 하악 치열의 효과적인 후방 이동이 일어나지 않으면 상악 치열 후방 이동 시, 상·하 전치의 충돌이 발생하여 후방 이동량이 제한이 된다.

1 효율적인 하악 전치열 후방 이동(Total arch distalization)

하악 치열의 후방 이동은 다양한 방법이 있다. 첫째로 기존 상악의 구개부 장치를 유지한 상태에서 3급 고무줄을 연결하는 방법이 있다. 둘째로 하악 구치부에 미니 임플란트를 식립는 방법이 있으며 셋째로 하악지 플레이트(ramal plate)를 이용하는 방법이 있다. 이 중 두 번째와 세 번째 방법이 효율적인 하악 치열의 후방 이동을 위해 추천된다(그림 7-2).

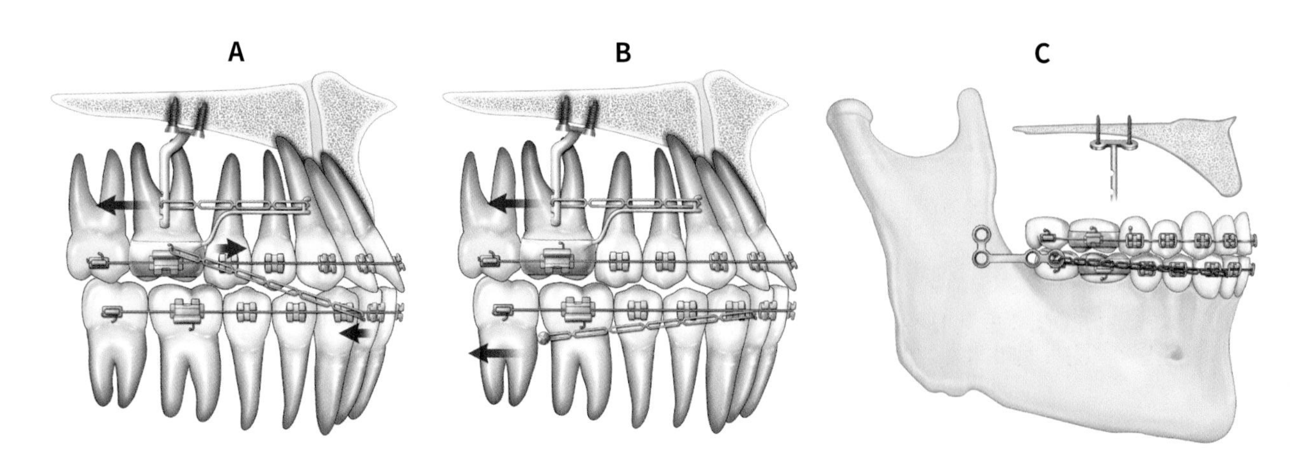

그림 7-2. 하악 치열 후방 이동. A: 고무줄 이용, B: 협측 미니 임플란트 이용, C: 하악지 플레이트 이용

1) 협측 미니 임플란트를 이용한 방법

하악 치열의 후방 이동 시 대구치가 함입되면서 치은에 묻히는 현상(gingival impingement)을 자주 보게 되는데, 이는 후방 이동에 장애 요소가 되어 비발치 치료를 위한 충분한 치아 이동을 할 수 없다(그림 7-3). 또한 구개부 장치를 사용하면, 상악 구치부는 후방 이동과 함께 상방으로 함입 이동하여 상, 하악 대구치부 간에 교합의 이개(disocclusion)가 발생한다(그림 7-4).

이러한 이개된 수직공간으로 하악 대구치를 후방 이동하면서 하악 구치부의 정출을 유도하면 제2대구치의 원심교합면이 치은에 묻히는 현상을 예방할 수 있다. 이를 위해 상악 구치부와 하악 구치부 간의 수직 고무줄(vertical elastics)을 착용하는 것이 추천되며, 상악 구치부는 원심구개호선에 의해 고정원이 보강되어 있어 하악 구치부의 정출이 주로 발생하면서 교합평면이 재구성된다. 이러한 하악 구치부의 정출이 동반된 하악 치열의 후방 이동에 따라 보다 많은 상악 전치열의 후방 이동이 가능하여 심미적으로 측모 개선에 큰 도움을 줄 수 있다(그림 7-5).[1]

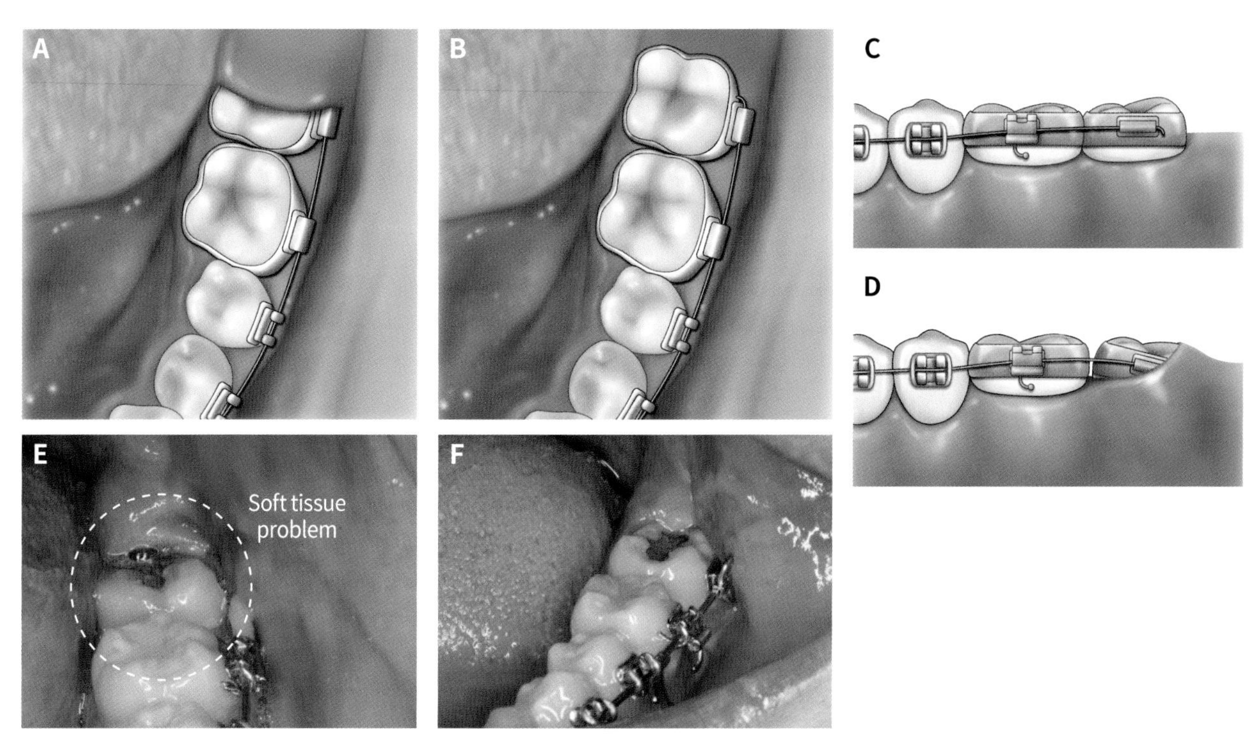

그림 7-3. 하악 치열 후방 이동 과정에서 제2대구치가 치은에 묻힌 현상. A~D: 협면 및 교합면에서 본 모식도, E, F: 하악 제2대구치 치관의 원심면이 치은에 묻혀 있는 것을 볼 수 있다. (출처: Park et al.[1]의 허가를 받아 인용)

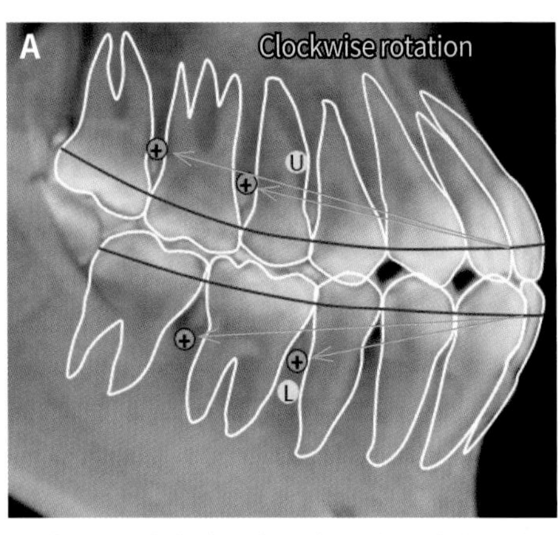

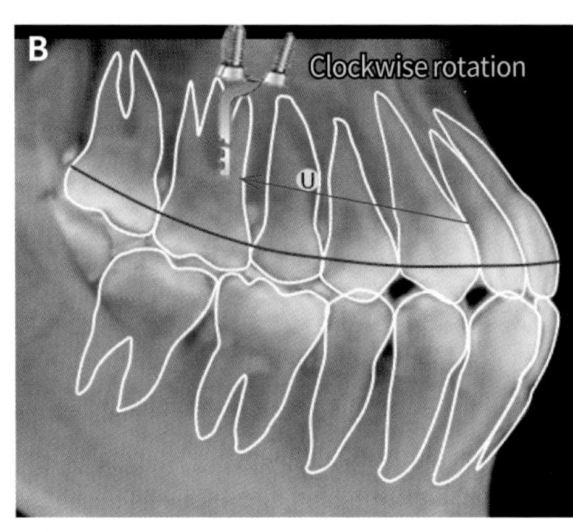

그림 7-4. 미니 임플란트 및 구개부 장치를 이용하였을 때 교합평면의 변화
A: 상하악에 협측 미니 임플란트 사용하여 후방 이동 시, 상악 교합면은 시계방향, 하악 교합면은 반시계 방향으로 이동되면서 구치부가 이개된다. B: 상악에 구개부 장치를 사용하여 후방 이동 시, 상악 교합면이 시계방향으로 이동되어 미니 임플란트 사용시와 같은 효과가 발생된다.

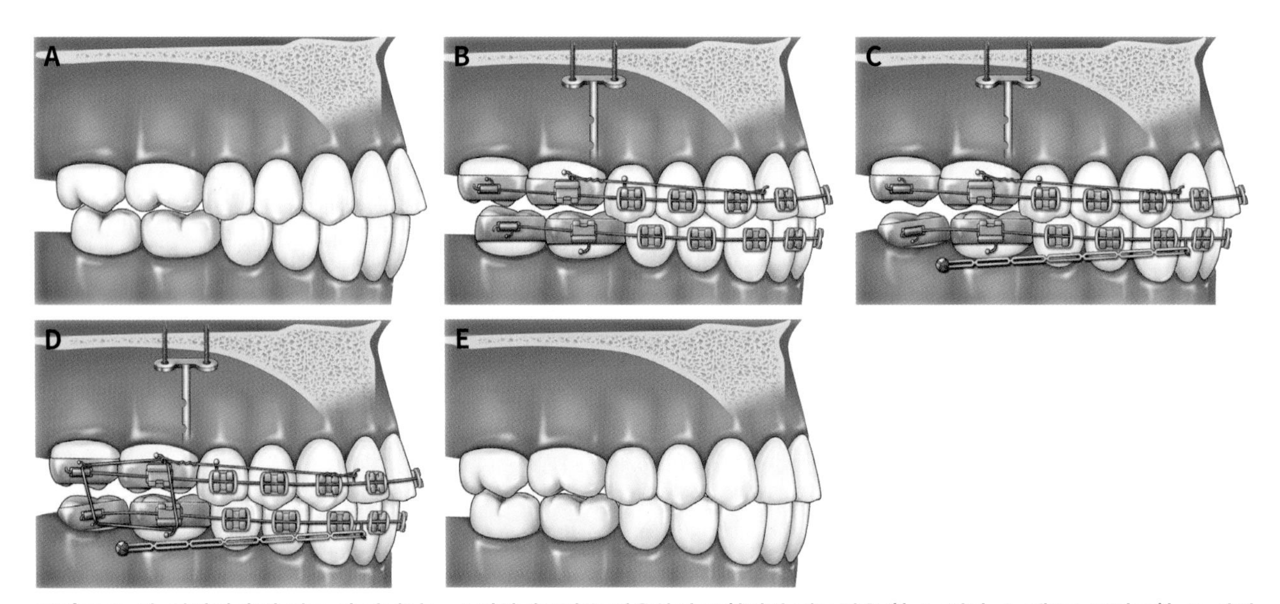

그림 7-5. 상, 하악의 후방 이동 시 나타나는 수직이개공간을 이용하여 교합평면 재구성을 할 수 있다. A: 제1급 부정교합, B: 상악 후방 이동, 상악 대구치는 후, 상방으로 이동, C: 하악 후방 이동 시 하악 대구치가 함입되며 구치부 교합의 이개가 발생, D: 수직 고무줄을 착용하여 교합평면을 재구성, E: 치료 완료 후

2) 협측 미니 임플란트 사용 시 발생하는 악궁의 횡적 부조화

협측 미니 임플란트를 이용하여 후방 이동하면, 하악의 뾰족한 악궁 형태로 인하여 구치부에서 반대교합 혹은 절단교합이 생길 수 있다. 그러므로 후방 이동 시 상하악궁의 횡적인 변화를 고려해야 한다.

상악궁은 난원형(ovoid)으로 후방 이동 시, 악궁 형태가 크게 변화하지 않는다. 하지만 하악은 뾰족형(taperd)을 보이며, 두꺼운 설측 피질골로 인하여 후방 이동 시 악궁 형태가 확장된다.

이 상태에서 상하악 치열이 교합되면 상하악 대구치의 수평피개가 감소하기 때문에 심할 경우 반대교합이 발생될 수도 있다(그림 7-6, 7). 따라서 상악궁을 확장하거나 하악궁의 확장을 억제할 필요가 있다. 하악궁의 확장을 억제하기 위해선 미니 임플란트 식립 위치를 고려해야 한다. 미니 임플란트가 제2소구치와 제1대구치 사이에 식립되기보다는 제1대구치와 제2대구치 사이에 식립되는 것이 하악 구치부의 횡적 변화를 줄일 수 있다. 그리고 하악지 플레이트를 이용한다면 교합선(line of occlusion)에 평행하게 치열 이동이 가능하기 때문에 하악궁의 확장을 최소화할 수 있다(그림 7-8).[2)]

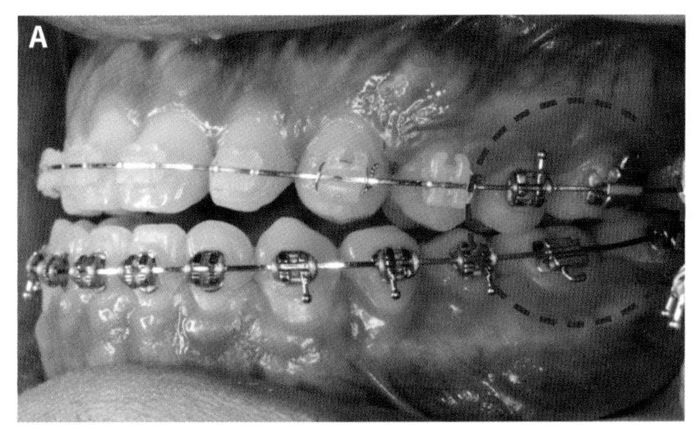

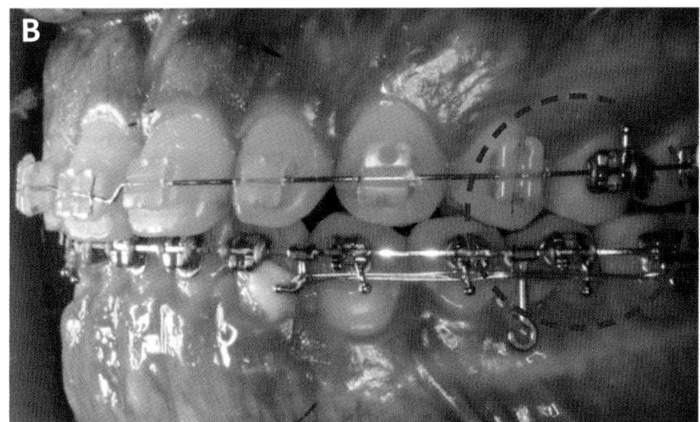

그림 7-6. 하악 협측 미니 임플란트를 이용하여 하악 후방 이동 시, 하악 구치부 수평피개가 작아진다.

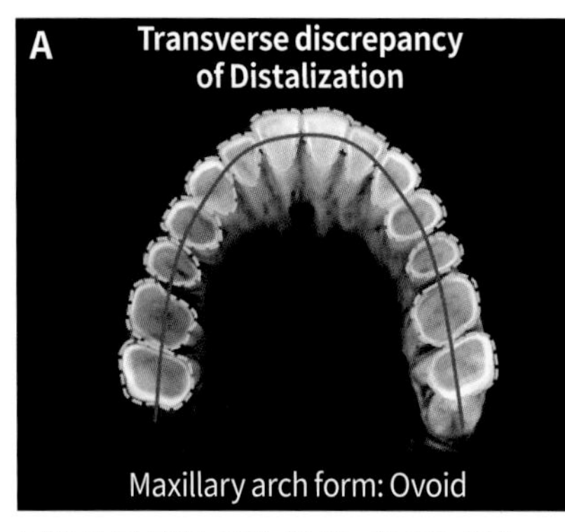

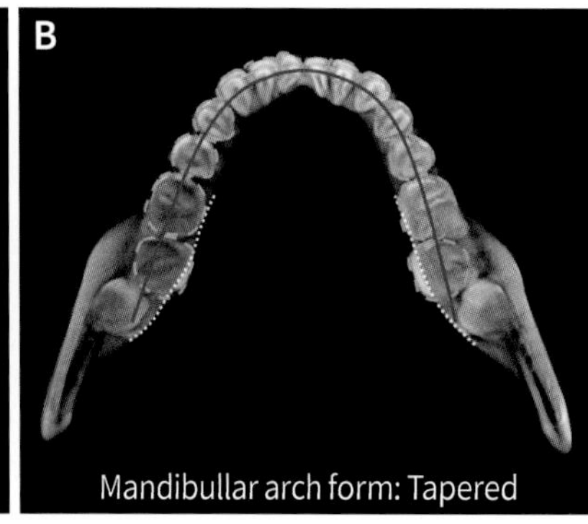

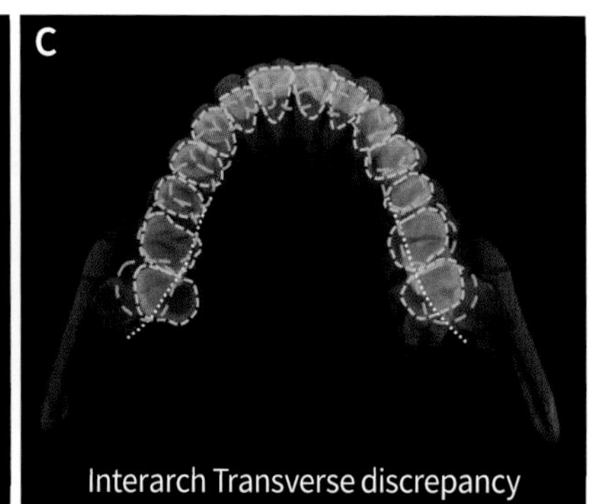

그림 7-7. 후방 이동 시 상, 하악궁 모습
A: 상악궁에서의 악궁 형태 변화는 크지 않다. B: 하악궁에서 확장된 악궁형태가 나타난다. C: 상, 하악궁 교합 시의 모습으로, 구치부의 반대교합이 관찰된다.

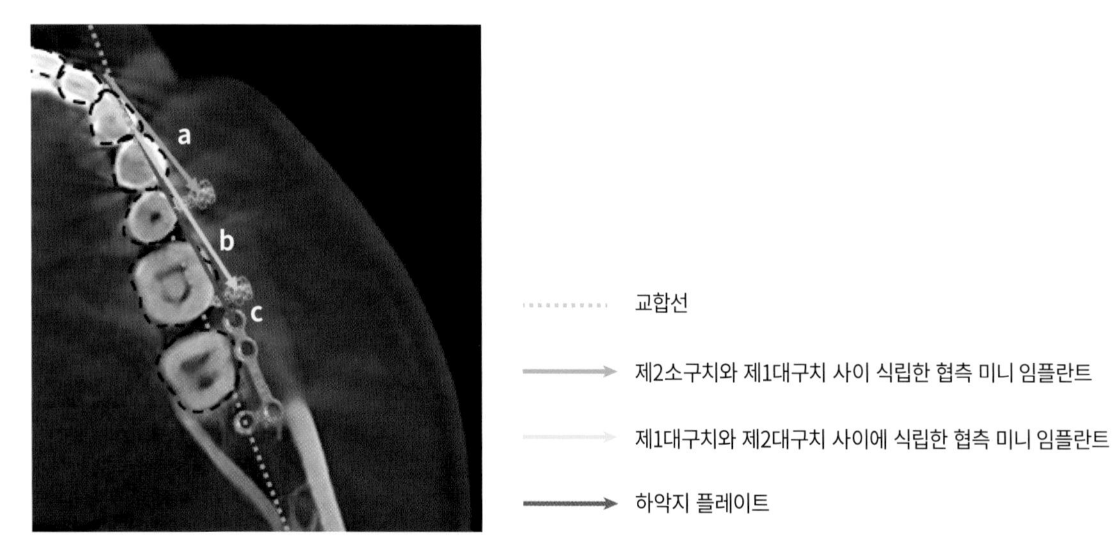

그림 7-8. 하악 치열 후방 이동 시 이동 방향
a: 제2소구치와 제1대구치 사이에 식립한 협측 미니 임플란트, b: 제1대구치와 제2대구치 사이에 식립한 협측 미니 임플란트, c: 하악지 플레이트. a에서 c로 갈수록 교합선에 평행한 치열 후방 이동이 이뤄진다. (출처: Park et al.[1]의 허가를 받아 인용)

Q. 협측 미니 임플란트를 이용한 하악 치열 후방 이동 시 구치부의 확장 현상을 어떻게 대처해야 하나요?

① 원심구개호선에 의해 안정된 상악 구치부와 상악은 구개측에, 하악에는 협측으로 약간 고무줄을 적용합니다.

② 하악 대구치의 설측 치관 토크가 보다 큰 브라켓이나 튜브를 사용합니다.

③ 하악지 플레이트를 이용하여 하악 치열을 교합선과 평행하게 이동합니다.

④ 하악 대구치부의 호선에 악궁을 축소하여 삽입합니다.

2 제1급 부정교합에서 치료 전략

Step 1 상악과 하악 전치열에 022 slot의 브라켓을 부착하고, 특히 상악 전치는 높은 토크 브라켓을 이용하여 제1소구치부터 제1대구치 사이에 8자 결찰(figure of 8)을 추가적으로 상악에서만 시행한다. 이는 구개부 장치가 상악 6번 치아에 직접적인 교정력을 적용하여 치체 이동을 시키므로 후방 이동 시 제1대구치와 전방치아 사이에 공간이 발생하는 것을 예방하면서 동시에 전치열을 이동하기 위해서이다. 초기 016 나이티놀 와이어에 이어 018 나이티놀 와이어를 이용해 순차적으로 레벨링과 배열을 진행한다. 이 과정 동안 8자 결찰은 유지한다(그림 7-9).

Step 2 구개부 장치를 식립하고 접착형 원심구개호선을 제1대구치에 접착한다. 식립 후 2주 동안 관찰하여 미니 임플란트 주변 염증 및 구강 위생을 확인하고 탄성체인을 연결한다.

Step 3 상악 016 × 022 나이티놀 와이어에서 019 × 025 스테인리스강 와이어까지 교체한다. 이때 8자 결찰 대신에 와이어 상의 측절치와 견치 사이에 훅과 제1대구치의 훅 간에 010 와이어로 연결하여 상악 전치열의 후방 이동 시 발생하는 공간의 발생을 최소화하거나 폐쇄한다.

Step 4 하악에서는 레벨링과 배열 진행 후, 019 × 025 스테인리스강 와이어 시점에 협측 미니 임플란트를 제1, 2대구치 사이에 식립한다. 2주 정도 관찰한 후, 미니 임플란트와 와이어 상의 측절치와 견치 사이 또는 견치와 제1소구치 사이에 위치한 훅 간에 탄성체인을 연결하여 하악 치열의 전치열 후방 이동을 한다. 편측당 250–450 gm 힘이 전달되도록 연결한다. 이와 동시에 하악 제1, 2대구치 간에 수직 고무줄(box elastic, 3/16" 4.5 oz)을 이용해 하악 구치부의 정출을 유도하여 교합평면을 재구성한다. 상악 구치부는 원심구개호선과 구개부 장치에 의해 고정원이 보강되어 있어 하악 구치부의 정출이 발생한다(그림 7-10).

Step 5 측모 개선 정도를 관찰하며, I급 구치 관계, 적절한 수평피개 및 수직피개를 형성한 후 마무리한다.

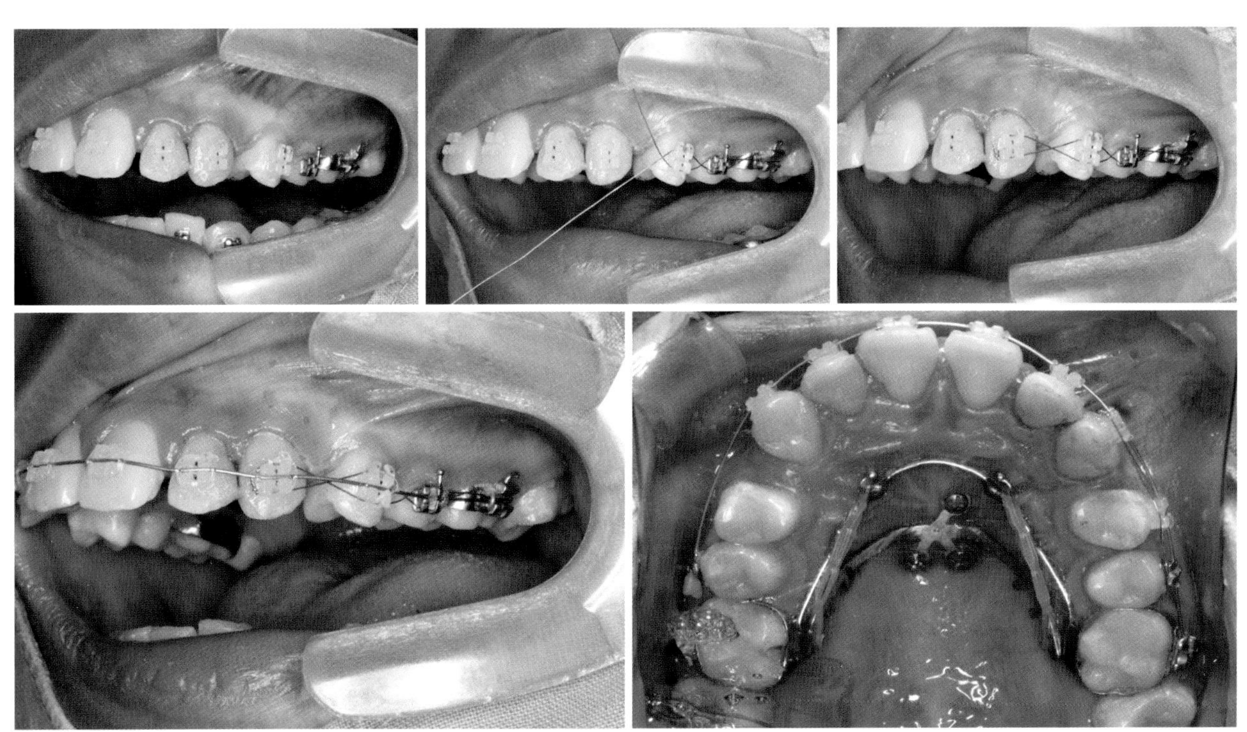

그림 7-9. 제1소구치에서 제1대구치까지 010 와이어를 통해 결찰한 모습
결찰 후에 초기 와이어를 삽입한다. 레벨링과 배열을 하는 동시에 구개부 장치와 원심구개호선을 통해 치열 후방 이동을 한다.

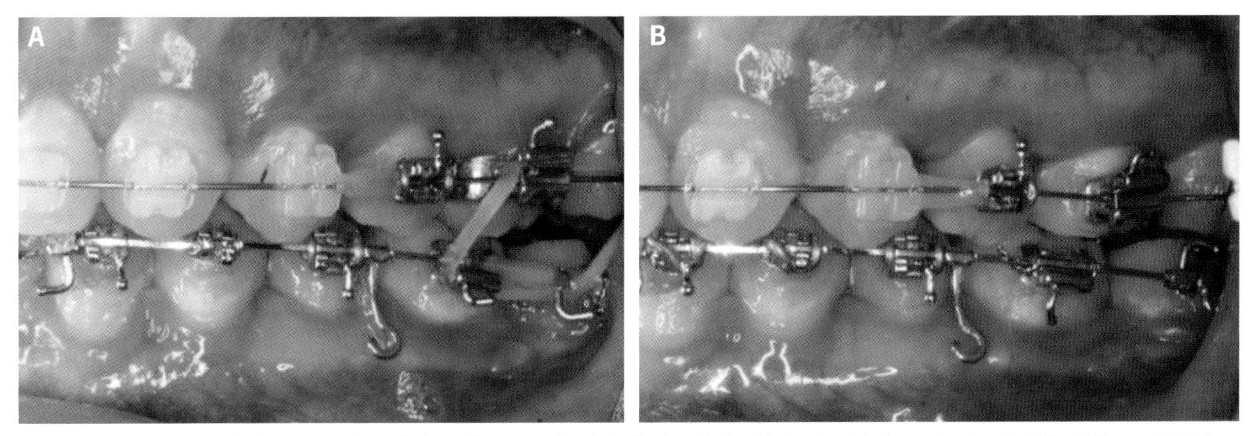

그림 7-10. 하악 치열의 후방 이동과 동시에 수직 고무줄을 이용해 대구치의 정출을 유도한다. A: 수직 고무줄을 적용, B: 구치부 교합이개가 개선된 모습

1) 증례 – 전치가 돌출된 제1급 부정교합

증례 1

20세 여자 환자가 앞니 돌출을 주소로 내원하였다. 상하순의 돌출이 관찰되었으며 측모두부계측방사선 사진 및 모델의 주요 계측치는 다음과 같다(그림 7-11).

ANB: 2.5°, FMA: 30.5°, U1-FH: 120.5°, IMPA: 100.0°
Class Ⅰ급 구치 관계, Arch length discrepancy: 상악 0.0 mm/하악 –1.0 mm

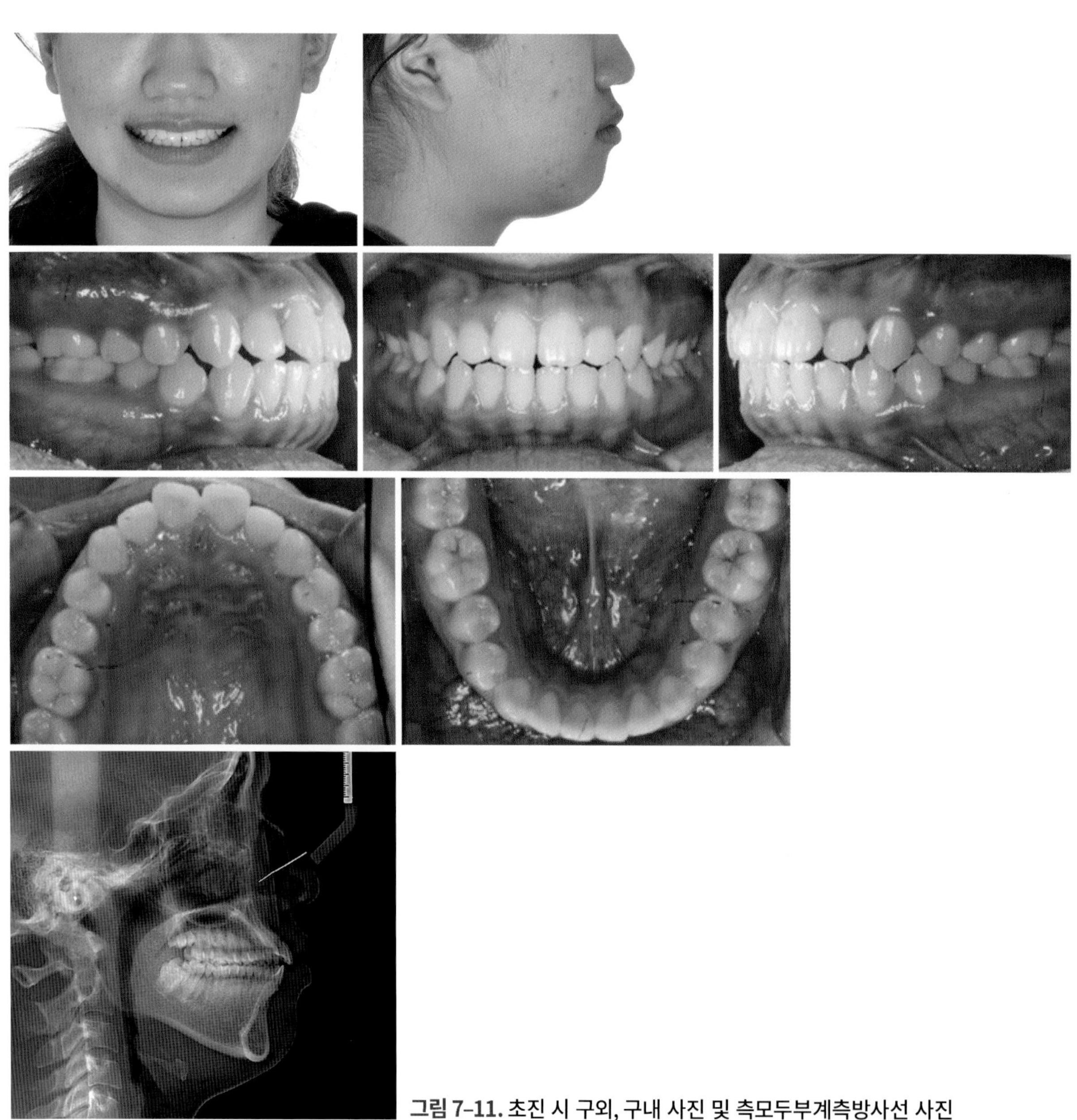

그림 7-11. 초진 시 구외, 구내 사진 및 측모두부계측방사선 사진

(1) 치료과정

상, 하 치열에 브라켓을 붙이고 016 나이티놀 와이어를 통해 초기 레벨링 및 배열을 시행하는 동시에 구개부 장치와 원심구개호선을 상악에 적용하였다. 구개부 장치에 힘을 적용하기 전 상악 제3대구치의 발치가 이루어졌다. 상악 치열 후방 이동 과정에서 상악 구치부의 함입과 전치부의 정출이 이루어져서 전치부의 개방교합이 해소되었고 상, 하악 치열의 구치부 이개가 발생하였다(그림 7-12).

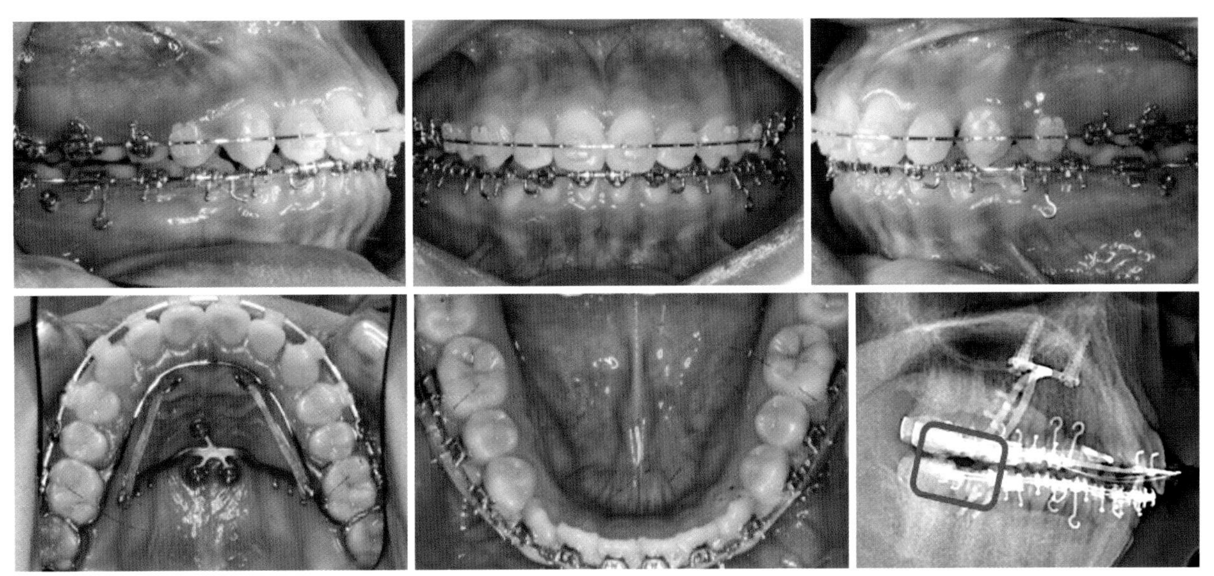

그림 7-12. 교정치료 중 측모두부계측방사선 사진
상악 전치부의 정출로 개방교합의 해소와 상악 구치부 함입으로 상, 하 구치부의 이개가 관찰된다.

상악 전치부 정출량이 과도하게 이루어지는 것을 방지하고자 상악 치열에 016 역 스피만곡 나이티놀 와이어 추가적으로 적용하였다. 하악 치열에 미니 임플란트를 식립하여 후방 이동을 하면서 하악 전치부의 정출을 방지하기 위해 016 역 스피만곡 나이티놀 와이어 추가 적용하였다. 동시에 하악 구치부 정출을 위해 상하 구치부 간의 수직 고무줄(3/16 inch, 3.5 oz)을 적용하였다. 상악 구치부는 원심구개호선과 구개부 장치에 의해 고정원이 보강되어 있어 하악 구치부의 정출이 주로 발생한다(그림 7-13).

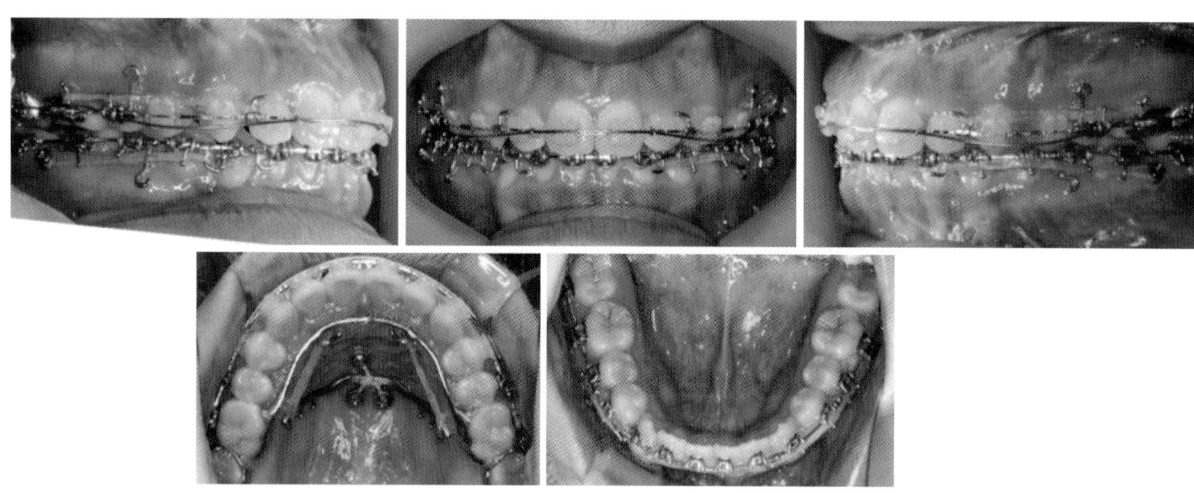

그림 7-13. 상악 치열에 역 스피만곡 와이어 overlay와 하악에 미니 임플란트를 통한 후방 이동을 실시하는 모습

(2) 치료결과

치료기간은 총 1년 8개월 소요되었다. 상하순의 돌출감이 해소되었고 I급 구치 관계가 유지되었다(그림 7-14).

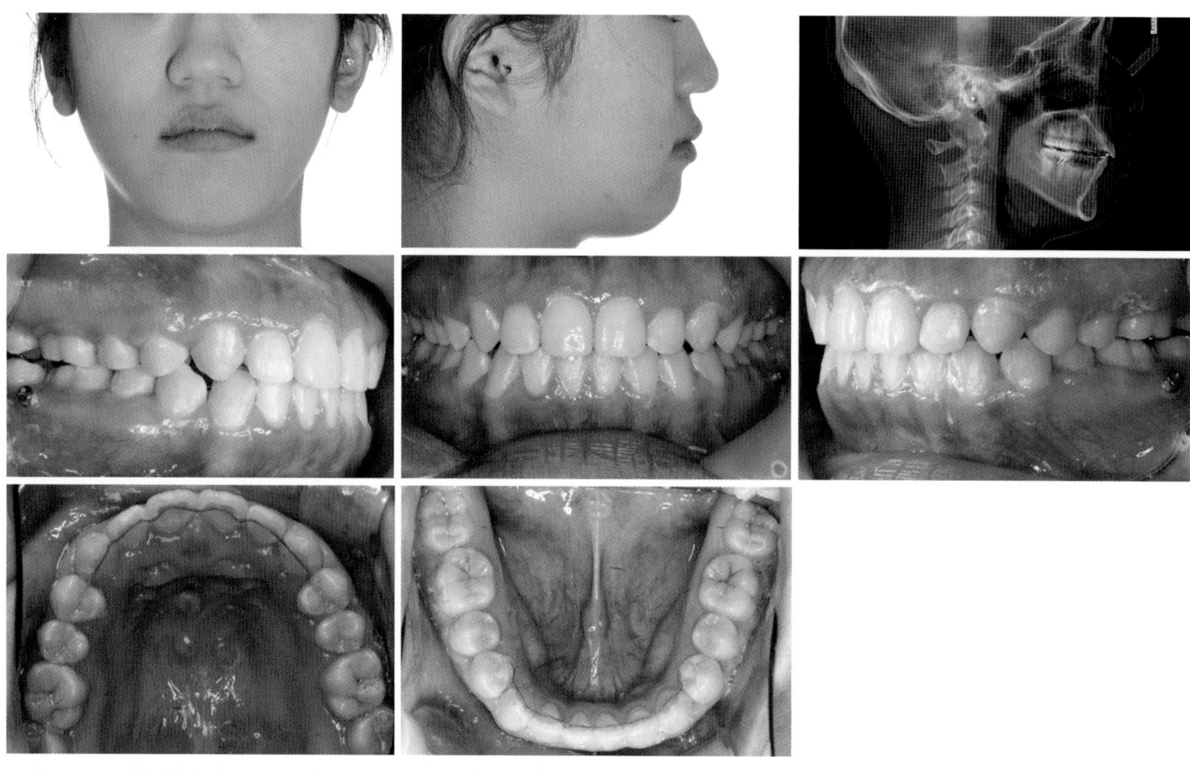

그림 7-14. 치료 완료 후 구외 사진, 측모두부계측방사선 사진 및 구내 사진

2) 증례 – 크라우딩이 동반된 제1급 부정교합

증례 2

15세 여자 환자가 돌출입을 주소로 내원했다. 상하순의 돌출 및 상하악 전치부 크라우딩을 보였으며 측모두부계측방사선 사진 및 모델의 주요 계측치는 다음과 같다(그림 7-15).

ANB: 1.0°, FMA: 24.0°, U1-FH: 119°, IMPA: 96.0°
Ⅰ급 구치 관계, Arch length discrepancy: 상악 –6.2 mm/하악 –3.8 mm

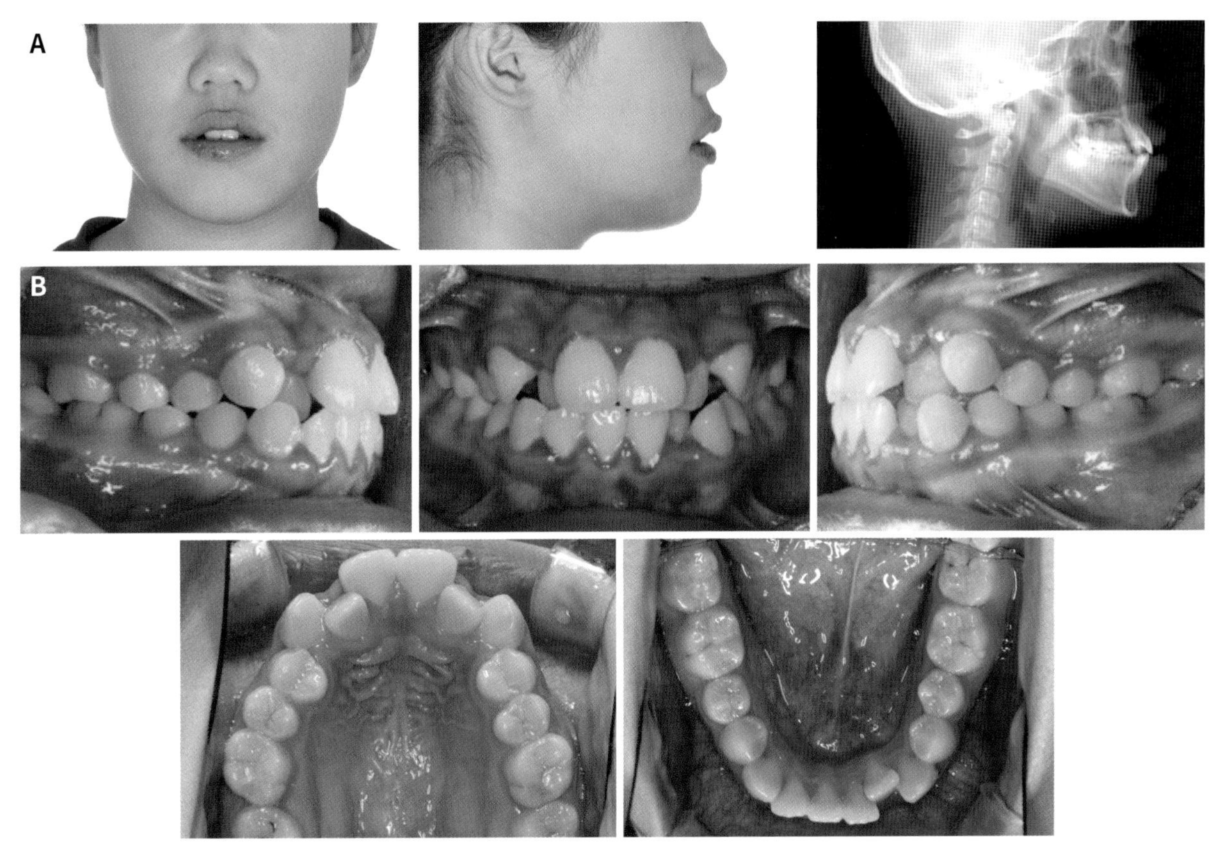

그림 7-15. 초진 시 모습. A: 구외 사진과 측모두부계측 방사선 사진, B: 구내 사진

(1) 치료과정

상악의 확장 및 구치 후방 이동을 통하여 크라우딩을 해소하였고, 이후 상하악 전체 치열의 후방 이동을 하였다. 전치부 토크를 유지하기 위해 019 × 025 스테인리스강 와이어 상에서 후방 이동을 하였으며 편측당 250–300 g 정도의 힘을 가하였다. 제3대구치는 하악 후방 이동 중에 발치하였다. 하악 후방 이동은 양측 제1대구치와 제2대구치 사이에 미니 임플란트(길이 8 mm, 직경 1.6 mm)를 식립하여

시행하였다(그림 7-16).

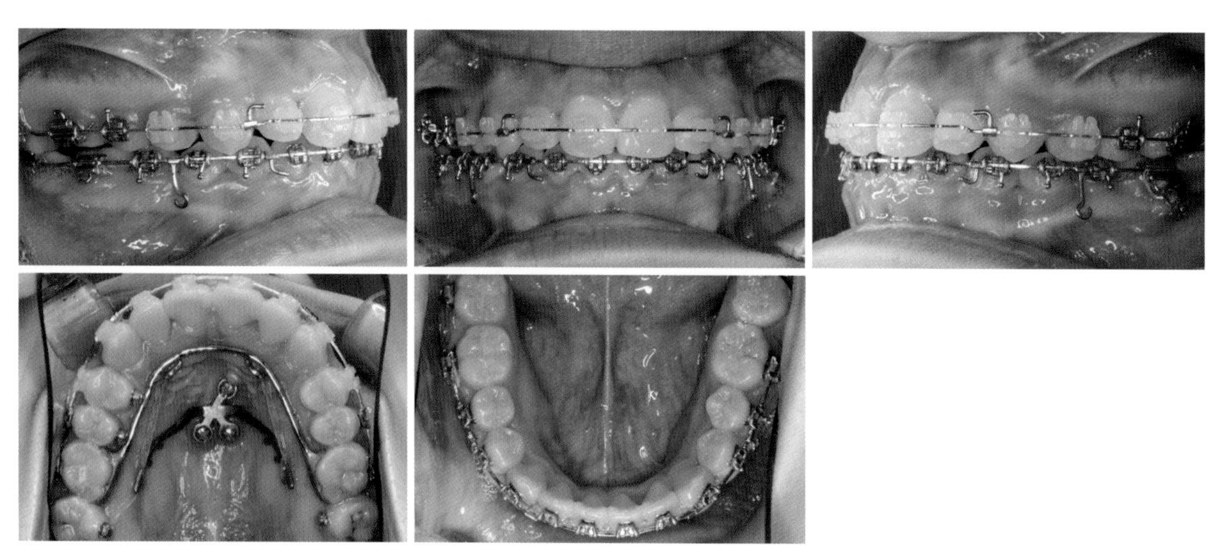

그림 7-16. 치료 중 구내 사진

(2) 치료결과

치료기간은 총 2년 4개월이었다. 측면두부계측방사선 사진의 계측값 중 ANB은 1.5°로 치료 전과 비교하였을 때 약간 증가하였으며, FMA값 또한 24.5°로 치료 전보다 약간 증가하였다. U1-FH값 114.0°, IMPA값 86.0으로 치료 전과 비교하였을 때, 상하악 전치의 설측 경사가 관찰되었다(그림 7-17, 18, 19).

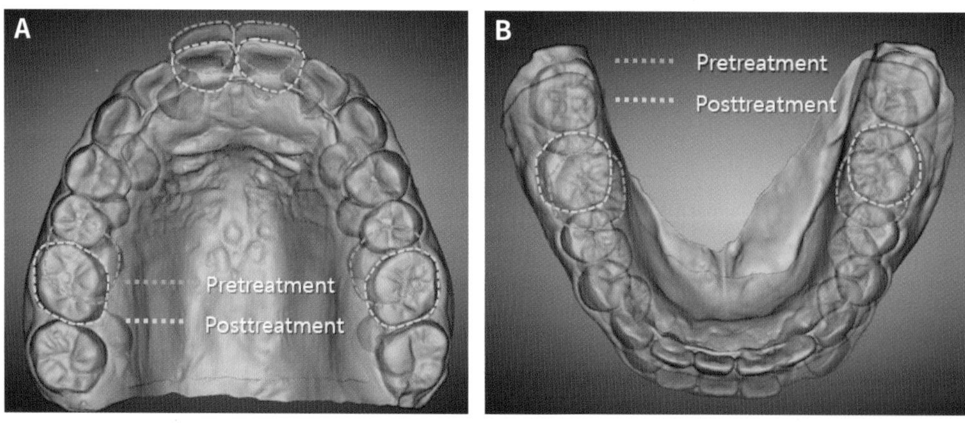

그림 7-17. 치료 전 후 3D 모델 중첩 사진
상악 제1대구치는 우측에서 3.7 mm, 좌측에서 4.0 mm 후방 이동되었으며, 하악 제1대구치는 우측에서 3.3 mm, 좌측에서 3.7 mm 후방 이동되었다.

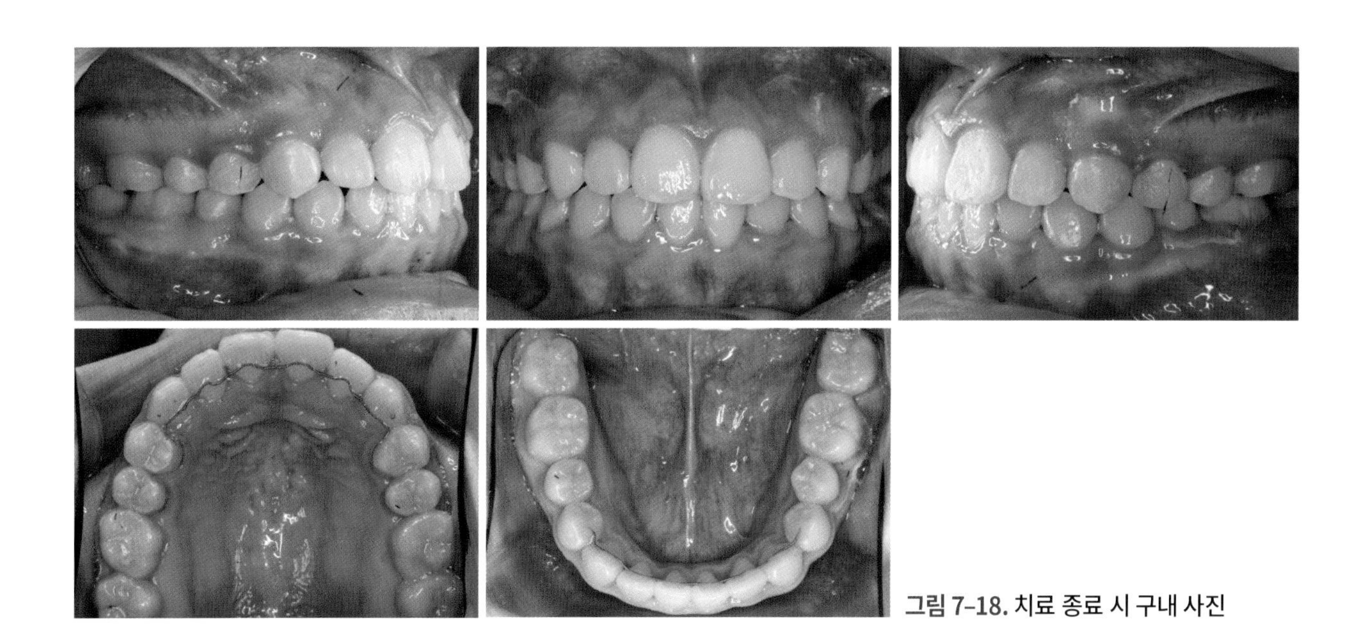

그림 7-18. 치료 종료 시 구내 사진

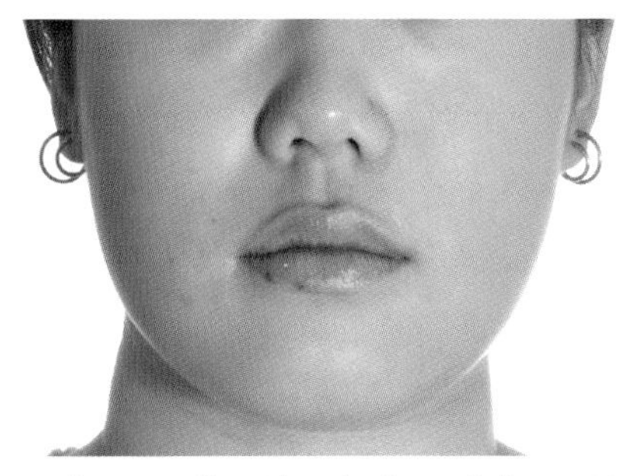

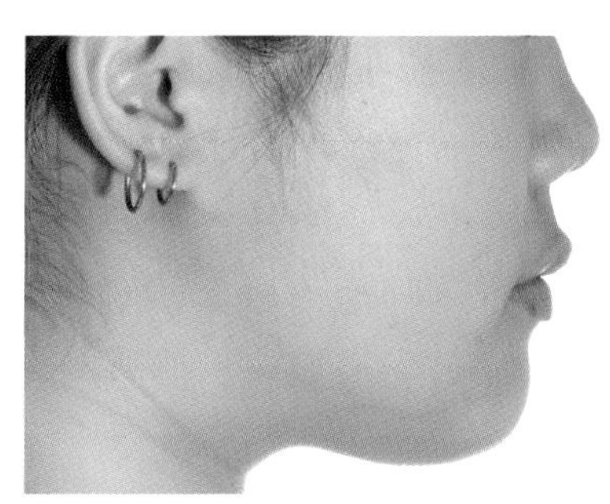

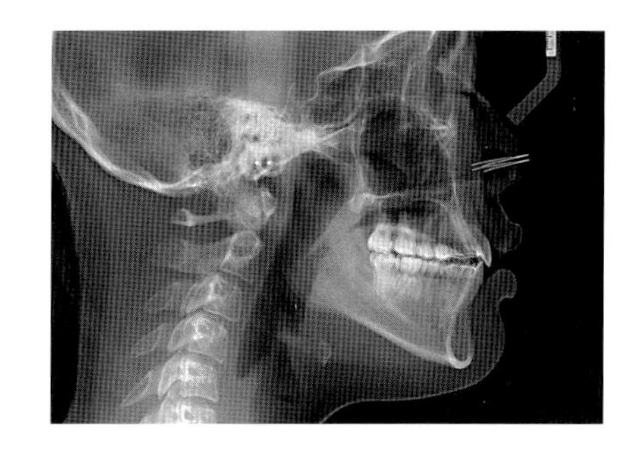

그림 7-19. 치료 완료 후 측모 및 측모두부계측방사선 사진

7-2 제2급 부정교합의 치료 전략

1 제2급 부정교합에서 비발치 치료 전략

제2급 부정교합에서 하악의 전후방적 위치는 정상이고 상악이 돌출되어 수평피개가 크며, 상하악 모두 크라우딩이 없는 경우 치료법은 다음과 같다.

Step 1, 2, 3 제1급 부정교합과 동일하게 진행한다.

Step 4 016 × 022 스테인리스강 또는 019 × 025 스테인리스강 와이어 단계에서 상악 2, 3번 사이에 훅을 위치하고 제1대구치와 .010" 결찰 와이어를 연결하여 전치열 후방 이동(total arch distalization)을 유도한다. 후방 이동 시 전치부 과개 교합의 개선이 필요하다면, 016 × 022 스테인리스강 와이어에 전치부 스텝 업 벤드를 추가하고, 부가적으로 구치부 보조 튜브에 018" 역스피만곡 나이티놀 와이어를 삽입하고 상악 전치부에 결찰하여 함입을 유도한다.

Step 5 019 × 025 스테인리스강 와이어에서 상하악 제1, 2대구치 간에 수직 고무줄(3/16" 4.5 oz)을 이용하여 구치부 교합이 이개되는 현상을 사전에 방지해 준다(만약 하악의 후방 이동이 다소 필요할 시, 골성 구개부 장치를 고정원으로 3급 고무줄 이용하여 하악 치열 후방 이동을 시행한다).

Step 6 I급 구치 관계, 적절한 수평피개 및 수직피개를 형성한 후 마무리한다.

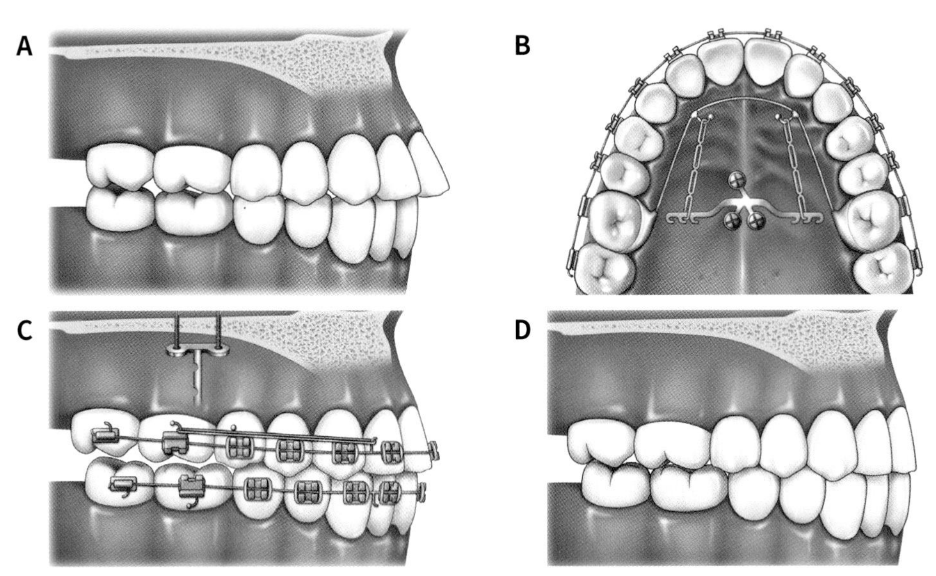

그림 7-20. 제2급 부정교합에서 비발치 치료 모식도. A: 초기 사진, 수평피개가 크며 상악이 돌출되어 있다. B: 구개부 장치로 전치열 후방 이동을 실시하였다. C: 상악에 역스피만곡 나이티놀 와이어를 적용하였다. D: 치료 완료 후 1급 구치관계를 보인다.

2 효율적인 상악 전체 치열 후방 이동 시 전치부 토크 조절

1) 높은 토크의 상악 전치부 브라켓(High torque bracket)

상악 치열의 후방 이동 시에 흔히 발생하는 문제점은 전치부의 과도한 설측 경사이다. 이는 후방 이동 시에 상악 전치부에 일반적으로 사용하는 12도 토크 브라켓을 사용하기보다는, 더 높은 값의 17-22도 토크 브라켓을 부착함으로써 설측 경사에 대응하는 순측 모멘트를 발생시켜 방지할 수 있다(그림 7-21).

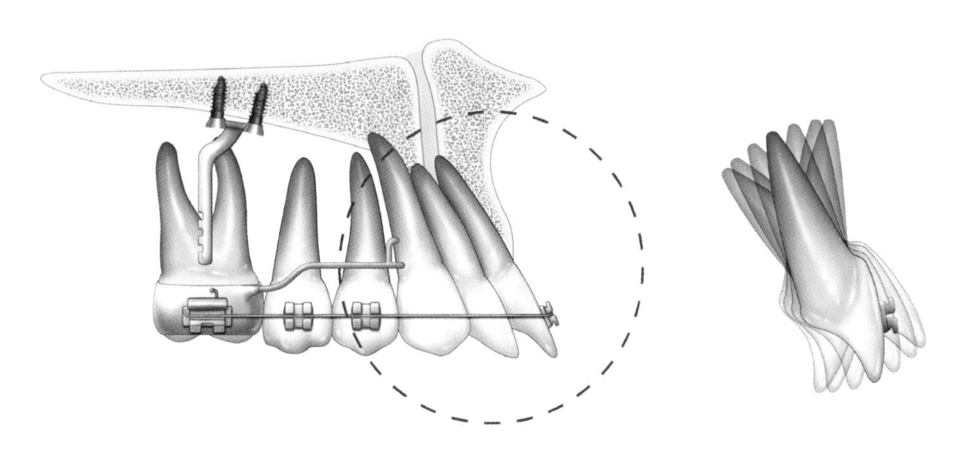

그림 7-21. 상악 치열 후방 이동 시, 전치부에 과도한 설측 경사가 발생할 수 있다.

2) 성장기 심한 수평피개를 보이는 환자에서 구개부 장치를 이용한 치료의 장기관찰

10세 남자 환자가 심하게 앞니가 돌출되었다는 주소로 내원하였다. 구치부는 1급 교합, 견치는 경미한 2급 관계이며 심한 수평피개와 함께 상악은 경미한 크라우딩, 하악은 중등도의 크라우딩을 보였으며 단안모 골격 형태를 보였다. 측모두부계측방사선 사진과 모델의 주요 계측값은 아래와 같다(그림 7-22).[3)]

ANB: 3.5°, FMA: 23.0°, U1-FH = 121.0°, IMPA = 96.0°
상하 전치 순측 경사, 수평피개: 7.0 mm, 수직피개: 3.5 mm

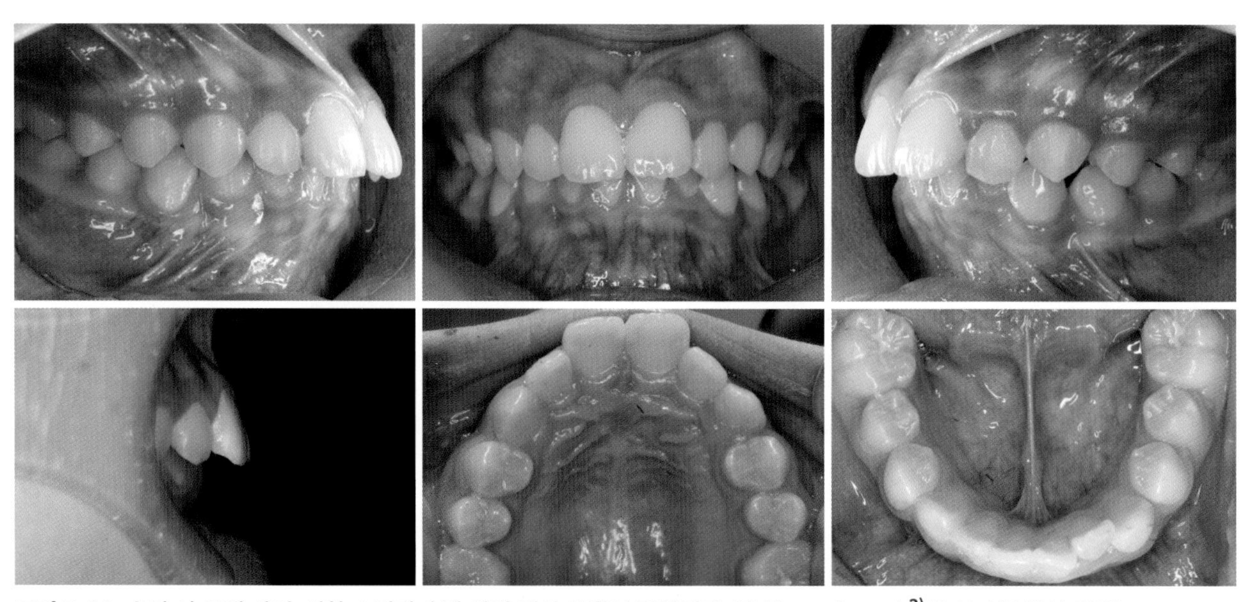

그림 7-22. 초진 시 구내 사진. 심한 수평피개 및 상악 전치 돌출이 관찰된다. (출처: Kook et al.[3)]의 허가를 받아 인용)

(1) 치료계획

브라켓 부착 및 나이티놀 와이어를 삽입한 후 구개부 장치를 식립하고 제1대구치에 치열 후방 이동을 위한 접착 형태의 원심구개호선을 적용하였다(그림 7-23).

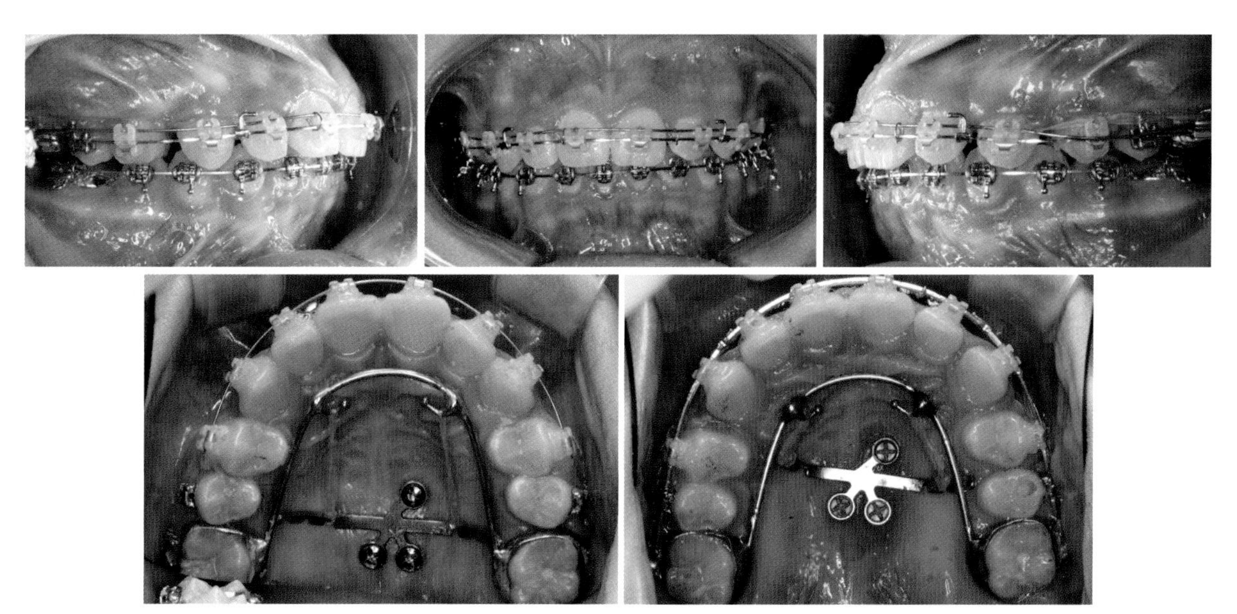

그림 7-23. 치료 중 구내 사진. 구개부 장치와 원심구개호선을 통해 상악 전치열 후방 이동을 실시하였다.
(출처: Kook et al.[3])의 허가를 받아 인용)

(2) 치료결과

총 치료기간은 22개월이었다. 입술폐쇄부전(lip incompetency)의 해소와 심미적인 측모, 수평피개 및 수직피개가 개선 및 1급 견치 및 구치관계가 형성되었다. 또한 후방 이동 후 상악 전치부는 직립하게 되고(U1 to FH = 121.0° to 107.0°), 비순각은 86.0°에서 101.5°로 증가됐다. 성장 폭발기간 동안 나타난 하악의 성장은 하악을 적절한 위치로 유도하였다(그림 7-24). 치료 종료 후 10개월간의 유지기간 동안 개선된 안모와 좋은 교합을 보여주었다. 치료를 하지 않았을 경우, 성장에 따라서 구치부는 점진적으로 정출이 일어났을 것이나 구개부 장치를 사용하였기 때문에 그 정출양을 감소시킬 수 있었다. 환자는 초진 당시 단안모적인 골격 양상을 보였고, 구개부 장치를 사용하여 제1대구치 정출양을 감소시켰다. 전하방적으로 하악이 성장함에 따라 환자가 치료 후 만족할 만한 안모를 보였다(그림 7-25). 치료 종료 후 5년간 유지기간 동안에도 안정된 교합을 보였다(그림 7-26).

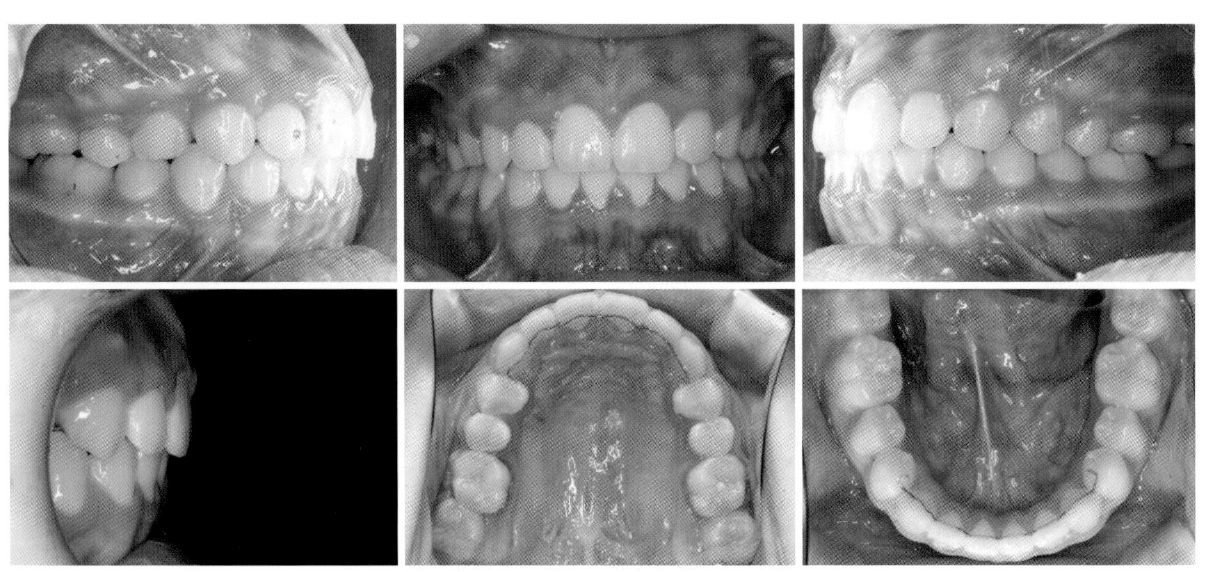

그림 7-24 치료 완료 후 구내 사진(출처: Kook et al.[3])의 허가를 받아 인용)

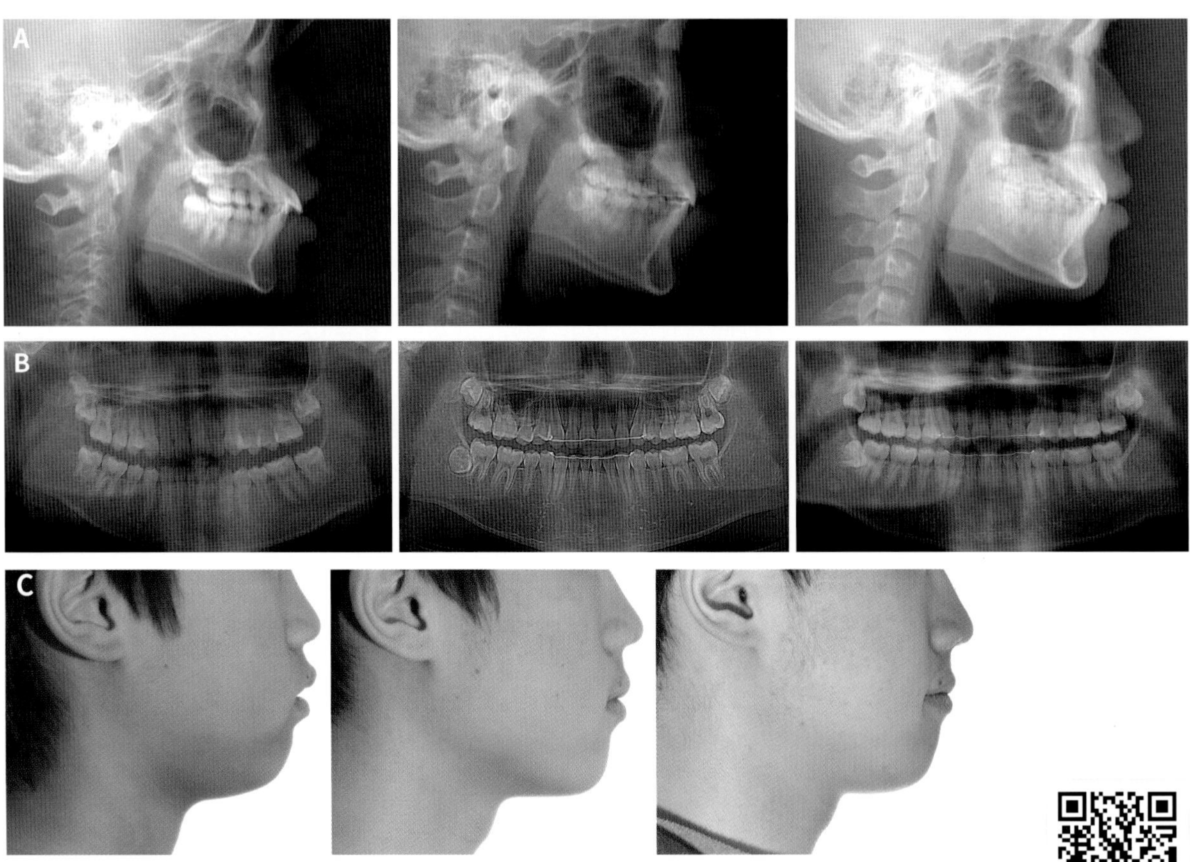

그림 7-25 치료 전, 치료 후, 치료 후 유지기간 동안의 환자 모습. A: 측면두부계측방사선 사진, B: 파노라마 방사선 사진, C: 측모 사진(출처: Kook et al.[3])의 허가를 받아 인용)

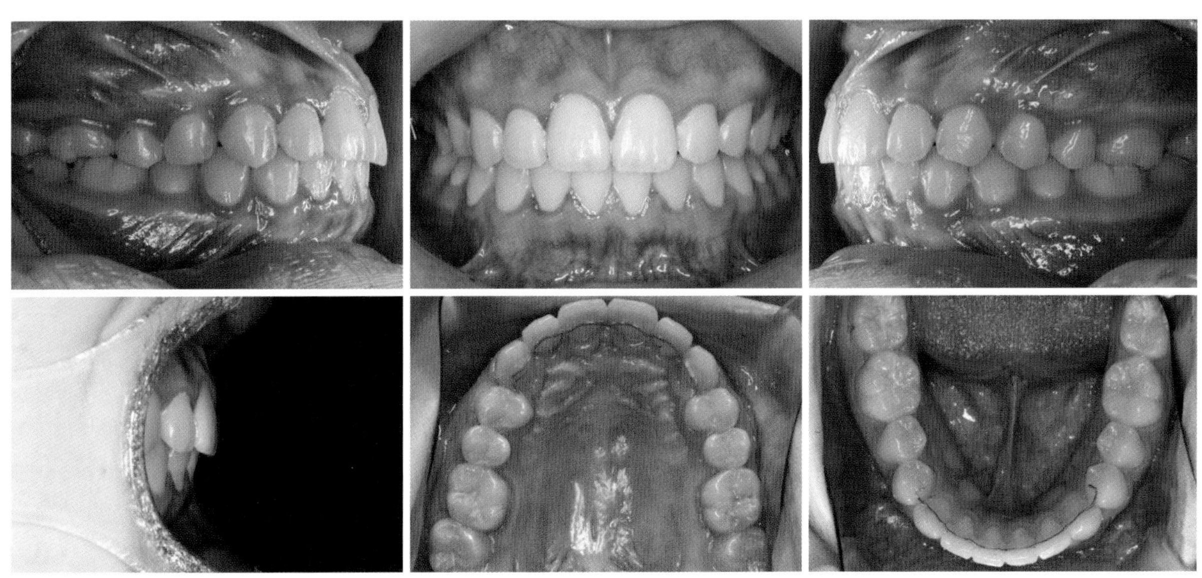

그림 7-26 치료 완료 5년 후 구내 사진(출처: Kook et al.[3])의 허가를 받아 인용)

Q. 구개부 장치와 협측 미니 임플란트는 어떤 차이점이 있나요?

구개부 장치를 이용하면 치아 이동량에서는 2배 정도 후방 이동량이 크고, 경사 이동량에서는 협측 미니 임플란트가 3배 정도 큽니다.

구개부 장치는 전치열 후방 이동 시 협측 미니 임플란트에 비해 견고하여 후방 이동에 필요한 힘을 보다 지속적으로 전달할 수 있다. 치아의 구치부 후방 이동 양상에 대한 연구에 의하면, 협측 미니 임플란트를 사용했을 때보다 구개부 장치를 사용했을 때 구치부 후방 이동은 4.2 mm로 미니 임플란트(2.0 mm)보다 2배 많았고, 원심경사는 2°로 미니 임플란트(7.2°)보다 적게 일어난다(그림 7-27).

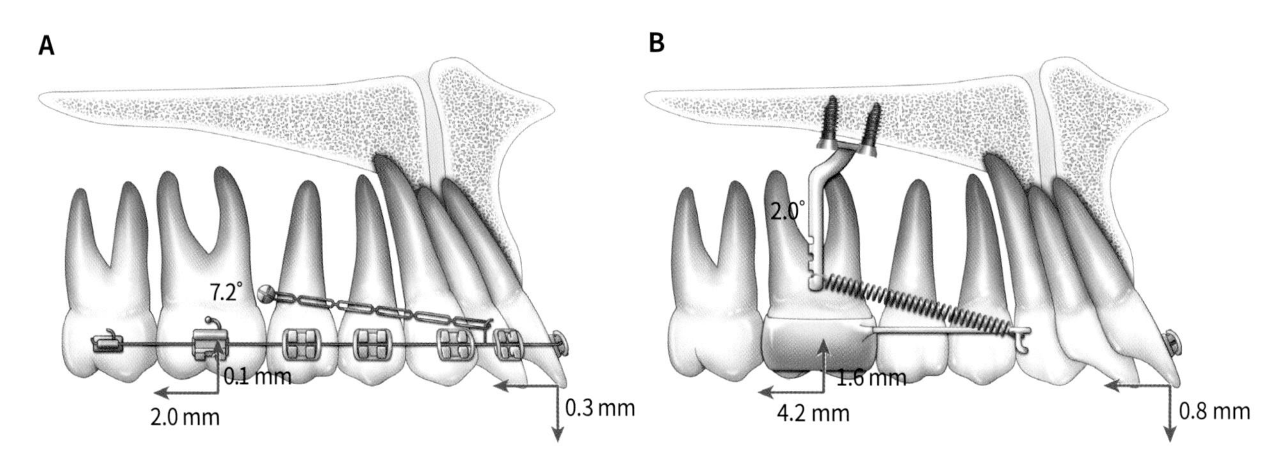

그림 7-27. 구치부 후방 이동을 위한 골성 고정원 장치의 효과
A: 협측 미니 임플란트 사용 시 상악 제1대구치와 중절치의 평균 이동량, B: 구개부 장치 사용시 상악 제1대구치와 중절치의 평균 이동량

협측 미니 임플란트는 부착치은에 식립해야 하므로 식립부위가 제한적이고 이로 인해 힘의 작용점이 1개인 반면, 구개부 장치는 구개측에서 접근하므로 환자의 골격적 특성에 따라 대략 4 mm에서 10 mm까지 힘의 작용점을 술자가 선택할 수 있는 장점이 있다. 즉, 협측 미니 임플란트는 고정원의 자유로운 수직적 위치 조절에 한계가 존재하는 반면, 구개부 장치는 레버 암의 notch와 훅의 위치 조절을 통해서 보다 자유로운 수직적인 위치 조절이 가능하다(그림 7-28).[4)]

인접한 치근간 거리가 좁은 경우, 미니 임플란트를 이용한 치아 이동의 범위는 제한된다. 많은 양의 전치열 후방 이동이 필요할 때, 치근 손상을 유발할 수 있는 가능성을 피하기 위해 일정량의 치아 이동 후 치근 사이의 미니 임플란트를 재식립해야 한다.

또한 구치부를 후방 이동시킬 때, 미니 임플란트보다는 구개부 장치가 치근 이동량이 더 많아서 장기적으로 안정성이 유리하다. 또한 미니 임플란트와 구개부 장치 모두 전치부 정출을 고려하여 전 치열 후방 이동 동안 필요한 경우 역스피만곡 와이어를 이용한 전치부 함입을 고려해야 한다.

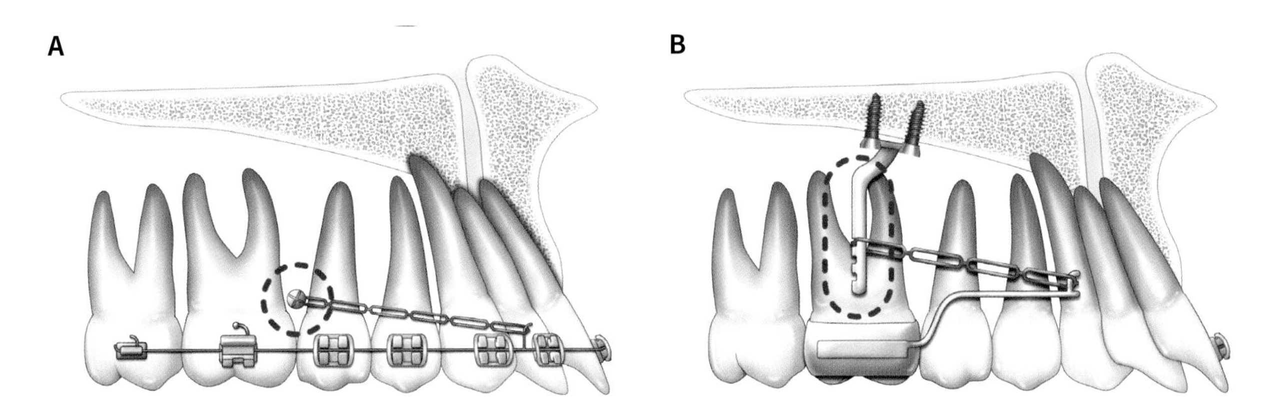

그림 7-28. 구치부 후방 이동을 위한 골성 골정원 장치. A: 협측 미니 임플란티 부착 치은에 식립과 힘의 작용점이 1개이다. B: 구개부 장치; 구개 측에 접근으로 4 mm에서 10 mm까지 다양한 작용점 적용이 가능하다.

7-3 제3급 부정교합의 치료 전략

1 제3급 부정교합에서 비발치 치료 전략

Step 1 상악과 하악 전치열에 022 slot의 브라켓을 부착하고, 초기 016 나이티놀 와이어, 018 나이티놀 와이어를 이용해 순차적으로 레벨링과 배열을 진행한다.

Step 2 하악에 019 × 025 스테인리스강 와이어가 삽입되는 시점 전후로, 하악 후구치와 하악지 플레이트(ramal plate)를 식립하고, 하악 치열의 전치열 후방 이동을 한다. 이때 와이어의 측절치와 견치 사이에 위치한 훅과 하악지 플레이트와 추가적으로 하악 제1대구치와 하악지 플레이트 사이에 각각 탄성체인을 편측당 250–450 gm 힘이 전달되도록 연결한다. 한편, 하악지 플레이트를 사용하지 않는 경우에는 하악 제1대구치와 2대구치 사이에 협측 미니 임플란트를 식립하여 후방 견인함과 동시에 제2대구치의 치은에 묻히는 현상을 예방하기 위해 box elastics를 상, 하악 대구치에 착용하여야 한다.

Step 3 하악 치열의 후방 이동에 따라 충분한 수평피개가 형성된 후에, 상악 전치의 순측 경사의 개선이 필요한 경우에는 상악 제1대구치와 제2대구치 사이에 협측 미니 임플란트를 식립하여 상악 치열의 후방 이동을 추가적으로 진행한다.

Step 4 I급 구치 관계, 적절한 수평피개 및 수직피개를 형성한 후 마무리한다.

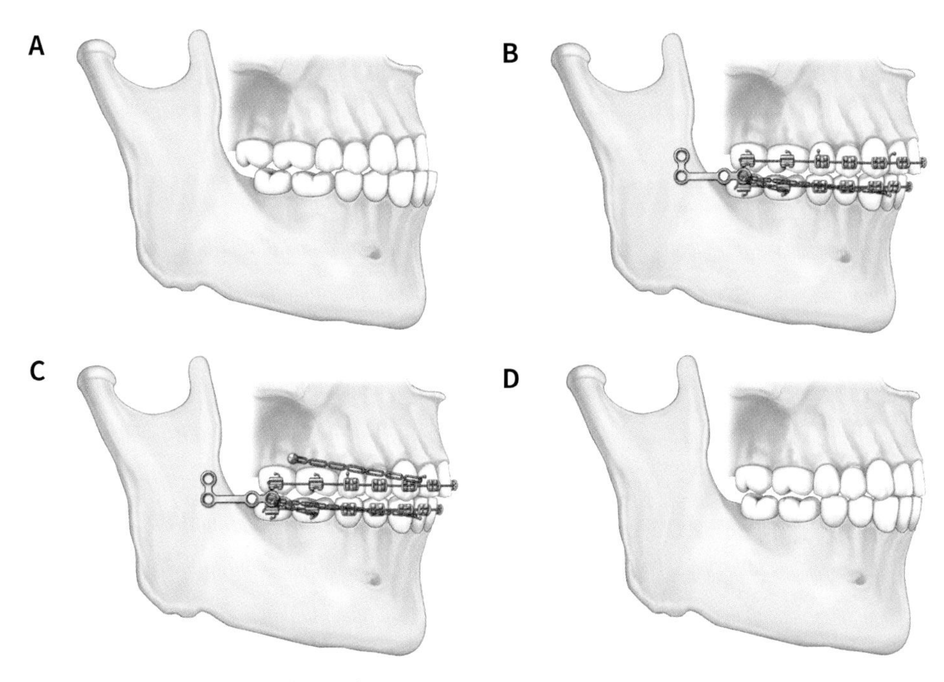

그림 7-29. 제 3급 부정교합에서 비발치 치료 모식도
A: 초진 시 모습. 전치부 반대교합과 III급 구치관계가 관찰된다. B: 하악지 플레이트를 식립한 후, 전방 훅과 탄성체인을 연결하여 하악 치열 후방견인을 실시한다. C: 상악 대구치 사이에 미니 임플란트를 식립하여 상악 치열 후방 이동을 실시한다. D: 치료 완료 후 I급 구치관계를 보인다.

2 하악지 플레이트(Ramal plate)

하악지 플레이트란, 뼈가 골절되었을 때 골간 고정을 위해서 사용되는 플레이트를 하악골의 하악지 부분에 식립하여 하악 치열의 후방 이동을 도모하는 장치이다. 하악 치열의 후방 이동을 위해서 앞서 설명한 III급 고무줄과 미니 임플란트 외에도 하악지 플레이트를 응용하여 사용할 수 있다.

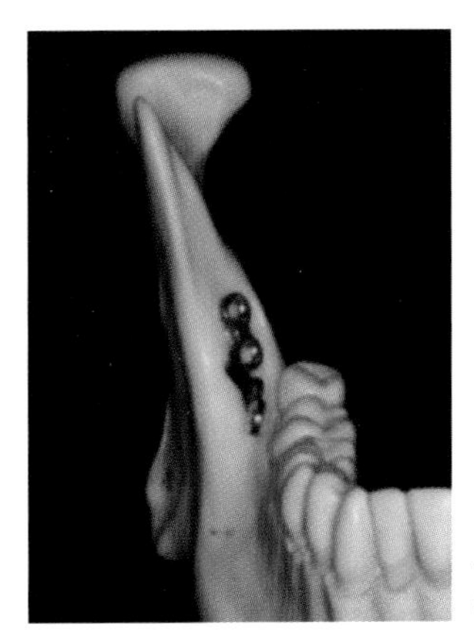

그림 7-30. 식립된 하악지의 위치에 하악지 플레이트가 위치해 있다.
(출처: Kook et al.[6])의 허가를 받아 인용)

1) 하악지 플레이트 식립을 위한 해부학적 고려사항

하악지 플레이트의 식립위치는 후구치공(retromolar foramen)이 대부분 거의 존재하지 않지만, 인구의 9-25% 빈도로 발생하기 때문에 여부를 철저히 파악, 확인해야 한다. 이러한 후구치공이 존재한다면 제3대구치를 발치하고 하악지 플레이트 식립 시 손상이 되지 않도록 확인해야 한다(그림 7-31).[5]

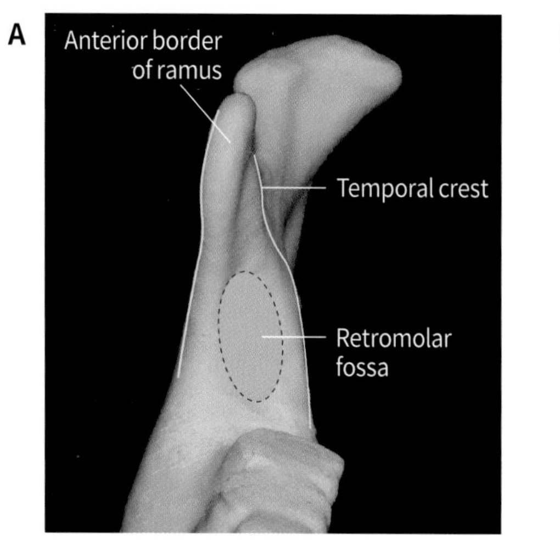

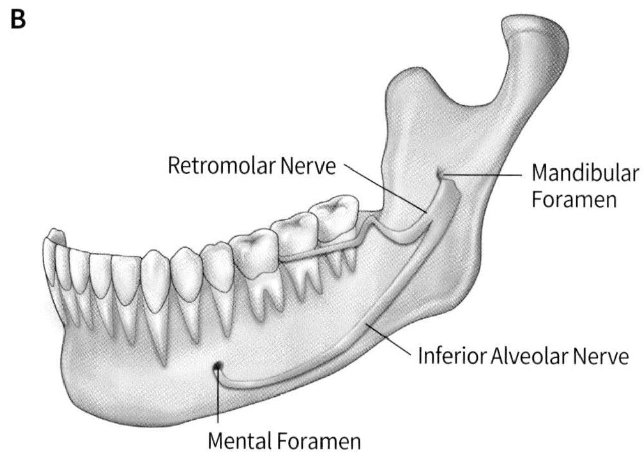

그림 7-31. 하악지 플레이트 식립을 위한 해부학적 위치
A: 하악지 협설측 경계를 보여준다[협측 경계: 하악지의 전연, 설측 경계: 관자능선(temporal crest)], B: 주위 신경과의 위치

작은 양의 후방 이동이 필요한 경우에는 협측 미니 임플란트를 이용하지만, 4 mm 이상의 이동이 필요한 경우 하악지 플레이트를 추천한다.

2) 하악지 플레이트의 식립 과정

하악지 플레이트는 L 타입의 플레이트(Le Forte system, Jeil Medical, South Korea)를 이용한 것으로 원심 홀(hole)은 골표면에 맞춰지고, 근심 홀은 전후방적으로 하악 제2대구치의 근심면과 협측구 사이에 위치하고 협설적으로 하악 제2대구치의 협측 튜브에서 3 mm 떨어지도록 위치해야 뺨에 자극이나 교합 장애를 유발하지 않는다. 수직적으로 하악 교정용 와이어에 평행하거나 약간 상방에 위치시킨다.

후구치 부위에 판막을 거상한 후 하악지의 전연과 측두능선 사이의 후구치와에 2개의 5 mm 길이 및 직경 2.0 mm의 미니 임플란트를 식립한다. 하악지 플레이트의 훅은 점막을 관통하여 교합면에 평행한 힘 벡터를 보장하기 위해 하악 안면 축 지점과 동일한 횡단면에 위치해야 한다(그림 7-32, 33).

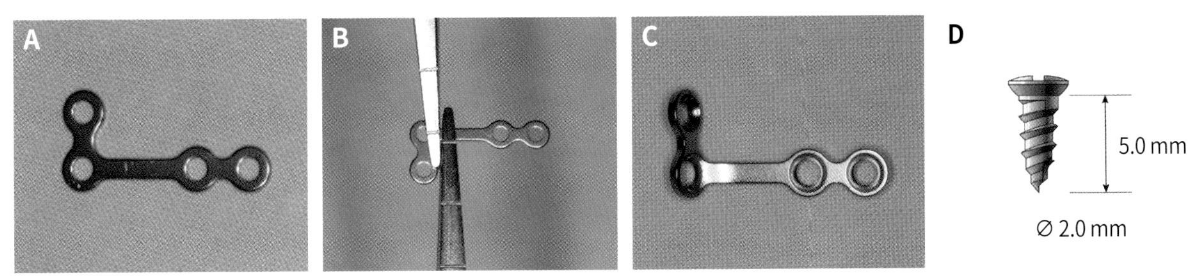

그림 7-32. 하악지 플레이트 밴딩 과정. A: 밴딩 전 하악지 플레이트, B: 하악지 플레이트를 식립 부위의 해부학적 형태에 맞게 밴딩, C: 밴딩 후 하악지 플레이트, D: 미니 임플란트

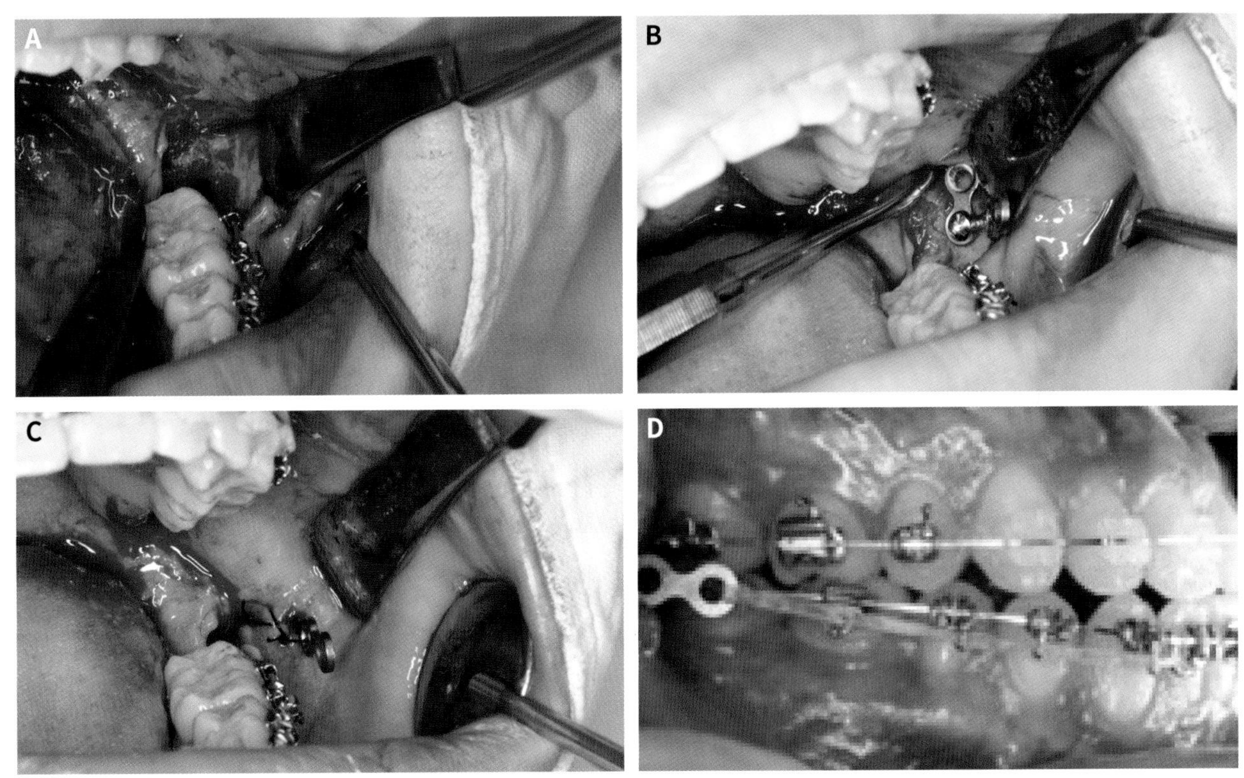

그림 7-33 . 하악지 플레이트를 하악 후방 이동용 골격성 고정원으로 해부학적 형태에 맞게 조절하여 하악지 전연 후구치와 부위에 식립하는 과정
A: 후구치 부위 판막을 거상한다. B, C: 플레이트는 직경 2 mm, 길이 5 mm의 미니 임플란트 2개를 이용하여 고정하며 일부 플레이트의 홀은 점막 밖으로 연장되어 나오게 된다. D: 연장부에 하악궁의 원심이동을 위해 탄성체인을 연결한다. (출처: Kook et al.[6]의 허가를 받아 인용)

그림 7-33A에서 보는 바와 같이 하악지 플레이트의 식립 전에 제3대구치를 발치하면서 동시에 제2대구치 후방 후구치영역과 외사선 내측 부분의 골을 일부 제거하면 후방 이동시 도움이 될 수 있다.

임상 팁
미니 임플란트 또는 플레이트 이용하여 하악치열 후방 이동하는 경우 사랑니 발치 후 발치와의 외사선 내측 부분의 골을 일부 제거하면 후방 이동에 도움을 준다.

3) 하악지 플레이트의 식립 시기

하악지 플레이트는 하악 치열의 레벨링과 배열이 완료되어 0.019 × 0.025인치 스테인리스강 와이어가 완전히 장착될 시점에 제3대구치 발치와 함께 식립하며, 편측당 300 g의 힘을 적용하여 적절한 수평피개가 형성될 때까지 이용한다.[6]

4) 하악 전치열의 후방 이동 시 하악지 플레이트의 역학적 분석

하악 전치열의 후방 이동을 위해 하악지 플레이트를 포함한 4가지 형태의 골성고정원을 비교한 유한요소 연구에서, 협설적으로 하악지 플레이트는 다른 고정원에 비해 보다 교합선에 가깝게 힘이 전달되어 치열의 횡적 변화가 적었으며, 수직적으로 협측 미니 임플란트를 사용한 경우보다 더 많은 구치의 원심 이동과 정출, 교합 평면의 시계방향으로의 변화가 일어났다(그림 7-34).[2]

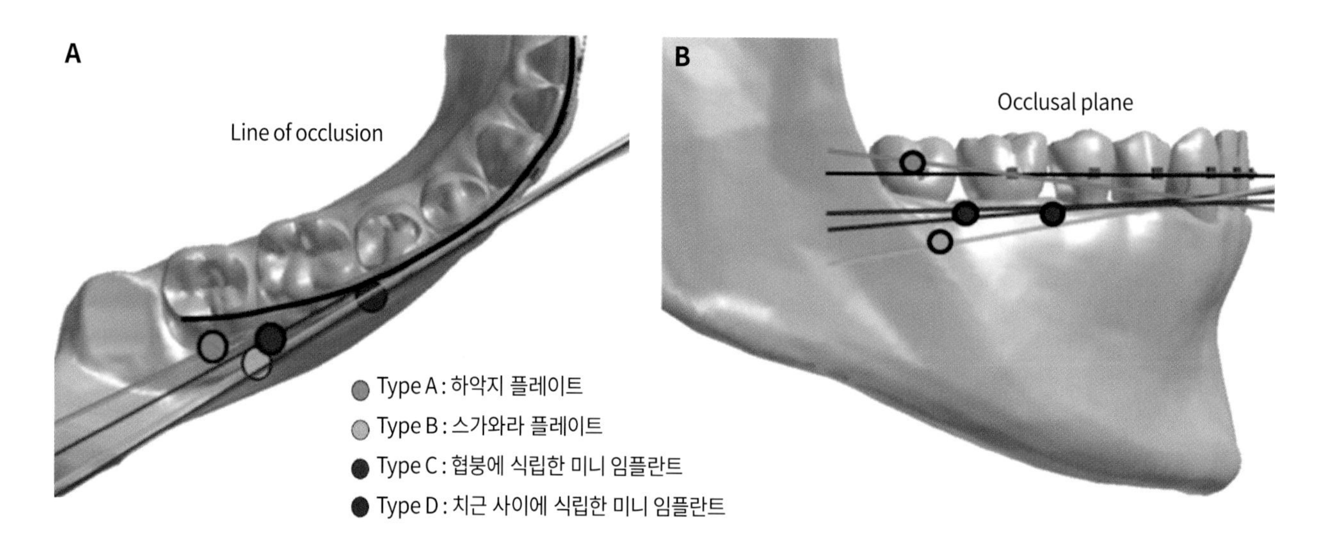

그림 7-34. 다양한 골격성 고정원 장치에 따른 하악 치열 후방 이동 양상. A: 교합면, B: 협면
(출처: Kim et al.[2]의 허가를 받아 인용)

다양한 골성고정원 중 유일하게 하악지 플레이트만 하악 치열의 저항 중심의 상방에 위치하였다.

임상적으로 하악지 플레이트는 와이어레벨 상방에 위치하여 제1대구치를 포함한 구치부에 후방 이동의 힘을 가하면서 정출력를 유도할 수 있다. 이러한 역학을 통하여 여러 골성 고정원 중 유일하게 하악골을 시계방향으로 회전시켰다(그림 7-35).

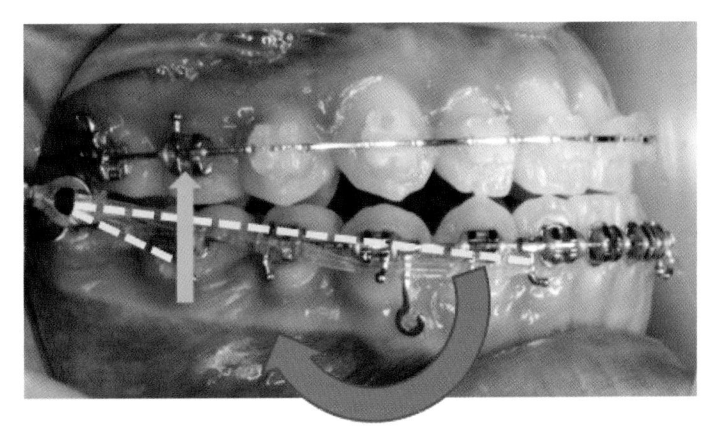

그림 7-35. 하악지 플레이트에 의한 하악 치열의 후방 이동의 역학

협측 미니 임플란트는 직접 치아에 힘을 가하는 것이 아닌 와이어 상에 있는 훅에 힘을 가하는 반면, 하악지 플레이트는 추가적으로 제1대구치 브라켓에 탄성체인을 직접적으로 연결하여 치아에 힘을 가할 수 있다. 그러기 때문에 보다 더 큰 후방 이동량을 얻을 수 있다. 또한 제1대구치 보조 튜브에 분절 와이어를 이용한 훅의 길이를 조절하여 다양한 방향으로 힘의 벡터를 조절하기에도 용이하다.

Q. 하악지 플레이트는 하악 치열을 후방 이동할 때 제2대구치가 후구치 치은 조직에 묻히는 현상이 없나요?

하악지 플레이트는 브라켓보다 상방에서 힘을 가하기 때문에 하악 교합평면이 유지되거나, 시계방향으로 회전되고 이 경우 구치부 이개는 일어나지 않습니다. 따라서 후방 이동 시 미니 임플란트와는 달리, 구치부에 수직 고무줄 착용이 필요하지 않습니다(그림 7-36).

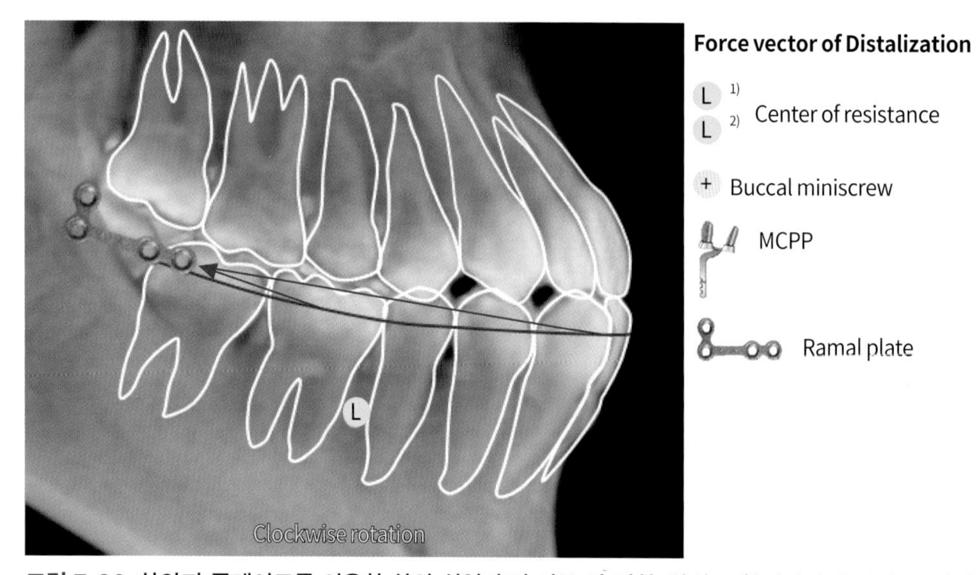

그림 7-36. 하악지 플레이트를 이용한 하악 치열 후방 이동 시 변화, 하악 교합평면의 유지 혹은 시계방향으로의 회전이 발생하여 구치부 이개가 발생하지 않는다.

하악 치열의 후방 이동 시 하악지 플레이트와 협측 미니 임플란트의 비교

골성 고정원을 이용한 하악 치열의 후방 이동 비교에서 하악지 플레이트는 3.6 mm 후방 이동과 0.2 mm 정출이 일어난 반면에 미니 임플란트는 1.8 mm 후방 이동과 1.3 mm 압하가 일어났다(그림 7-37). 협측 미니 임플란트에 비해 하악지 플레이트는 하악골의 시계방향으로 회전을 유도하여 하악골의 전돌이 덜 해 보일 수 있다(그림 7-38).

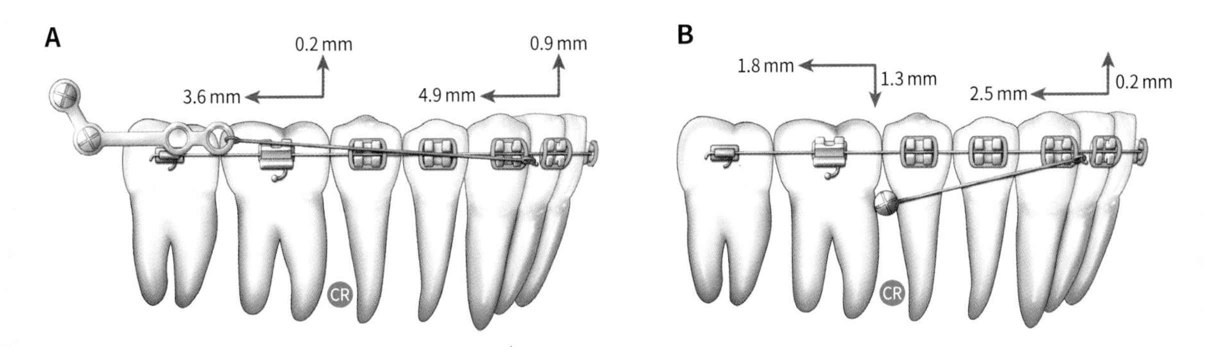

그림 7-37. 하악 치열의 전치열 후방 이동 시 각각의 치료결과 모식도
A: 하악지 플레이트, B: 협측 미니 임플란트

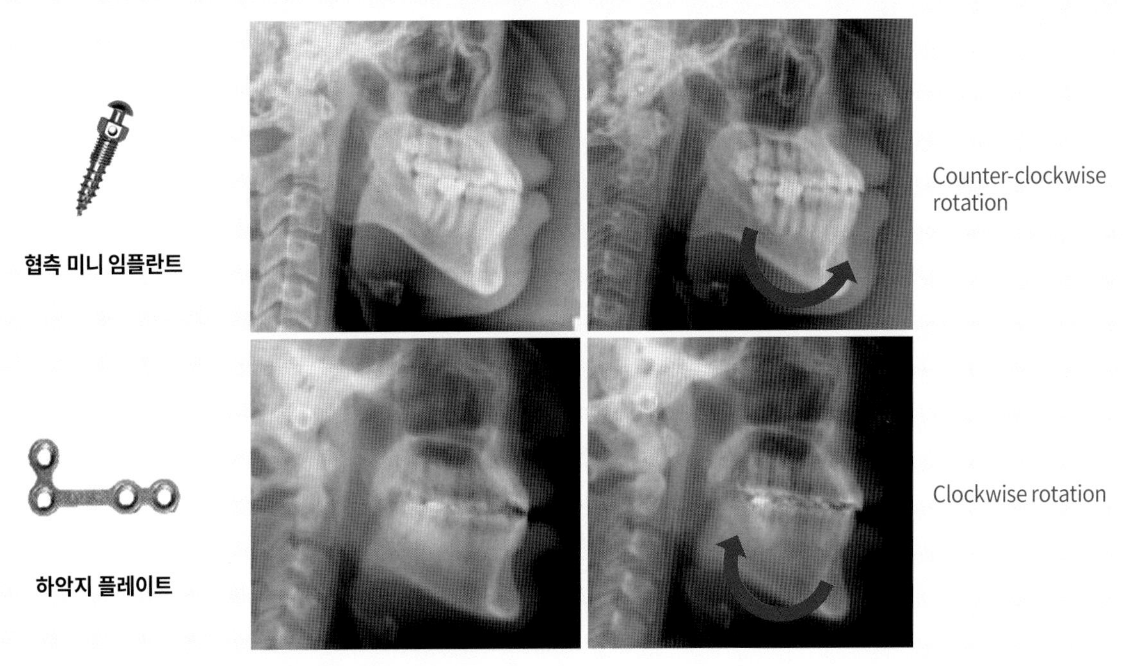

그림 7-38. 하악 치열의 전치열 후방 이동 시 이동양상
A, B: 미니 임플란트 사용 시 하악 치열의 압하로 반시계방향의 하악골 회전이 나타난다. C, D: 하악지 플레이트 사용 시 하악 치열의 정출로 시계방향의 하악골 회적이 나타난다. (출처: Yeon et al.[7]의 허가를 받아 인용)

5) 하악 대구치의 후방 이동 시 해부학적 고려사항

하악 대구치의 후방 이동을 위해서는 후구치 공간에 대한 공간 평가가 필요하다. 일반적으로 최후방 구치의 후방 이동 한계로 하악골의 협측면에서 하악지의 전연부터 제2대구치의 원심면까지로 생각할 수 있으나(그림 7-39A), 이의 평가를 위해서는 교합면에서 이루어져야 한다(그림 7-39B).

한편, 하악 설측의 피질골은 두껍고, 제2대구치로부터 설측 피질골까지의 거리가 길지 않다. 평균적인 가용 공간은 3.2–3.9 mm 정도로 보고되었다(그림 7-39C).[7),8)]

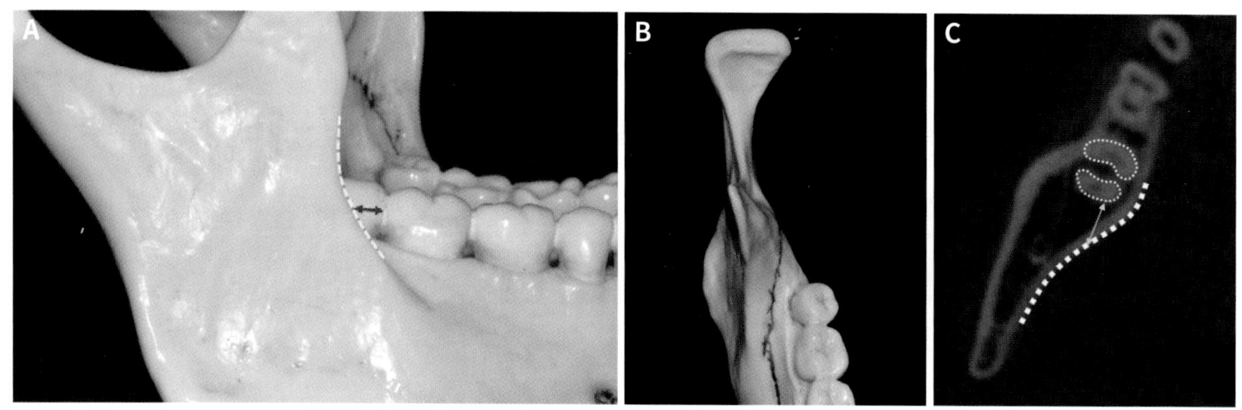

그림 7-39. 하악 대구치의 후방 이동을 위한 해부학적 경계
A: 하악골의 협측면, B: 하악골의 교합면, C: 후구치 영역에 대한 CBCT 이미지

하지만 골격성 고정원 장치 종류에 따라 하악 치열 후방 이동 양상이 다름이 밝혀졌다. 미니 임플란트를 사용하였을 때보다 하악지 플레이트를 사용하였을 때 치열의 후방 이동 방향이 교합선에 평행하며 후방 이동량이 가장 많았다.[9)]

하악지 플레이트를 사용하여 하악 치열 후방 이동을 하였을 때, 이용 가능한 후구치 공간을 하악 CBCT 상에서 분석하였다. 제1급 부정교합 환자에서 제3대구치 유무에 따라 그룹을 나누었다. 하악 제2대구치 원심부 CEJ로부터 하방 2 mm 간격으로 가용 후구치 공간을 측정하였다. 그 결과 제1급 부정교합 환자에서 제3대구치가 존재하는 경우 약 10 mm의 공간이 있다(그림 7-40, 41).[10)]

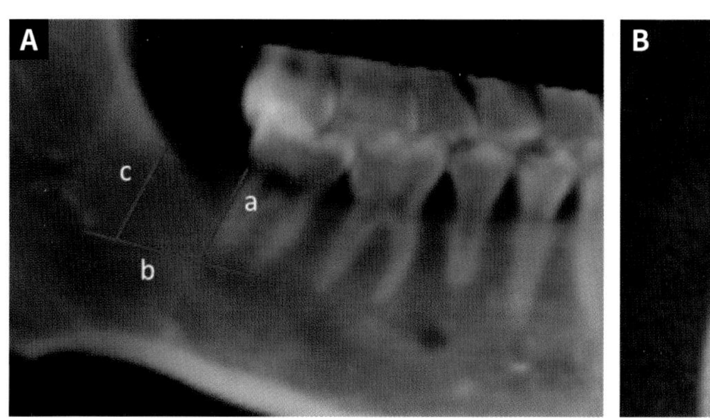

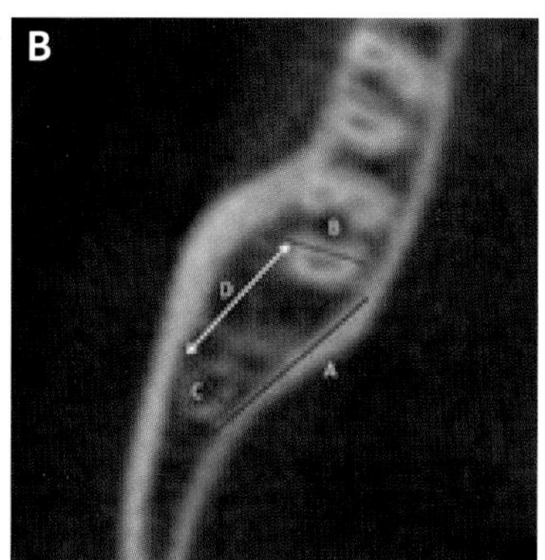

그림 7-40. 하악 CBCT에서 바라본 후방 이동의 해부학적 한계
A: 협면-(a) 하악 제2대구치의 원심 경계, (b) 후방 이동 가능한 수평적 거리, (c) 후방 이동 경계
B: 교합면- (a) 설측 피질골 경계, (b) 하악 제2대구치 협설측 치근 너비, (c) 하악 제2대구치 협설측 치근 너비를 수용가능한 후방부 경계, (d) 가능한 후방 이동량

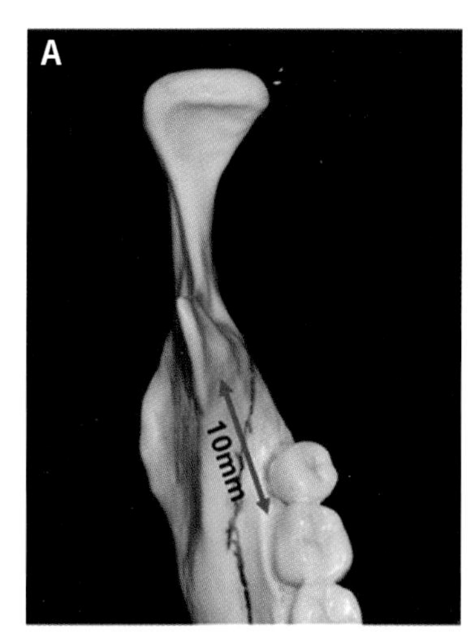

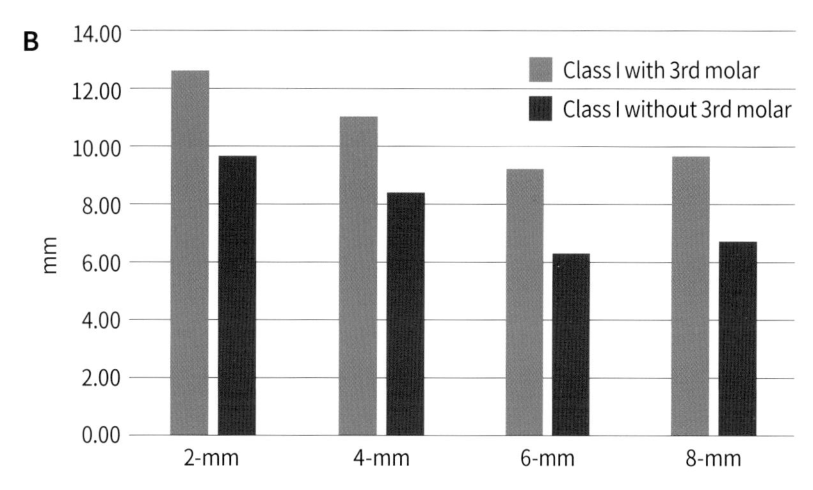

그림 7-41. 후구치 공간의 분석
A: 제3대구치가 존재하는 경우, 약 10 mm의 후방 이동공간이 존재한다. B: I급 부정교합 환자에서 하악 제2대구치 CEJ로부터 하방 2 mm 간격으로 가용 후구치 공간을 측정한 표(가로축: CEJ에서 치근첨 방향으로의 거리 , 세로축: 후방 이동 시 이용가능한 후구치 공간)(출처: Park et al.[1]의 허가를 받아 인용)

증례 1

27세 남자 환자가 반대교합을 주소로 내원했다.

III급 구치 관계를 보였으며 측면두부계측방사선 사진 및 모델의 주요 계측값은 아래와 같다(그림 7-42).

ANB: -0.5°, FMA: 32.0°, U1-FH: 126.5°, IMPA: 84.5°
Arch length discrepancy: 상악 0.5 mm / 하악 1.5 mm

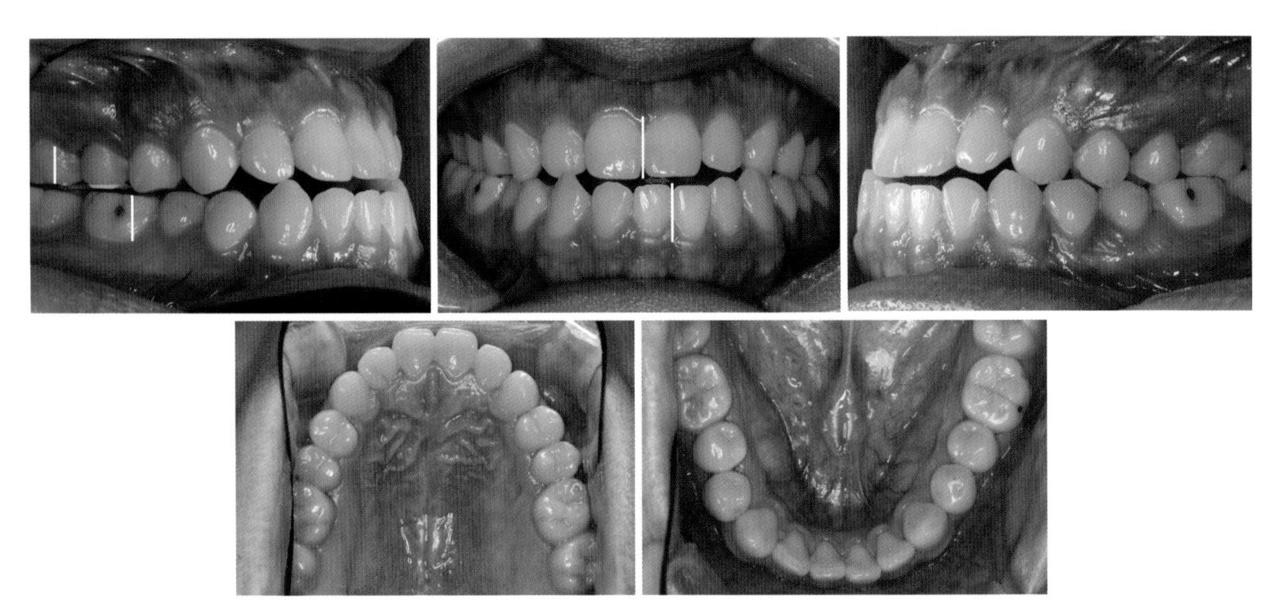

그림 7-42. 초진 시 구내 사진. 우측에서 III급 구치관계를 보이며 정중선이 좌측으로 약 5 mm 변위되었다.

(1) 치료과정

우측에 하악지 플레이트를 식립함으로써 하악 소구치를 발치하지 않고 반대교합을 해소함과 동시에 정중선을 일치시켰다(그림 7-43). 하악 후방 이동 후 충분한 수평피개를 만들고 상악의 돌출감 해소를 위해 추가로 제1,2대구치에 미니 스크류를 식립하여 상악의 후방 이동을 시켰다.

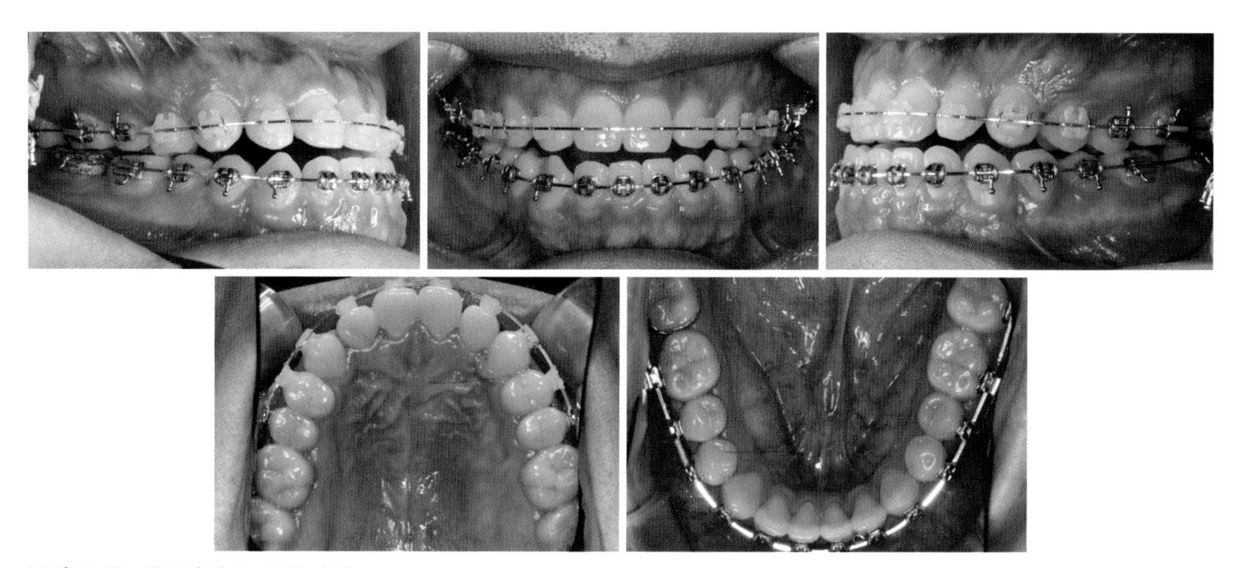

그림 7-43. 치료과정 중 구내 사진
우측에 하악지 플레이트를 식립하였으며 좌측 하악 제1대구치와 제2대구치 사이 협측 미니 임플란트를 식립하여 하악 치열 후방 이동을 실시하였다.

(2) 치료결과

총 치료기간은 2년 11개월이 소요되었으며 치료 후 상하악 전치부 반대교합이 해소되었다. 또한 I 급 구치 관계로 개선되었다. 상하악 전치의 설측 경사가 되었다(U1-FH: 118.0°, IMPA:76.0°) (그림 7-44, 45, 46).

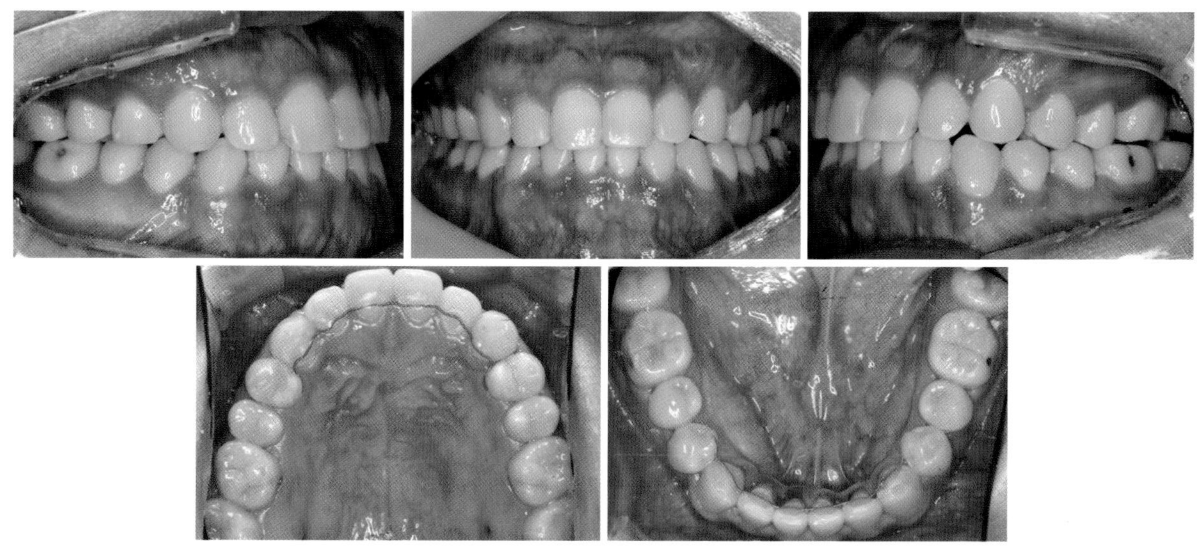

그림 7-44. 치료 완료 후 구내 사진. 하악 치열이 우측에서 약 10 mm 후방 이동되었으며 정중선이 일치되었다.

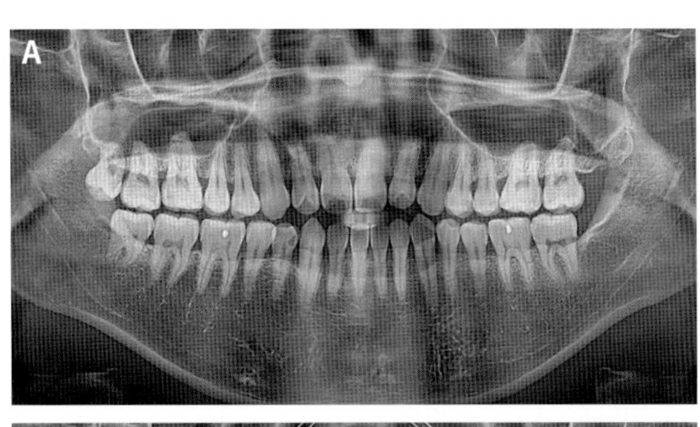

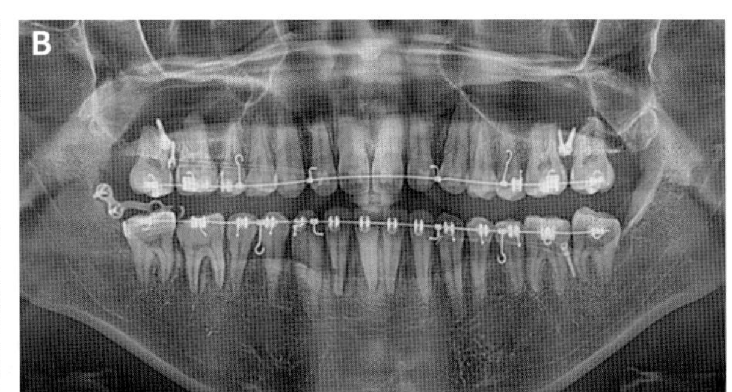

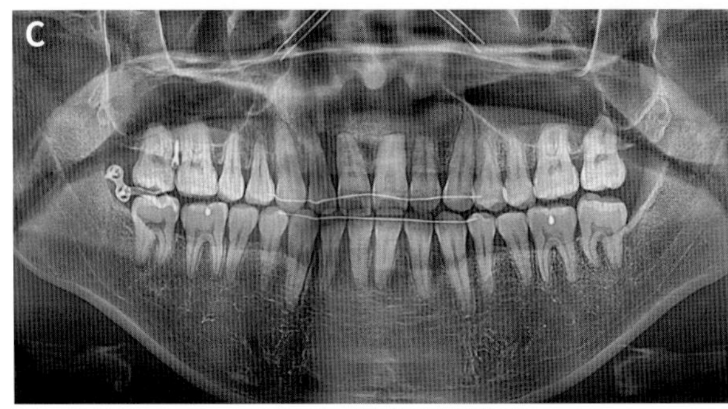

그림 7-45. 치료과정 파노라마 방사선 사진
A: 치료 전, B: 치료 중, C: 치료 후

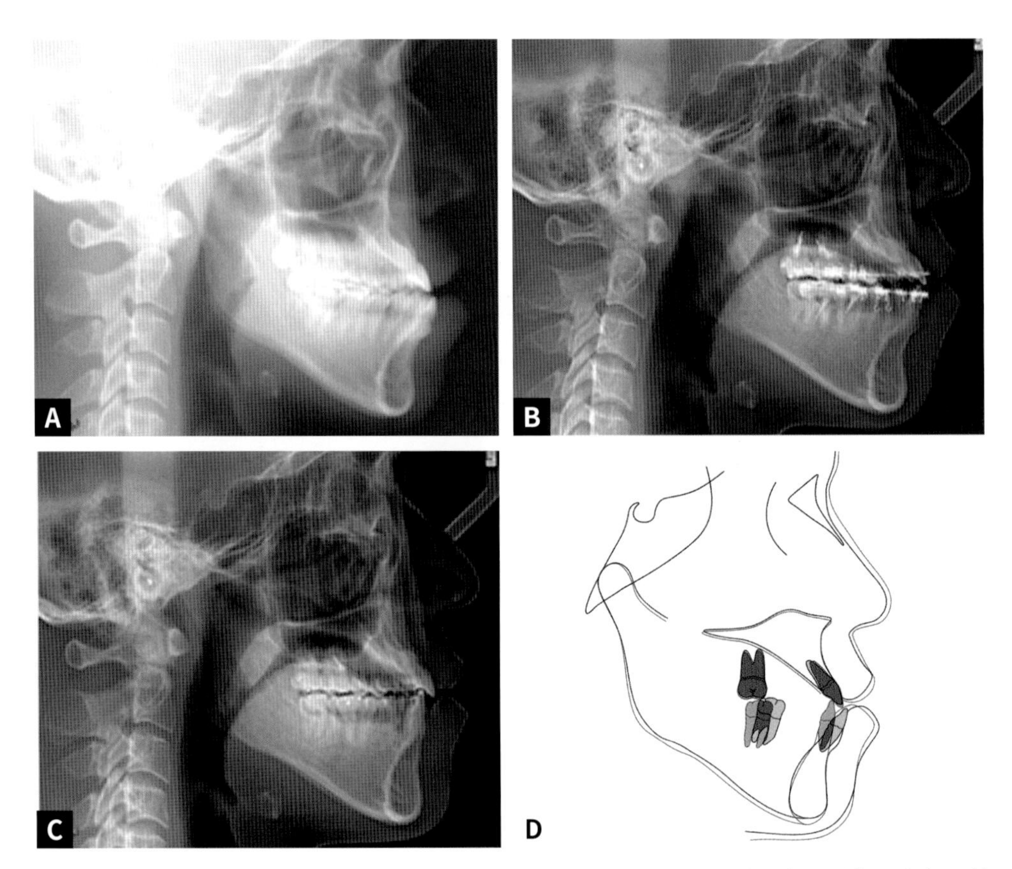

그림 7-46. 치료과정 측모두부계측 방사선 사진. A: 치료 전, B: 치료 중, C: 치료 후, D: 치료 전 후 중첩

7-4 과개 교합의 치료 전략

1 과개 교합에서 비발치 교정 치료 전략

과개 교합에서 치료 전략법은 제1, 2급 부정교합의 비발치 치료법과 유사하나, 차이점은 다음과 같다.

Step 1, 2, 3 I급, II급 치료 순서대로 진행한다(7-1, 2 참고). 한편 Step 1에서 상하악 전치부 브라켓을 의도적으로 절단면 방향으로 가깝게 본딩을 시행한다(그림 7-47).

Step 4 적극적인 후방 이동에 앞서, 전치부의 과개 교합을 적극적으로 개선한다. 이를 위해 상하악 016 × 022 스테인리스강 와이어에 전치부 step-up bend를 부여하거나, 018 역스피만곡(reverse curve of Spee) 나이티놀 와이어를 추가적으로 삽입한다(그림 7-48). 또는 상하악 전치부에 미니플레이트를 식립하여 함입을 유도한다(그림 7-49).

Step 5 016 × 022 스테인리스강 와이어 또는 019 × 025 스테인리스강 와이어 단계에서 상악 측절치와 견치 사이에 훅을 위치하고 제1대구치와 .010" 결찰 와이어를 연결하여 전치열 후방 이동을 유도한다.

Step 6 019 × 025 스테인리스강 호선에서 상하악 제1, 2대구치 간에 수직 고무줄(316" 4.5 oz)을 이용하여 구치부 교합이 이개되는 현상을 사전에 방지해준다.

Step 7 I급 구치 관계, 적절한 수평피개 및 수직피개를 형성한 후 마무리한다.

2 전치부 수직 조절 방법

1) 브라켓 위치 조정을 통한 전치부 수직 조절

구개부 장치를 이용하여 상악 치열을 후방 이동시키면 상악 전치부 치열은 평균 1.0 mm 정출된다. 전치부 노출(incisal showing)이 적은 환자는 이러한 효과가 바람직하게 작용을 한다. 하지만 노출이 많이 보이는 환자일 경우, 이러한 현상을 최소화하기 위하여 브라켓 본딩 시 중철치와 측절치의 절단연에 가깝게 브라켓 위치하고 견치는 정상 위치에 부착하여 전치부 정출을 최소화할 수 있다(그림 7-47).

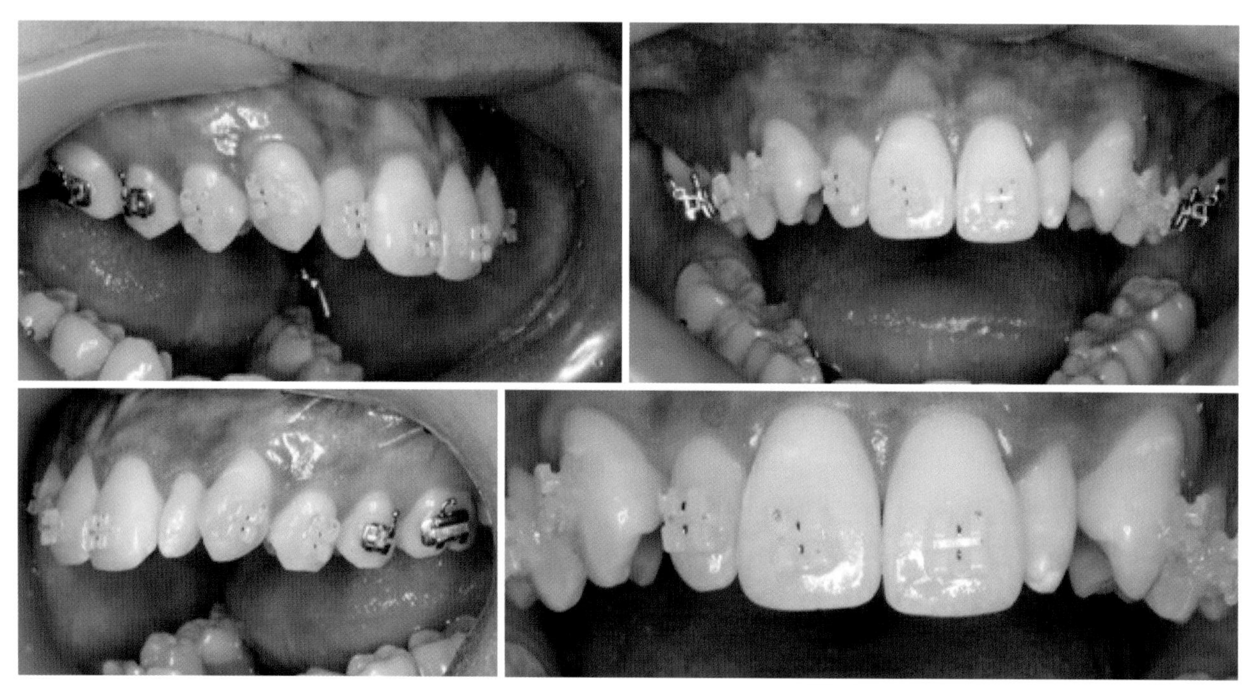

그림 7-47. 과개 교합 환자에서 보다 절단면 방향으로 전치부 브라켓 본딩을 시행한다.

2) 교정용 호선을 이용한 전치부 수직 조절

과개 교합을 교정하는 고전적인 방법은 상악 전치의 상대적 압하를 위해 역스피만곡 호선을 추가하거나 분절압하 호선을 이용하는 것이다(그림 7-48).

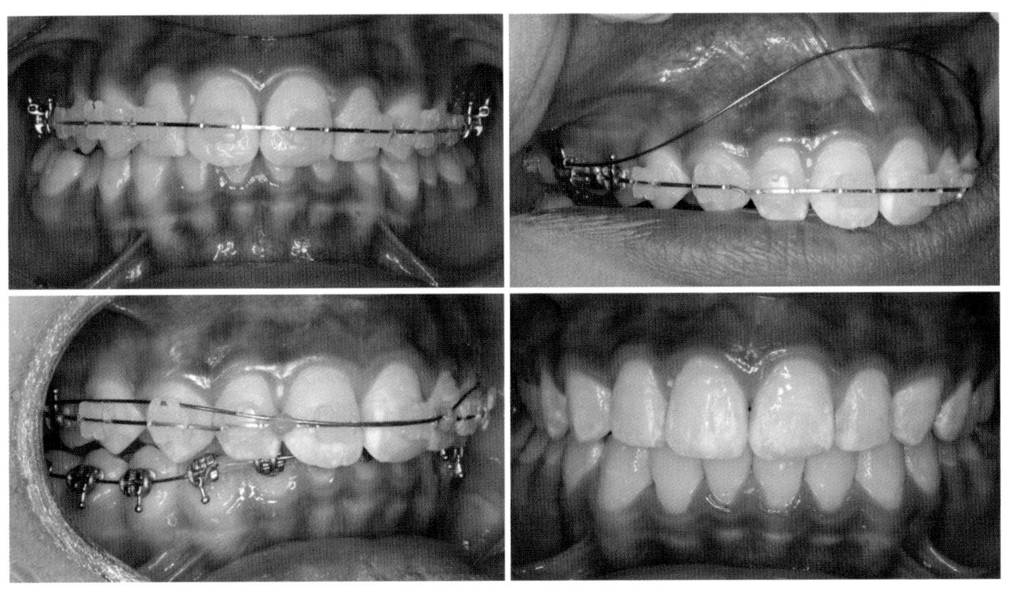

그림 7-48. 과개 교합을 교정하기 위해 역스피만곡 호선을 추가한다.

3) 미니 플레이트를 이용한 전치부 수직조절

미니 플레이트를 상악 전치부 전정부위에 식립하여 상악 전치부에 압하력을 가하면 효율적으로 수직조절할 수 있다(그림 7-49).

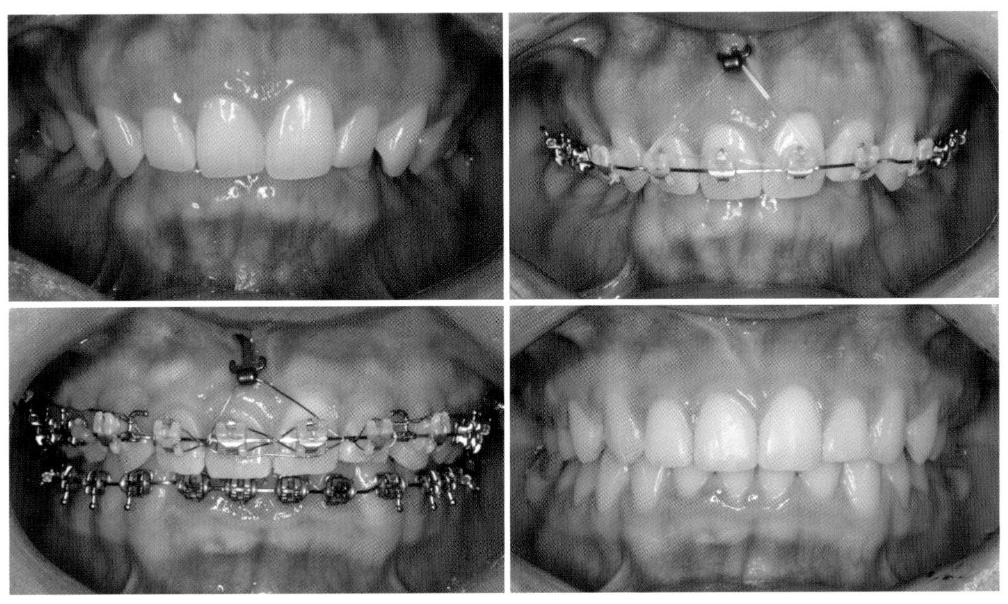

그림 7-49. 과개 교합을 교정하기 위해 미니플레이트를 이용해 수직조절을 한다.

7-5 개방 교합의 치료 전략

1 개방 교합에서의 비발치 교정 치료 전략

개방 교합에서 치료 전략법은 상악 구치부의 함입과 전치부의 정출, 하악 치열의 후방 이동 시 하악 구치부의 함입과 전치부의 정출을 유도하여 개선될 수 있다.

Step 1, 2, 3 제1급, 2급 부정교합 치료와 동일하게 진행한다.

Step 4 016 × 022 스테인리스강 와이어 또는 019 × 025 스테인리스강 와이어 단계에서 상악 측절치와 견치 사이에 훅(hook)을 위치하고 제1대구치와 .010" 결찰와이어를 연결한 후 상악 구개부 장치를 통해 전치열 후방 이동을 유도한다.

Step 5 하악 협측에 미니 임플란트를 하악 제1, 2대구치 사이에 식립하고, 하악 치열의 전치열 후방 이동을 한다. 이때 측절치와 견치 사이에 위치한 훅과 미니 임플란트에 탄성체인을 편측당 250–450 gm 힘이 전달되도록 연결한다.

Step 6 I급 구치 관계, 적절한 수평피개 및 수직피개를 형성한 후 마무리한다.

구개부 장치를 이용하여 상악 치열을 후방 이동시키면 상악 전치부 치열은 평균 1.0 mm 정출되고, 구치부는 평균 1.5 mm 함입되므로 개방교합 환자의 치료에 도움을 줄 수 있다.[11]

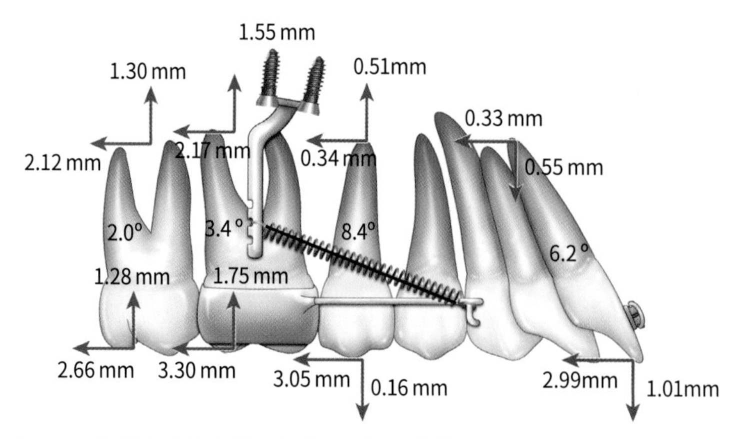

그림 7–50. 구개부 장치의 치료효과로 구치부의 함입과 전치부의 정출이 발생한다.

2 개방교합과 돌출을 동반한 성장기 환자의 비발치 교정

전치부 개방교합과 돌출을 동반한 성장기 환자에서 협측 및 구개부 미니 임플란트를 이용하여 개방교합을 어느정도 해소한 후, 구개부 장치를 이용하여 돌출입을 해소할 수 있다.[12]

증례 1

12세 여자 환자가 전방부 개방 교합을 주소로 내원했다. 상, 하 치열 정중선이 일치하지 않았으며 장안모 성형 유형을 보였다. 측모두부계측방사선 사진과 모델의 주요 계측치는 다음과 같다(그림 7-51).

ANB: -6.7°, FMA: 33.0°, U1-SN: 112.0°, IMPA: 101.8°
우측에서 II급 구치 관계, 좌측에서 I급 구치 관계
Arch length discrepancy: 상악 2.5 mm / 하악 2.0 mm

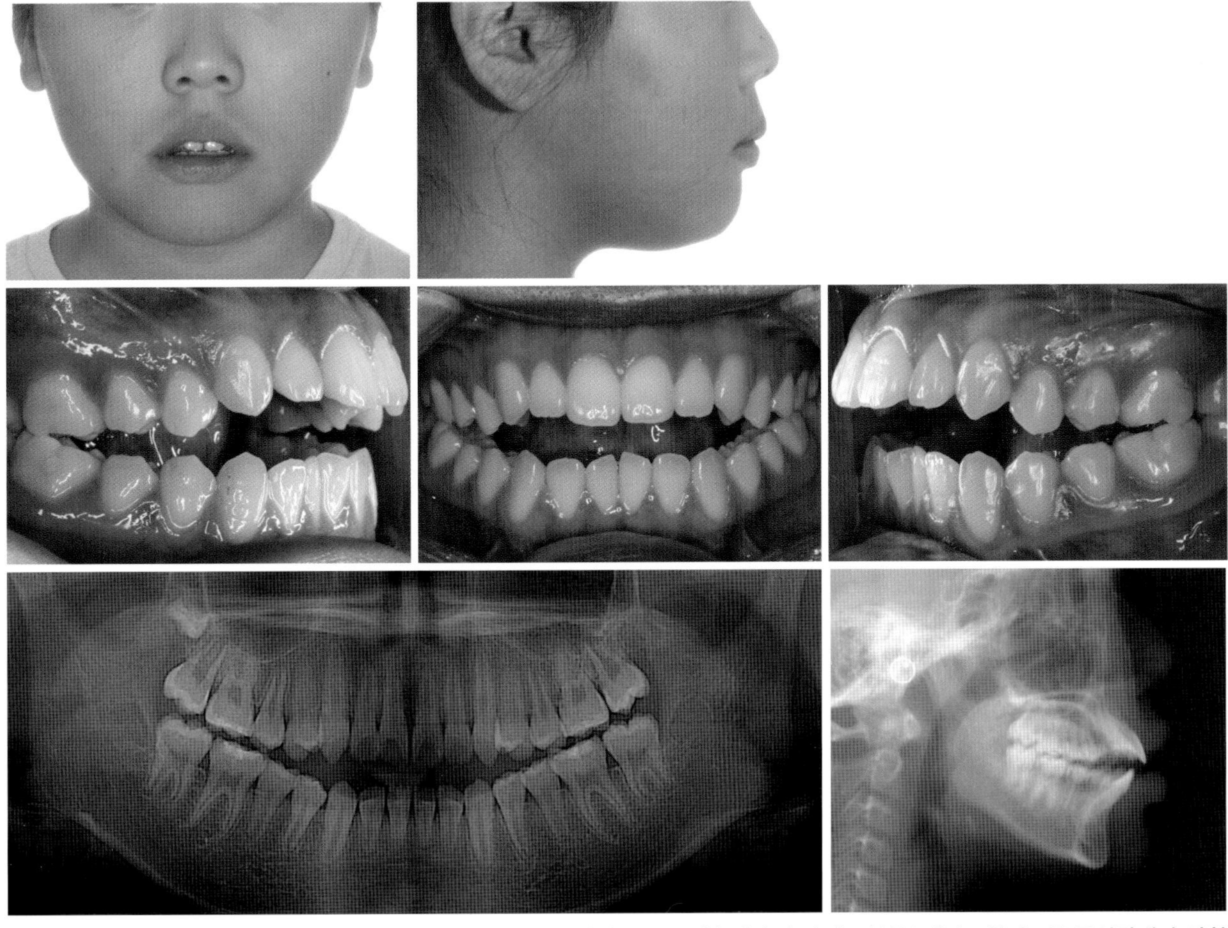

그림 7-51. 초진 시 구외, 구내 사진, 파노라마 방사선 사진 및 측모두부계측방사선 사진. 전치부 개방교합과 II급 구치관계가 관찰된다. (출처: Kook et al.[12]의 허가를 받아 인용)

1) 치료과정

미니 임플란트를 협측 및 구개부에 식립하여 구치부를 함입시켰고, 이 과정에서 와이어는 .016 나이티놀 와이어에서부터 .019 × .025 스테인리스강 와이어까지 그 크기를 증가시켰다.

개방교합을 해소하기 위하여 미니 임플란트를 제2소구치와 제1대구치 사이에 식립하였다(그림 7-52). 적절한 수직피개가 형성된 시점에서 상악 치열의 후방 이동 및 상악의 돌출을 해소하기 위해 구개부 장치를 식립하였다(그림 7-53). 상악 치열이 충분히 후방 이동되고 난 후, 상악 협측에 식립한 미니 임플란트에 3급 악간 고무줄을 걸도록 하여 하악 전치의 순측 경사를 감소시키도록 하였다.

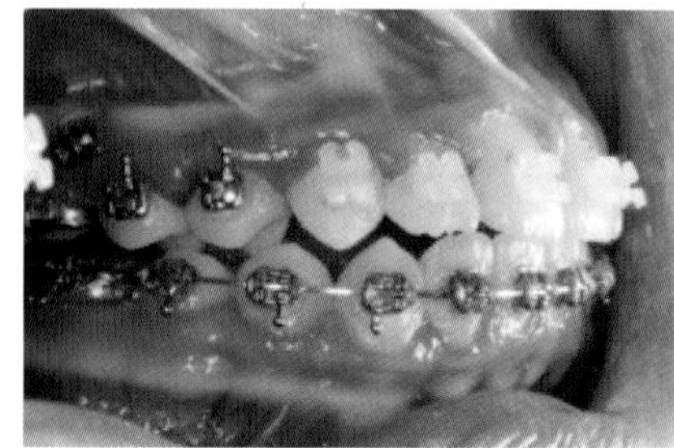
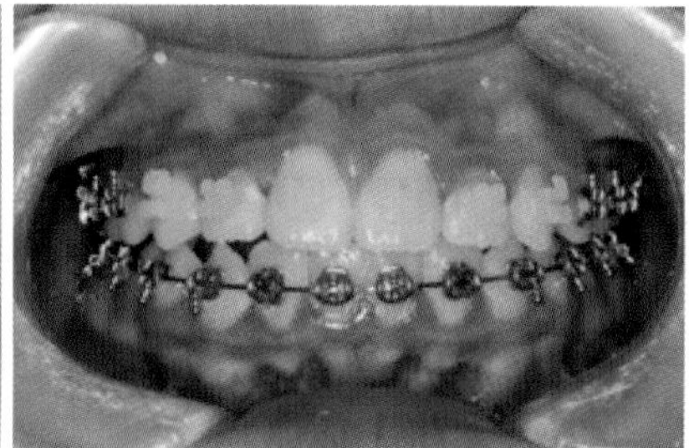
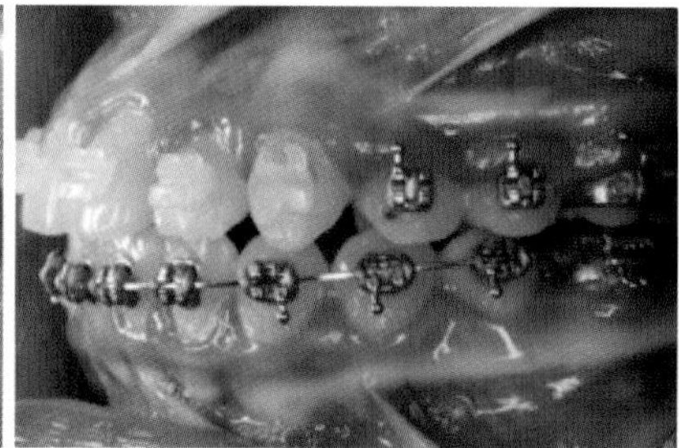

그림 7-52. 13개월 후 구내 사진. 상악 제2소구치와 제1대구치 사이 협측과 구개측에 미니 임플란트를 식립하였다.
(출처: Kook et al.[12]의 허가를 받아 인용)

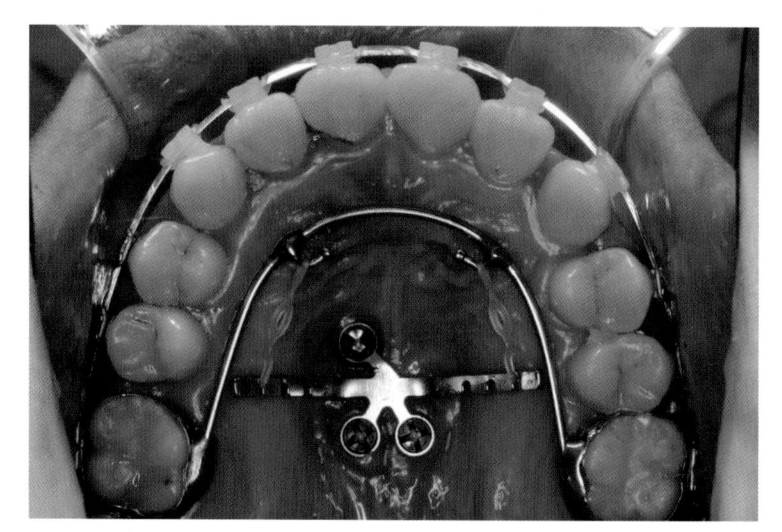

그림 7-53. 21개월 후 모습. 상악 구개부 장치를 식립하였다. (출처: Kook et al.[12]의 허가를 받아 인용)

2) 치료결과

총 치료기간은 3년 10개월이 소요되었다. 환자의 제1대구치는 후방으로 이동했을 뿐 아니라 함입되었다. 상하악골은 하방으로 성장하였고, 상순에 대한 상악 전치의 위치는 적절하였으며 상하순의 돌출 해소가 이루어졌다. I급 구치관계를 달성하였다(그림 7-54). 또한 측모두부계측방사선 사진 계측값 중 ANB값은 5.0°으로 치료 전보다 2.7° 감소하여 상악골 돌출이 감소되었으며 FMA값은 33.8°로 치료 전과 큰 차이가 없었다. U1-SN값은 98.0°, IMPA값은 92.0°으로 치료 전과 비교하였을 때 상하악 전치의 설측 경사가 이루어졌다(그림 7-55).

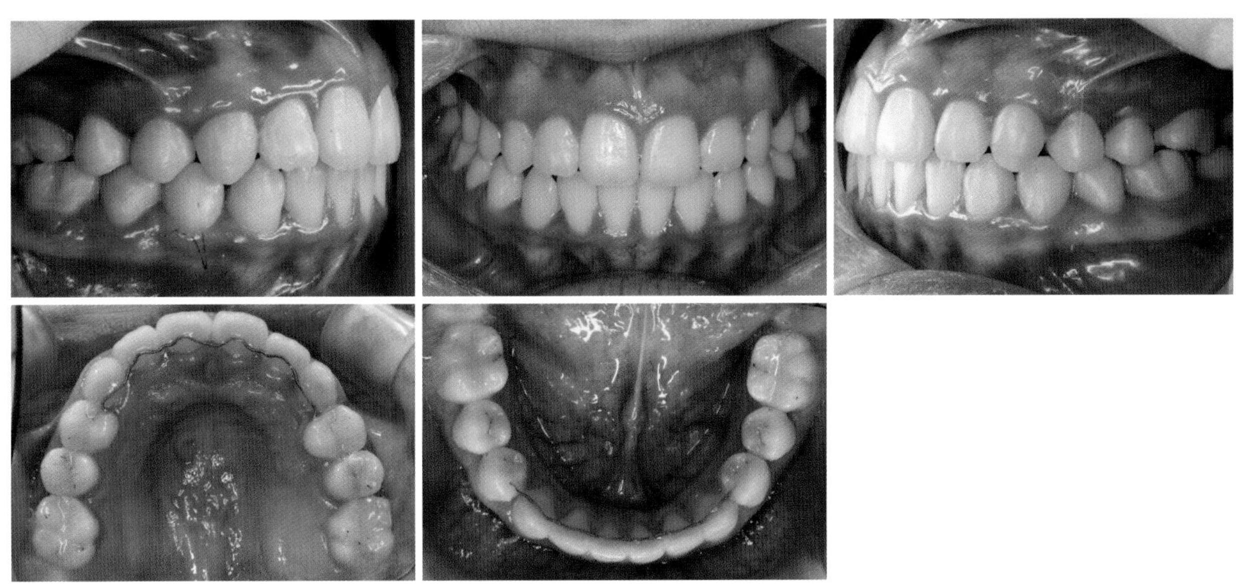

그림 7-54. 치료 후 I급 구치 관계와 적절한 전치부 및 교합 관계를 보인다. (출처: Kook et al.[12]의 허가를 받아 인용)

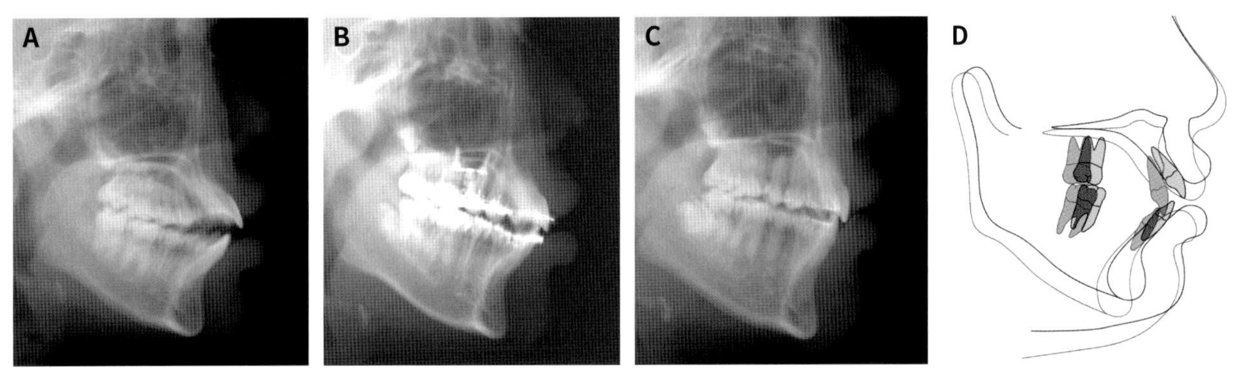

그림 7-55. 전치부 개방교합과 돌출입을 가진 환자에서 구개부 골성 고정원장치를 이용하여 치료한 모습
A: 치료 전, B: 치료 중, C: 치료 후, D: 치료 전 후의 상악 치열궁 중첩 사진(검은 선: 치료 전, 빨간 선: 치료 후). 상하 전치의 설측 경사와 전치열 후방 이동이 이루어졌다. 하악골 각이 큰 변함없이 유지되었다. (출처: Kook et al.[12]의 허가를 받아 인용)

3 성인에서의 개방교합 비발치 교정

증례 1

22세 여자 환자가 전치부 개방교합을 주소로 내원했다. 전치부에서 소구치까지 개방교합이 관찰되었으며 II급 구치 관계를 보였다. 측면두부계측방사선 사진과 모델의 주요 계측치는 다음과 같다(그림 7-56).

ANB: 4.0°, FMA: 31.5°, U1-FH: 123.0°, IMPA: 89.0°
Arch length discrepancy: 상악 –0.83 mm / 하악 –1.8 mm

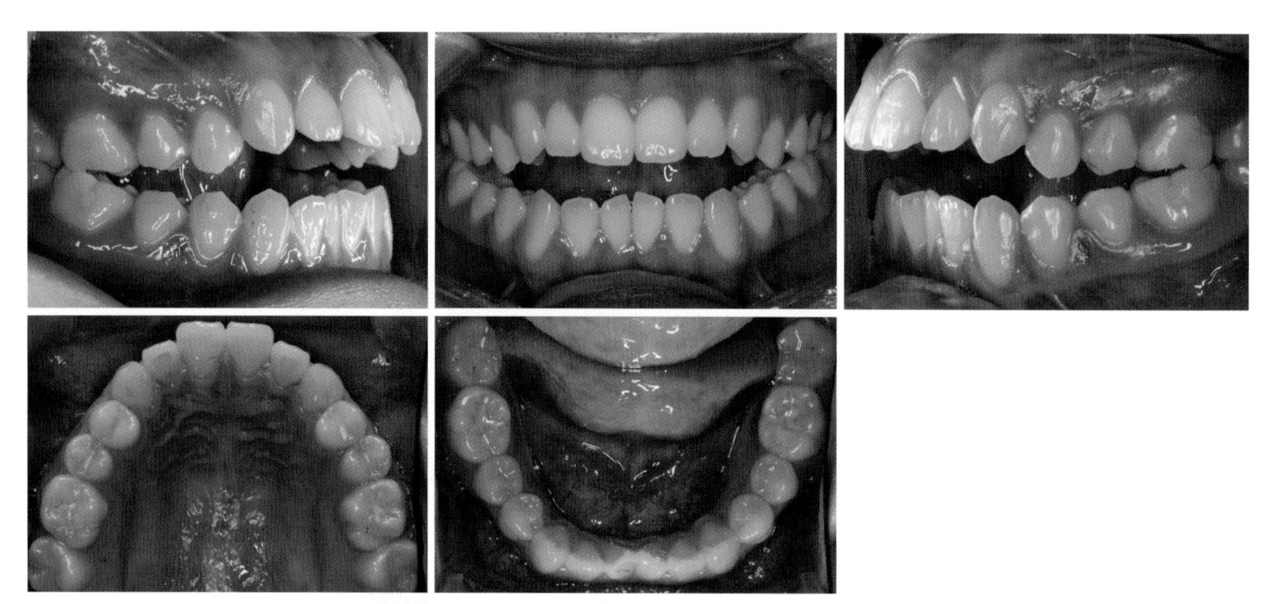

그림 7-56. 초진 시 구내 사진. II급 구치 관계와 전치부에서 소구치까지의 개방교합을 보인다.

1) 치료과정

초기 교정용 호선을 통해 레벨링 및 배열을 한 후에, 상하악 협측과 구개측에 미니 임플란트를 사용하여 구치부를 함입시켜 전치부 개방교합을 개선하였다(그림 7-57). 개방교합이 어느 정도 개선된 후에는 구개부 장치를 사용하여 전치부 개방교합과 교합의 개선을 도모하였다(그림 7-58).

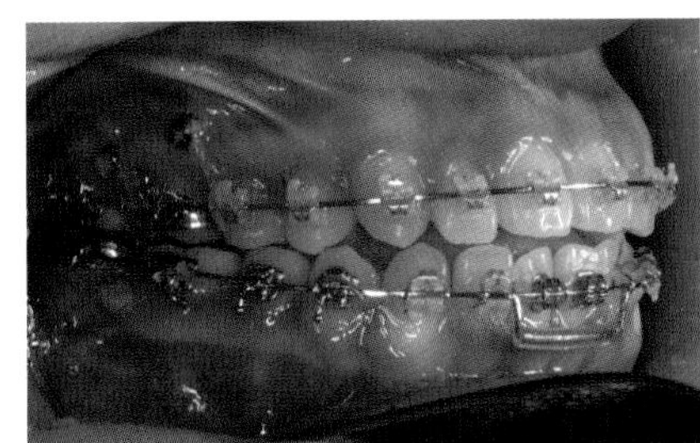
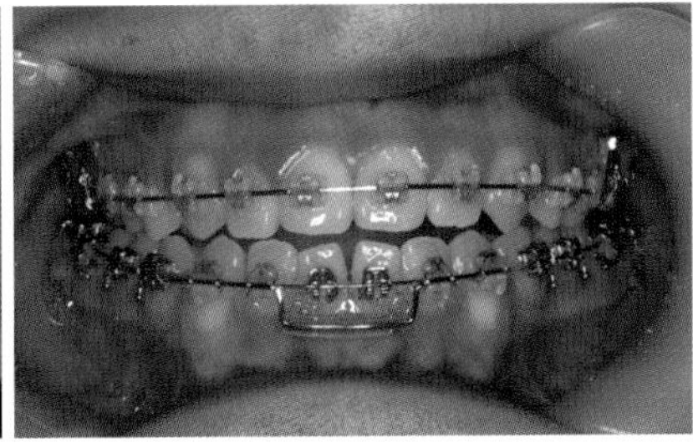
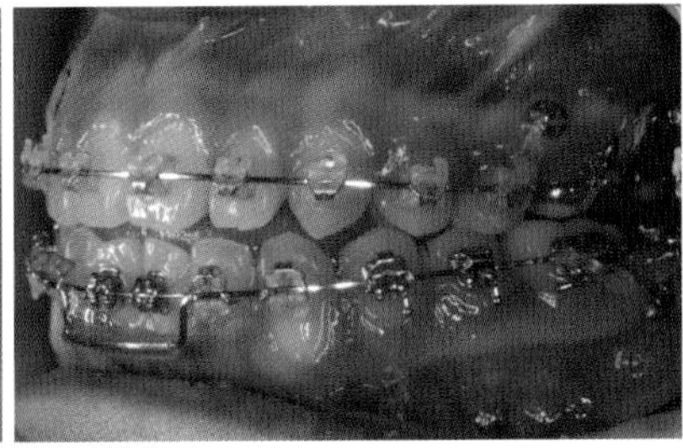

그림 7-57. 치료 중 1년 6개월에 개방교학과 구치 관계가 개선을 보이고 있다.

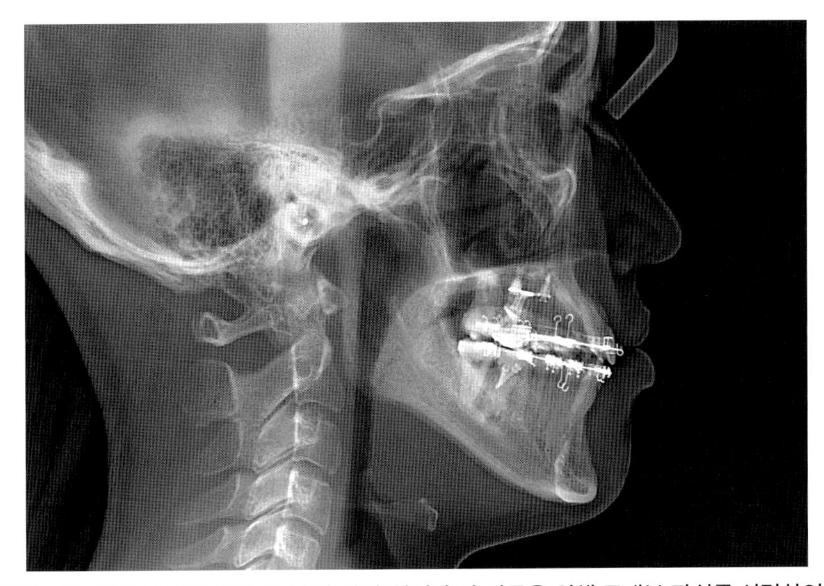

그림 7-58. 전치부 개방 교합 개선 및 상악 치열 후방 이동을 위해 구개부 장치를 식립하였다.

2) 치료결과

총 치료기간은 3년이 소요되었다. 개방교합의 해소 및 상순의 돌출이 해소되었다. 또한 상하악 전치부 크라우딩이 해소되었으며 Ⅰ급 구치 관계를 이루었다(그림 7-59). 측모두부계측방사선 사진 계측값 중 ANB는 3.0°로 치료 전과 비교하였을 때 감소하여 상악골의 돌출도가 개선되었으며 FMA값 또한 30.5°로 치료 전보다 감소하였다. U1-FH값은 115.5°, IMPA값은 82.0°로 치료 전과 비교하였을 때 상하악 전치의 설측 경사가 이루어졌다(그림 7-60).

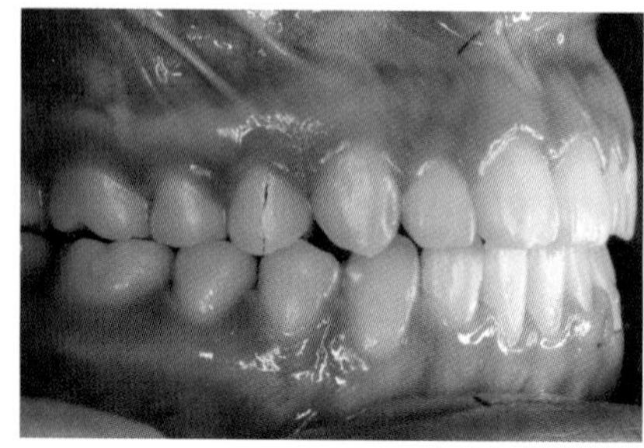
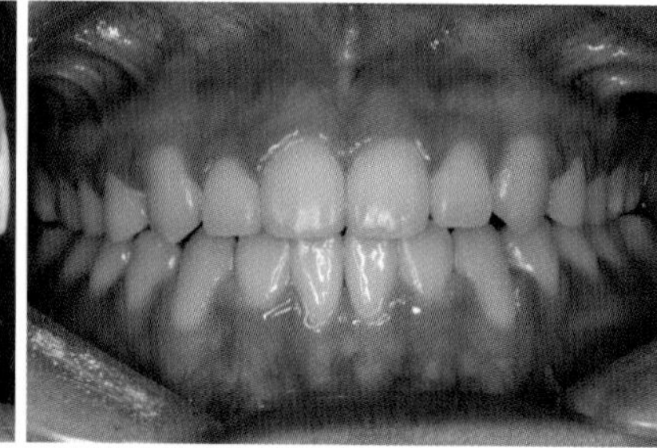
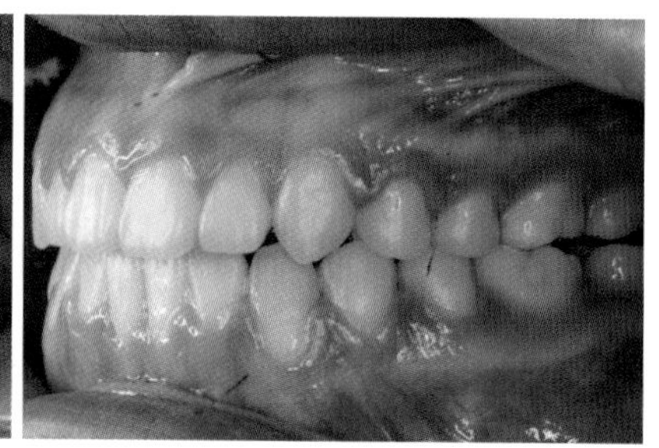

그림 7-59. 치료 후 I급 구치 관계와 적절한 전치부 및 교합 관계를 보인다.

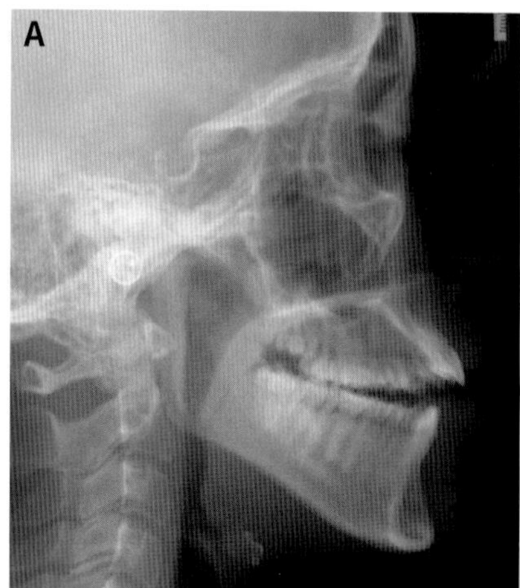

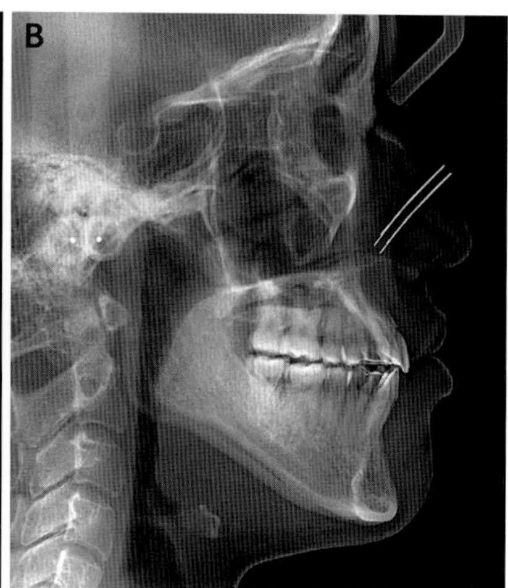

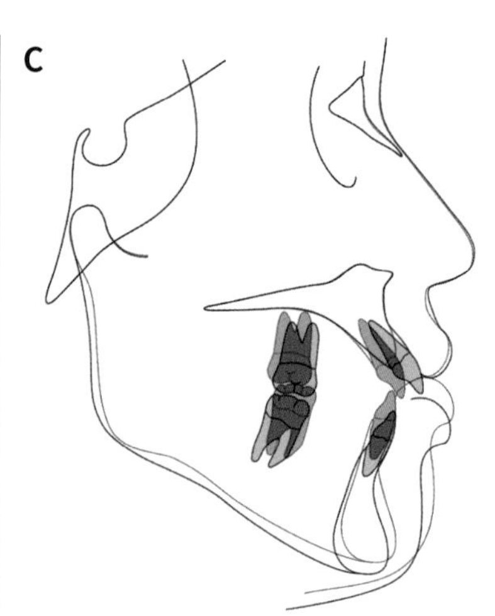

그림 7-60. 측모 두부계측방사선 사진. A: 치료 전, B: 치료 후, C: 치료 전 후 중첩(검은 선- 치료 전, 빨간 선- 치료 후)

참고문헌

1. Park JH, Kook YA, KIM, Ham LK, Lee NK, Improved facial profile with non-extraction treatment of severe protrusion using TSADs. Semin Orthods 2022;28:157-63.
2. Kim YB, Bayome M, Park JH, Lim HJ, Mo SS, Lee NK, et al. Displacement of mandibular dentition during total arch distalization according to locations and types of TSADs: 3D Finite element analysis. Orthod Craniofac Res 2019;22(1):46-52.
3. Kook YA, Park JH, Bayome M, Jung CY, Kim Y, Kim SH. Application of palatal plate for nonextraction treatment in an adolescent boy with severe overjet. Am J Orthod Dentofacial Orthop 2017;152(6):859-869.
4. Lee SK, Abbas NH, Bayome M, et al. A comparison of treatment effects of total arch distalization using modified C-palatal plate vs buccal. Angle Orthod 2018;88(1):45-51.
5. von Arx T, Hänni A, Sendi P, Buser D, Bornstein MM. Radiographic study of the mandibular retromolar canal: an anatomic structure with clinical importance. J Endod 2011;37(12):1630-5.
6. Kook YA, Park JH, Bayome M, Kim S, Han E, Kim CH. Distalization of the mandibular dentition with a ramal plate for skeletal Class III malocclusion correction. Am J Orthod Dentofacial Orthop 2016;150(2):364-77.
7. Yeon BM, Lee NK, Park JH, Kim JM, Kim SH, Kook YA. Comparison of treatment effects after total mandibular arch distalization with miniscrews vs ramal plates in patients with Class III malocclusion. Am J Orthod Dentofacial Orthop 2022;161(4):529-36.
8. Kim SH, Cha KS, Lee JW, Lee SM. Mandibular skeletal posterior anatomic limit for molar distalization in patients with Class III malocclusion with different vertical facial patterns. Korean J Orthod 2021;51(4):250-9.
9. Kim YB, Bayome M, Park JH, Lim HJ, Mo SS, Lee NK, Kook YA. Displacement of mandibular dentition during total arch distalization according to locations and types of TSADs: 3D Finite element analysis. Orthod Craniofac Res 2019;22:46-52
10. Seol JE, 3-Dimensional evaluation on retromolar space for molar distalization in Class I and Class III malocclusions. Seoul: graduate school of clinical dental science the Catholic University of Korea; 2015.
11. Kook YA, Bayome M, Trang VT, Kim HJ, Park JH, Kim KB, et al. Treatment effects of a modified palatal anchorage plate for distalization evaluated with cone-beam computed tomography. Am J Orthod Dentofacial Orthop 2014;146(1):47-54.
12. Kook YA, Park JH, Kim Y, Ahn CS, Bayome M. Orthodontic Treatment of Skeletal Class II Adolescent with Anterior Open Bite using Mini-Screws and Modified Palatal Anchorage Plate. J Clin Pediatr Dent 2015;39(2):187-92.

08

크라우딩의 비발치 교정치료

8-1 크라우딩 해소를 위한 치료 전략

9 mm 이하의 경도-중등도(mild to moderate) 크라우딩의 경우에는 구치부 후방 이동을 통하여 공간을 확보할 수 있으며 10 mm 이상의 심한(severe) 크라우딩의 경우에는 구치부 후방 이동과 더불어 악궁확장을 통해 공간을 확보할 수 있다.

전치부 위치가 양호하거나 전방으로 이동이 필요 없는 경우에 전치부의 브라켓 부착 없이 구치부의 선택적 브라켓 부착과 구개부 장치에 의한 후방 이동을 선행한다.

1 중등도 크라우딩 치료 전략: 구개부 장치만 적용

경도-중등도의 크라우딩을 해소하기 위해 상악 구개부 장치를 이용하여 구치부 후방 이동을 시행한다(그림 8-1A, B). 이때 구치부에만 브라켓을 부착하여 레벨링 및 배열을 실시하고 구치부의 후방 이동을 통하여 크라우딩을 해소할 만한 공간이 확보되었다면, 상악 6전치에 높은 토크의 브라켓을 부착하여 레벨링 및 배열 단계를 진행한다(그림 8-1C). 또한 아직 남아있을 만한 크라우딩을 마저 해소하기 위해서 후방 구치부 와이어의 신치백(cinch back)은 하지 않는다(그림 8-1D).

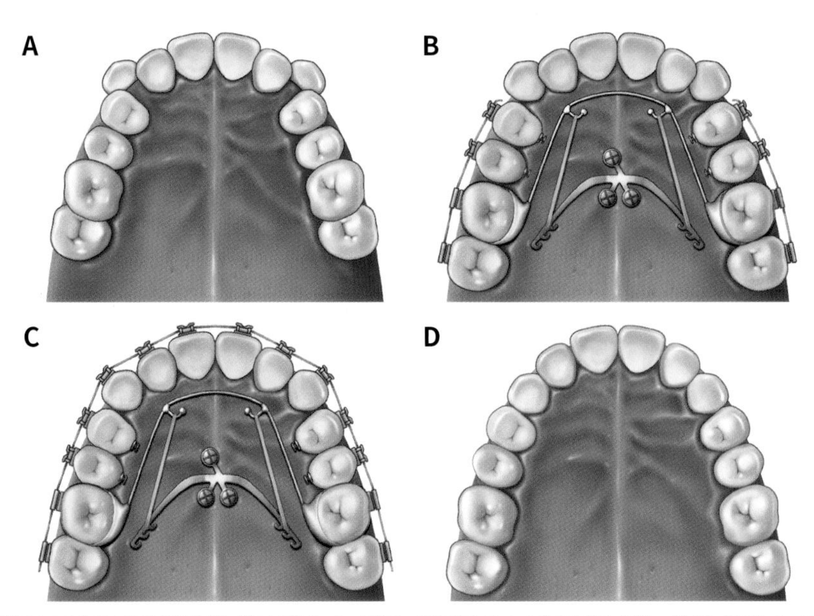

그림 8-1. 경도 및 중등도 크라우딩의 비발치 치료 전략. A: 경도-중등도의 크라우딩을 갖는 상악 치열, B: 구개부 장치 이용 및 구치부 브라켓 적용, C: 전치부까지 브라켓 본딩, D: 크라우딩이 해소된 모습

2 심한 크라우딩 치료 전략: 상악 확장과 구개부 장치의 적용

심한 크라우딩을 해소하기 위해 후방 이동 과정 이전에 급속구개확장장치 적용하여 악궁 확장을 시행한다(그림 8-2B). 이후에 상악에 골격성 고정원 장치를 이용하여 구치부 후방 이동을 시작한다(그림 8-2C). 만약 상악 치열의 후방 이동량이 더 필요할 것으로 판단되면, 추가적으로 하악 치열의 후방 이동을 통해 상악 치열의 후방 이동량을 더 크게 할 수 있다(그림 8-2F).

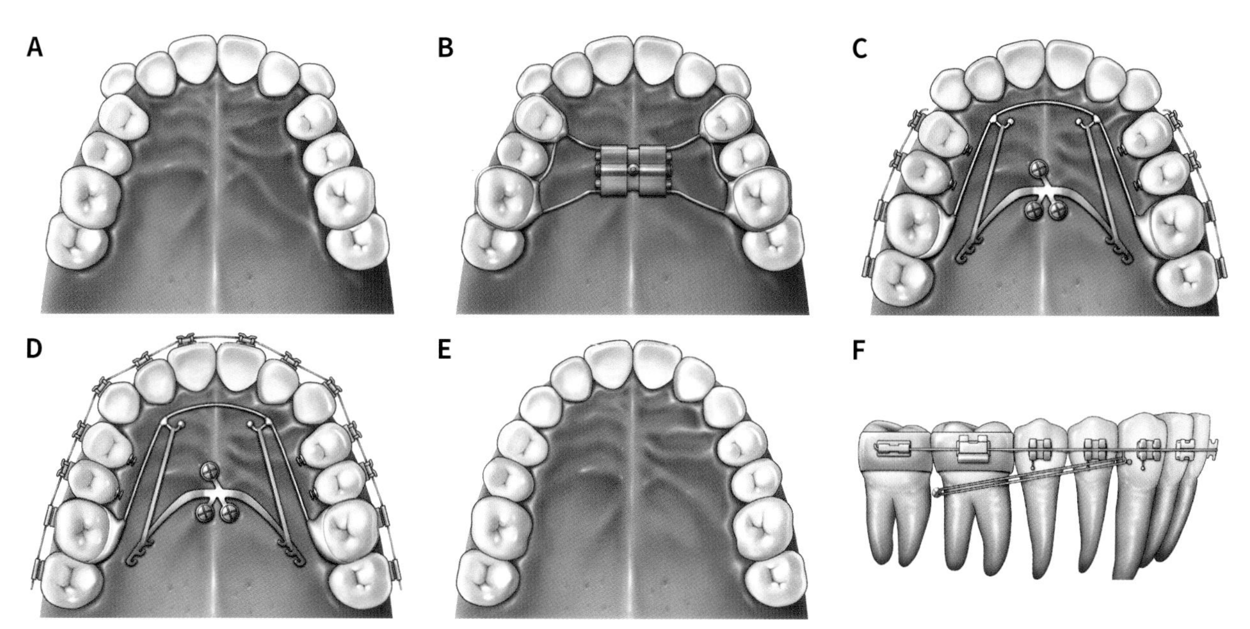

그림 8-2. 심한 크라우딩의 비발치 치료 전략
A: 심한 크라우딩을 갖는 상악 치열, B: 급속구개확장장치를 통한 악궁확장, C: 상악 구치부 브라켓 본딩과 구개골성장치 및 원심구개호선 적용, D: 전치부 브라켓 부착, E: 크라우딩이 해소된 모습, F: 미니 임플란트를 이용하여 하악 전치열 후방 이동

원심구개호선의 밴드를 제1대구치에 연결하여 후방 이동시키면 자연스럽게 제2소구치 사이에 공간이 발생한다. 제1대구치와 제2소구치 사이에 발생하는 공간의 해소와 제2소구치의 후방 이동을 시행하기 위해 제2소구치과 제1대구치를 8자 결찰로 묶는다. 또한 제2소구치 설측에 버튼을 부착하여 이를 구개부 장치의 레버 암과 탄성체인을 연결하면 치아의 회전을 방지할 수 있으며, 효과적이다(그림 8-3).

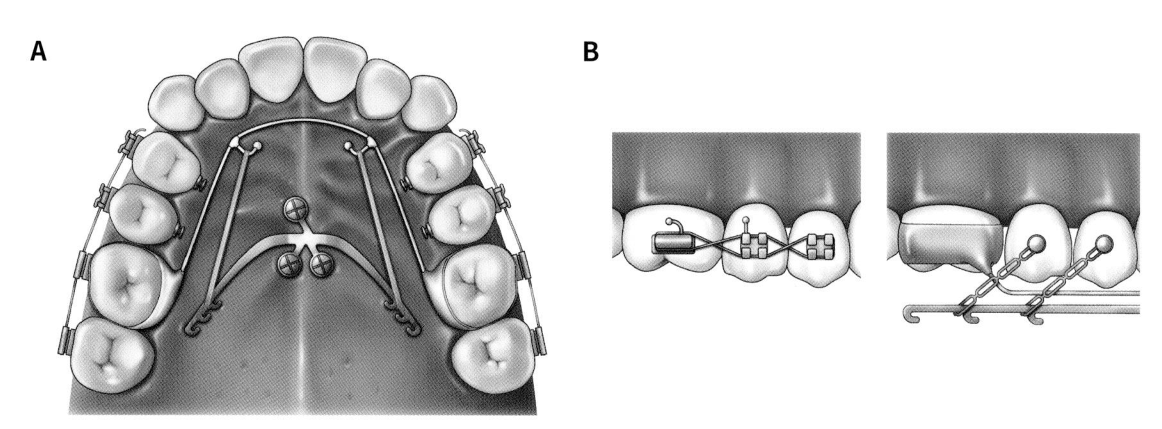

그림 8-3. 원심구개호선 적용. A: 상악 제1소구치와 제2소구치의 설측버튼을 통해 치아의 회전을 방지, B: 상악 구치부 협면을 8자 결찰과 설면에서 탄성체인을 연결한 모습

3 하악 크라우딩 해소 전략

성공적인 하악 크라우딩의 해소 방법은 하악 전치부의 크라우딩이 경미 또는 중등도에서 심한 경우로 나눠진다(그림 8-4).

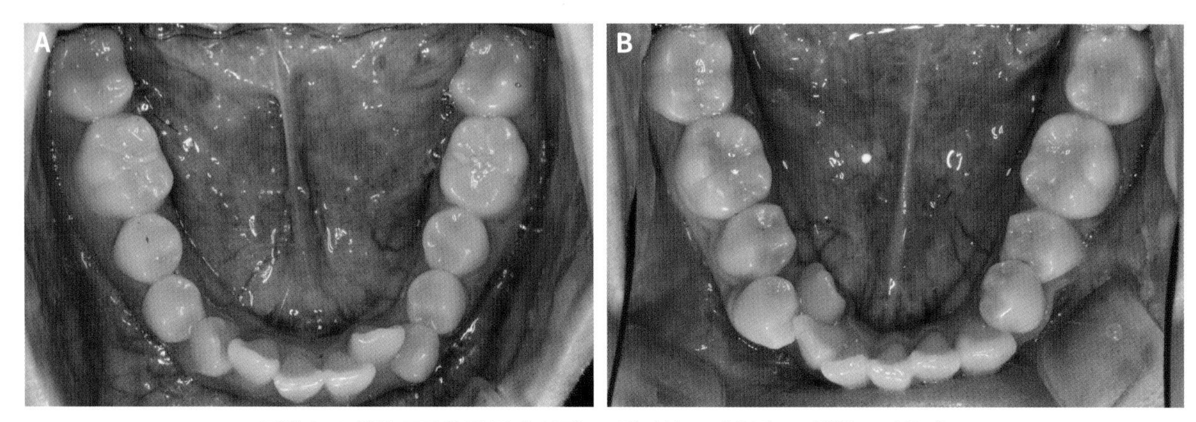

그림 8-4 하악 크라우딩 구내 사진. A: 경미한 크라우딩, B: 심한 크라우딩

1) 경미한 하악 크라우딩 해소

크라우딩이 경미한 경우에는 통상적으로 레벨링 및 배열을 시행한 후 0.019 × 0.025″ 스테인리스강 와이어 단계에서 하악 전치열 후방 이동을 실시한다.

2) 중등도와 심한 하악 크라우딩 해소

크라우딩이 중등도 또는 심한 경우에는 다음과 같은 치료 순서를 따른다.

(1) 하악 4전치를 제외하고 레벨링 및 배열을 시행한다(그림 8-5A).
(2) 하악 제1대구치와 제2대구치 사이에 미니 임플란트를 식립하고 0.019 × 0.025″ SS 아치호선 상에서 견치의 근심에 훅을 위치시킨다. 측절치와 견치 사이 공간을 확보하기 위하여 미니 임플란트와 훅 사이에 탄성체인을 적용하여 하악 구치부의 후방 이동을 시행한다(그림 8-5B).
(3) 적절한 공간을 확보한 후, 하악 4전치에 브라켓을 접착하여 레벨링 및 배열을 시행한다. 이때 4전치를 제외한 치아가 레벨링 단계에서 다시 전방으로 릴랩스 되는 것을 방지하기 위해 스탭다운밴드를 적용한다(그림 8-5C).
(4) 4전치를 포함한 전치열에 0.019 × 0.025″ 스테인리스강 와이어를 적용하여 전치열 후방 이동을 시행한다(그림 8-5D).

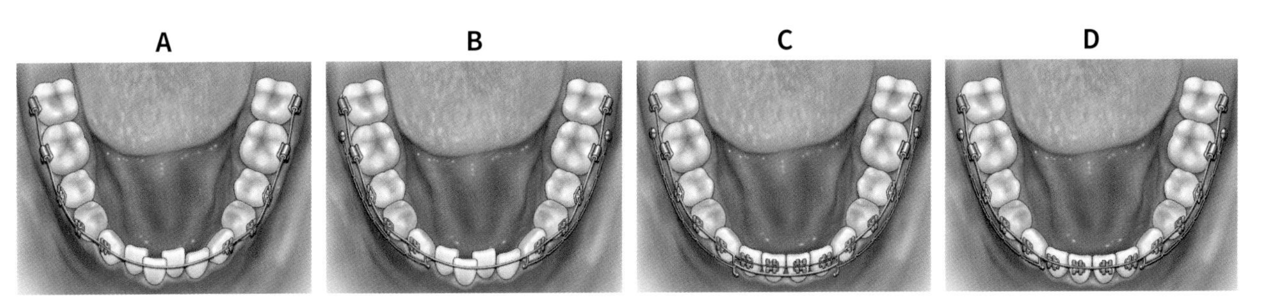

그림 8-5. 하악 전치부 크라우딩이 중등도에서 중증인 경우에서의 하악 치열 후방 이동
A: 4전치를 제외한 나머지 치열의 레벨링 및 배열, B: 전치부 공간 확보를 위한 하악 구치부의 후방 이동, C: 전치부의 레벨링 및 배열과 구치부의 후방 이동 지속, D: 전치열 후방 이동

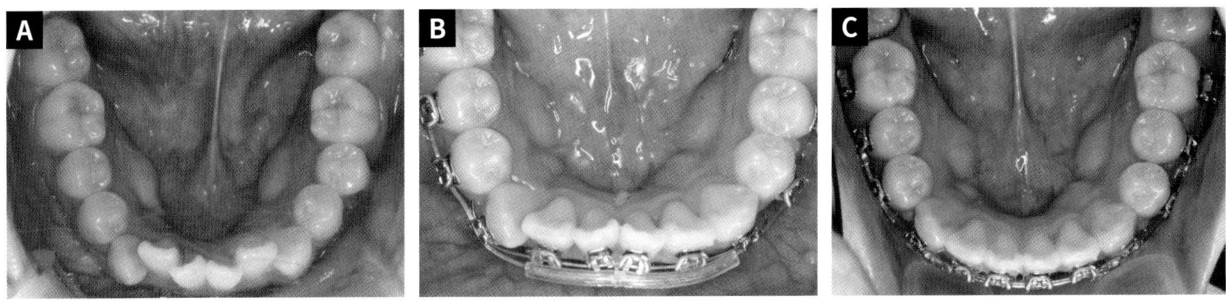

그림 8-6. 중등도의 하악 전치부 크라우딩을 가진 환자의 치료과정
A: 초진, B: 하악 전치열 후방 이동과 하악 4전치의 레벨링 및 배열을 시행, C: 하악 전치열 후방 이동 실시

Q. 제2소구치에 원심구개호선 밴드를 접착하여 교정력을 가하는 것이 더 효과적일 수 있나요?

제1대구치에 원심구개호선을 적용하여 후방 이동하면 제2소구치와 제1대구치 사이에 공간이 생기는 단점이 있으나 제2소구치에 힘을 가하면 제2소구치는 제1대구치에 비해 치근이 작고 약하여 300 g 이상 구개부 장치에서 발생하는 힘을 견디기 어렵습니다. 그러므로 제1대구치에 원심구개호선 밴드를 접착합니다(그림 8-7).[1]

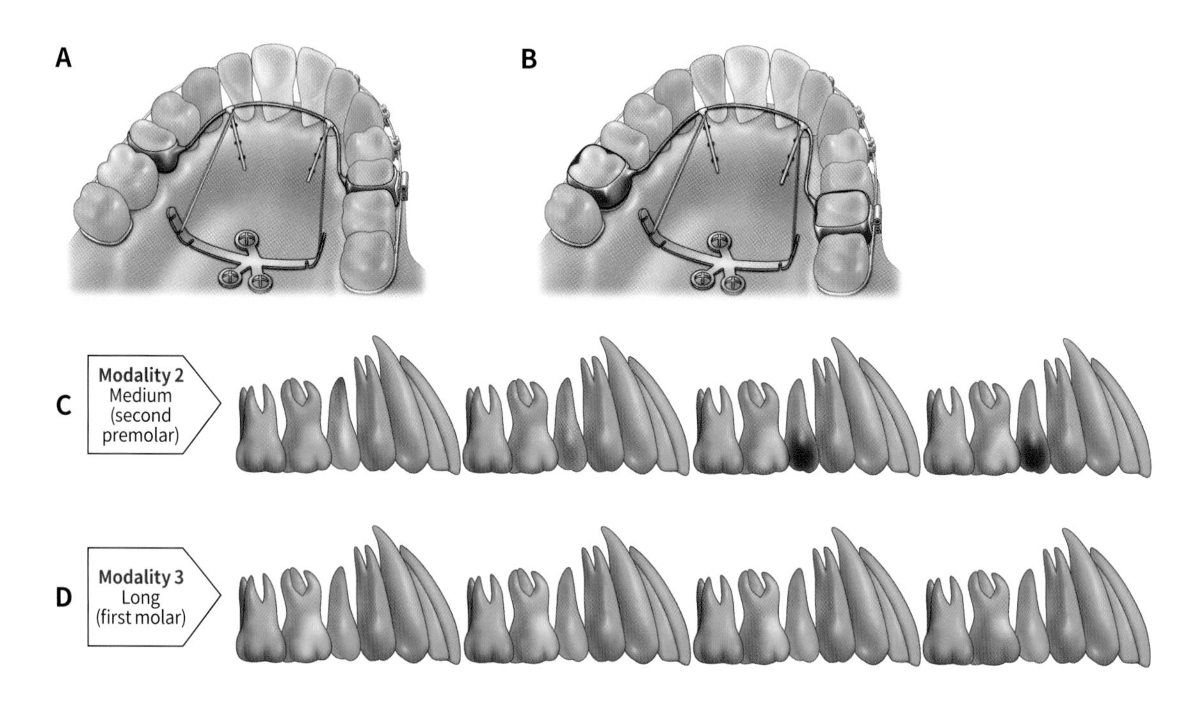

그림 8-7. 제2소구치 및 제1대구치에 원심구개호선 적용 시 나타나는 힘의 분포
A: 제2소구치에 힘 적용, B: 제1대구치에 힘 적용, C: 제2소구치를 통해 힘을 전달하였을 때 치관에 힘이 집중되어 경사이동이 발생한다. D: 제1대구치의 경우 치관에 힘이 집중되지 않는다.

4 증례

1) 상악 크라우딩 증례

증례 1

18세 여자 환자가 견치의 이소맹출을 주소로 내원하였다. 환자는 경미한 골격성 III급 부정교합을 보이며 구치는 I 급 관계를 보였다. 측모두부계측방사선 사진과 모델 상 주요 계측치는 다음과 같다(그림 8-8).

ANB: 1.0°, FMA: 27.0°, U1–FH: 110.0°, IMPA: 91.0°
Arch length discrepancy: 상악 15 mm / 하악 7 mm

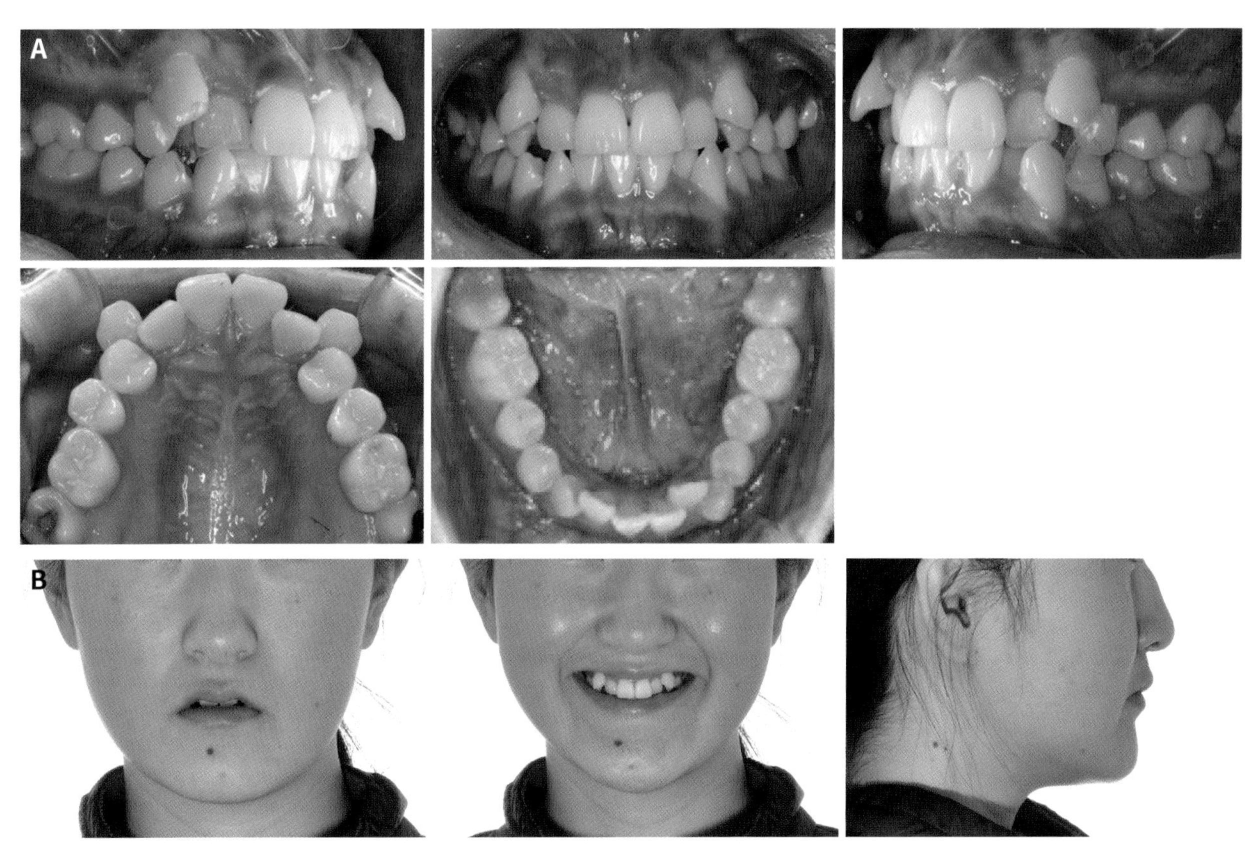

그림 8-8. 초진 시 구내 및 구외 사진
A: 구내 사진으로, 상악 좌측 제2대구치에서 가위교합과 상하악의 크라우딩이 보인다. B: 구외 사진

(1) 치료과정

상악 제2대구치까지 브라켓 부착 및 초기 호선을 삽입한 후 구개부 장치와 원심구개호선을 적용하였다. 원심구개호선과 구개부 장치에 탄성체인을 2주 간격으로 교체하여 전치열후방 이동을 실시하였다. 치료 4개월에 016 스테인리스강 호선에 우측 측절치와 제1소구치 사이 그리고 좌측 측절치와 제1소구치 사이에 나이티놀 코일 스프링을 사용하였다. 치료 7개월에 좌측 견치의 배열이 되었고 우측 견치을 배열하기 위해 측절치와 제1소구치 사이 나이티놀 코일 스프링은 계속 유지하였다(그림 8-9). 그리고 16개월에 좌우측 견치 모두 배열되었다(그림 8-10).

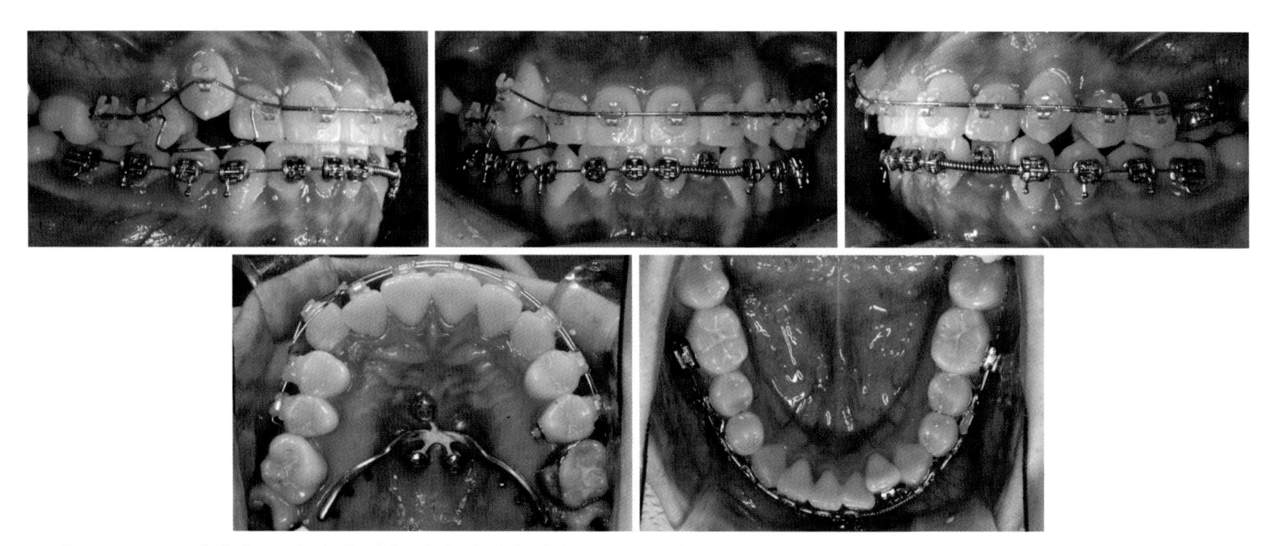

그림 8-9. 치료 7개월 후 구내 사진. 좌측 상악 견치의 배열이 완료되었고 우측 상악 견치의 배열이 진행 중이다.

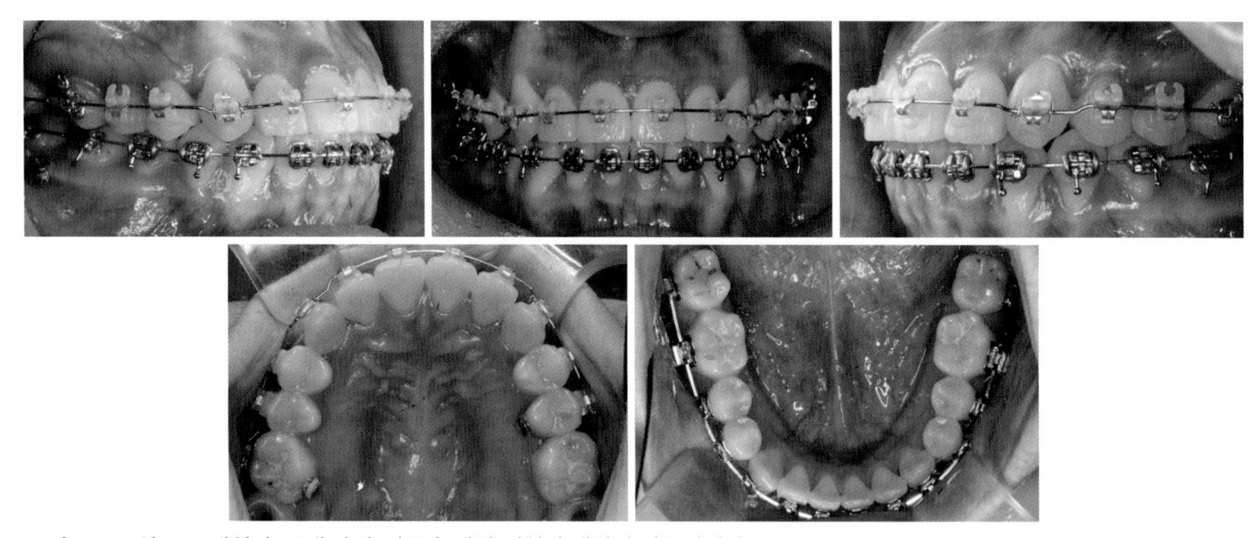

그림 8-10. 치료 16개월 후 구내 사진. 좌우측 상악 견치의 배열이 이루어졌다.

(2) 치료결과

치료기간은 총 1년 10개월 소요되었다. 상악 견치의 이소맹출 및 상하악 전치부 크라우딩이 해소되었으며 Ⅰ급 구치 관계는 유지하였다(그림 8-11, 12). 치료 전과 비교하였을 때 상하악 전치의 순측 경사(U1-FH: 120.0°, IMPA: 98.0°)가 이루어졌다. 치료 전 후, 턱 끝(chin point)의 큰 변화 없이 양호한 안모를 보였다(그림 8-13).

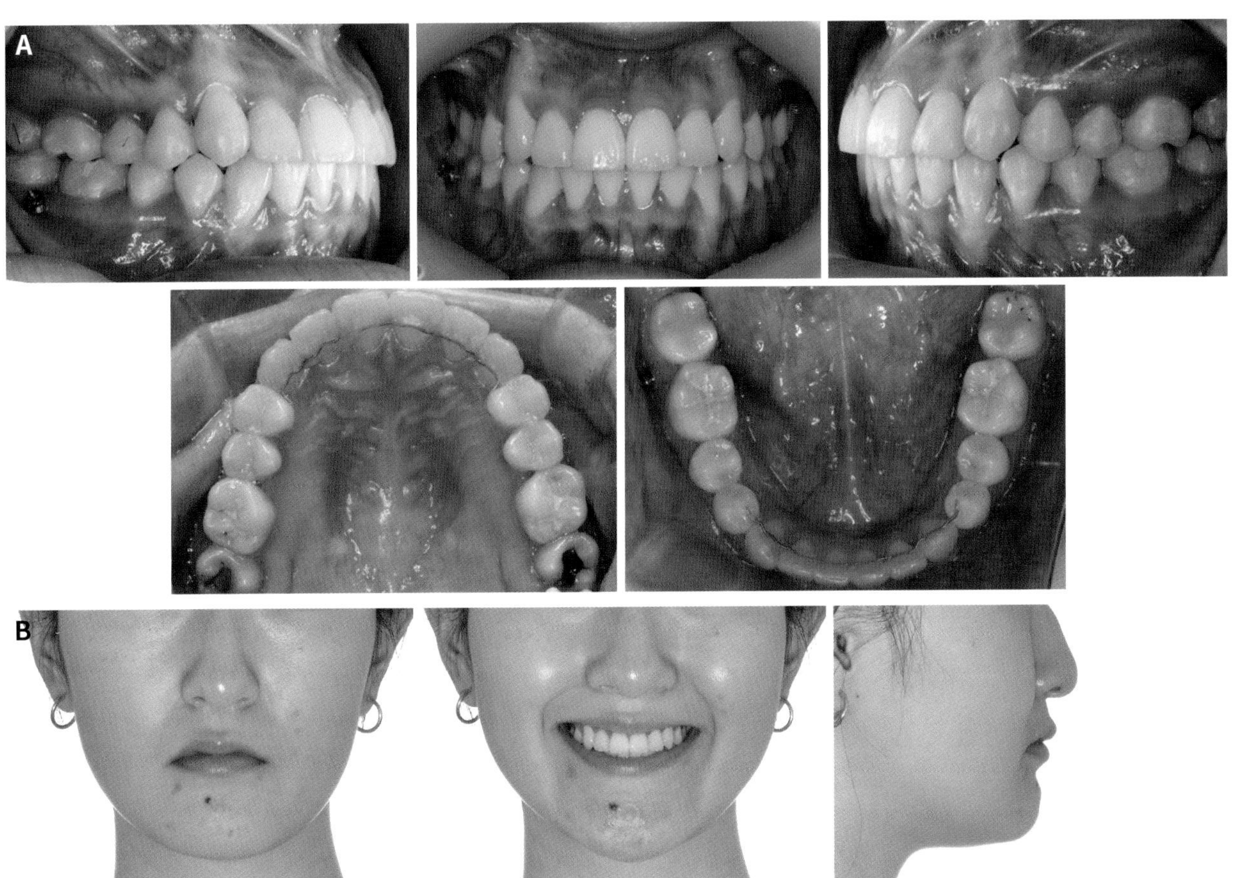

그림 8-11. 치료 완료 후 구내 및 구외 사진. A: 구내 사진, B: 구외 사진

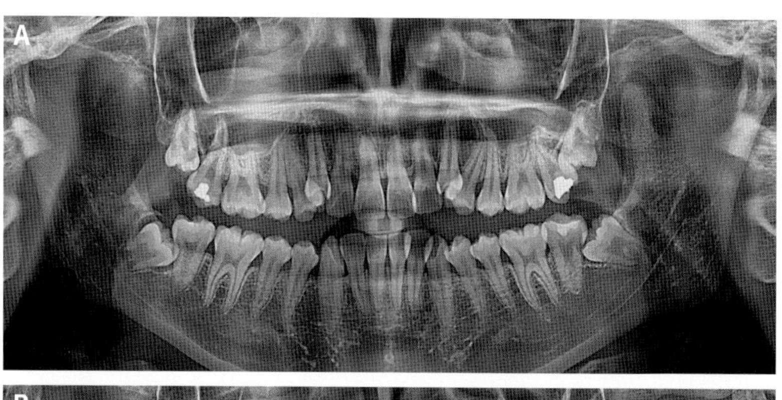

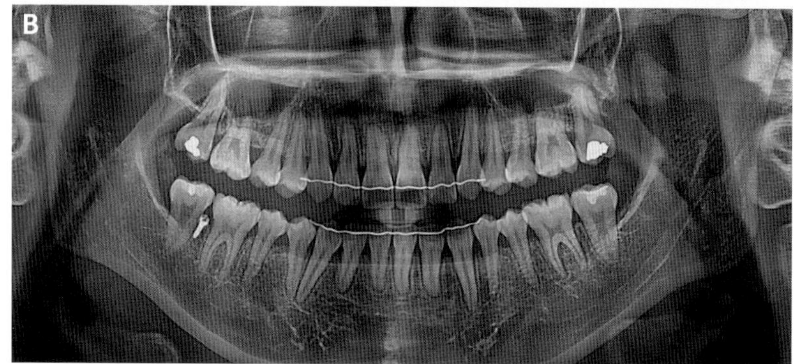

그림 8-12. 치료 전 후 파노라마 방사선 사진 A: 치료 전, B: 치료 후

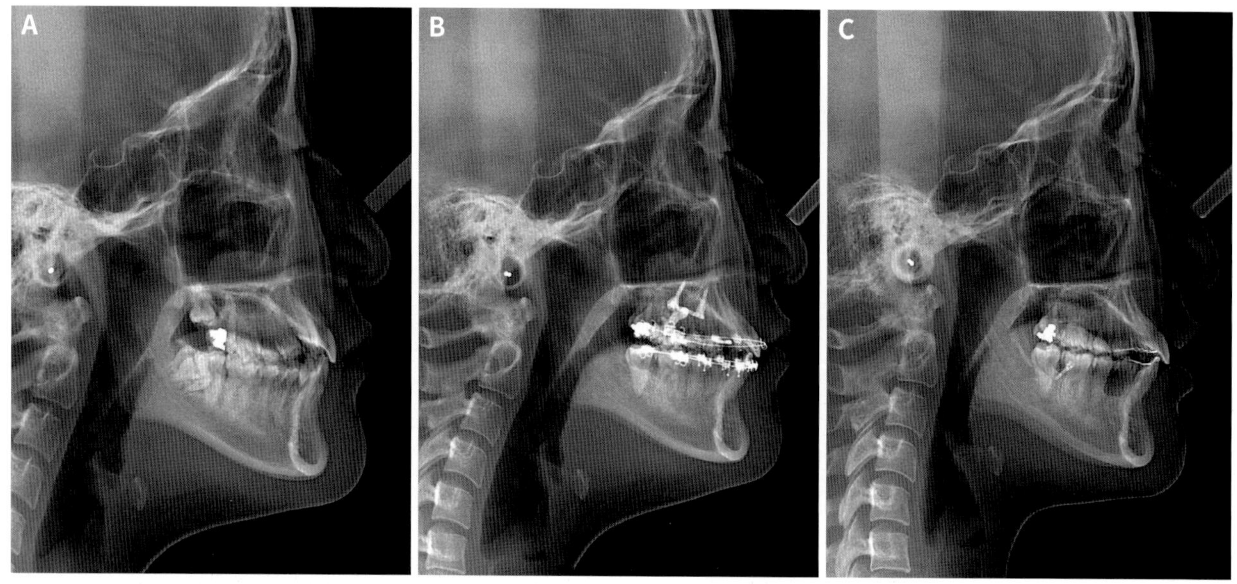

그림 8-13. 측모두부계측방사선 사진. A: 치료 전, B: 치료 중, C: 치료 후

2) 양악 크라우딩 증례

증례 2

12세 여자 환자가 상악 견치의 이소맹출을 주소로 내원하였다. 상하악 전치부 크라우딩을 보였으며 I급 구치 관계가 관찰되었다. 측모두부계측방사선 사진 및 모델의 주요 계측치는 다음과 같다(그림 8-14).

ANB: 5°, FMA: 29.5°, U1-FH: 100.5°, IMPA: 90.0°
Arch length discrepancy: 상악 -14 mm / 하악 -13 mm

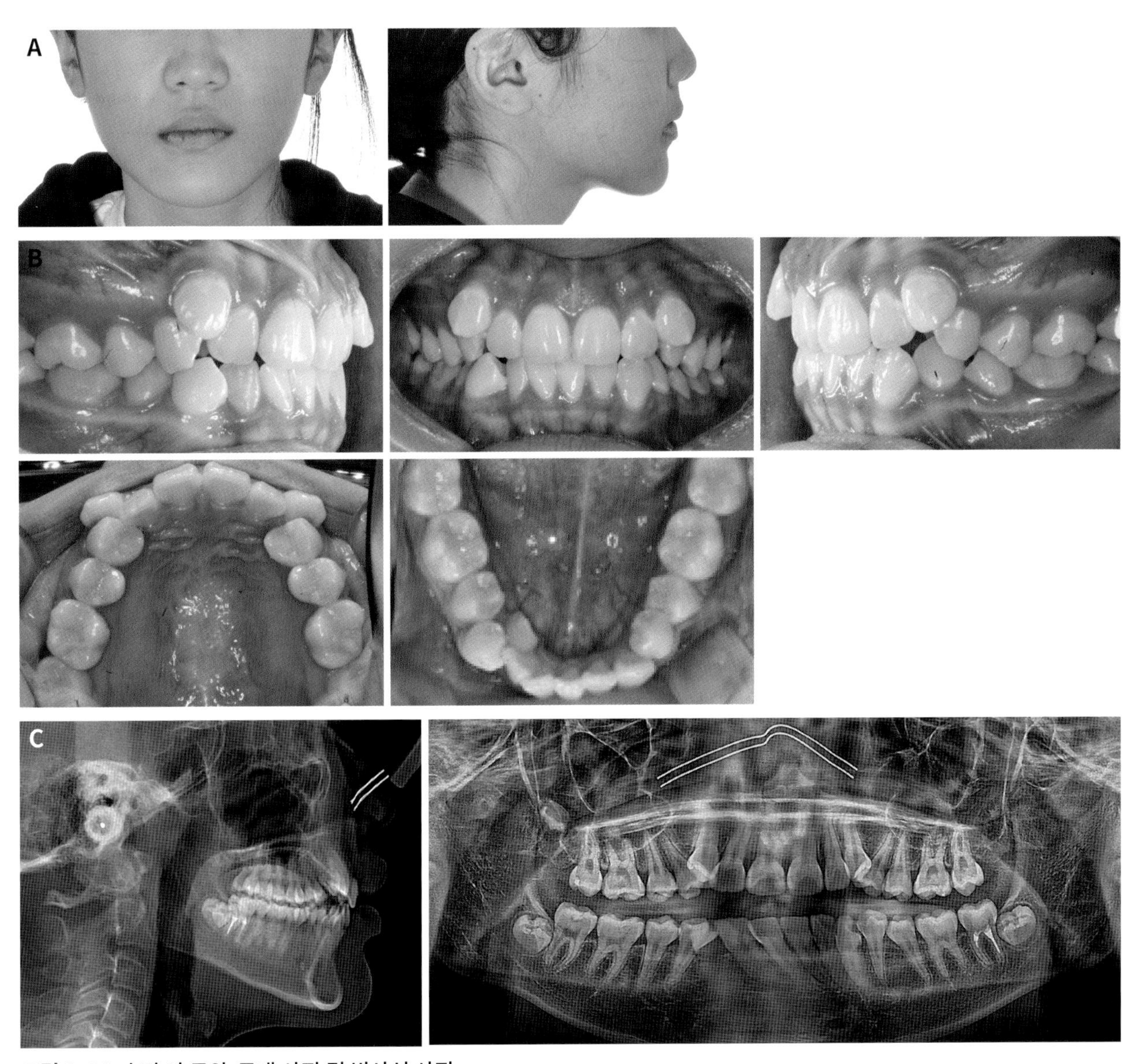

그림 8-14. 초진 시 구외, 구내 사진 및 방사선 사진
A: 구외 사진, B: 구내 사진, C: 측모두부계측방사선 사진과 파노라마 방사선 사진

(1) 치료과정

상하악의 크라우딩을 해소하기 위하여 상악에 구개부 장치를 식립하였다. 그리고 하악에는 오픈 코일 스프링을 적용하여 하악 우측 견치 배열공간을 확보하였다(그림 8-15). 상악 치열의 후방 이동을 시행하면서 하악에도 좌우측 제1대구치와 제2대구치 사이 미니 임플란트를 식립하여 후방 이동을 실시하였다(그림 8-16, 17).

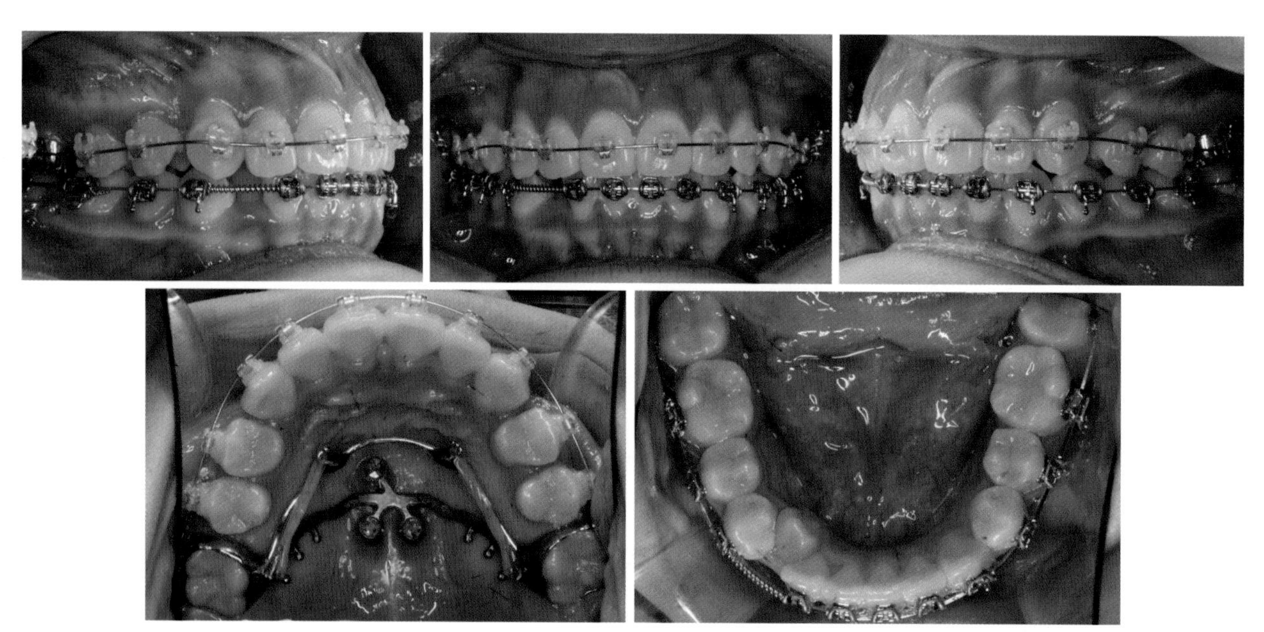

그림 8-15. 치료과정 중 구내 사진. 상악 구개부 장치와 하악에 오픈코일스프링이 적용되었다.

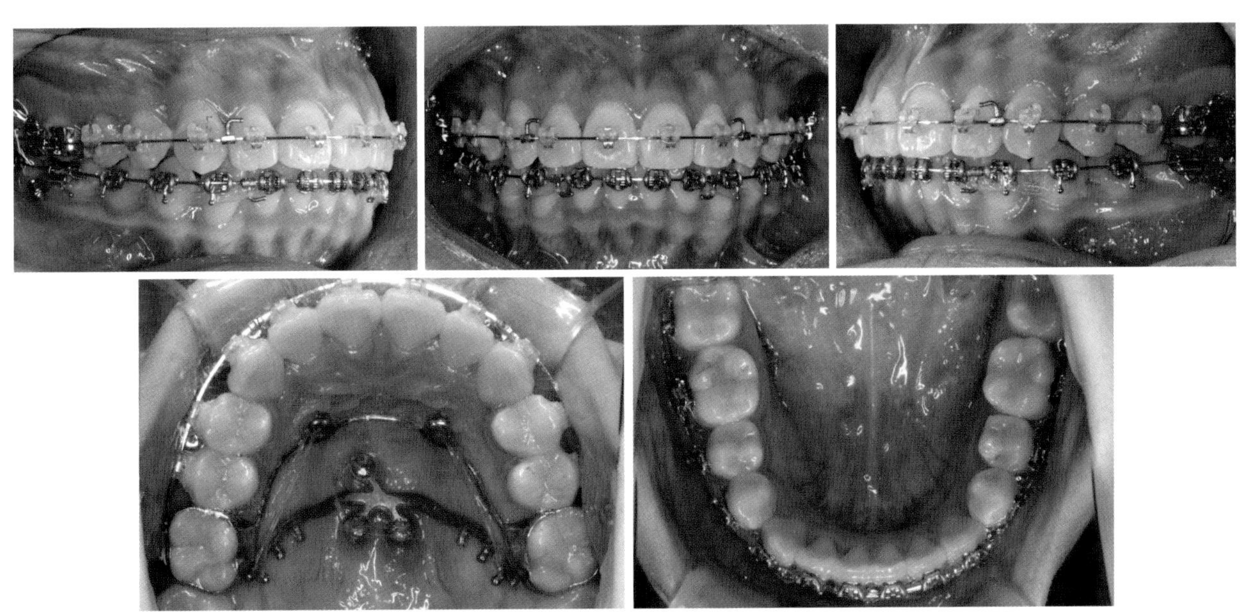

그림 8-16. 치료과정 중 구내 사진. 하악 양측 제1, 2대구치 사이 미니 임플란트를 식립하여 후방 이동을 시행하였다.

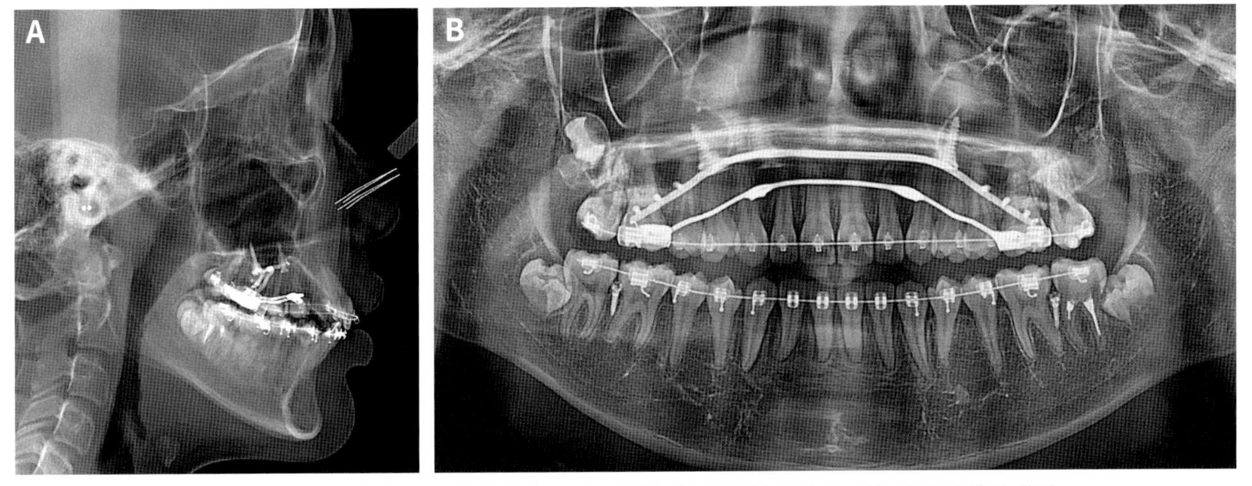

그림 8-17. 치료과정 중 방사선 사진. A: 측모두부계측방사선 사진, B: 파노라마 방사선 사진

(2) 치료결과

치료기간은 총 1년 8개월이었다. 상하악 전치부 크라우딩이 해소되었으며 I 급 구치 관계를 유지하였다. 상하악 전치의 순측 경사(U1-FH: 112.0°, IMPA: 95.0°)가 이루어졌다(그림 8-18).

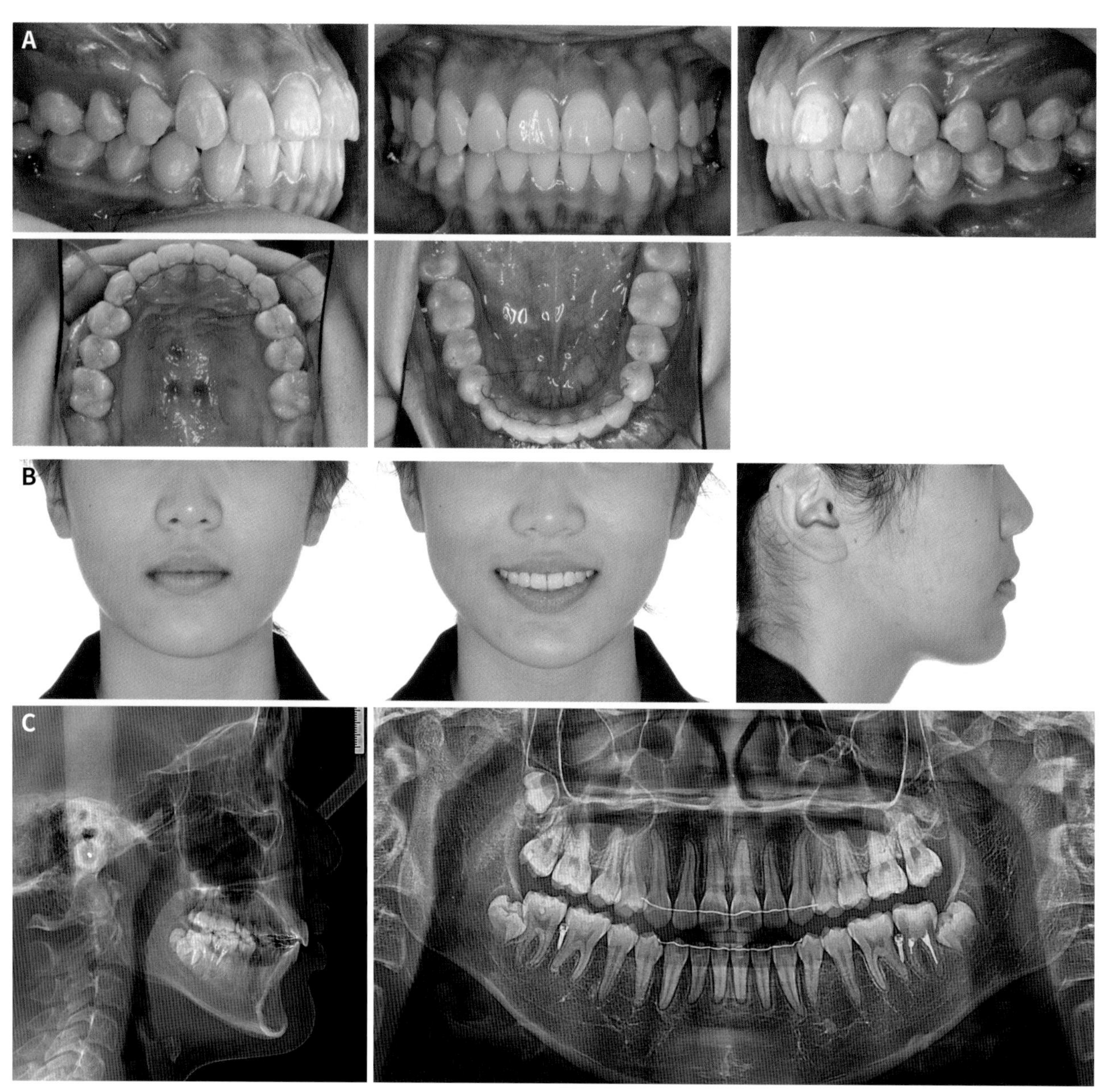

그림 8-18. 치료 완료 후. A: 구내 사진, B: 구외 사진, C: 측모두부계측 방사선과 파노라마 방사선 사진

3) 양악 크라우딩을 가진 제3급 부정교합 증례

증례 1

16세 여자 환자가 주걱턱 및 상하악 총생을 주소로 내원하였다. 전치부 반대교합과 상하악 전치부 크라우딩을 보였으며 III급 구치 관계를 보였다. 하악 우측 중절치에서 심한 치은퇴축이 관찰되었다. 측모두부계측방사선 사진과 모델 상 주요 계측치는 다음과 같다(그림 8-19).

ANB: -1.0°, FMA: 32.5°, U1-FH: 111.0°, IMPA: 78.0°
Arch length discrepancy: 상악 -19.0 mm / 하악 -12.0 mm

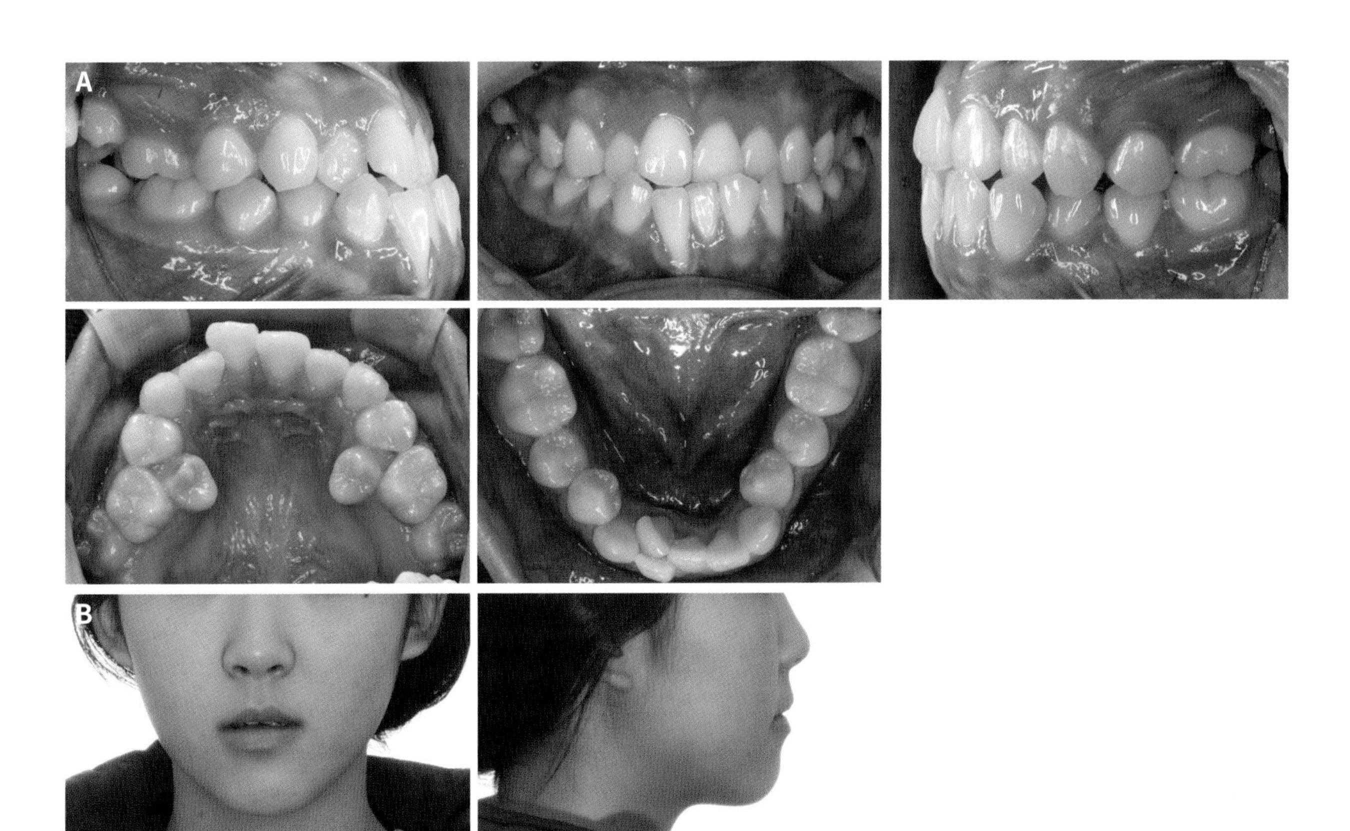

그림 8-19. 초진 시 구내 및 구외 사진 A: 구내 사진, B: 구외 사진

(1) 치료과정

우선 상악의 크라우딩을 해소하기 위하여 상악에 먼저 구개부 장치를 식립하였다(그림 8-20). 구개부 장치를 통해 공간 확보를 한 후에, 상하악 횡적 부조화를 해결하기 위해 상악에 구개확장장치를 적용였다(그림 8-21). 하악은 우측 중절치의 심한 치은 퇴축으로 발치를 고려하였다. Set-up 모델을 제작하여 교합을 평가한 후에 발치를 시행하여 공간 확보를 하였다(그림 8-22).

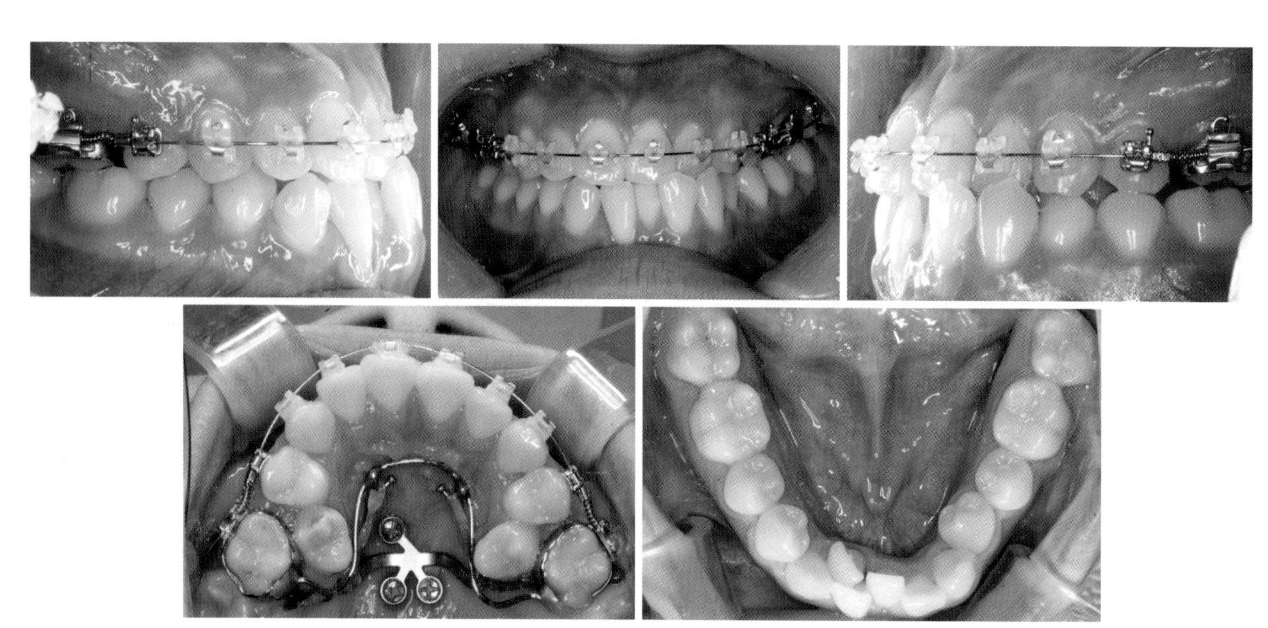

그림 8-20. 치료 9개월 후 구내 사진. 구개부 장치가 식립되었다.

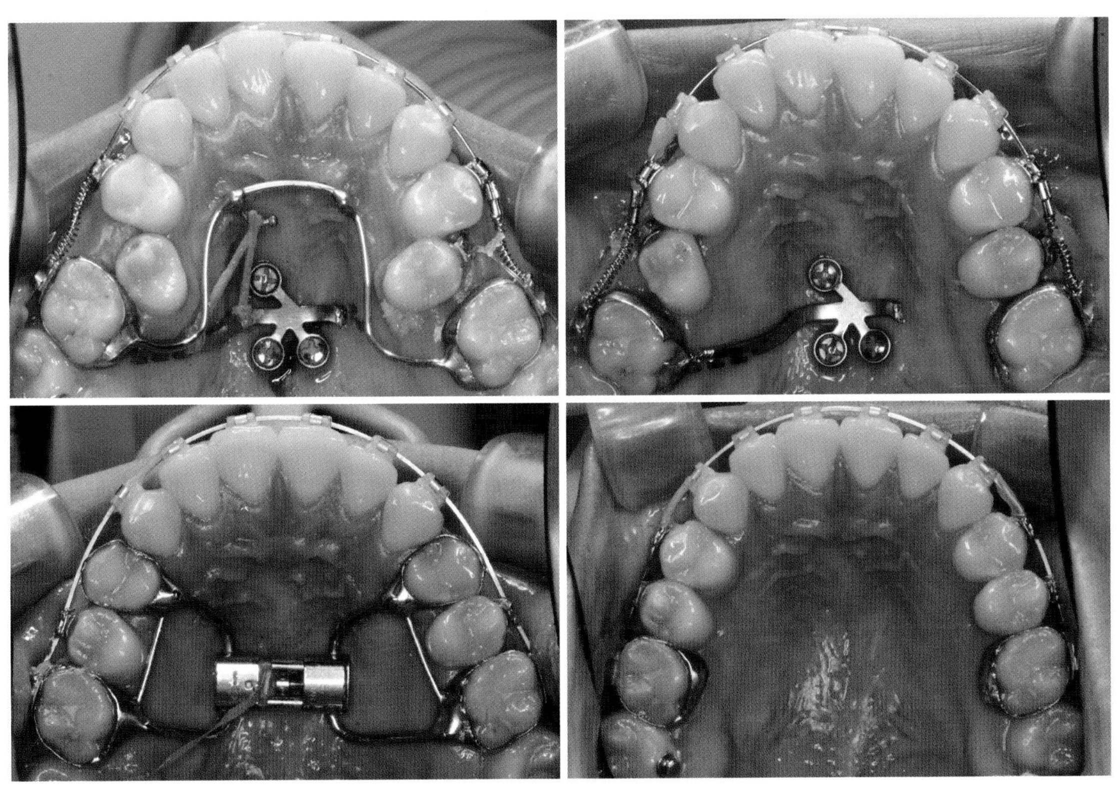

그림 8-21. 상악 치열의 치료과정을 보여주는 구내 사진
구개 장치를 이용한 상악 후방 이동 및 상악 확장 장치를 이용한 구개골 확장을 시행하였다.

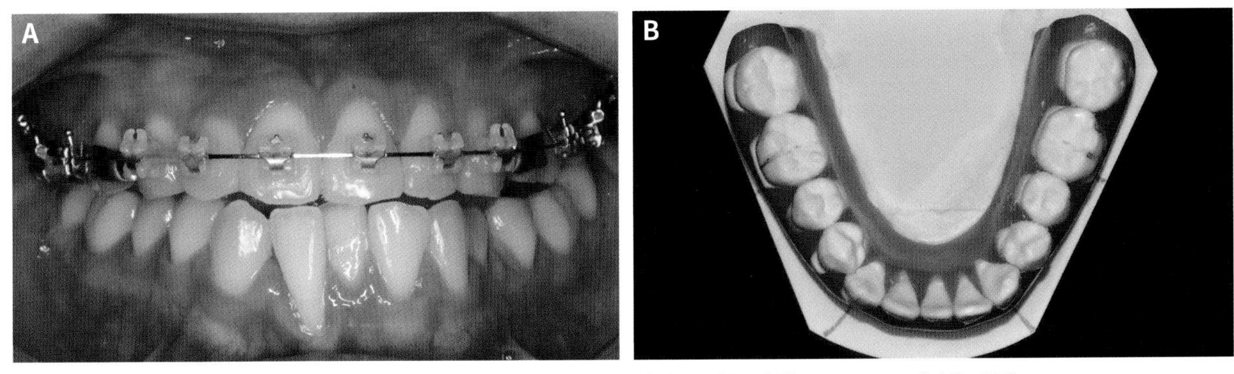

그림 8-22. A: 하악 우측 측절치의 심한 치은 퇴축이 관찰된다. B: 발치 고려를 위해 set-up model을 제작

(2) 치료결과

전치부 반대교합 및 상하악 크라우딩이 해소되었으며 I급 구치 관계를 얻을 수 있었다(그림 8-23). 상악 전치는 순측경사되었으며 하악 전치는 설측 경사(U1-FH: 120.0°, IMPA: 76.0°) 되었다(그림 8-24).

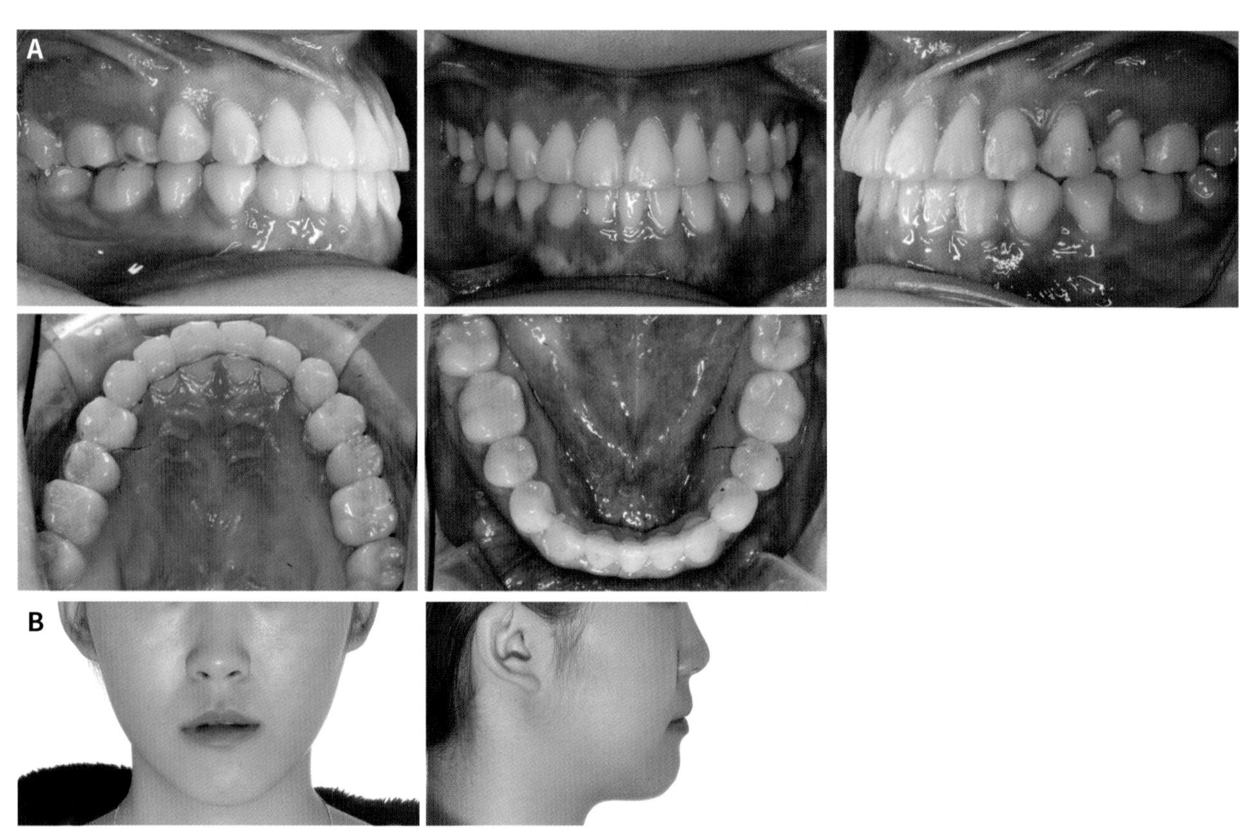

그림 8-23. 치료 완료 후 구내 및 구외 사진 A: 구내 사진, B: 구외 사진

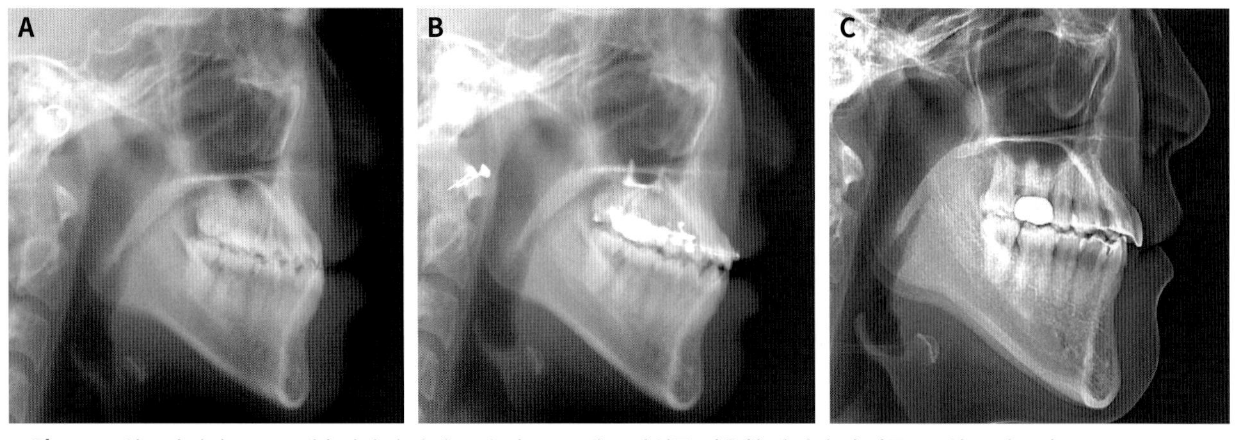

그림 8-24. 치료과정 측모두부계측방사선 사진 A: 초진, B: 구개부 장치를 이용한 상악 후방 이동, C: 치료 완료 후

8-2 비발치 치료로 가능한 최대 크라우딩 개선량 연구

중등도 이상의 크라우딩을 해소하기 위해 상악 구치부의 후방 이동은 치간 삭제 및 치열궁 확장과 결합하여 효과적인 비발치 치료법이 될 수 있다.

협측 미니 임플란트를 이용한 구치부 후방 이동량에서 1.4–2.8 mm까지 보고되었고 최근에는 4.2 mm까지 가능하다고 하였다. 한편 구개부 골격성고정원을 이용하는 경우에는 4 mm 이상의 구치부 후방 이동이 가능하다고 하였다.

Proffit은 10 mm 이상의 크라우딩 환자에서는 발치가 필요하다고 권고했으나, 이와 같이 골격성 고정원 장치를 이용하게 되면 발치를 하지 않고 교정치료가 가능해졌다. Full step Class II 환자에서 구개부 장치를 사용하여 소구치 발치 없이 성공적으로 교정치료를 한 증례를 보고하였다.[3),4)]

치열궁 길이 부조화가 상악에서 평균 12.4 mm로 심한 크라우딩 환자에서 구개부 장치를 사용하여, 상악 치열에서는 양측 8.8 mm의 구치부 후방 이동, 0.7 mm의 치간 삭제, 소구치부에서 3.3 mm, 대구치부에서 2.1 mm의 치열궁 확장을 통해 해결하였다.

이 결과는 중등도 이상의 크라우딩을 보이는 환자에서 비발치 치료를 하고자 한다면 상악 구치부 후방 이동은 효과적인 치료방법이라는 것을 뜻한다.[5)]

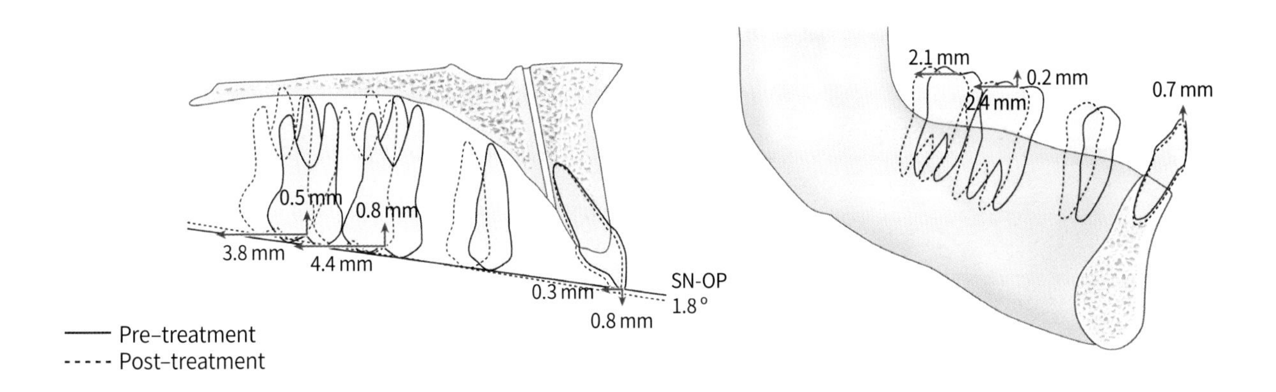

그림 8-25. 구개부 장치를 이용한 치료 후 치성변화. A: 상악 치열, B: 하악 치열

08

8-3 크라우딩의 비발치 교정치료 가이드라인

기존의 발치, 비발치 교정 기준 가이드라인은 다음과 같다. 크라우딩 4 mm 이하는 비발치, 5–9 mm는 발치, 비발치 교정의 경계이고 10 mm 이상은 발치 교정이 고려되었다(그림 8-26A).

하지만 구개부 장치를 이용한 발치/비발치 교정 기준 가이드라인에서는 상악 제2대구치의 후방 이동 공간이 충분한 경우, 12 mm 이하는 비발치, 12 mm 이상에서는 발치 교정이 필요할 것으로 판단된다(그림 8-26B). 쉽게 말하면 이전에 있었던 발치 혹은 비발치 교정의 경계선에 있는 케이스들은 구개부 장치를 이용하여 비발치 교정으로도 치료가 가능할 수 있다.

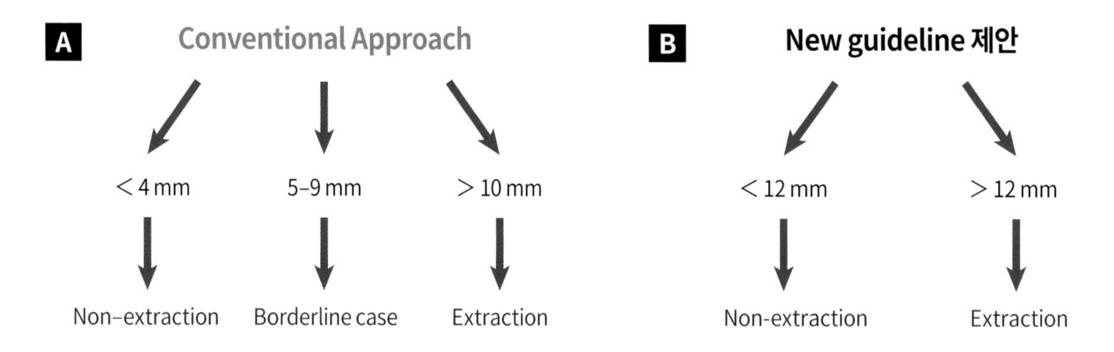

그림 8-26. 교정치료 가이드라인. A: Profit에 의한 가이드라인, B: 새로운 가이드라인

참고문헌

1. Lee JY, Park JH, Lee NK, Kim JH, Chae JM, Kook YA. Biomechanical Analysis for Total Arch Distalization according to Location of Force Application and Types of Temporary Skeletal Anchorage Devices. Clin J Korean Assoc Orthod 2021;11(2):89-101
2. Willam Proffit, Henry Fields, Brent Larson, David Sarver. Contemporary Orthodontics. 6th ed.ELSEVIER. 2018
3. Kook YA, Lim HJ, Park JH, Lee NK, Kim Y. 3D digital applications of the modified C-palatal plate for molar distalization. J Clin Orthod 2021;55(12):773-81.
4. Han SH, Park JH, Jung CY, Kook YA, Hong M. Full-step Class II Correction Using a Modified C-palatal Plate for Total Arch Distalization in an Adolescent. J Clin Pediatr Dent 2018;42(4):307-13.
5. Lim HJ, Kim Y, Park JH, Lee NK, Kim KB, Kook YA. Cephalometric and model evaluations after molar distalization using modified C-palatal plates in patients with severe arch length discrepancy. Am J Orthod Dentofacial Orthop 2022;162(6):870-80.

09

돌출입의 비발치 교정치료

9-1 돌출입 해소를 위한 치료 전략

구개부 장치를 사용하여 돌출입을 치료하고자 할 경우, 치료 전략은 크라우딩이 있는 돌출입 치료와 다르다. 크라우딩이 있는 돌출입 치료에서는 상악 제1대구치의 후방 이동을 통하여 배열 및 레벨링에 필요한 공간을 확보해주는 단계가 선행되어야 하는 반면, 크라우딩 없이 돌출을 가진 환자에서의 치료 전략은 다음과 같다(그림 9-1).

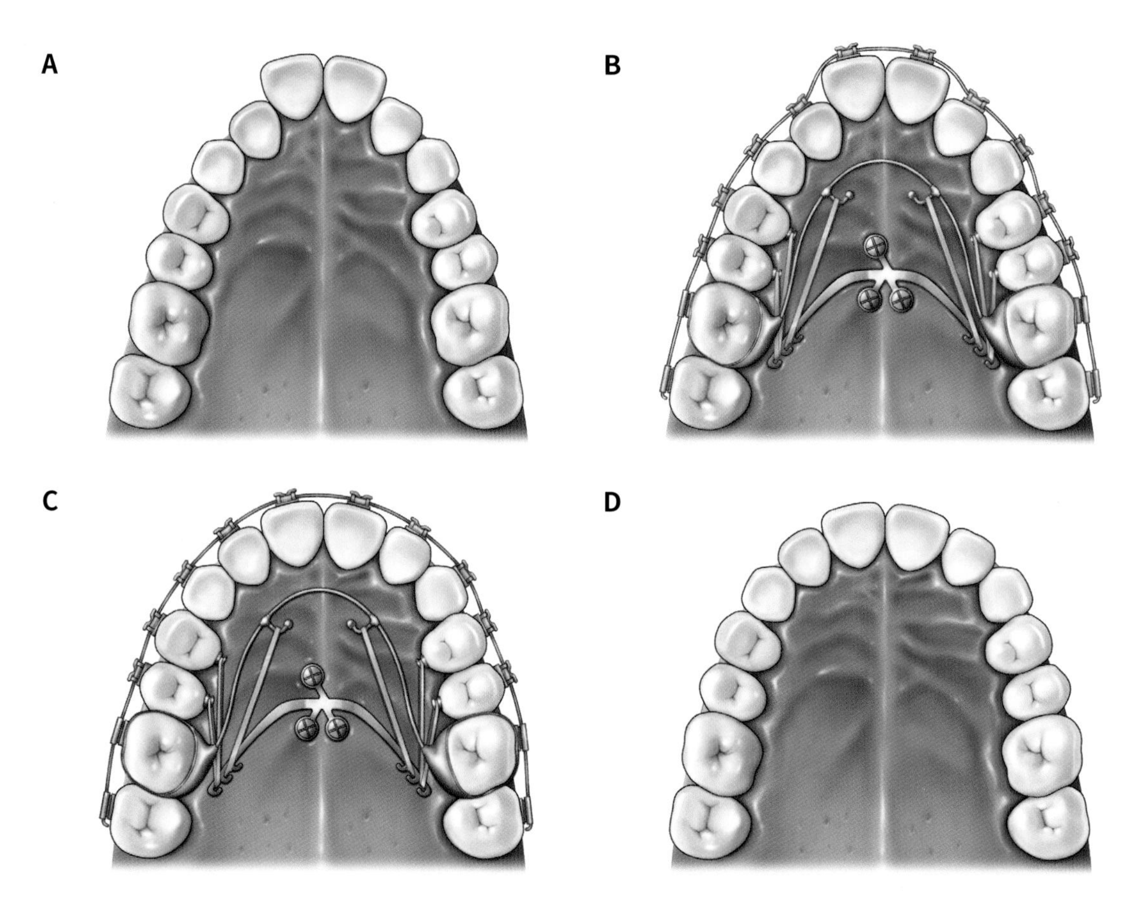

그림 9-1. 돌출입 비발치 교정치료의 전략
A: 크라우딩 없이 돌출만 있는 상악 치열, B: 배열 및 레벨링 단계에서 구개부 장치 원심구개호선을 이용, C: 배열 및 레벨링 된 모습, D: 상악 전치열 후방 이동을 통해 돌출이 해소된 상악 치열

Step 1 크라우딩 없이 돌출만 되어있는 경우(그림 9-1A), 상악 제1대구치까지 022 slot 브라켓을 부착 후 배열 및 레벨링 단계에서 골성 구개부 고정원 장치와 원심구개호선을 이용하여 제1대구치를 후방 이동한다(그림 9-1B).

Step 2 후방 이동 과정 중 제1대구치와 소구치 사이에 공간이 발생한다. 이를 예방하고 효과적인 치아 이동을 위해서 009 inch 스테인리스강 와이어로 제1대구치에서 제2소구치까지 8자 결찰(figure 8) 형태로 결찰하여 016 inch 나이티놀 와이어를 연결하거나 제1대구치 후방에서 나이티놀 와이어를 cinch back 해줌으로써, 소구치와 동시에 후방 이동 할 수 있도록 한다(그림 9-2). 018 inch 나이티놀 와이어로 진행될 때 가급적 제2대구치에 튜브 부착과 함께 와이어가 연결된 상태에서 계속 후방 이동을 한다.

Step 3 상악 016 × 022 inch 나이티놀 와이어에서 019 × 025 inch 스테인리스강 와이어까지 교체한다. 이 때 8자 결찰은 하지 않고 와이어 상의 측절치와 견치 사이의 훅과 제1대구치의 훅 간에 010 inch 와이어로 연결하여 상악 전치열의 후방 이동 시 발생하는 공간의 발생을 방지한다(그림 9-3).

Step 4 하악에서는 배열 및 레벨링 진행 후, 019 × 025 inch 스테인리스강 와이어 시점에 협측 미니 임플란트를 제1, 2대구치 사이에 식립한다. 2주 정도 관찰한 후 미니 임플란트와 와이어 상의 측절치와 견치 사이 또는 견치와 제1소구치 사이에 위치한 훅 간에 탄성체인을 연결하여 하악 치열의 전치열 후방 이동을 한다. 편측당 250-450 gm 힘이 전달되도록 연결한다. 이와 동시에 하악 치열의 후방 이동 시 최후방 구치가 '치은에 묻히는 것(impingement)'을 예방하기 위해 하악 제1, 2대구치 간에 수직 고무줄(box elastic, 3/16" 4.5 oz)을 이용해 하악 구치부의 정출을 유도하여 교합평면을 재구성한다. 상악 구치부는 원심구개호선와 구개부 골성 장치에 의해 고정원이 보강되어 있어 하악 구치부의 정출이 발생한다.

Step 5 측모 개선 정도를 관찰하며 I급 구치 관계, 적절한 수평피개 및 수직피개를 형성한 후 마무리한다.

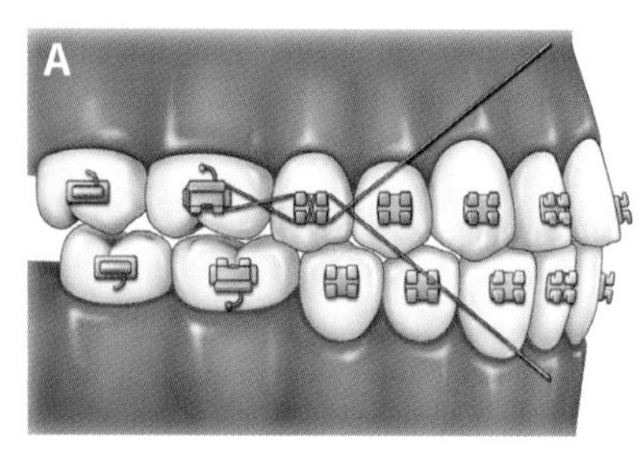

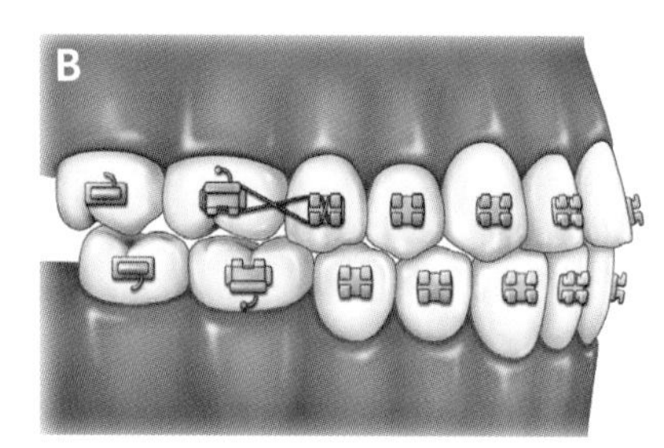

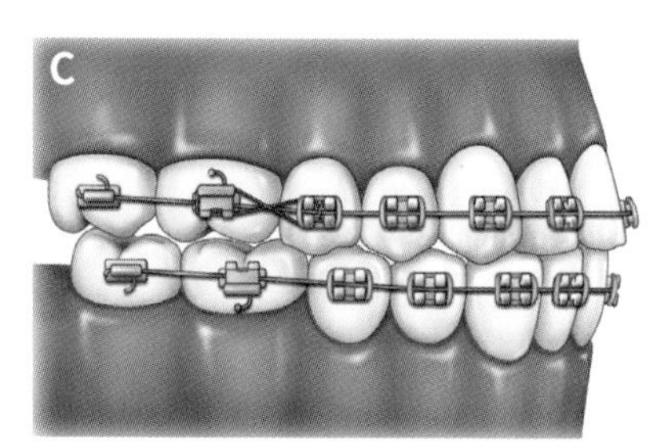

D

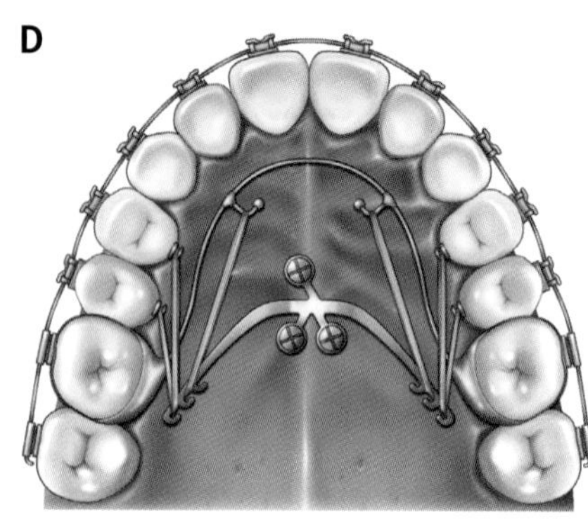

그림 9-2. 원형 와이어 상에서 제1대구치와 제2소구치 사이에 8자 결찰
A: 제2소구치에서 제1대구치까지 8자 결찰 시행, B: 8자 결찰이 완료된 모습,
C: 8자 결찰 후 원형 호선 삽입, D: 구개면에서 바라본 모습

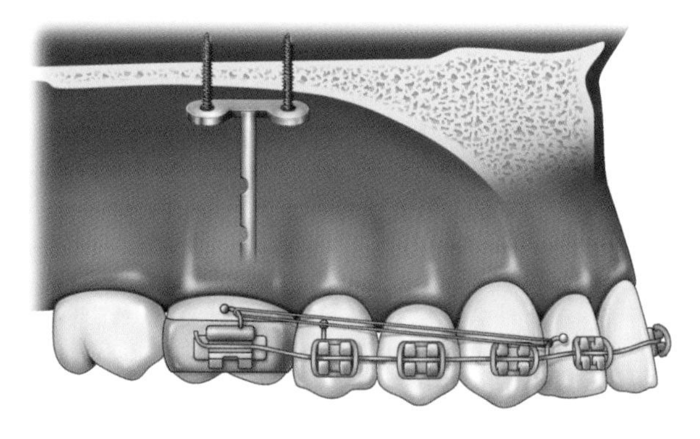

그림 9-3. 각형 와이어 상의 전치부 훅과 제1대구치 간에 보조 와이어로 연결

1 중등도(Moderate) 돌출입 치료전략

크라우딩 없이 7–8 mm 수평피개를 보이는 상악 돌출의 II급 부정교합에서는 그림 9-4에서와 같이 치료를 진행한다.

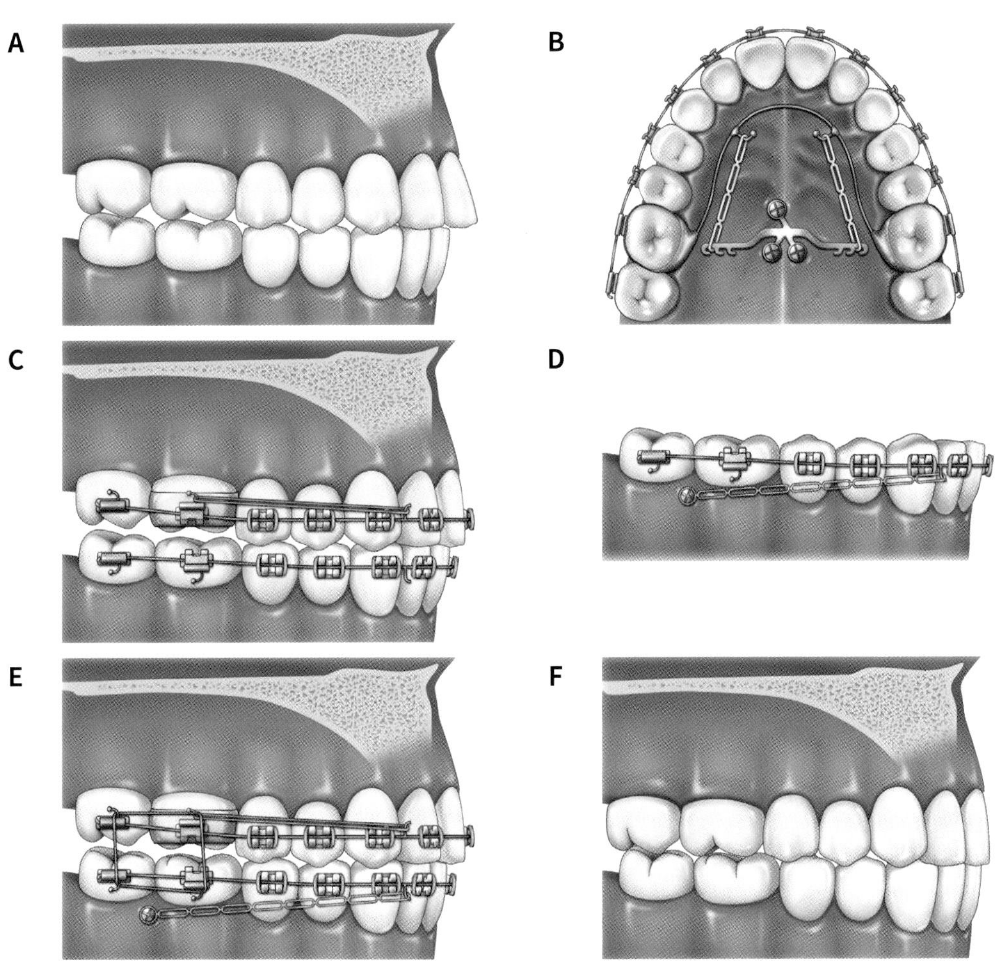

그림 9-4. A: II급 부정교합, B: 구개부 장치와 원심구개호선을 장착한 모습, C: 상악 전치열 후방 이동, D: 하악 제1대구치와 제2대구치사이에 미니 임플란트를 식립 및 측절치와 견치 사이의 훅에 탄성체인의 연결, E: 상, 하악 제1대구치와 제2대구치 사이 간에 box elastic, F: 정상 교합으로의 회복

증례 1

13세의 남자 환자가 치아 돌출을 주소로 내원하였다(그림 9-5). 환자는 볼록형 안모, 입술의 부전을 보였으며, 구치 관계는 우측 full-cusp II급, 좌측 end-on II급 교합을 나타냈다. 두부계측방사선 사진 및 모델의 주요 계측치는 다음과 같다.

ANB: 4.0°, FMA: 26.0°,
Arch length discrpancy: 상악 -4.0 mm, 하악 -1.5 mm
수평피개: 10.0 mm, 수직피개: 4.5 mm

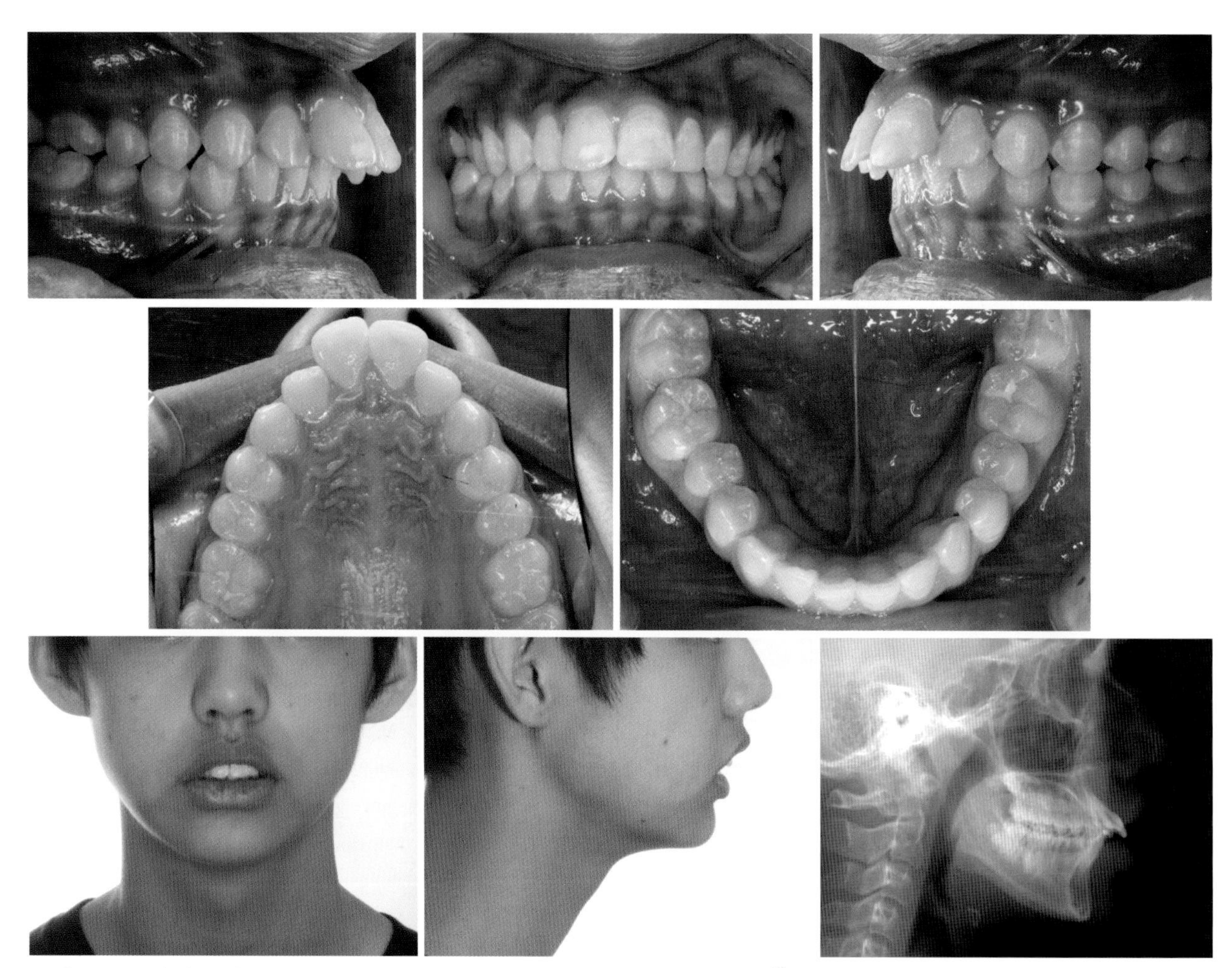

그림 9-5. 초진 시 구내, 구외 사진 및 측방두부계측방사선 사진(출처: Kook et al.[1])의 허가를 받아 인용)

1) 치료계획 및 과정

치료계획으로는 횡적 부조화를 해소하기 위한 상악 확장, 구개부 골성 고정원을 이용한 상악 치열 후방 이동을 시행하기로 하였다. 횡적 부조화를 해소하기 위하여 상악에 hyrax type의 RPE 장치를 사용하여 상악 확장을 시행하였다. 022 slot의 브라켓을 부착한 후 016 나이티놀 와이어, 016 × 022 나이티놀 와이어, 016 × 022 스테인리스강 와이어, 019 × 025 스테인리스강 와이어를 순서대로 삽입하였으며, 구개부 장치를 식립하여 상악 치열을 후방 이동하였다(그림 9-6). 또한 깊은 수직 피개를 해소하기 위하여 상, 하악 치열에 역스피만곡 와이어를 적용하였으며(그림 9-7), 양측 II급 고무줄을 수면 시 사용하도록 하였다.

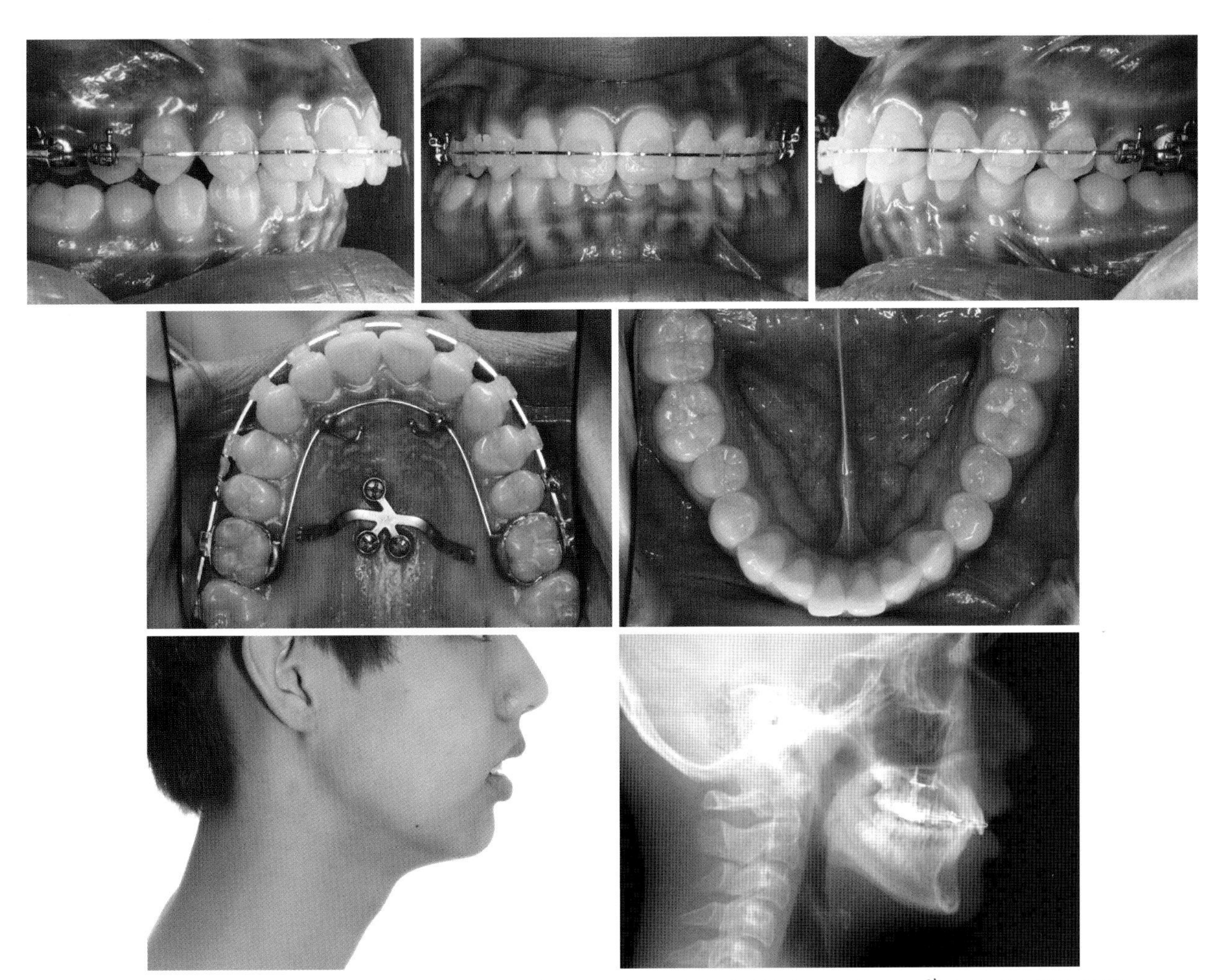

그림 9-6. 상악 전치열 후방 이동 중 구내, 구외 사진 및 측방두부계측방사선 사진(출처: Kook et al.[1])의 허가를 받아 인용)

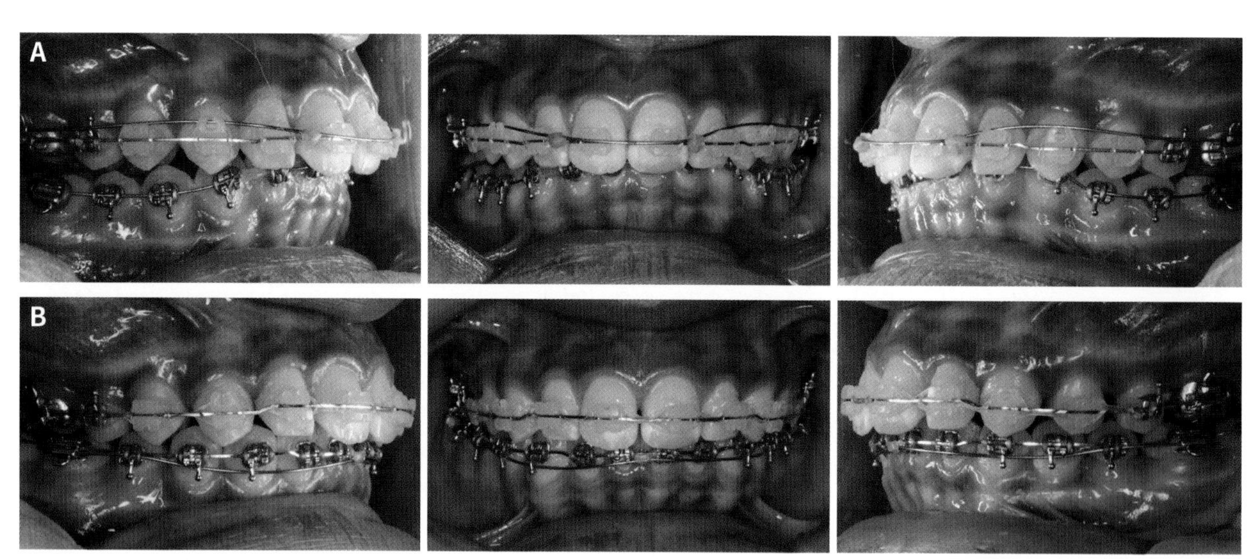

그림 9-7 상악 및 하악 치열에 역스피만곡 와이어를 적용한 모습. A: 상악에 적용, B: 하악에 적용
역스피만곡 와이어로 보조호선으로 넣은 후(piggy back), 중절치와 측절치 사이에 리게이쳐와이어로 결찰시킨 후 레진볼하여 마무리한다.

임상 팁

전치부 함입 치료에서 016 × 022 역스피만곡 나이티놀 호선을 주호선으로 사용하지 않고, 주호선의 상악견치와측절치 사이에 step up band한 후 016 나이티놀 역스피만곡 호선을 보조호선(piggy back wire)으로 사용한 이유:

역스피만곡 나이티놀을 주호선으로 사용하였을 때 발생할 수 있는 과도한 전방 경사 및 그로인한 공간 발생, 그리고 무엇보다 큰 힘을 적용하였을 때 나타날 수 있는 치근 흡수를 약한 와이어를 사용함으로써 줄일 수 있기 때문이다.

2) 치료결과

발치 없이 입술의 돌출이 개선되었고, 눈에 띄는 치근 흡수 없이 전치부의 후방 이동이 성공적으로 이루어졌다. 또한 전치 및 구치 관계가 개선되었다(그림 9-8).[1]

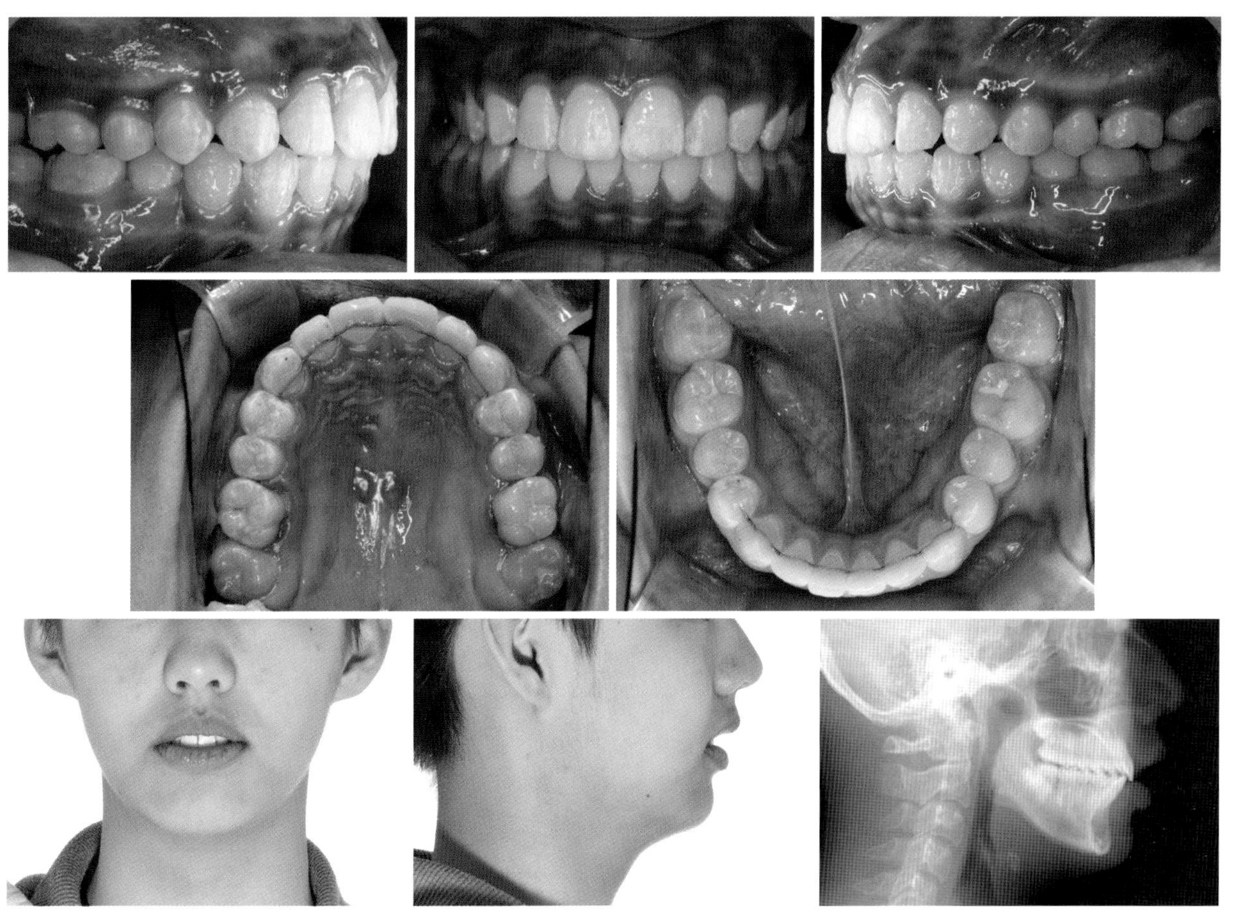

그림 9-8 치료 완료 후 구내, 구외 사진 및 측방두부계측방사선 사진(출처: Kook et al.[1]의 허가를 받아 인용)

2 심한(Severe) 돌출입 치료 전략

과개 교합을 동반한 심한 돌출입 경우에는 제1, 2소구치 사이에 미니 임플란트를 추가로 식립하며(그림 9-9), 과개 교합을 동반하지 않은 돌출입 경우에는 제1,제2대구치 사이에 미니 임플란트를 추가로 식립하여 효율적으로 돌출입 치료를 할 수 있다(그림 9-10).

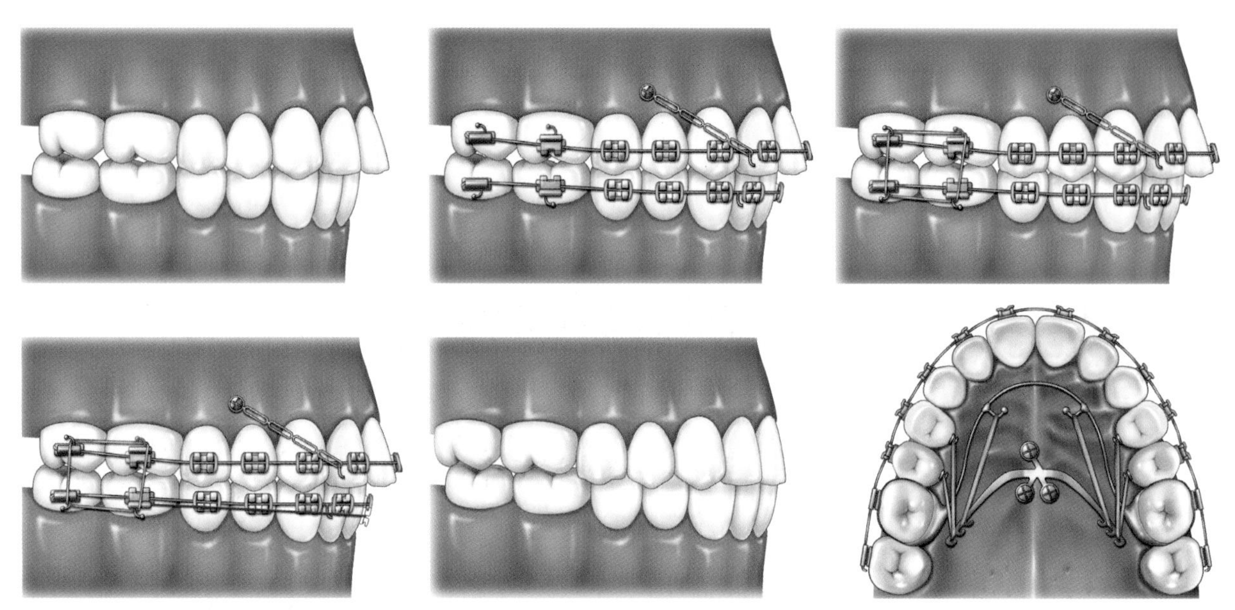

그림 9-9. 과개 교합인 경우에는 제1소구치, 제2소구치 사이에 미니 임플란트를 추가로 식립한다.

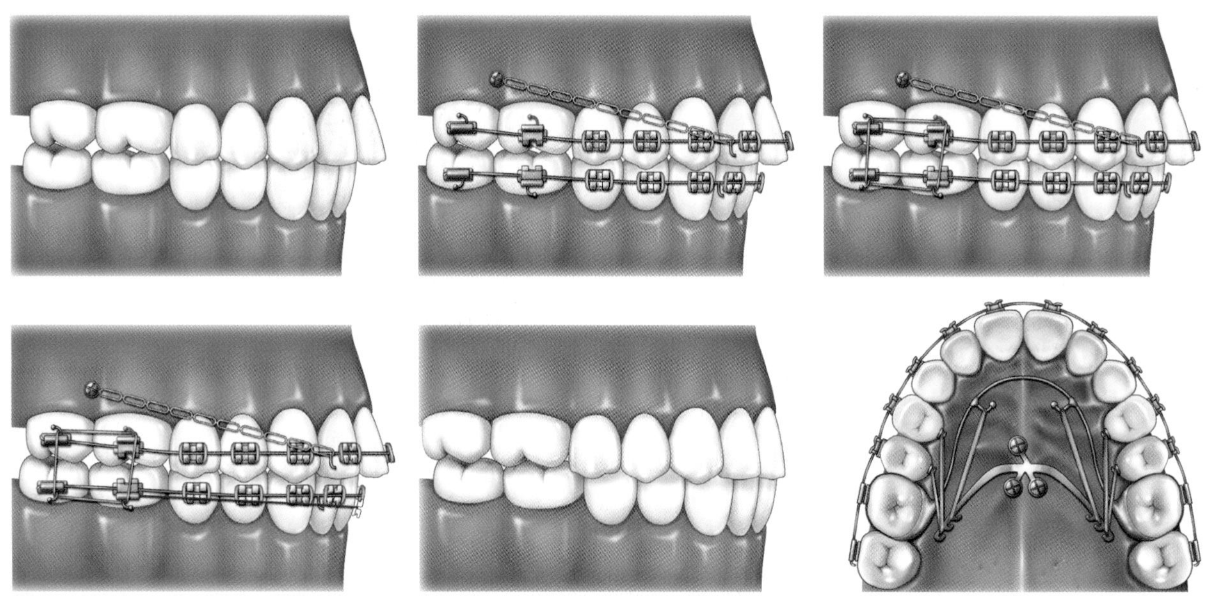

그림 9-10. 과개 교합이 동반되지 않은 심한 돌출입 환자의 경우 제1, 2대구치 사이에 미니 임플란트를 식립한다.

증례 2

23세 여자 환자가 돌출입을 주소로 내원하였다(그림 9-11). 상순의 돌출, II급 구치 관계 및 상하악 크라우딩을 보였다. 두부계측 방사선 사진 및 모델의 주요 계측치는 다음과 같다.

ANB: 7.0°, FMA: 19.5°, U1–FH: 122.0°, IMPA: 103.5°
Arch length discrepancy: 상악 –1.5 mm / 하악 –3.5 mm
수평피개: 11 mm, 수직피개: 4 mm

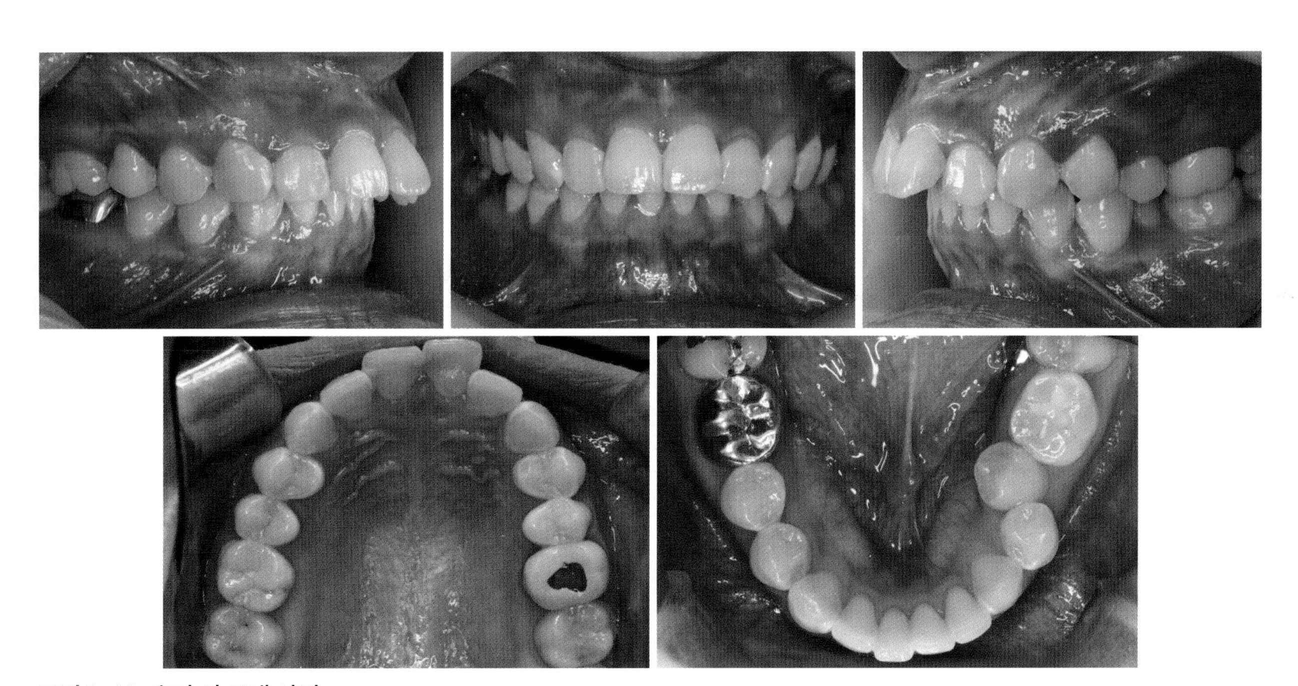

그림 9-11. 초진 시 구내 사진

1) 치료과정

전체 치아에 장치를 부착하여 크라우딩을 해소한 후(그림 9-12), 돌출된 상하악 치열의 후방 이동을 위해 사분악의 제1대구치와 제2대구치 사이에 미니 임플란트 및 구개부 장치를 식립하였다. 그림 9-10에서 설명된 치료 전략에 따라 상하악 전체 치열을 충분히 후방 이동시킬 수 있었으며, 단안모 증례이기 때문에 구치부의 수직 고경을 증가시켜 전치부의 깊은 수직 피개를 감소시키기 위해 구치부에 수직 고무줄을 적용하였다(그림 9-13).

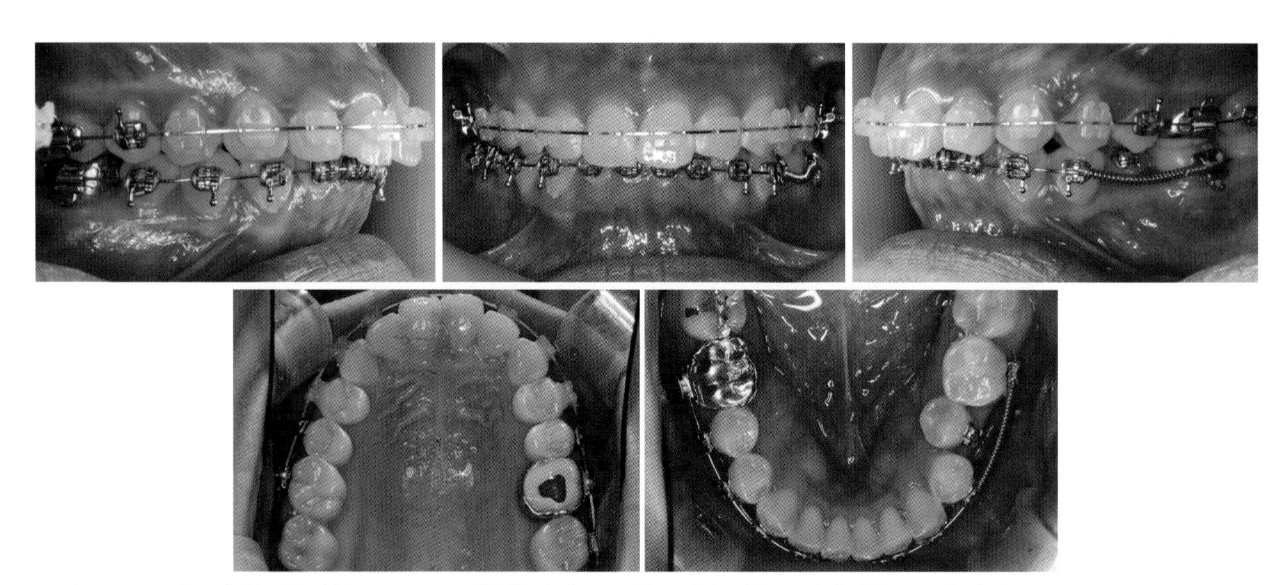

그림 9-12. 크라우딩 해소를 위한 Open Coil 적용하여 제2소구치 공간을 만들고 레벨링하는 구내 사진

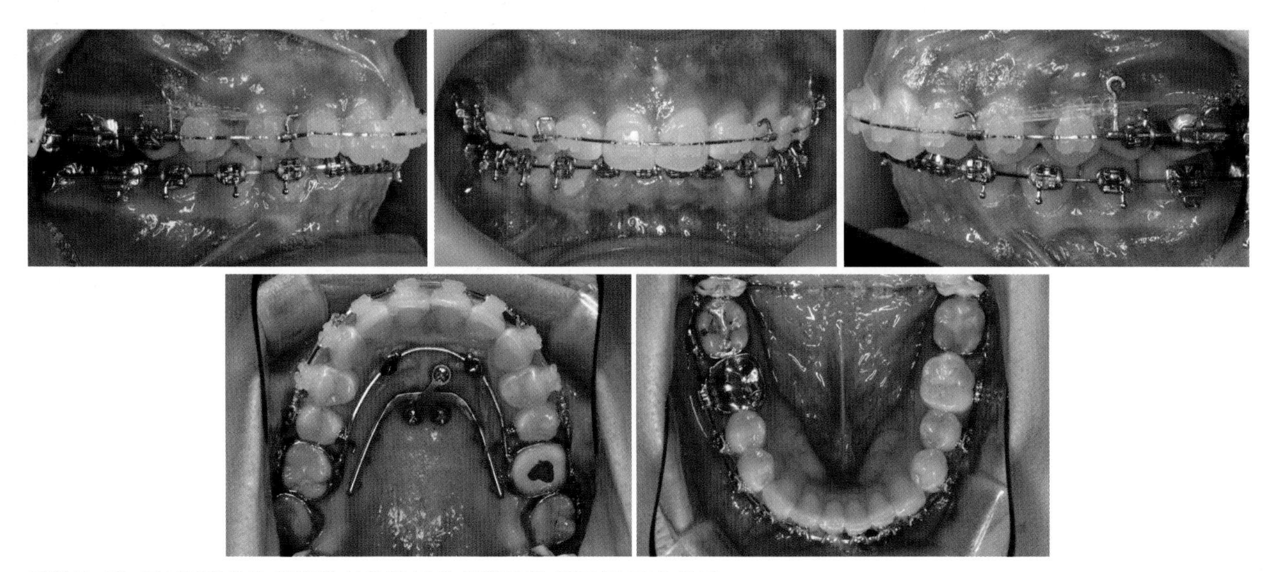

그림 9-13. 구치부장치를 이용해 상하악 전체 치열 후방 이동 중 구내 사진

2) 치료결과

상순의 돌출감이 해소되었고 I급 구치 관계가 얻어졌으며 상하악 크라우딩 및 수평, 수직 피개의 개선을 보였다. 또한 구치부 정출로 인해 수직 고경의 증가가 관찰되었다(그림 9-14, 15).

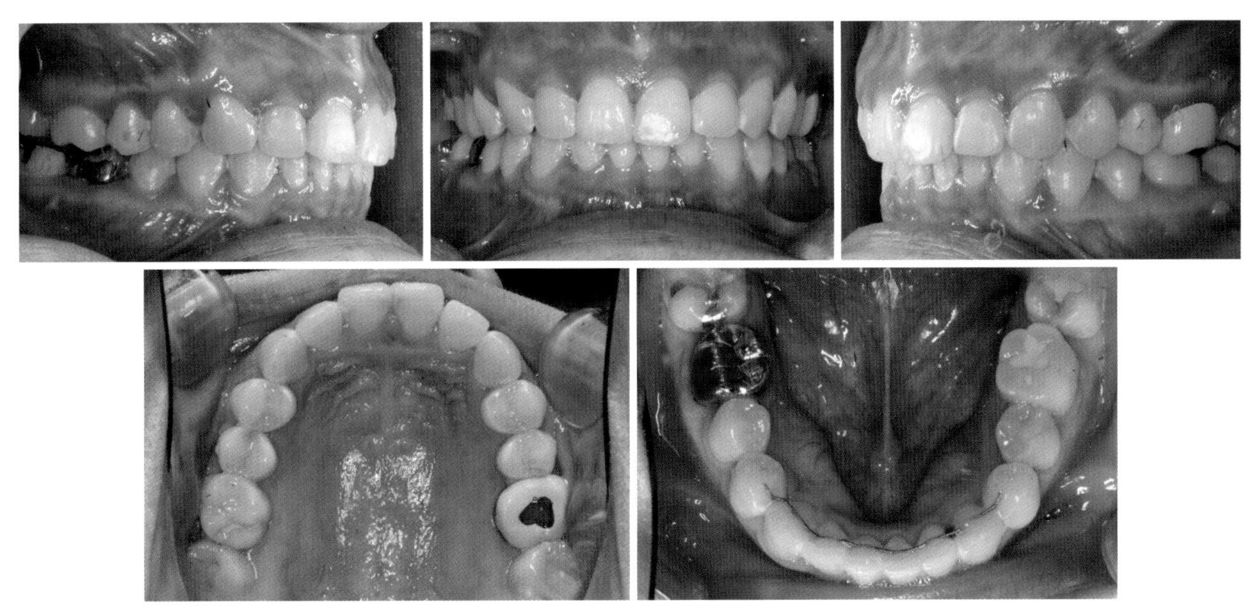

그림 9-14. 치료 종료 후 구내 사진

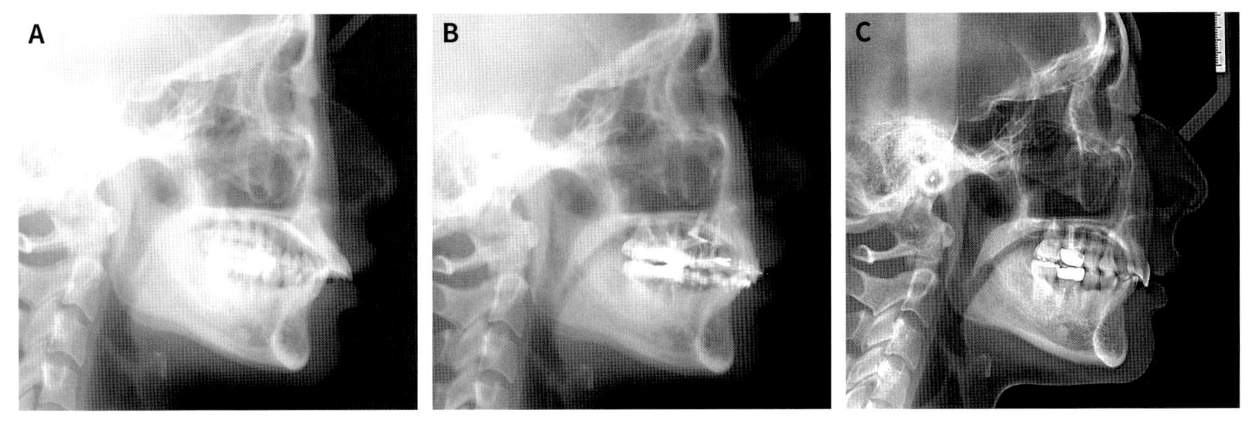

그림 9-15. 치료과정 중 측모두부계측방사선 사진의 변화. A: 초진, B: 치료 중, C: 완료

증례 3

19세 남자 환자가 상순의 돌출감을 주소로 내원하였다(그림 9-16). 상순의 돌출, II급 구치 관계 및 큰 수평 피개를 보였으며, 측모두부계측 방사선 사진 및 모델의 주요 계측치는 다음과 같다.

ANB: 8.0°, FMA: 36.0°, U1-FH: 110.5°, IMPA: 97.0°
Arch length discrepancy: 상악 +2.5 mm / 하악 -3.8 mm
수평피개: 11 mm, 수직피개: 6 mm

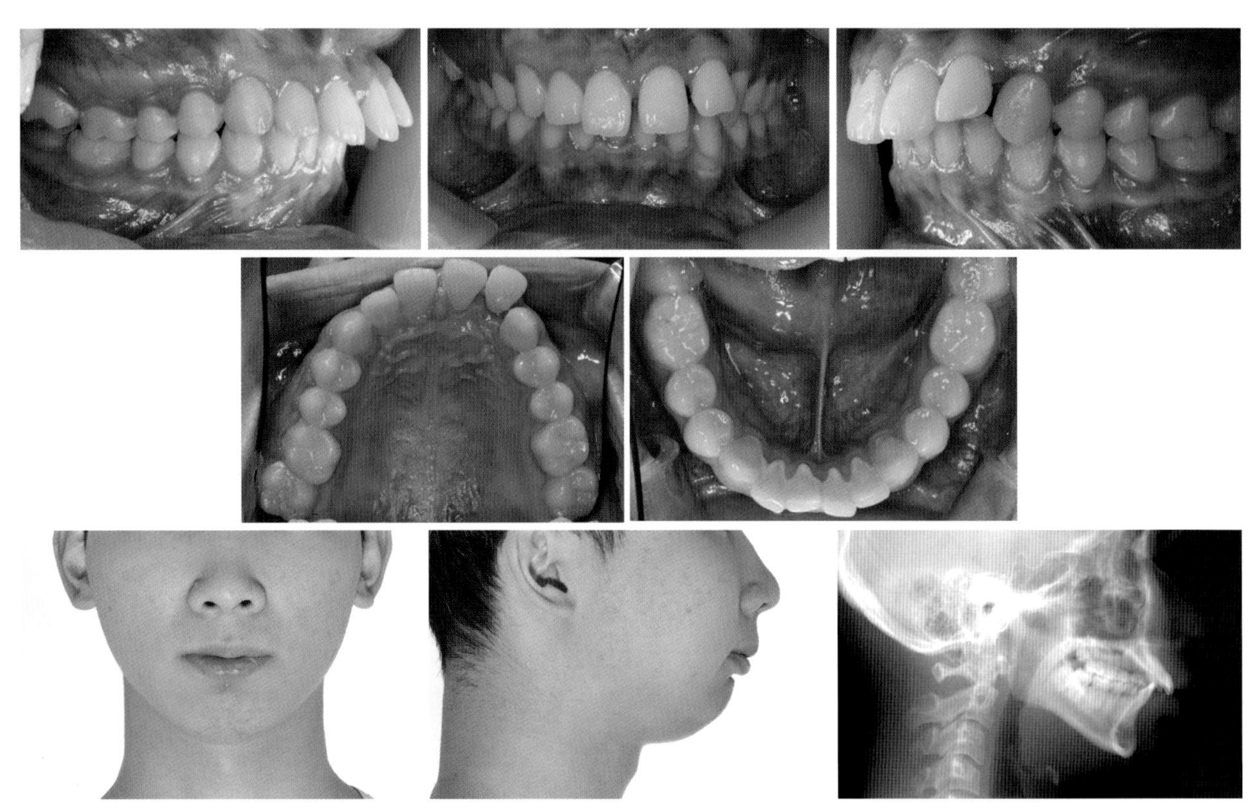

그림 9-16. 초진 시 구내, 구외 사진 및 측모두부계측방사선 사진

1) 치료과정

상악 치열에는 크라우딩이 존재하지 않았으나 구치부의 심한 II급 관계 및 큰 수평 피개를 보여 상악 치열의 후방 이동량이 상당량 요구되어 상악 후방 이동에 집중하였다. 전체 치아에 고정식 교정장치를 부착하면서 구개부 장치를 식립하여 크라우딩 해소 후 전체 치열의 후방 이동을 상당량 얻어 구치부 관계를 개선하였다(그림 9-17). 상악 치열의 많은 후방 이동과 함께 전치부 수직 피개가 증가하는 경향을 보여 하악 제1대구치와 제2대구치 사이에 미니 임플란트를 식립하여 하악 전치부 함입을 도모하였다(그림 9-18).

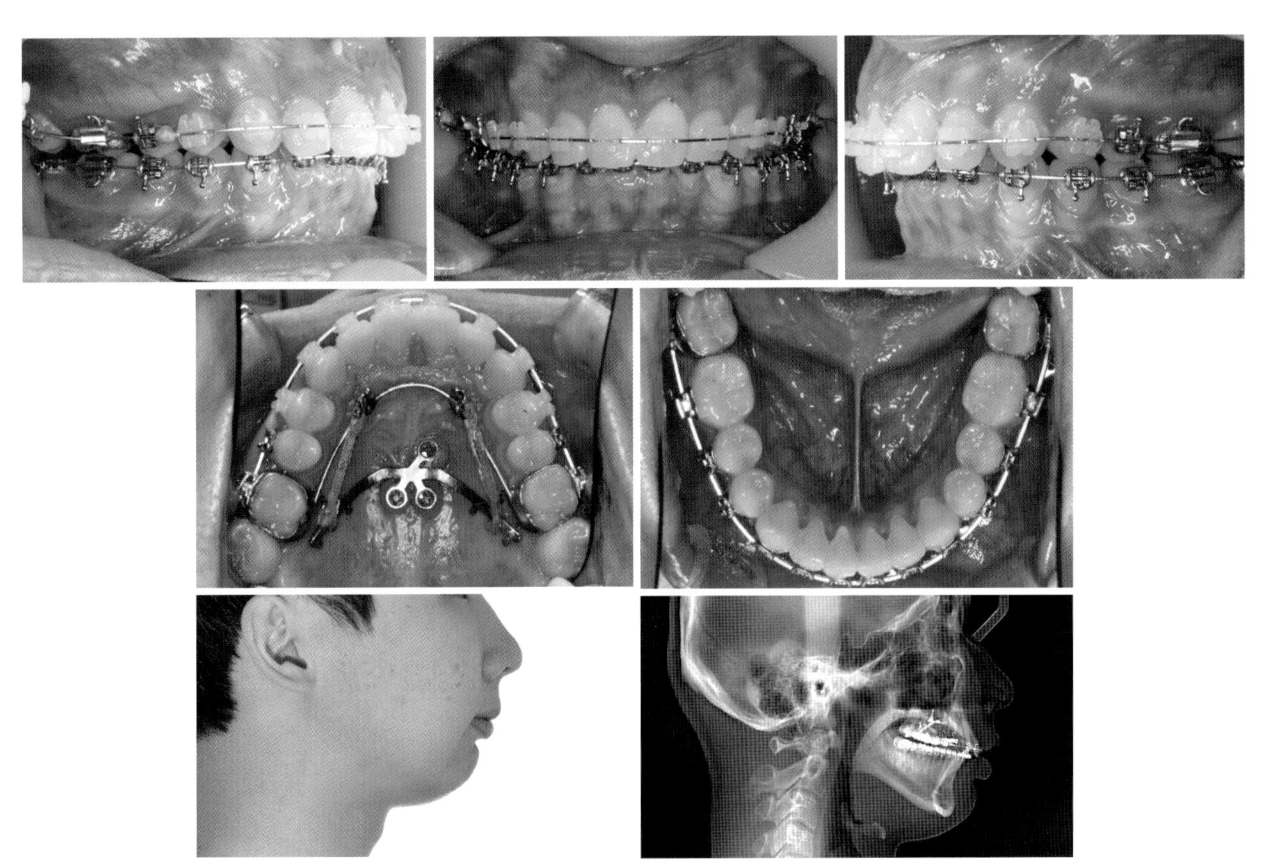

그림 9-17. 7개월 후 구내, 구외 사진 및 측모두부계측방사선 사진

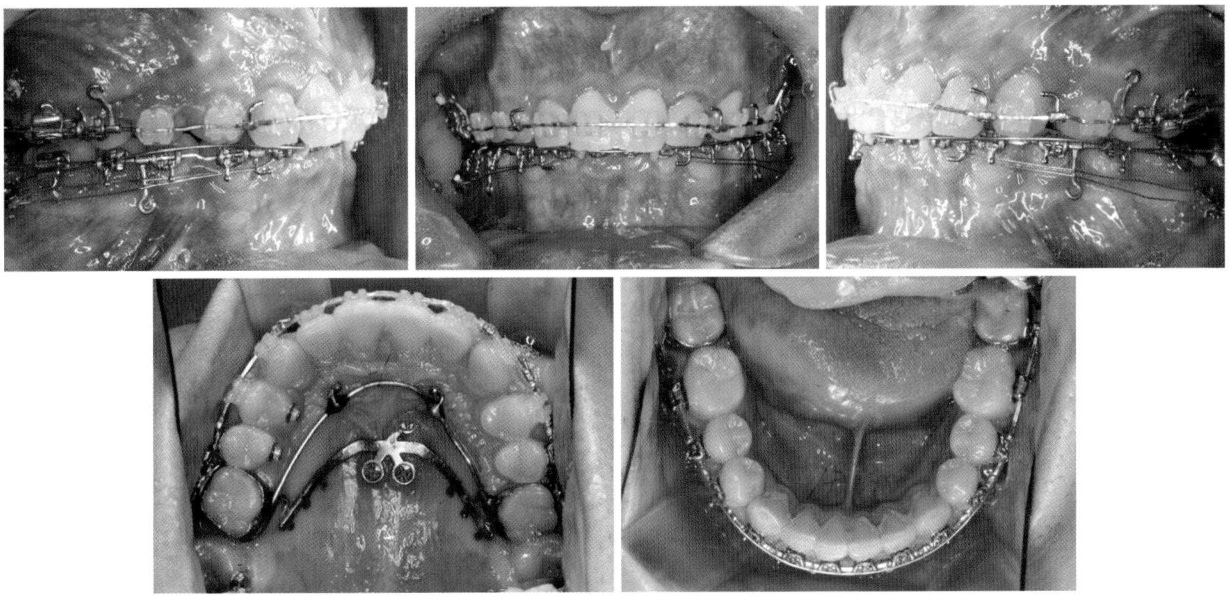

그림 9-18. 13개월 후 구내 사진

2) 치료결과

상하순의 돌출 및 큰 수평 피개가 해소되었으며 I급 구치 관계를 얻을 수 있었다(그림 9-19, 20).

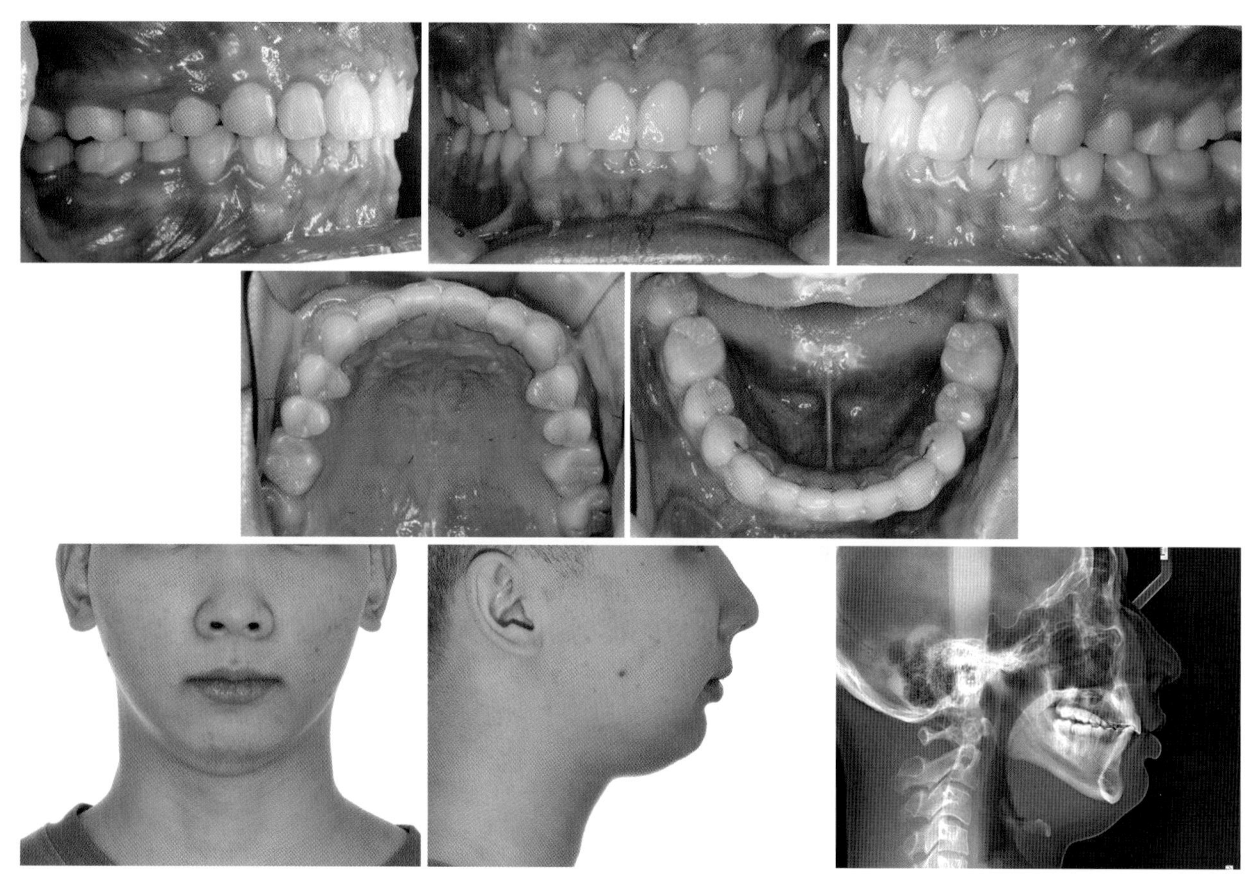

그림 9-19. 치료 종료 후 구내, 구외 사진 및 측모두부계측방사선 사진

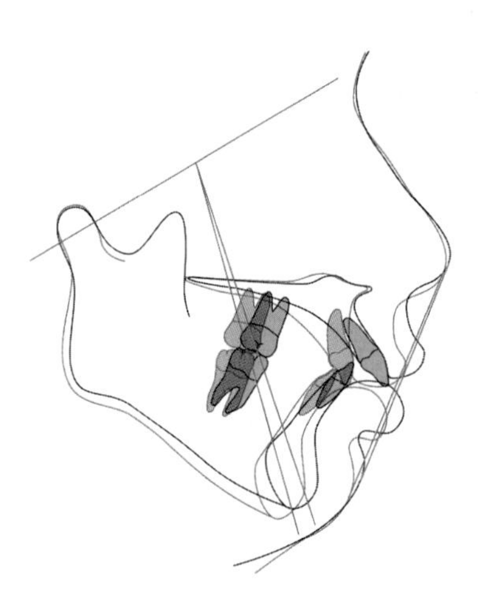

그림 9-20. 치료 전후 측모두부계측방사선 사진 중첩

3 복잡한(Complex) 돌출입 치료 전략

상악 돌출과 하악 후퇴를 보이는 II급 골격관계와 함께 I급 구치 관계를 보이는 경우 성공적인 비발치 치료는 하악 치열의 후방 이동량에 의해 결정된다. 그러므로 하악 치열의 효율적인 후방 이동에 대한 생역학을 잘 이해하고 적용을 해야 한다.

그림 9-21과 같이 구개부 장치와 하악 미니 임플란트를 통해 상, 하악 전치열 후방 이동을 시킨다. 우선 하악 치열의 후방 이동을 통해 충분한 양의 수평피개를 확보한다. 하악 치열의 후방 이동이 충분히 이루어지면서 발생한 수평피개의 치료는 II급 상악 전돌 치료방법과 동일하다. 또한 치료 시 발생할 수 있는 과개 교합을 예방하기 위해 하악에 역스피만곡 와이어를 넣어줄 수 있다. 마무리 단계에서 제1대구치와 견치의 I급 관계와 적절한 수평, 수직피개를 형성해준다.

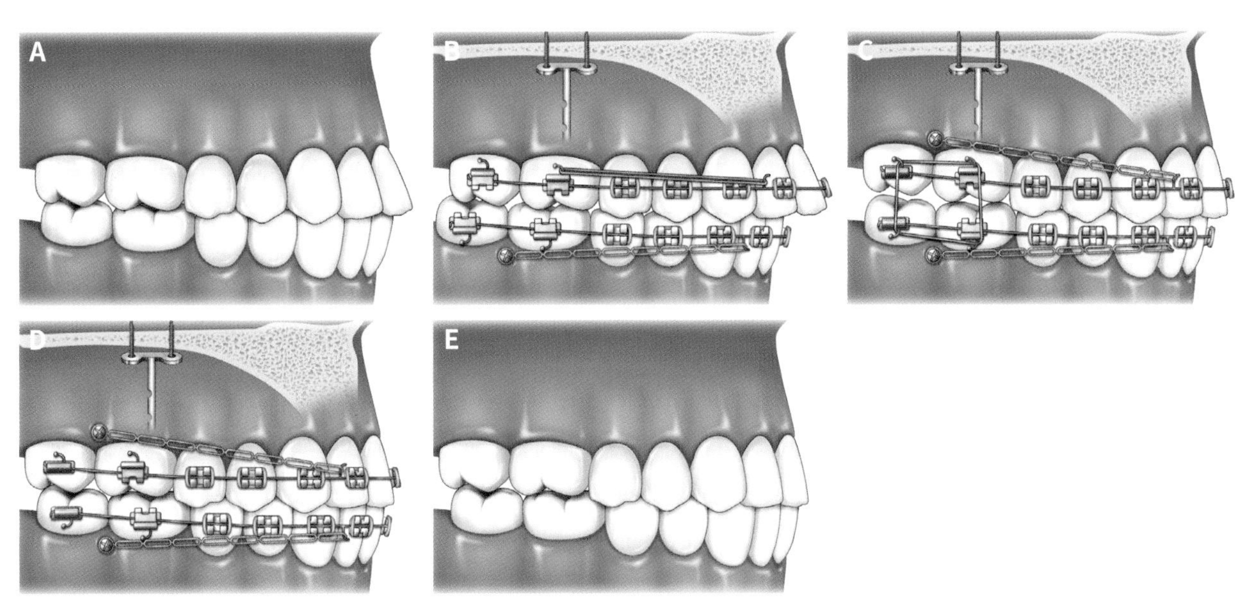

그림 9-21. 골격성 II급, 치성 I급 장안모 증례의 치료 전략
A: I급 구치관계의 돌출, B: 하악 치열의 후방 이동을 통한 충분한 수평피개 형성, C: 상하악 전치열 후방 이동 시 box elastic 사용, D: 하악 치열에 역스피만곡 와이어를 추가, 상악 치열이 후방 이동된 모습, E: 돌출이 해소되며 I급 구치와 견치관계와 정상적인 수평, 수직피개를 형성

증례 4

15세의 여자 환자가 돌출입과 하악 치열의 크라우딩을 주소로 내원하였으며, 환자와 부모 모두 발치를 원하지 않았다. 환자는 골격적으로 II급 양상을 보였고, 과발산형의 안모를 나타냈으며, 상하순의 돌출을 동반하였다. 상하악 치열 모두 전치부에 크라우딩이 존재했으며, 우측의 구치 및 견치 관계는 I급, 좌측의 견치 및 구치는 II급 관계를 나타냈다. 0.9 mm의 작은 수직피개를 갖고 있었고 수평피개 양은 2.9 mm였다. 치열 정중선이 상악은 우측으로 1 mm, 하악은 좌측으로 2 mm정도 변위되어 있어 서로 일치하지 않았다(그림 9-22). 측모두부계측 방사선 사진 및 모델의 주요 계측치는 다음과 같다.

ANB: 9.0°, FMA: 43.5°, U1-FH: 104.0°, IMPA: 105.0°
Arch length discrepancy: 상악 -3.2 mm / 하악 -6.8 mm

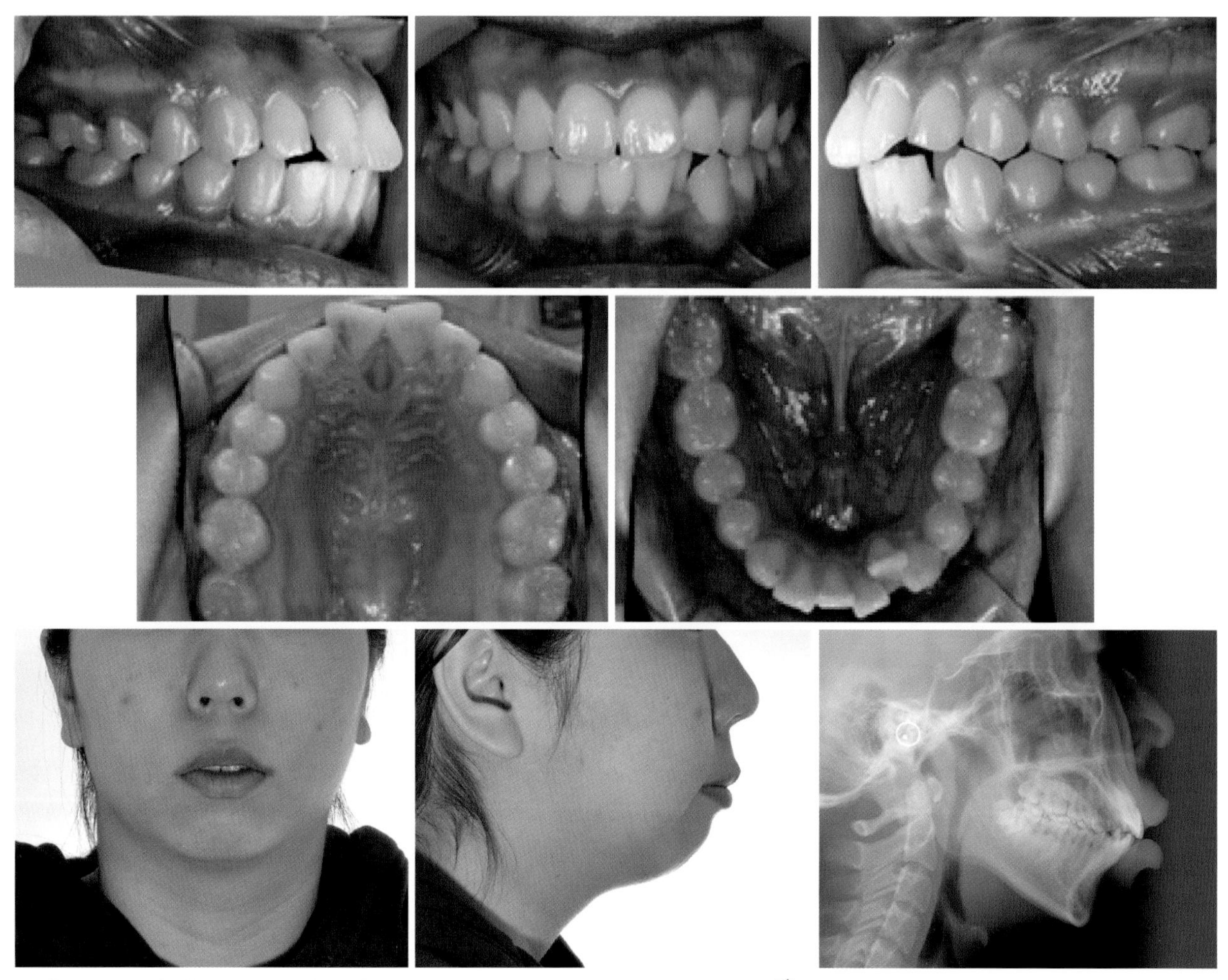

그림 9-22. 초진 시 구내, 구외 사진 및 측모두부계측방사선 사진(출처: Park et al.[2])의 허가를 받아 인용)

1) 치료과정

앞서 설명한 치료 전략에 따라 먼저 하악 치열을 후방 이동시켜 충분한 수평 피개를 형성하고 하악 전치부의 각도를 개선하였다. 환자는 상악 전치부 함입을 요하지 않는 심함 돌출입 케이스이므로 상악에 구개부 장치 및 제1대구치와 제2대구치 사이의 협측 미니 임플란트를 식립하여 상악 전치열 후방 이동을 시행하였다. 이때 구치부에는 수직 고무줄을 사용하여 전치부의 수직 피개가 깊어지는 것을 방지하며 효과적인 후방 이동에 도움을 주었다(그림 9-23).

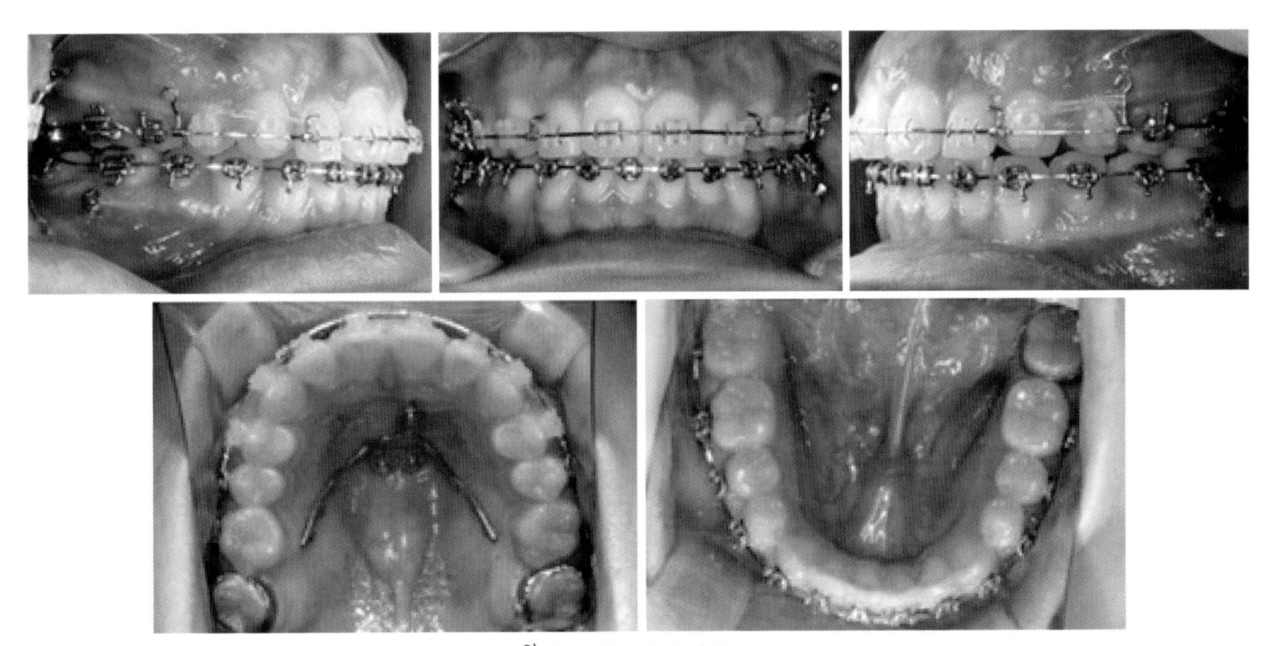

그림 9-23. 치료과정 중 구내 사진(출처: Park et al.[2]의 허가를 받아 인용)

2) 치료결과

상하순의 돌출 및 상하악 전치부의 크라우딩을 해소하였으며 I급 구치 관계를 얻었다. 상하악 전체 치열의 적극적인 후방 이동을 통해 전치부의 각도가 상당량 개선되었다(그림 9-24, 25).[2]

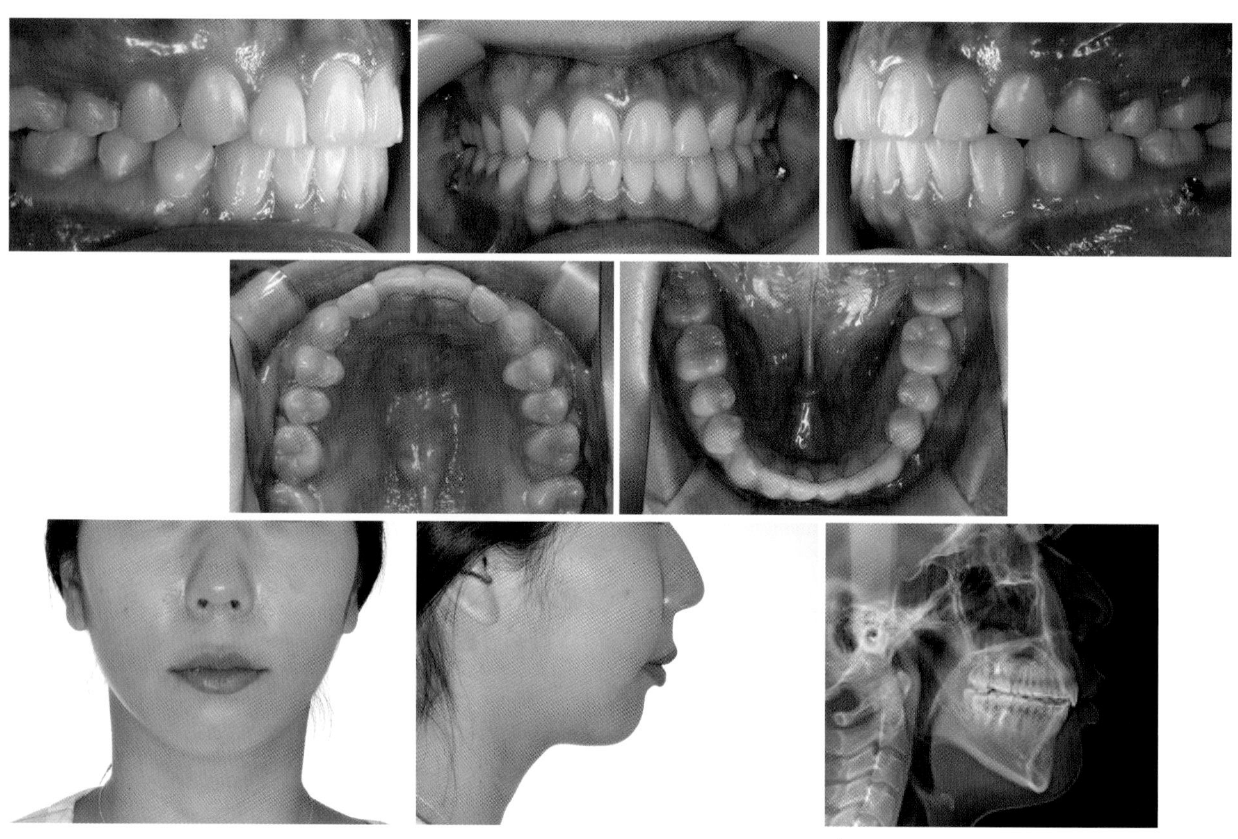

그림 9-24. 치료 종료 후 구내, 구외 사진 및 측모두부계측방사선 사진(출처: Park et al.[2]의 허가를 받아 인용)

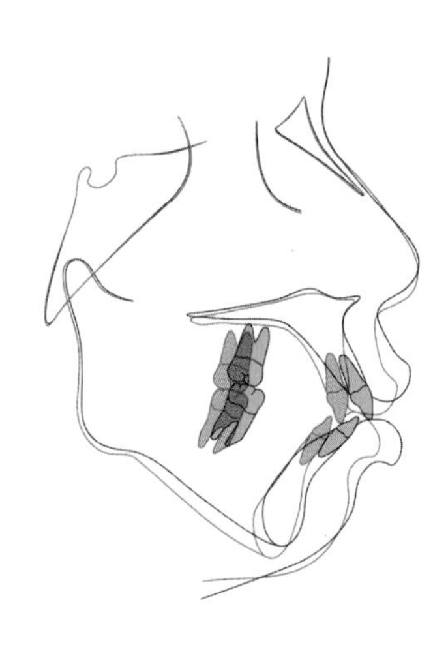

그림 9-25. 치료 전후 측모두부계측방사선 중첩

9-2 비발치 치료로 가능한 최대 후방 이동량

심한 수평피개를 가진 II급 부정교합 환자에서 비발치 교정치료는 접근하기 어려운 치료 중 하나이다. 지금까지 수평피개를 줄이고 안모를 개선하기 위해 소구치 발치를 동반한 치료를 해왔다. 골성 고정원의 발달을 통해, 치간 삭제를 동반하면서 협측 미니 임플란트를 이용하여 전치열 후방 이동 치료할 경우 제2소구치 발치 치료와 결과에 있어 차이가 없다는 보고가 있었다.[3)]

기존의 협측 미니 임플란트를 이용하면 half-cusp II급 부정교합의 구치 관계는 개선할 수 있지만, full-cusp II급 부정교합의 구치 관계까지 개선하기에는 한계가 있으며, 더 많은 후방 이동을 위해 기존의 미니 임플란트를 제거하고 더 후방에 재식립해야 하는 불편감이 있다. 하지만 구개부 장치를 이용하면 상악 구치부의 후방 이동량이 기존의 미니 임플란트보다 크기 때문에 full-cusp II급을 보이는 증례에서도 구치 관계 개선과 함께 적은 양의 경사이동이 일어난다(그림 9-26).[4), 5)]

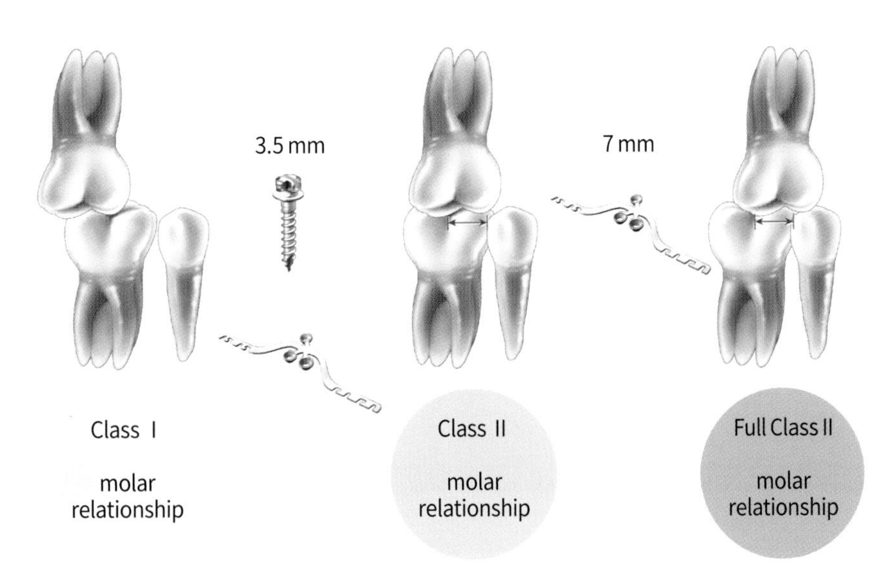

그림 9-26. 미니 임플란트와 구개부 장치에서 가능한 후방 이동량

과학에 근거한 비발치/발치 치료의 후방 이동량 비교

평균 8 mm 수평피개를 가진 환자 중 구개부 장치를 이용한 그룹과 제1소구치 상악 발치 교정 치료받은 그룹 간의 비교에서 치료 후 골격 및 연조직의 변화는 유의미한 차이가 없었다. 수평피개의 감소량은 비슷했으며, 치료기간에 있어서는 두 그룹 간에 차이가 없었다(그림 9-27). 이러한 결과는 심한 수평피개를 갖는 II급 부정교합 환자에서 구개부 장치를 사용한 치료가 좋은 치료법이 될 수 있다는 것을 보여주었다.[6]

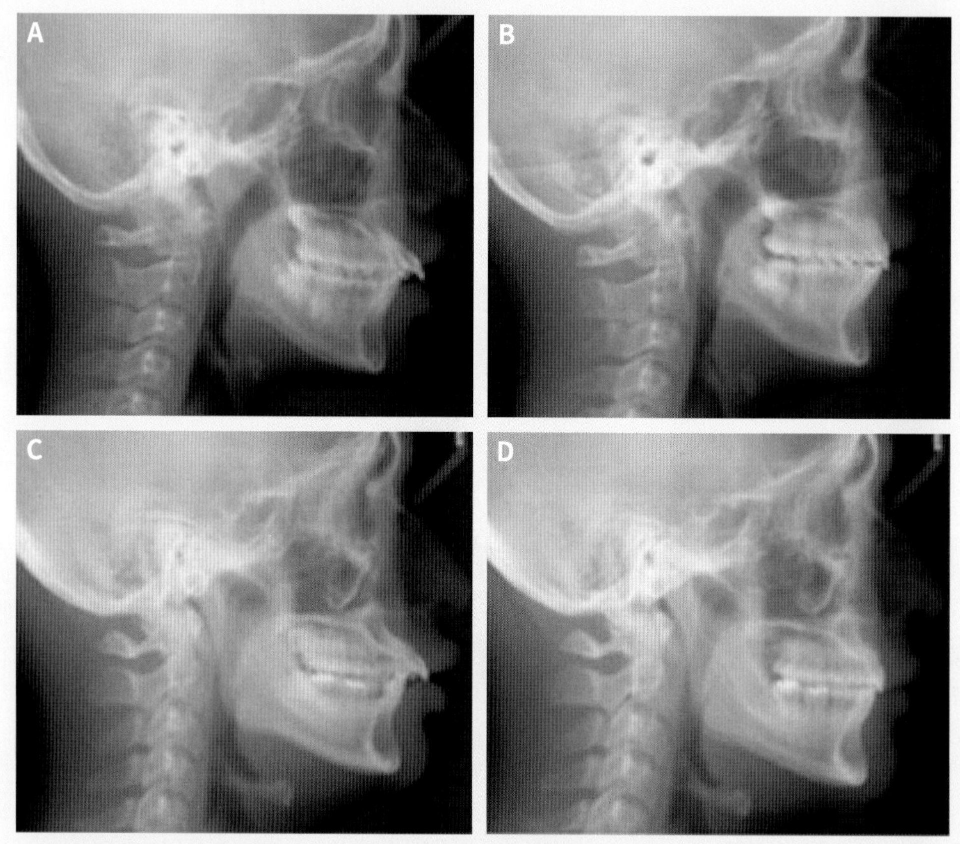

그림 9-27. A, B: 구개부 장치를 이용한 치료 전과 후의 측모두부계측방사선 사진, D, E: 협측 미니 임플란트를 이용한 치료 전과 후의 측모두부계측방사선 사진(출처: Alfawaz et al.[6]의 허가를 받아 인용)

발치 그룹에서는 평균적으로 8.4 mm의 수평피개를 가지며 대부분 3/4 cusp과 full cusp을 보이고 있었다. 상악 제1소구치를 발치하고 제2소구치와 제1대구치 사이에 협측 미니 임플란트 식립하여 치료하였으며, 평균 27개월이 소요되었다. 그 결과 상악 전치부는 평균 7.8 mm 후방 이동 되었다(그림 9-28A). 한편, 비발치 후방 이동 그룹은 초진 시 평균 8.1 mm의 수평피개를 가지며 3/4 cusp과 full cusp을 이루고 있는 환자군으로 구성되었으며, 구개부 장치를 이용하여 평균 26.5개월 간 후방 이동을 동반한 치료를 진행하였다. 그 결과 상악 전치부는 평균 6.1 mm, 제1대구치는 5.4 mm 후방 이동하였다(그림 9-28B).

A

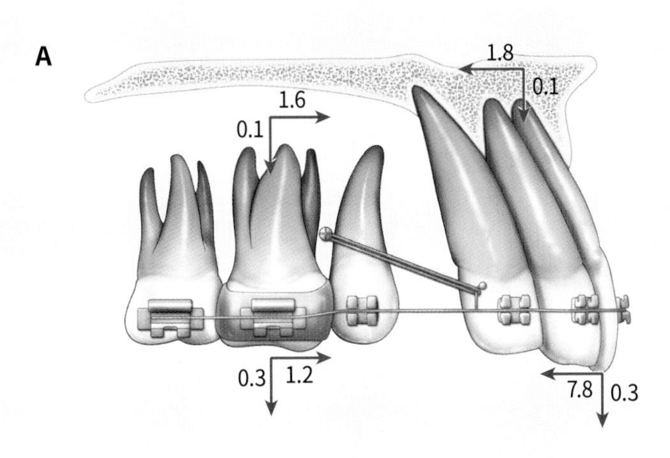

B

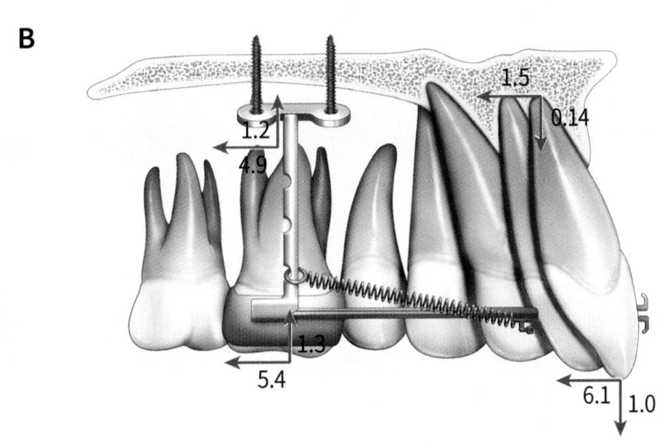

그림 9-28. 소구치 발치 증례와 상악 후방 이동 증례의 치료결과 비교
A: 발치 그룹에서는 상악 제1소구치 발치 후 제2소구치와 제1대구치 사이에 식립된 협측 미니 임플란트를 통해 전치부의 후방 이동을 도모하였다. B: 비발치 후방 이동 그룹에서는 구개부 장치를 사용하여 전치열 후방 이동을 시행하였다.

그러므로 8 mm 정도의 수평피개를 보이는 환자에서도 구개부 장치를 이용한다면 소구치의 발치 없이 우수한 치료결과를 보일 수 있다. 또한 소구치를 발치한 경우와 전체 치열을 후방 이동한 경우 평균 치료기간이 유사하였다.

9-3 상악 전치의 토크 상실에 대한 대처법

1 브라켓과 호선의 토크 조절

전치부 분절의 설측 경사가 발생하게 되므로 높은 토크의 브라켓을 사용을 기본으로 하고, 내원 시 전치부를 관찰하여 추가적인 토크의 부여가 필요하다. 전치부의 토크는 연속 호선 역학에서 counteracting 모멘트를 호선에 선택적 토크를 부여함으로써 얻을 수 있다.

전치부 토크 조절을 위해서는 전치부 슬롯은 018 슬롯 브라켓으로 사용하고 016 × 022 inch 스테인리스강 와이어에 토크를 부여하여 전치부 설측 경사에 대응하는 모멘트를 발생시키는 것이 가장 효과적이다. 이후의 후상방 힘은 전치부의 순측경사 힘과 정출에 대응하는 고정원으로써의 역할을 한다.

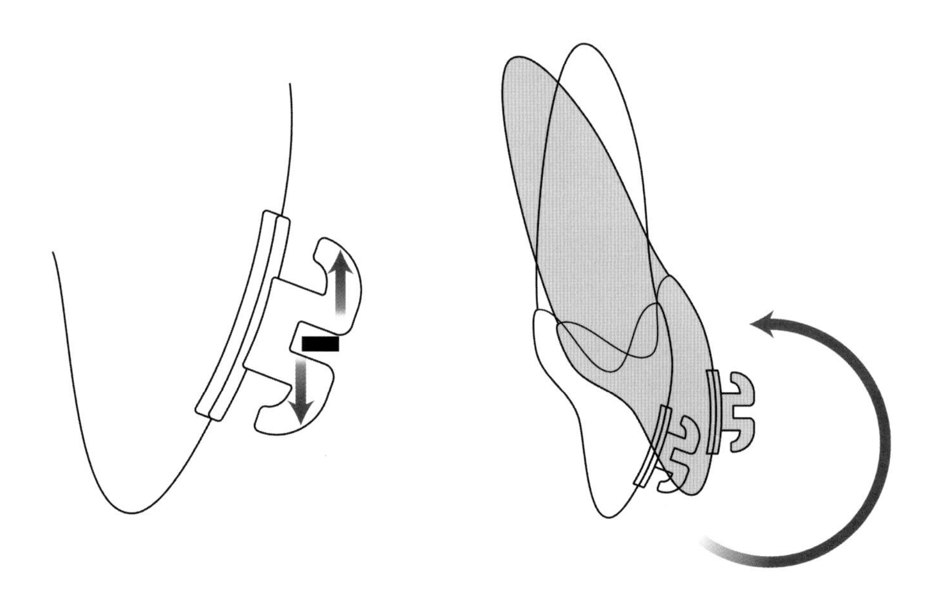

그림 9-29. 높은 토크의 브라켓 부착을 통한 치축 개선

2 토크 스프링

019×025 스테인리스강 호선을 주호선으로 하여 토크 조절이 필요한 4전치를 제외하고 나머지 치아의 브라켓 슬롯에 삽입한다. Bending을 통하여 주호선이 4전치의 브라켓의 절단연 방향으로 지나가도록 한다. 016×022 TMA를 사용하여 incisor root spring을 제작하여 4전치의 브라켓 슬롯에 지나가도록 한다(그림 9-30).

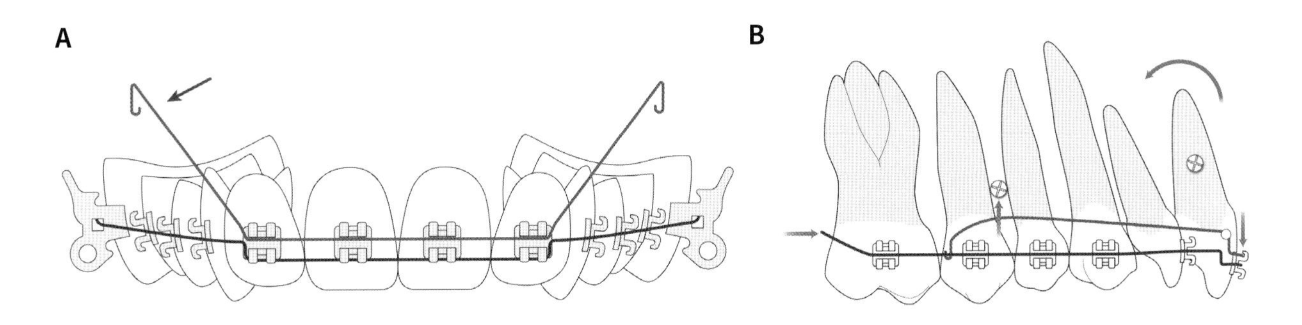

그림 9-30. 토크 스프링을 통한 치축 개선. A: incisor root spring을 상악 4전치에 결찰한 모습, B: incisor root spring을 activation하여 구치부 협측 와이어에 결찰한 모습

다음은 토크 스프링을 통해 상악 전치의 토크를 조절한 증례이다. II급 구치 관계를 보여 상악 전치열 후방이 필요했던 환자로(그림 9-31), 통상적인 방법에 따라 구개부 장치를 사용하여 전체 치열을 후방 이동시켰다(그림 9-32). 이 과정에서 상악 전치의 설측 경사가 발생하여 토크 조절을 위해 토크 스프링을 적용하였다(그림 9-33). 그 결과 상악 전치의 치축이 적절한 각도로 회복되었으며 만족스러운 치료결과를 얻을 수 있었다(그림 9-34, 35).

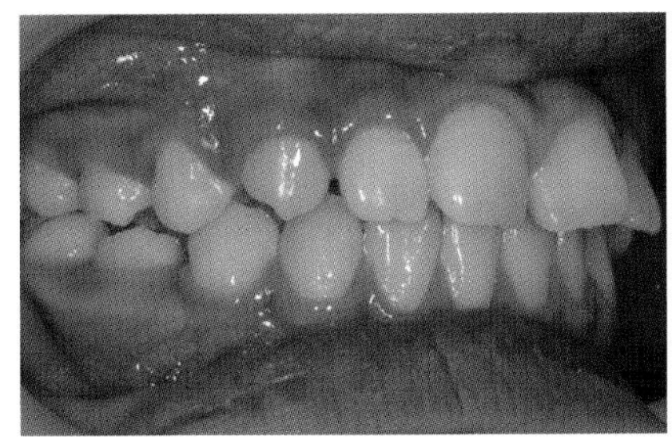
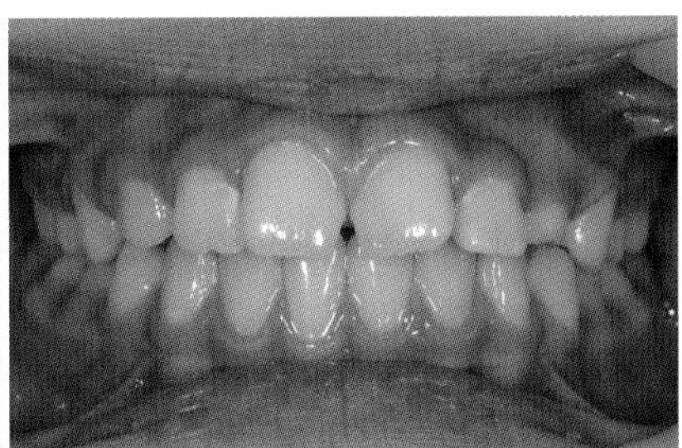
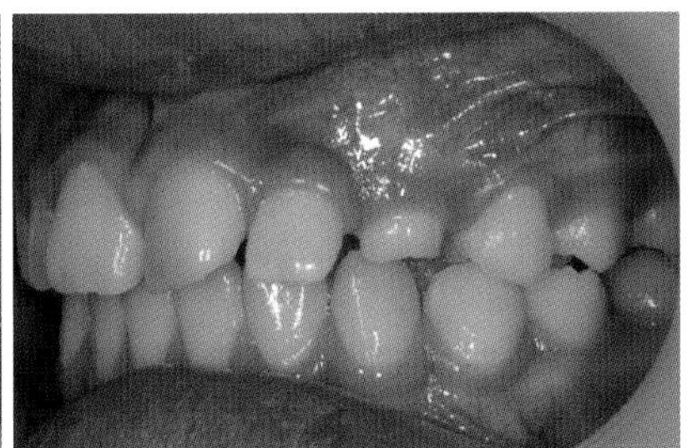

그림 9-31. 초진 시 구내 사진

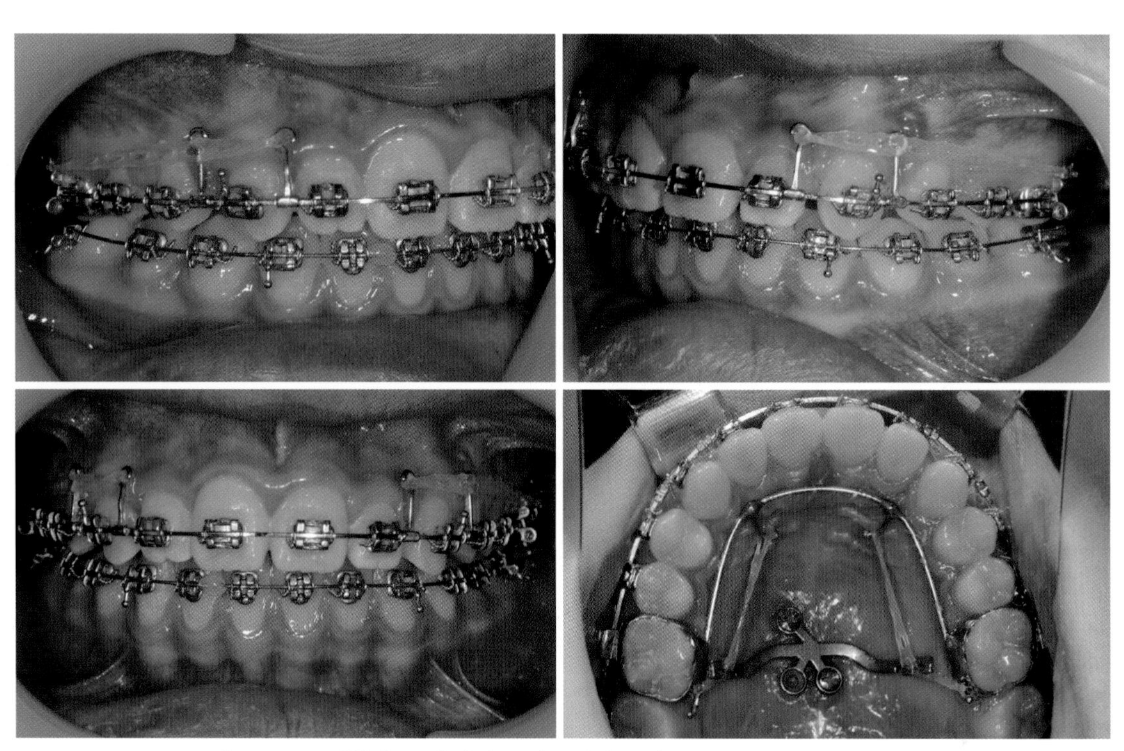

그림 9-32. 16개월 후 구내 사진. 구개부 장치를 적용하였다.(제공: 모성서 교수)

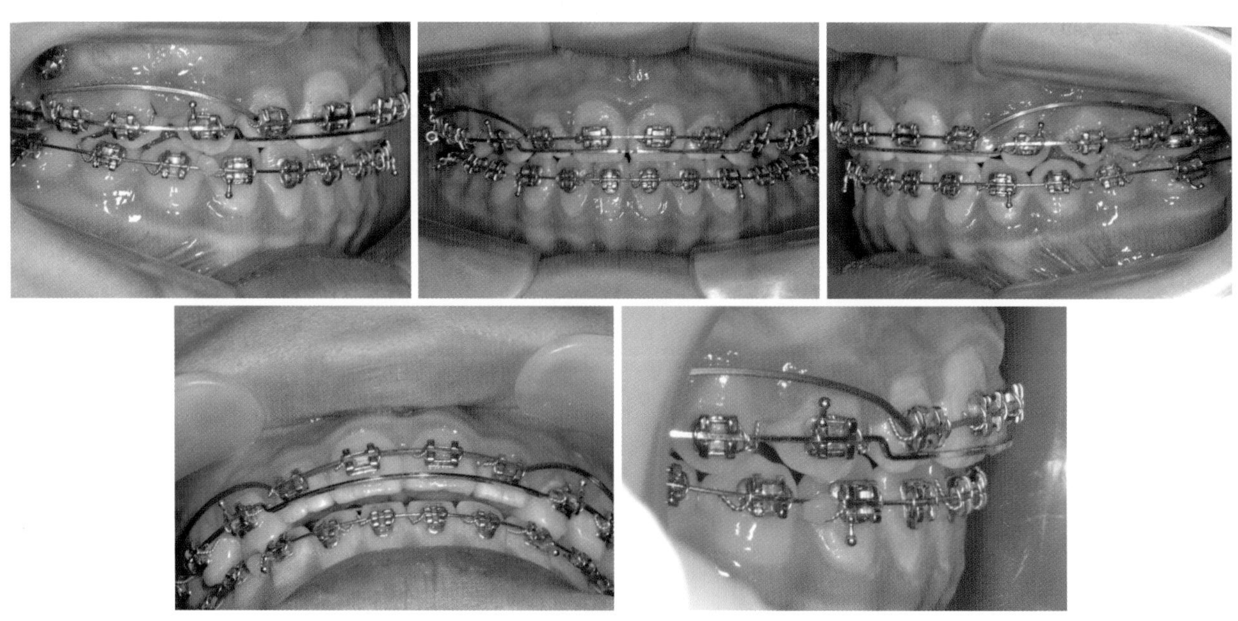

그림 9-33. 치축 개선을 위하여 토크 스프링을 적용한 모습

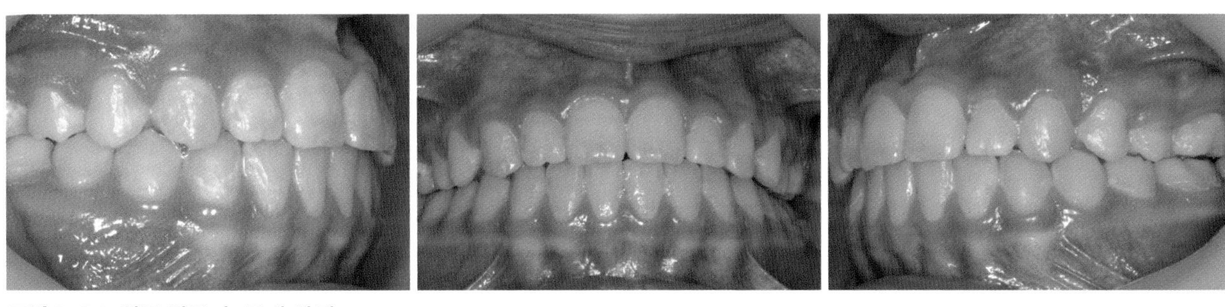

그림 9-34. 치료 완료 후 구내 사진

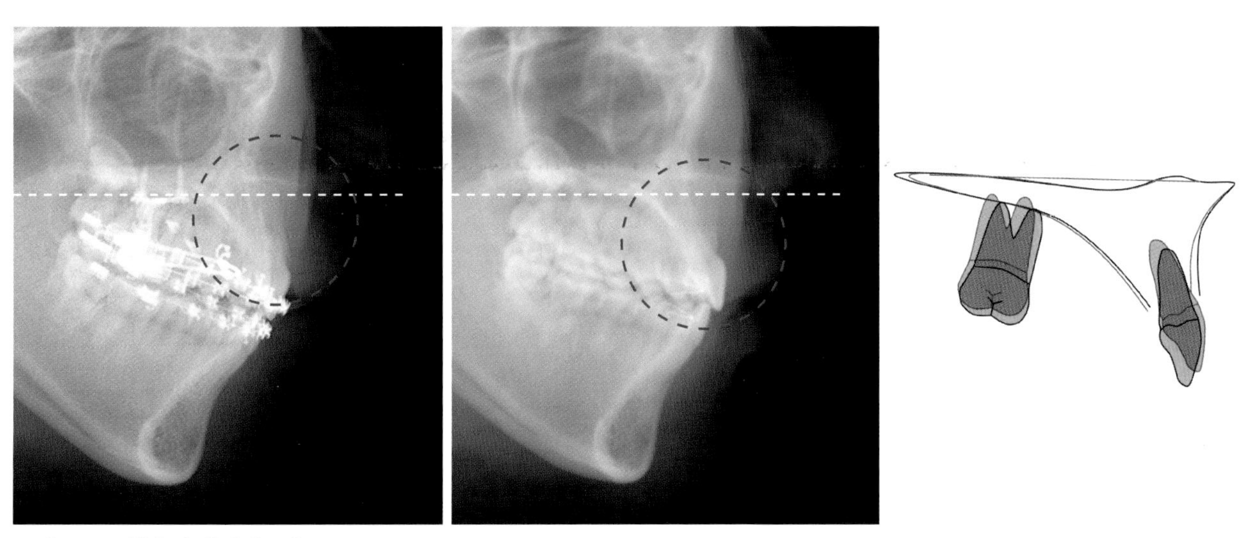

그림 9-35. 치축이 개선된 모습

3 설측 리트랙터(Lingual retractor)

구개부 장치를 통해 상악 구치부의 후방 이동을 시행한 후 장치를 제거하지 않고 상악 전치부를 구개측으로 이동시키는 설측 리트랙터로 이용할 수 있다(그림 9-36).

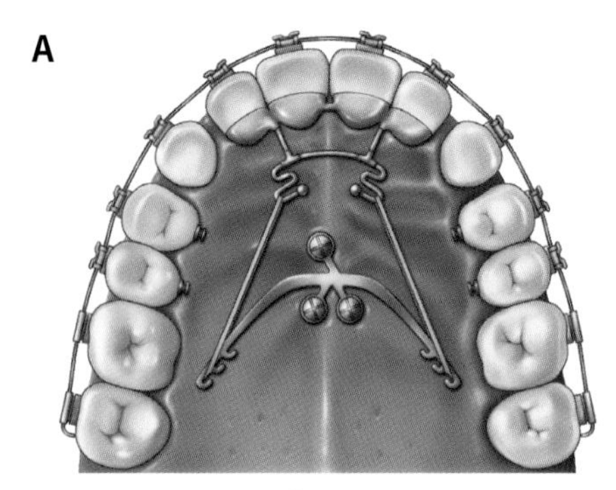

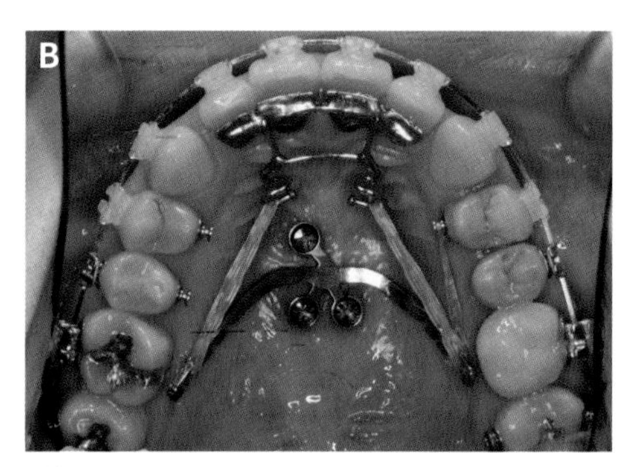

그림 9-36. 설측 리트랙터를 장착한 모습. A: 모식도, B: 구내 모습

> 임상 팁
> 설측 리트랙터 훅의 위치를 상악4전치의 저항 중심에 근접하게 힘을 적용함으로써 가장 효과적인 토크 조절을 할 수 있다.

아래 증례는 II급 구치 및 견치 관계를 가진 환자로, 상악의 전치열 후방 이동을 통한 교합의 개선이 필요한 환자였다(그림 9-37). 구개부 장치를 이용하여 상악 치열의 후방 분절을 충분히 이동시켜 교합 관계를 개선한 이후, 구개부 장치를 제거하지 않고 설측 리트랙터를 통한 상악 전치부 후방 이동의 고정원으로 사용하였다(그림 9-38). 치료 종료 시 양호한 교합 관계를 얻었으며, 상악 전치부의 저항 중심 하방을 지나는 힘의 적용으로 전치부 각도가 개선된 것을 확인할 수 있었다(그림 9-39, 40).

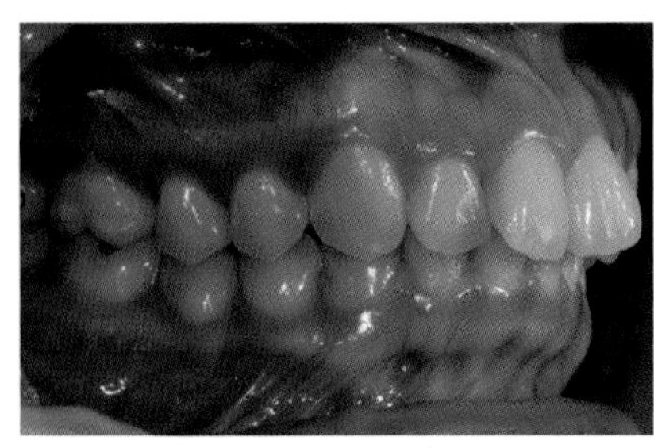
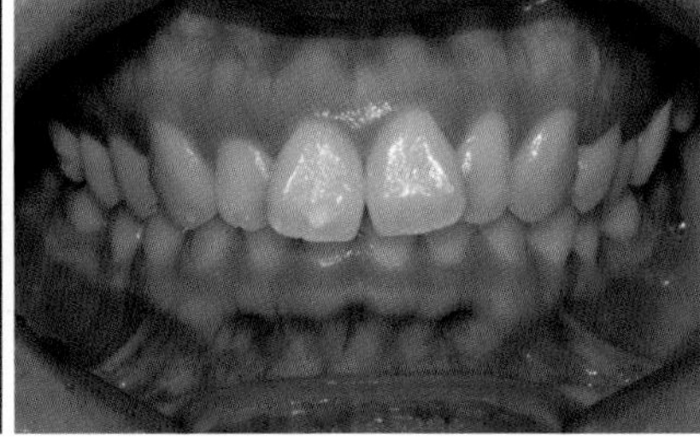
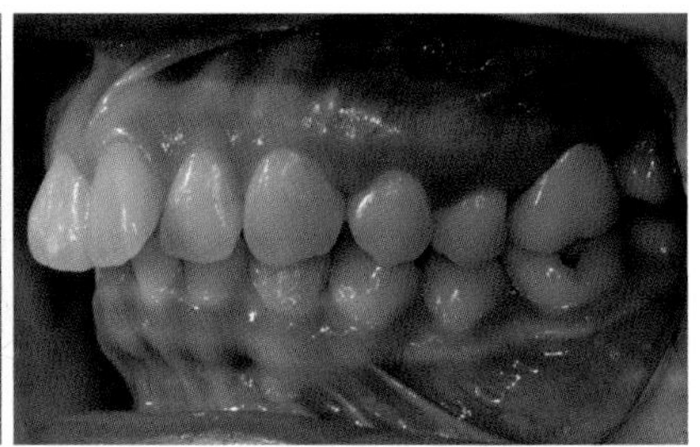

그림 9-37. 초진 시 구내 사진

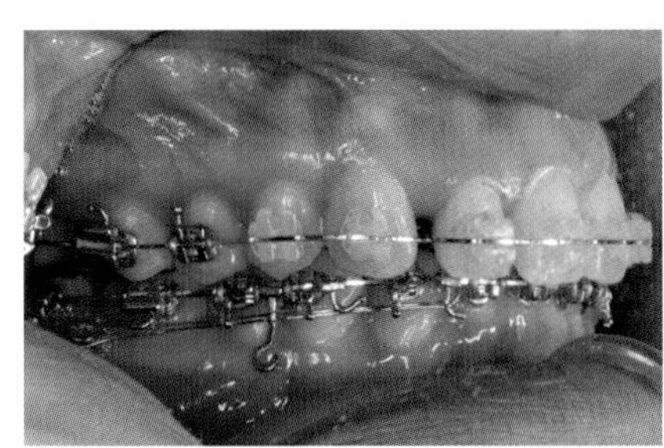
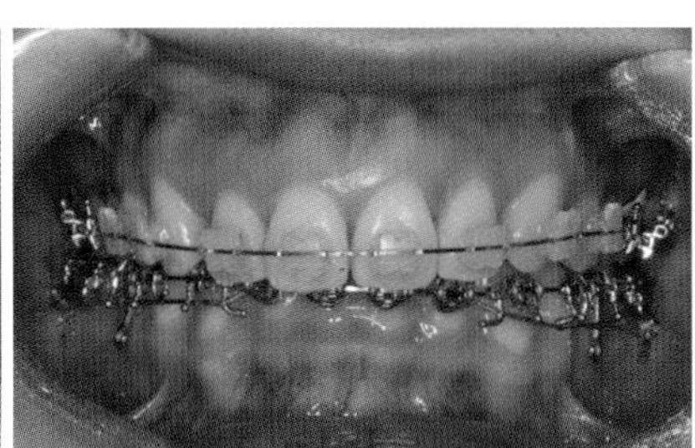
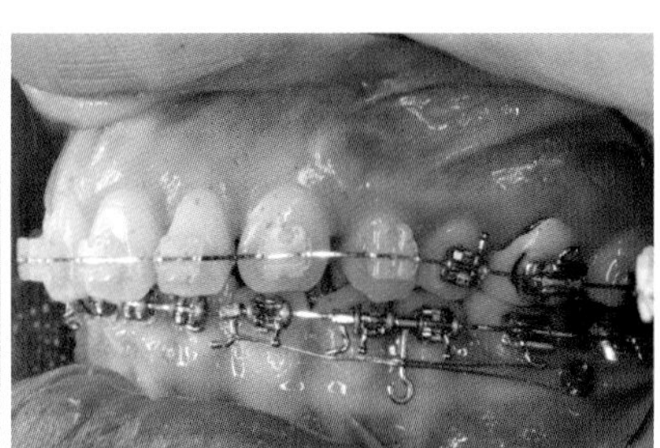
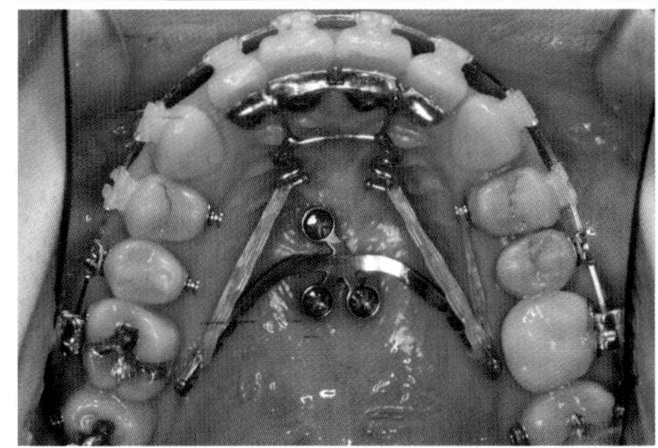

그림 9-38. 치료과정 중 구내 사진. 골성 구개부 장치와 설측 리트랙터를 적용하였다.

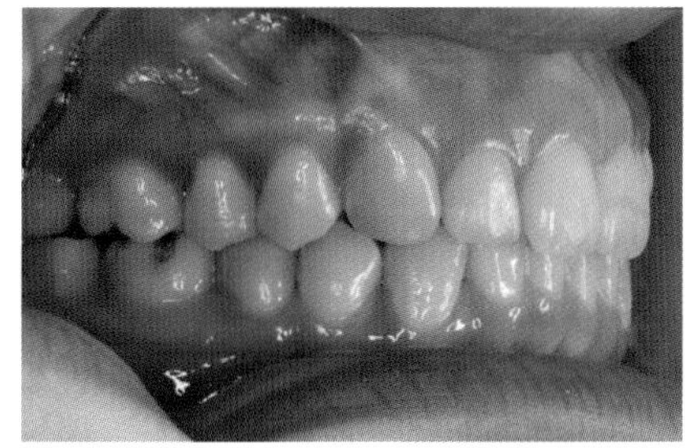
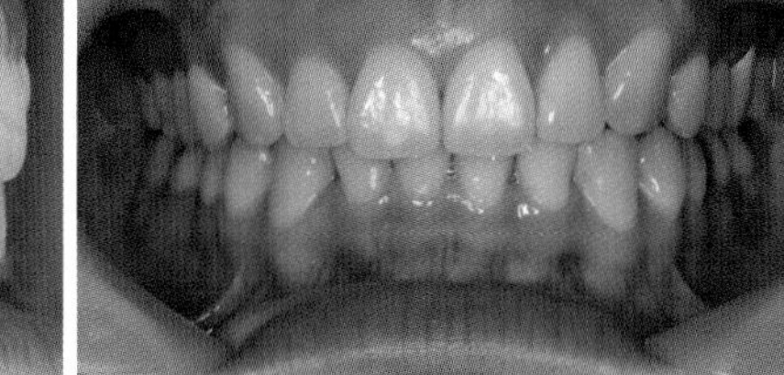
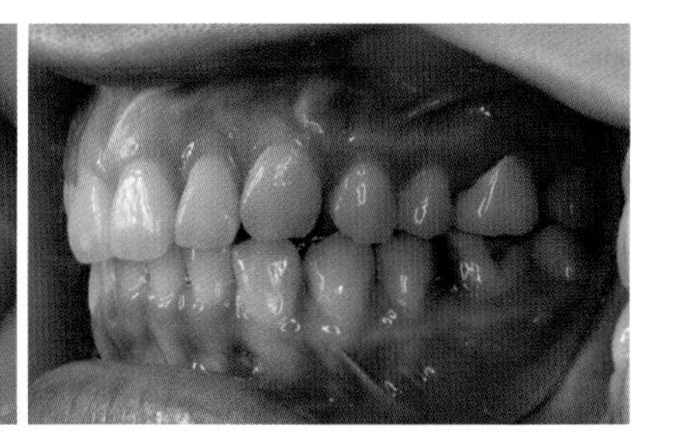

그림 9-39. 치료 완료 후 구내 사진

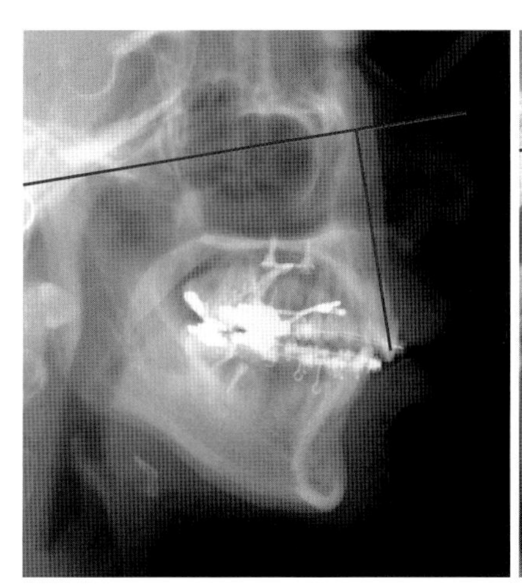
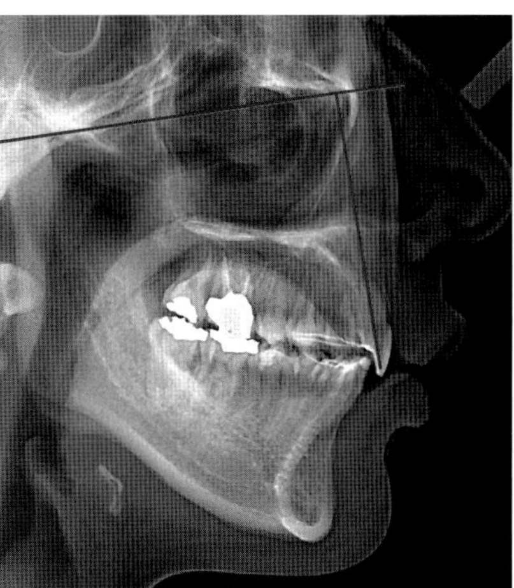
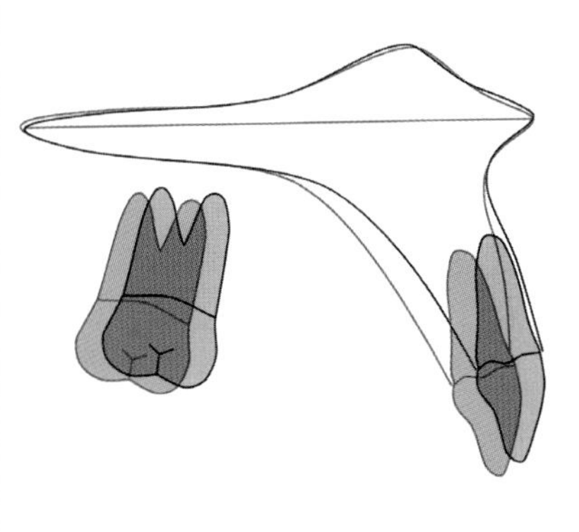

그림 9-40. 치축이 개선된 모습. 치료 중 FH to U1 angle 87.5°에서 치료 후 93.5°로 개선이 이루어졌다.

참고문헌

1. Kook YA, Lim HJ, Park JH, Lee NK, Kim Y. 3D digital applications of the modified C-palatal plate for molar distalization. J Clin Orthod 2021;55:773-81.
2. Park JH,Kook YA, KIM, Ham LK, Lee NK, Improved facial profile with non-extraction treatment of severe protrusion using TSADs. Semin Orthods 2022;28:157-63.
3. Jung MH. A comparison of second premolar extraction and mini–implant total arch distalization with interproximal stripping. Angle Orthod 2013;83:680-5.
4. Han SH, Park JH, Jung CY, Kook YA, Hong M. Full–step Class II Correction Using a Modified C–palatal Plate for Total Arch Distalization in an Adolescent. J Clin Pediatr Dent 2018;42:307-13.
5. Kook YA, Park JH, Bayome M, Jung CY, Kim Y, Kim SH. Application of palatal plate for nonextraction treatment in an adolescent boy with severe overjet. Am J Orthod Dentofacial Orthop 2017;152:859-69.
6. Alfawaz F, Park JH, Lee NK, Bayome M, Tai K, Ku JH, Kim Y, et al. Comparison of treatment effects from total arch distalization using modified C–palatal plates versus maxillary premolar extraction in Class II patients with severe overjet Orthod Craniofac Res 2022;25:119-27.

10

구개부 장치의 다양한 적용 증례

10-1. 견치 맹출공간 회복을 위한 비발치 교정과 악정형치료

10-2. 측절치 비발치 교정

10-3. 매복 견치 비발치 교정

10-4. 제2소구치 매복 비발치 교정

10-5. 상실 공간 회복 교정

10-6. 설측 교정

10-7. 수술 교정

10-1 견치 맹출공간 회복을 위한 비발치 교정과 악정형치료

성장기 환자에서 상악골의 열성장으로 인하여 크라우딩이 예상되거나 견치 맹출공간이 부족할 경우, 구개부 장치를 이용하여 상악 구치부 후방 이동을 통한 견치 공간 확보 후, 구개부 장치의 arm을 조절하여 상악골 전방 성장을 유도하는 악정형적 치료를 동시에 수행할 수 있다.

1 상악구치부 후방 이동 후 상악골 전방견인 치료

7세 여자 환자가 반대교합을 주소로 내원했다. 혼합치열기에 본원에 내원하였고, 상하악에 심한 크라우딩을 보이고 있다(그림 10-1). 초진 시 측방두부규격 방사선 사진의 주요 계측치는 다음과 같다. 환자는 하악골 과발육을 동반한 골격성 제3급 부정교합환자로, 상악 견치 맹출 공간이 부족한 Arch length discrepancy를 보인다.

ANB: –2.0°, FMA: 27.0°, U1–FH: 121.0°, IMPA: 86.5°

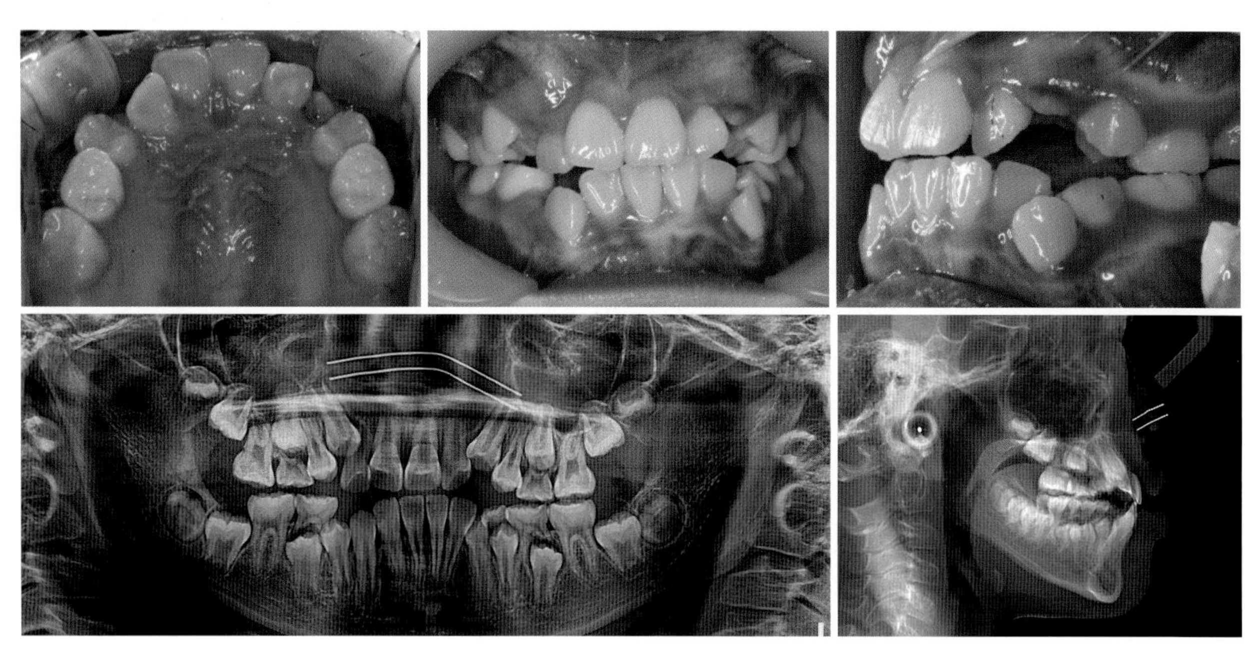

그림 10-1. 초진 시의 구내 사진과 파노라마, 측방두부방사선 사진

상악 고정식 교정장치 부착과 동시에 구개부 장치를 식립하였다. 배열 및 레벨링 과정 후 구개부 장치를 통해 상악 제1대구치를 후방 이동하여 견치 공간을 확보하였다(그림 10-2). 이후 구개부 장치를 상악골 전방 견인 용도로 조절하고 5/16 inch, 4.5 oz 고무줄을 적용하여 상악골 전방 이동을 유도하였다(그림 10-3, 4). 상악골 전방 견인에 대한 자세한 치료법은 5장을 참고하면 된다.[1)]

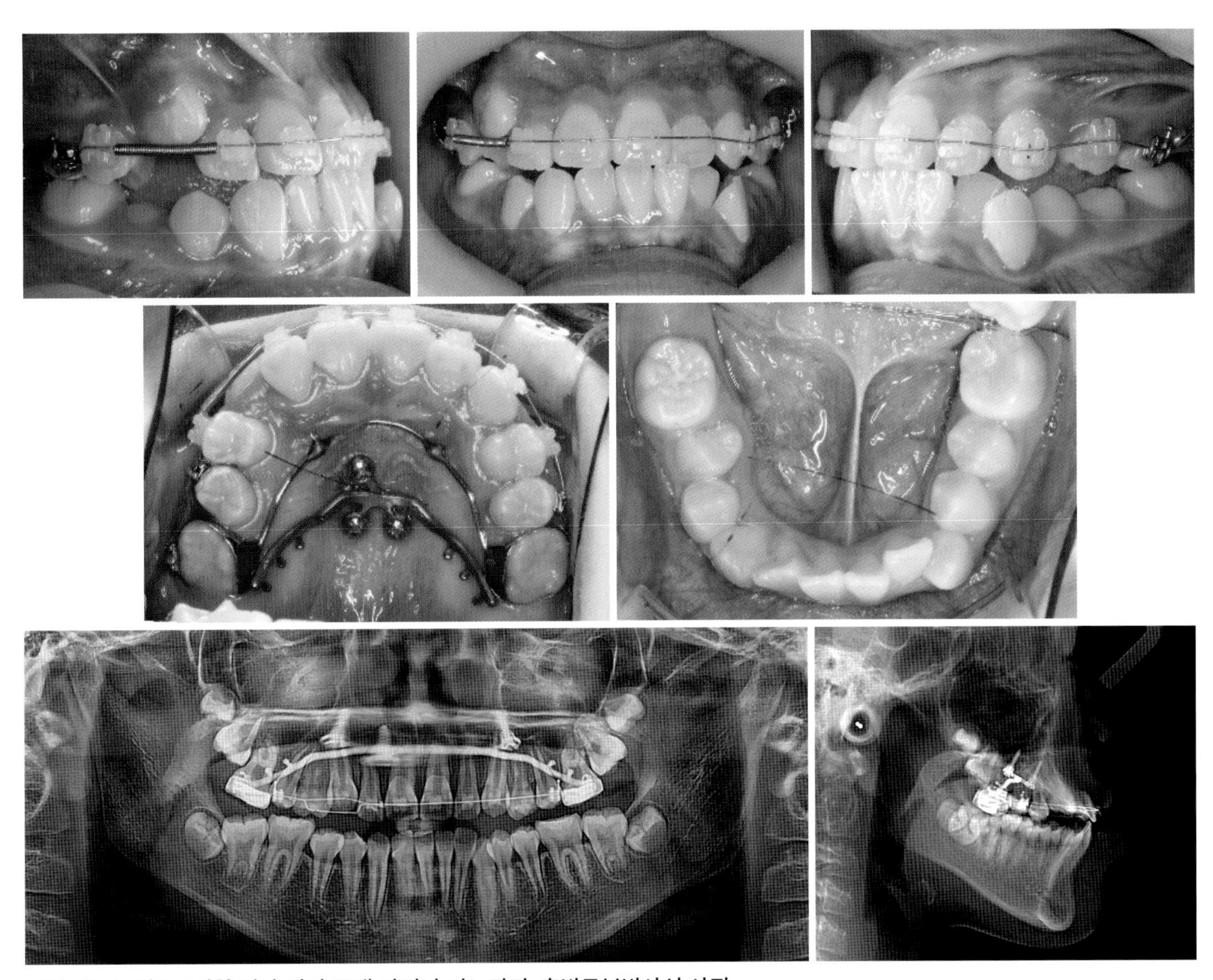

그림 10-2. 치료 5개월 경과 시의 구내 사진과 파노라마, 측방두부방사선 사진

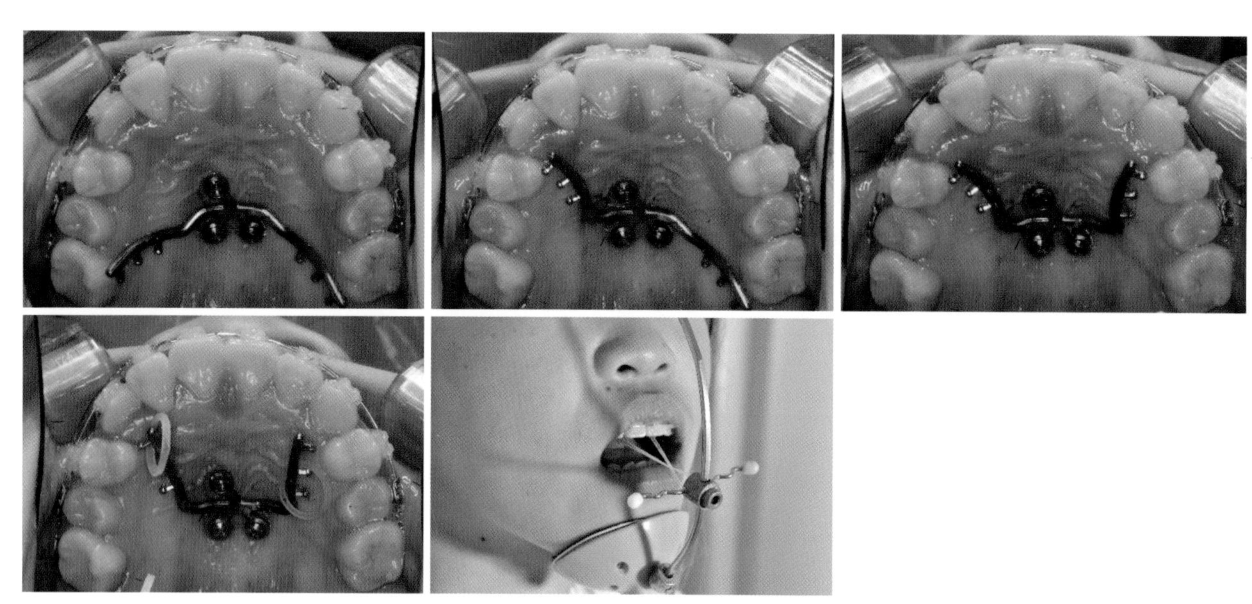

그림 10-3. 치료 10개월 경과 시 제1대구치 후방 이동으로 견치 공간 확보 후 구개부 장치를 상악골 전방 이동을 위한 장치로 조절하였다.

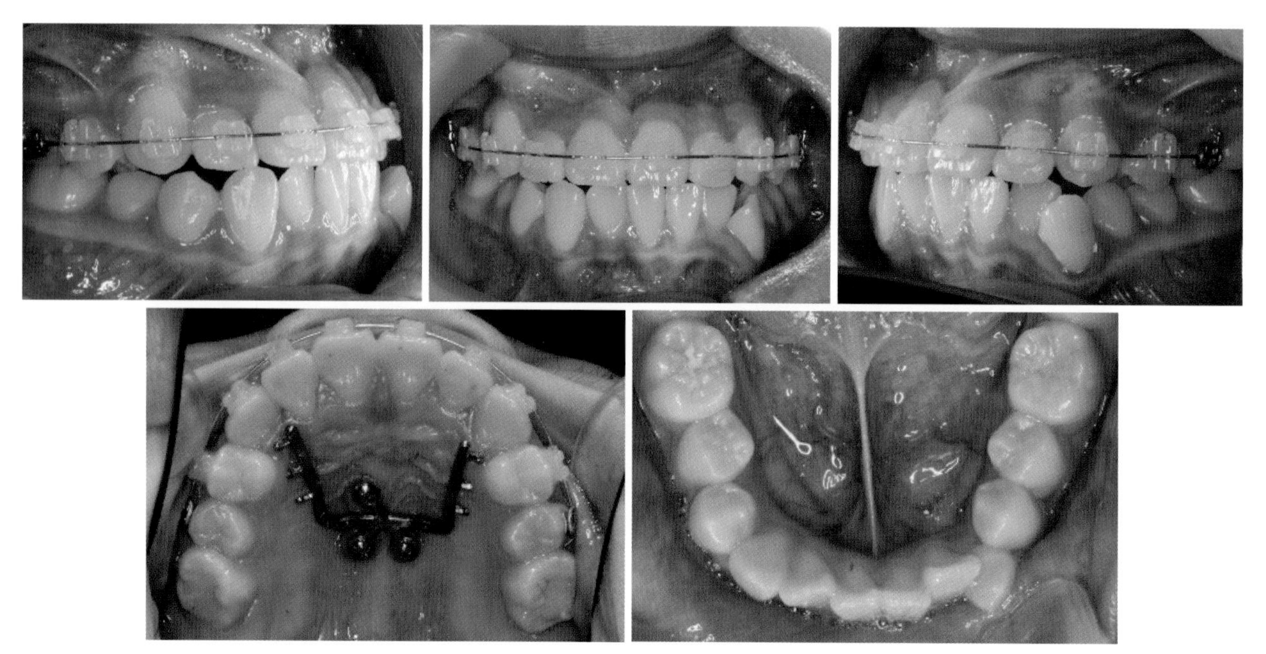

그림 10-4. 치료 1년 경과 시 상악골이 전방 이동하여 적절한 수평피개가 확보되었다.

10-2 측절치 비발치 교정

측절치는 미소를 지을 때 중절치와 함께 심미적으로 가장 중요한 역할을 한다. 간혹 측절치가 공간 부족으로 인해 구개측으로 전위되고 치아 정중선 또한 변위되는 경우가 있는데, 구개부 장치를 이용하면 구개측으로 전위된 측절치를 중절치와 견치 사이 치열궁 내로 이동시킬 수 있다.

1 구개부 장치와 미니튜브를 사용한 측절치 배열 및 토크 개선

19세 여자 환자가 치아가 안쪽으로 났다는 주소로 내원했다(그림 10-5). 초진 시 측방두부규격 방사선 사진 및 모델의 주요 계측치는 다음과 같다. 환자는 1급 구치부 관계를 보이며, 다만 상악 우측 측절치의 block-out으로 상악 정중선이 우측으로 이동되어 있다.

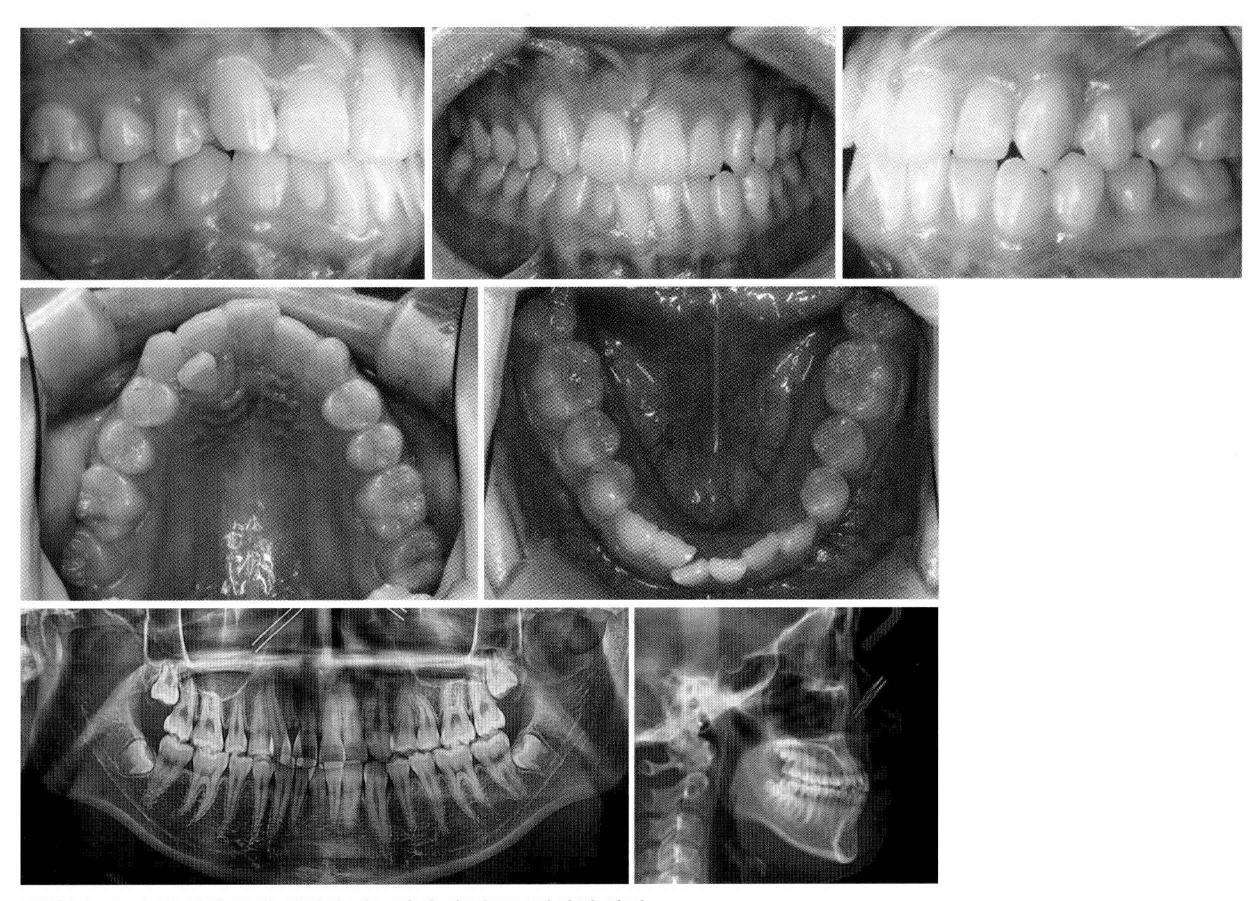

그림 10-5. 초진 시의 구내 사진과 파노라마, 측방두부방사선 사진

ANB: 1.0°, FMA: 31.0°, U1-FH: 115.0°, IMPA: 92.5°
Arch length discrepancy: 상악 7.5 mm / 하악 3.0 mm

상악에 고정식 교정장치 부착과 동시에 상악 견치의 맹출 공간 확보를 위해 구개부 장치를 식립하였다. 환자의 사정으로 인해 해외 체류기간 동안 구개부 장치를 통해 제1대구치를 후방 이동하며 open coil spring을 동반하여 측절치 공간을 확보하였고, balanced loop을 활용하여 측절치 치관 배열을 시행하였다. 이후 측절치 치근의 순측 이동을 위해 추가로 설측에 미니튜브를 부착 시 측절치는 절단연에 가깝게, 나머지 치아는 치은연에 가깝게 위치시켰고, 약한 힘의 적용을 위해 012 나이타이 와이어를 삽입하여 측절치의 토크를 조절하였다(그림 10-6-8). 이를 통해 block-out 된 측절치를 발치하지 않고 배열할 수 있었으며, 치료기간은 총 17개월이었다(그림 10-9).

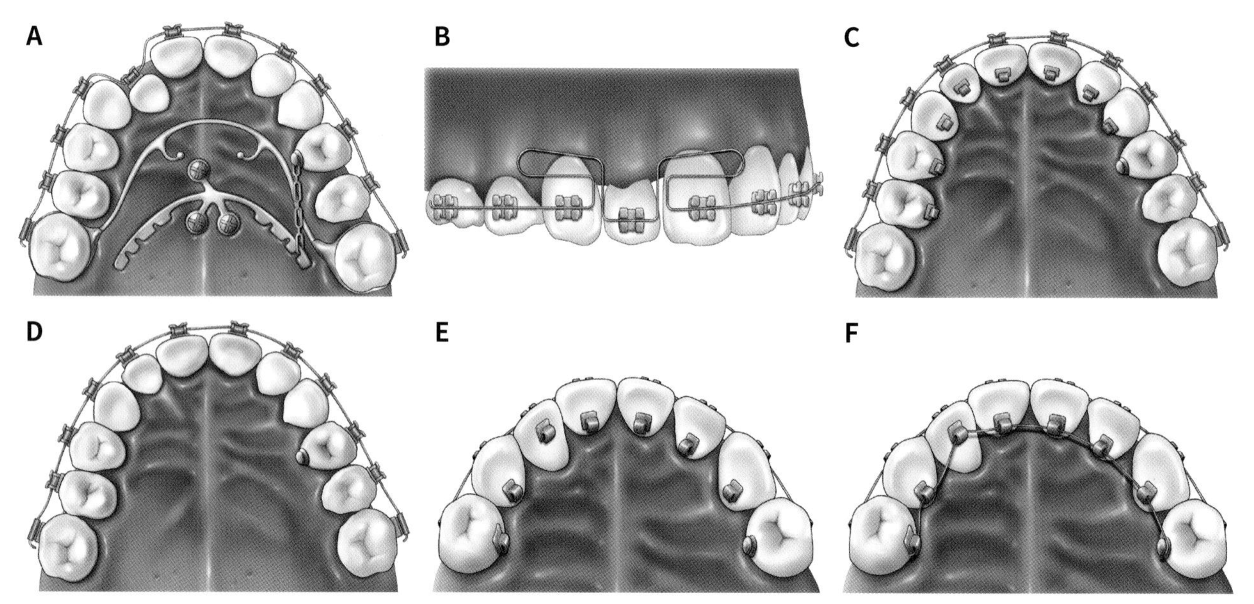

그림 10-6. Block-out 된 측절치의 배열 및 토크 조절 모식도
A: 구개부 장치 장착, B: balanced loop 적용을 통한 측절치 치관의 순측 이동, C: 상악우측 측절치의 배열, D: 설측 미니튜브 부착, E: 측절치 치근의 순측 이동을 위해 미니튜브를 측절치는 절단연에 가깝게, 나머지 치아는 치은연에 가깝게 부착, F: 012 나이타이 와이어의 삽입

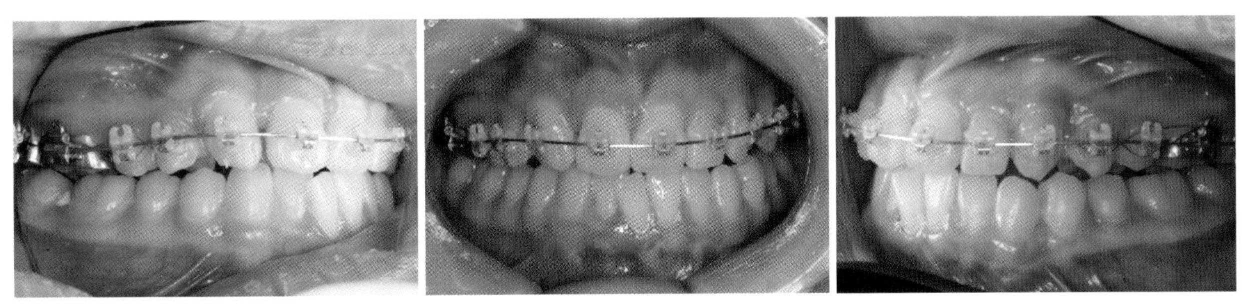

그림 10-7. 치료 2개월 경과 시, 측절치를 제외한 상악 치열의 배열 및 레벨링 과정

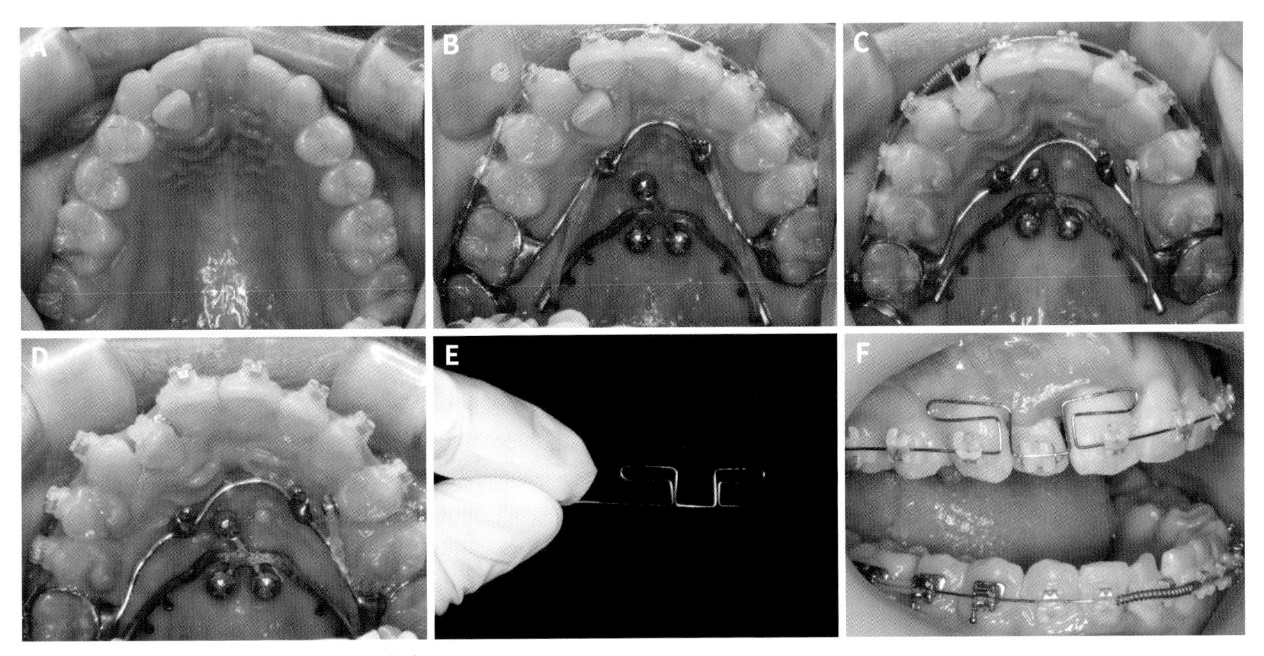

그림 10-8. 측절치 치관의 순측 이동 과정
A: 초진, B, D: 측절치 배열을 위한 공간 확보 과정, C: 상악우측 측절치의 반대교합 해소 시 치근 흡수의 최소화를 위해 블루레진을 이용해 교합 거상, E: balanced loop, F: 구강 내 balanced loop의 적용

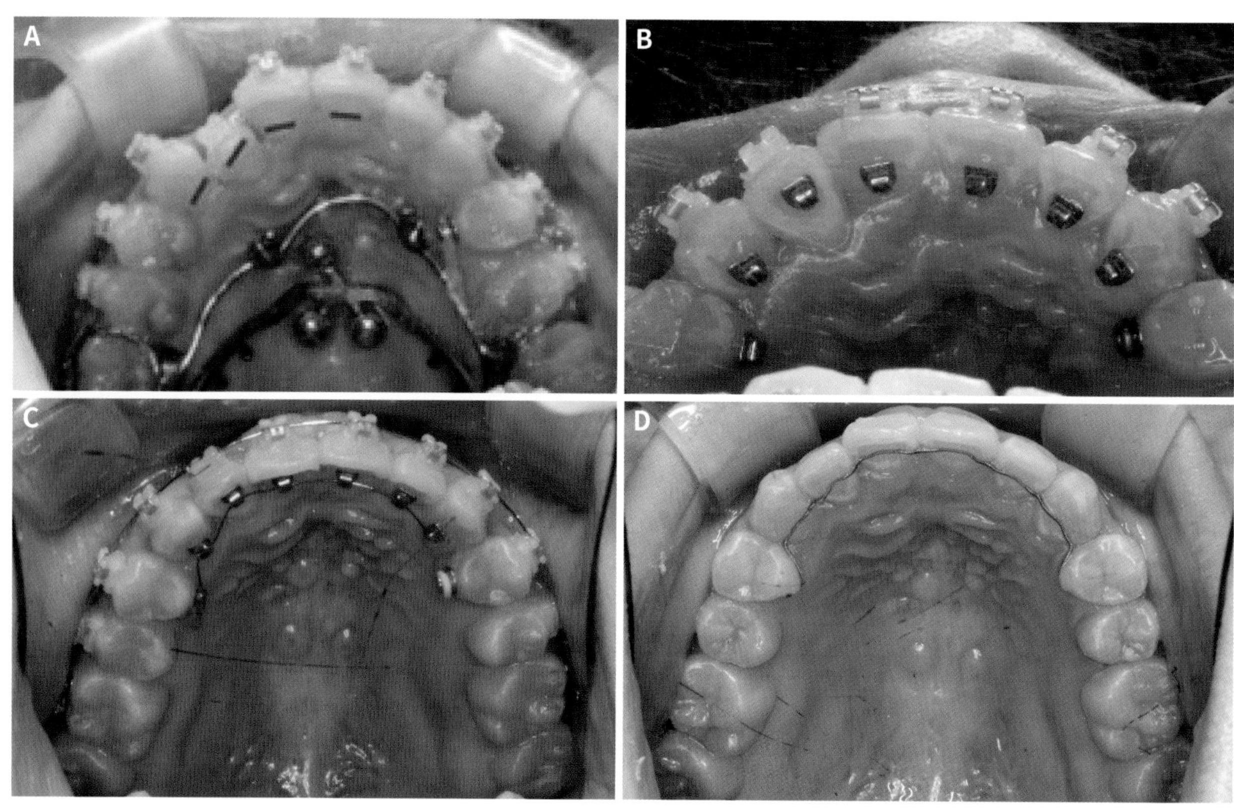

그림 10-9. 측절치 치근의 순측 이동 과정
A: 측절치 공간 확보, B: 측절치 치근 토크 조절을 위한 미니튜브 부착, C: 012 나이타이 와이어 삽입, D: 치료 완료

2 술전교정치료 시 block-out된 측절치 공간 확보

23세 남자 환자가 외모개선을 주소로 내원하였다(그림 10-10). 초진 시 측방두부규격 방사선 사진의 주요 계측치는 다음과 같다.

ANB: -1.0°, FMA: 32.0°, U1-FH: 110.5°, IMPA: 81.5°
Arch length discrepancy: 상악 -16.0 mm / 하악 -12.5 mm

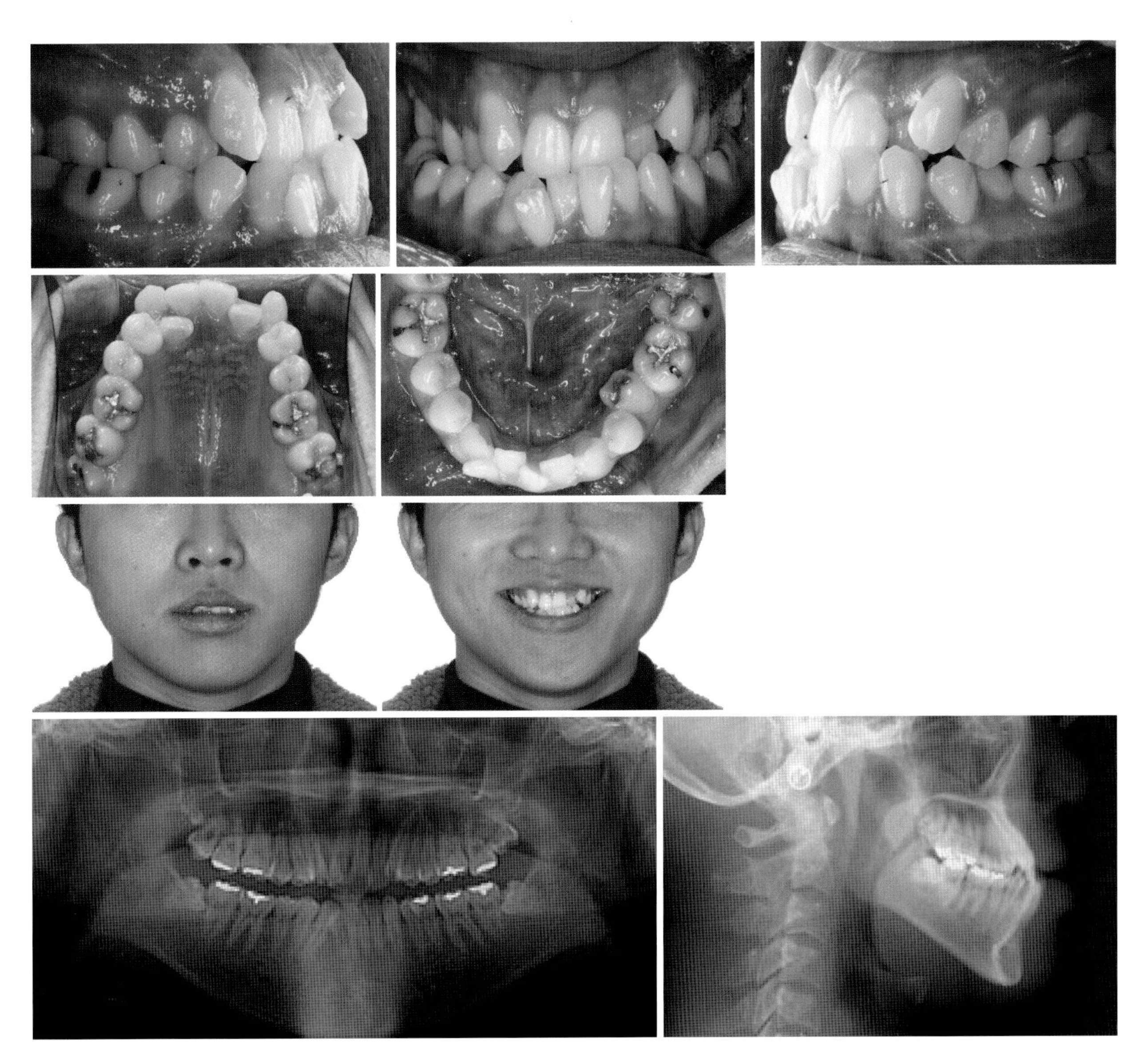

그림 10-10. 초진 시의 구내, 구외 사진과 파노라마, 측방두부방사선 사진

수술을 동반한 교정치료가 계획된 환자로 제3급 골격성 부정교합을 보이며, 상악의 arch length discrepancy가 –16.0 mm로 심한 크라우딩을 보였으나, 구개부 장치를 통한 제1대구치의 후방 이동을 통해 공간을 확보하여 발치를 동반하지 않고 술전교정을 시행하였다. 상악궁의 확장 또한 요구되었으나, 확장 전에 구개부 장치와 open coil spring을 사용하여 양측 견치 공간을 확보할 수 있었다. 전체 치열의 배열이 완료된 이후 상악 급속 확장장치를 통해 상악궁 확장을 시행하고 술전교정을 마무리하였다(그림 10-11). 이후 수술 및 술후교정치료를 진행하고 장치를 제거하였다(그림 10-12).

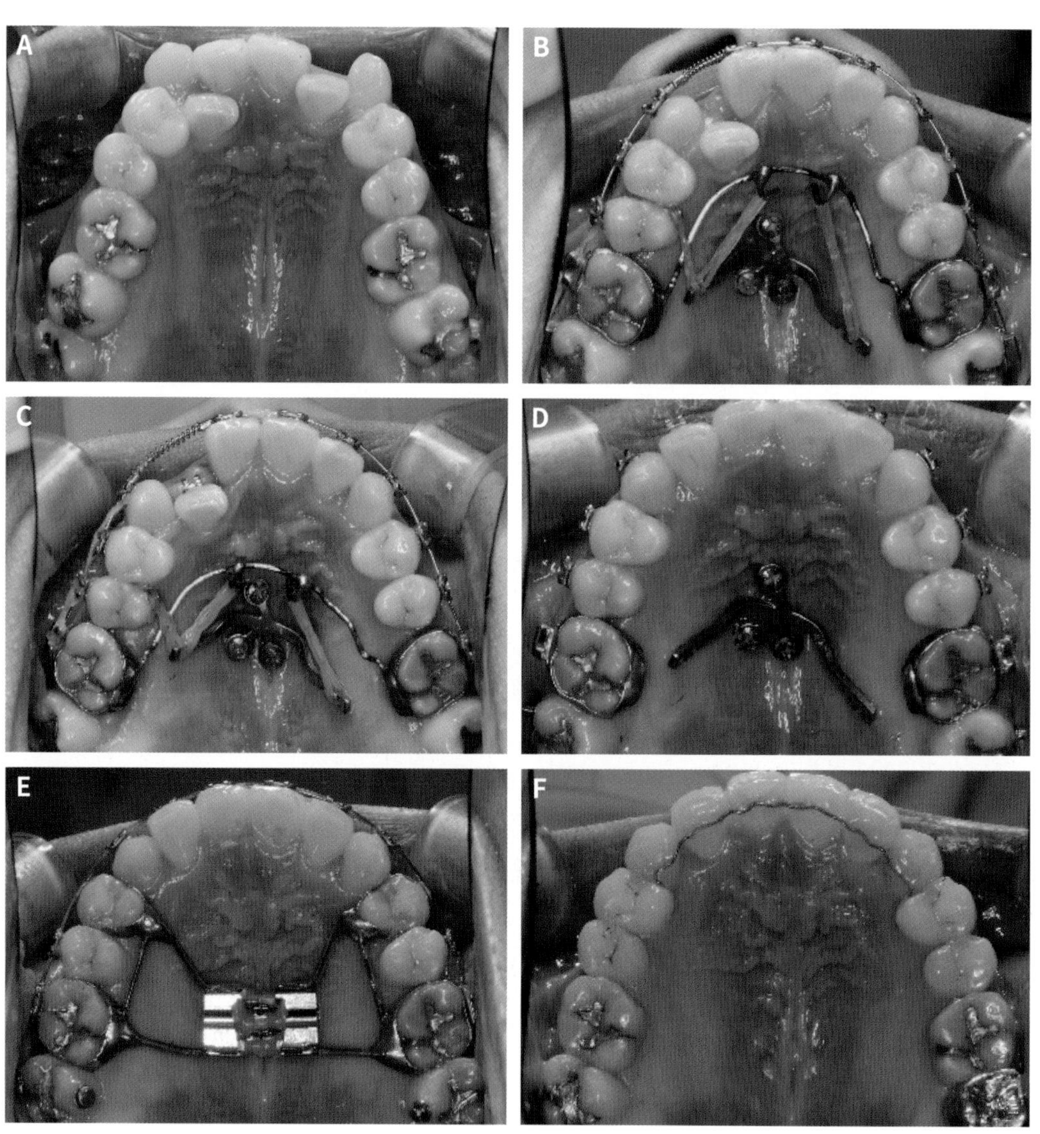

그림 10-11. 구개 확장 전 block-out된 측절치를 배열하기 위하여 구개부 장치를 통해 제1대구치를 후방 이동하였으며, 전체 치열의 배열 완료 후 상악궁의 횡적확장을 시행하였다. A: 초진 시 모습, B: 회전된 상악 우측 제2소구치에 설측버튼을 부착 후 구개부 장치 레버 암과 탄성체인을 연결하여 조절하는 모습, C: #15 distal-in rotation을 개선하기 위해 lingual button과 골성 구개부 장치의 레버암에 탄성체인을 연결한 모습, D: 구치부 후방 이동으로 측절치 공간 확보하여 배열한 모습, E: 술 전, 상악궁 확장 진행, F: 치료 완료 후 모습

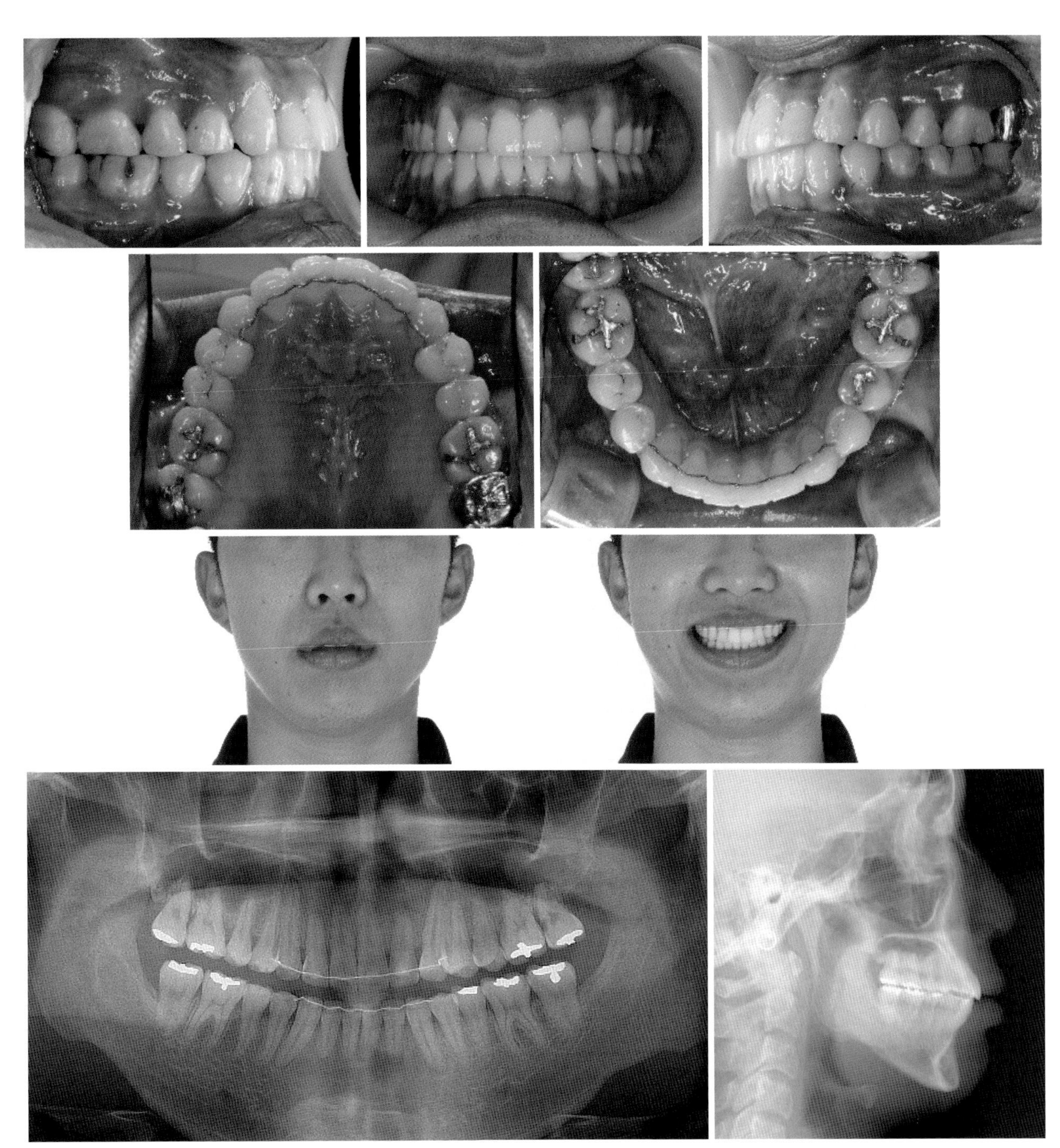

그림 10-12. 치료 종료 후 구내 사진과 파노라마, 측방두부방사선 사진

10-3 매복 견치 비발치 교정

1 치근이 미완성된 견치의 이식술 및 매복된 견치의 교정적 견인

12세 여자 환자가 윗니가 삐뚤삐뚤하다는 주소로 내원하였다(그림 10-13). 초진 시 측방두부규격 방사선 사진 및 모델의 주요 계측치는 다음과 같다.

ANB: 2.0°, FMA: 37.0°, U1-FH: 112.0°, IMPA: 79.0°
Arch length discrepancy: 상악 -14.0 mm / 하악 -4.5 mm

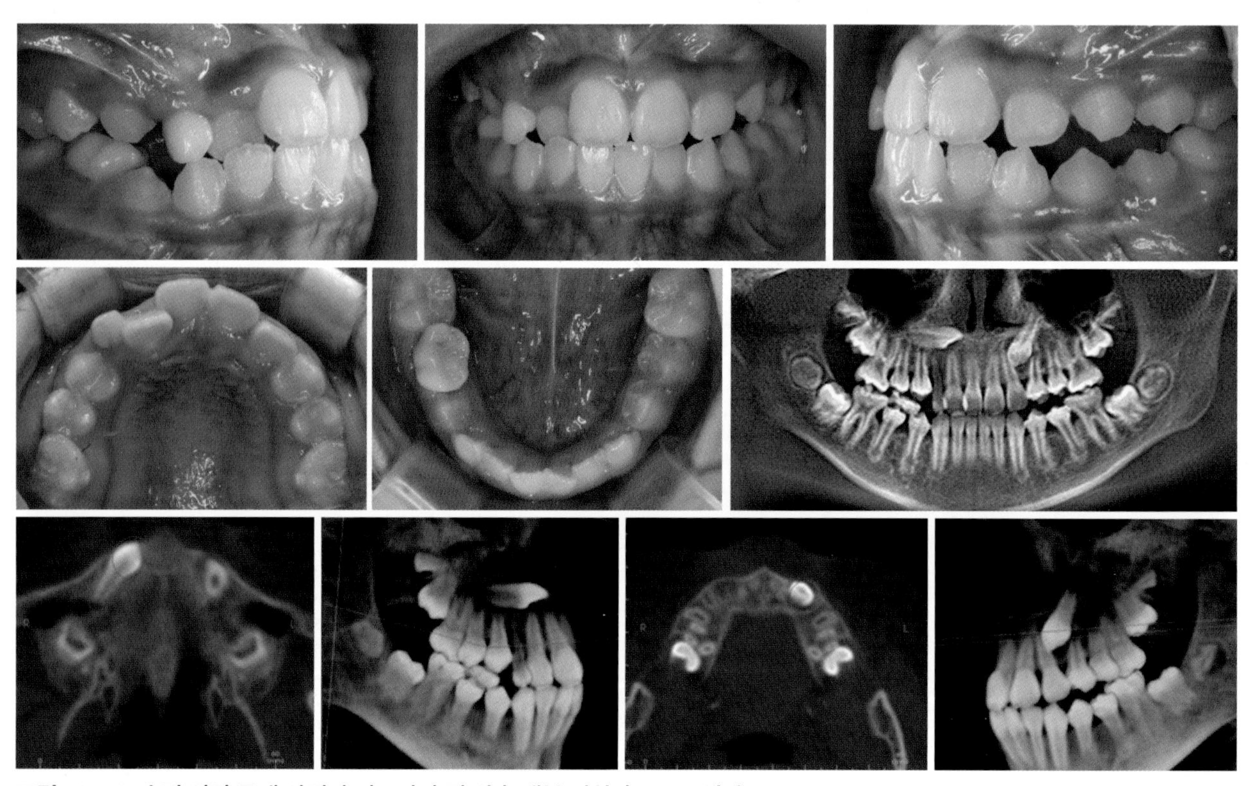

그림 10-13. 초진 시의 구내 사진과 파노라마 및 양측 매복 견치의 CBCT 영상

매복된 양쪽 상악 견치 중 우측 견치는 완전 수평 매복되어 있었으며, 치근이 발육 중인 것을 확인하여 빠른 기간 내에 견치 공간을 확보한 후 이식술을 진행하는 것으로 치료계획을 수립하였다. 한편 좌측 견치는 맹출을 위한 공간 확보 후 견인을 시행하기로 하였다. 상악 고정식 교정장치 부착과 동시에 구개부 장치를 식립하고 open coil spring 적용을 동반하여 양측 견치 배열을 위한 공간을 확보하였다(그림 10-14). 단기간 내 충분한 공간을 확보한 후 상악 우측 견치의 이식술을 진행하였으며, 상악 좌측 견치는 window opening을 통해 버튼을 부착하고 탄성체인을 이용하여 견인을 시행하였다(그림 10-15, 16). 이때 상악 우측 견치의 치근단이 완성되기 전에 이식을 시행하여 근관치료는 필요하지 않았다(그림 10-17). 이식한 상악 우측 견치 및 견인한 상악 좌측 견치를 포함하여 교정치료를 진행하고 장치를 제거하였다(그림 10-18).

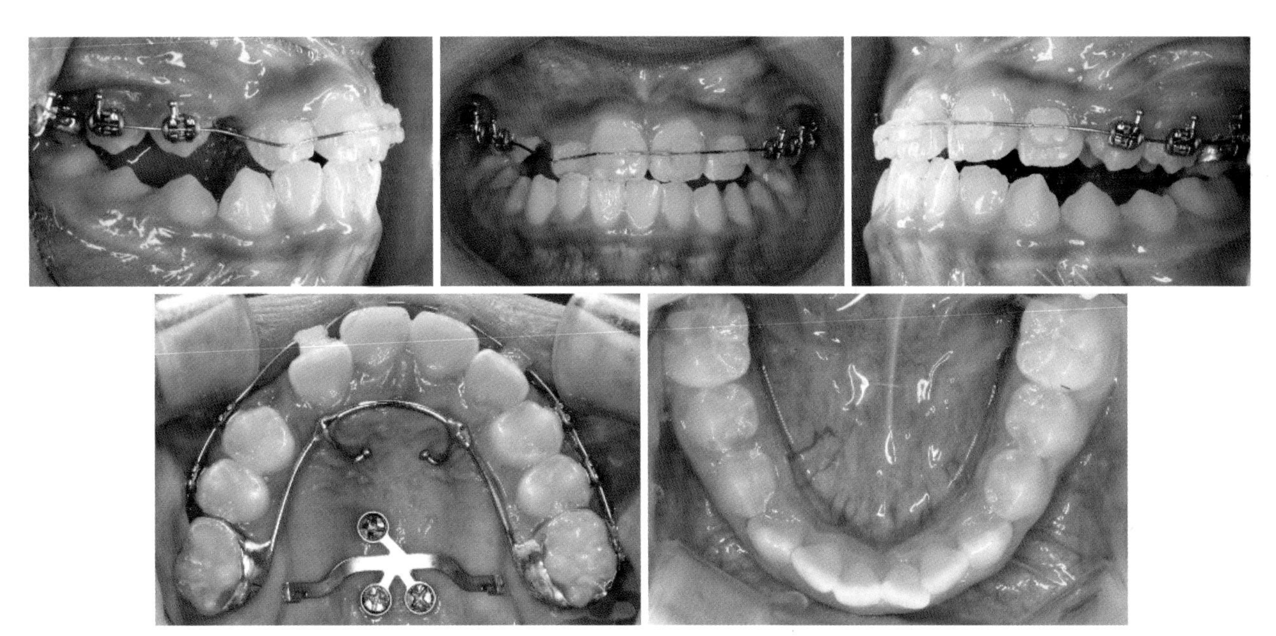

그림 10-14. 치료 1개월 후 상악 고정식 교정장치와 구개부 장치 식립 모습

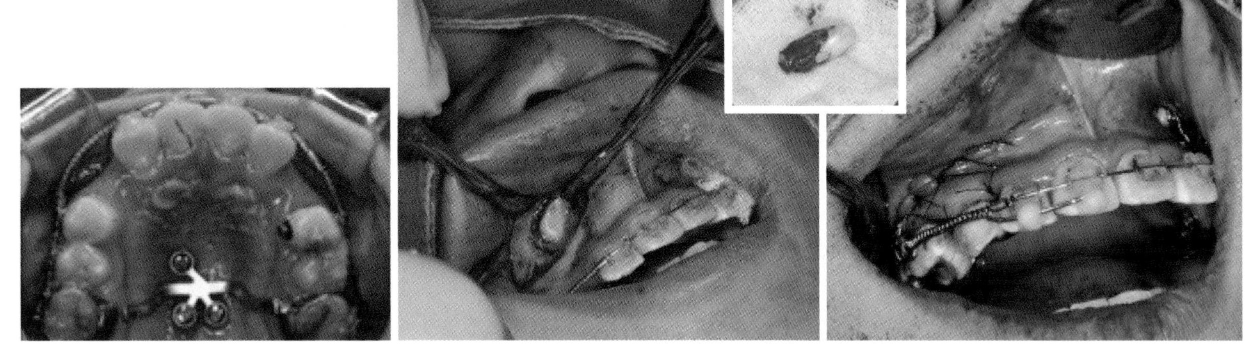

그림 10-15. 치료 경과 1년 시 상악우측 견치의 이식술

임상팁

치근단이 완성되기 전에 치아이식을 할 경우 신경치료를 하지 않아도 될 가능성은 높다.

하지만 반드시 술전에 신경치료의 가능성을 고지해야 한다.

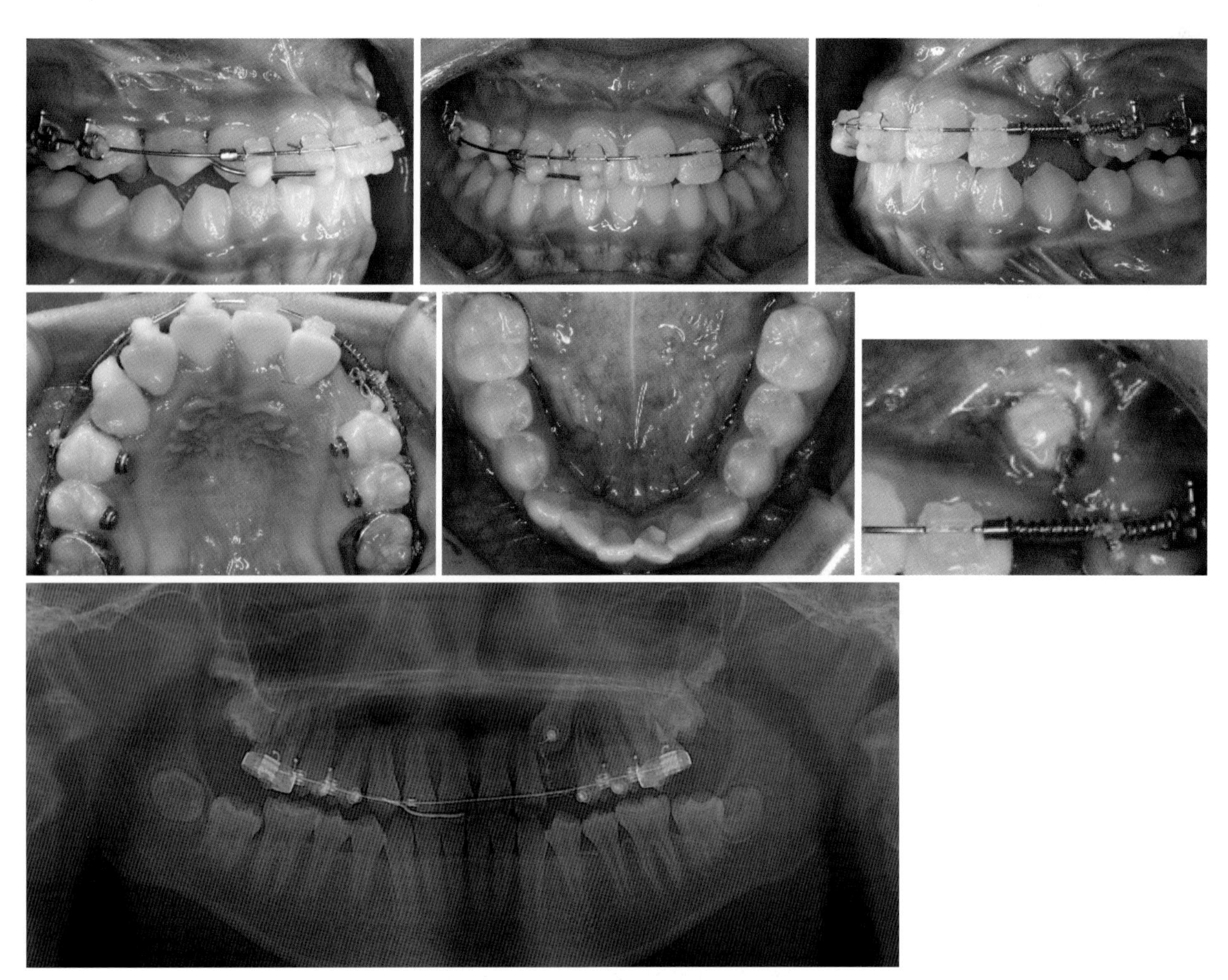

그림 10-16. 치료 경과 1년 시 window opening 후 상악 좌측 견치를 교정적으로 견인하였다.

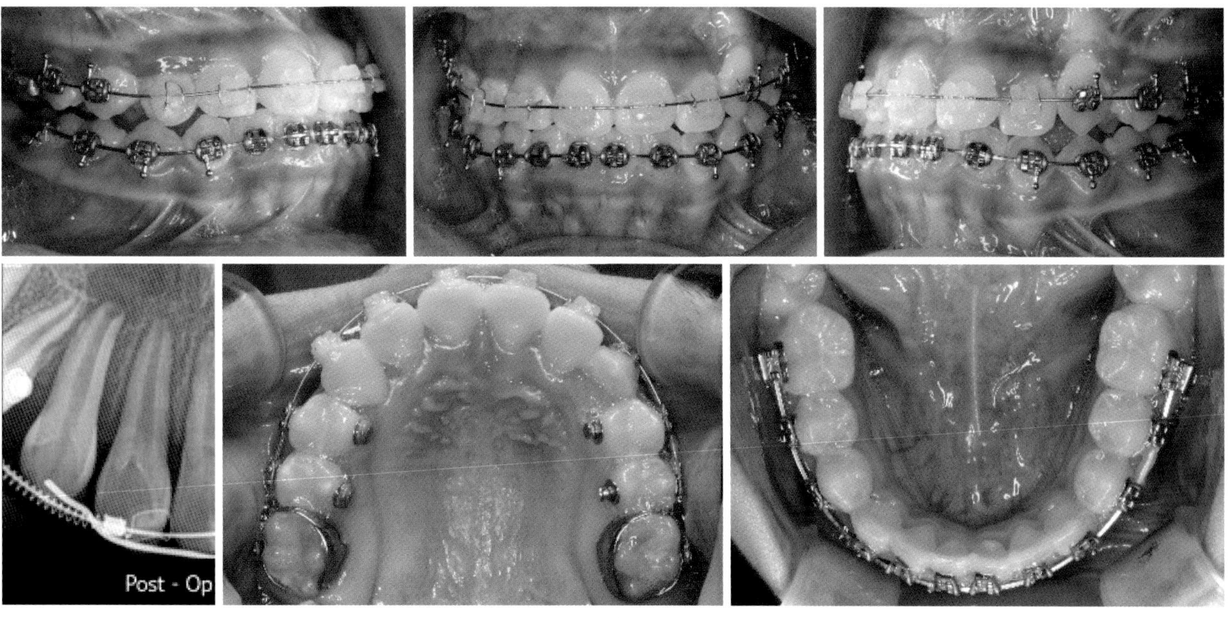

그림 10-17. 치료 22개월 후 상악 우측견치의 치근단 방사선 사진과 구강내 사진
견치의 치근단이 완성되기 전에 이식술을 진행하여 근관치료를 진행하지 않을 수 있었다.

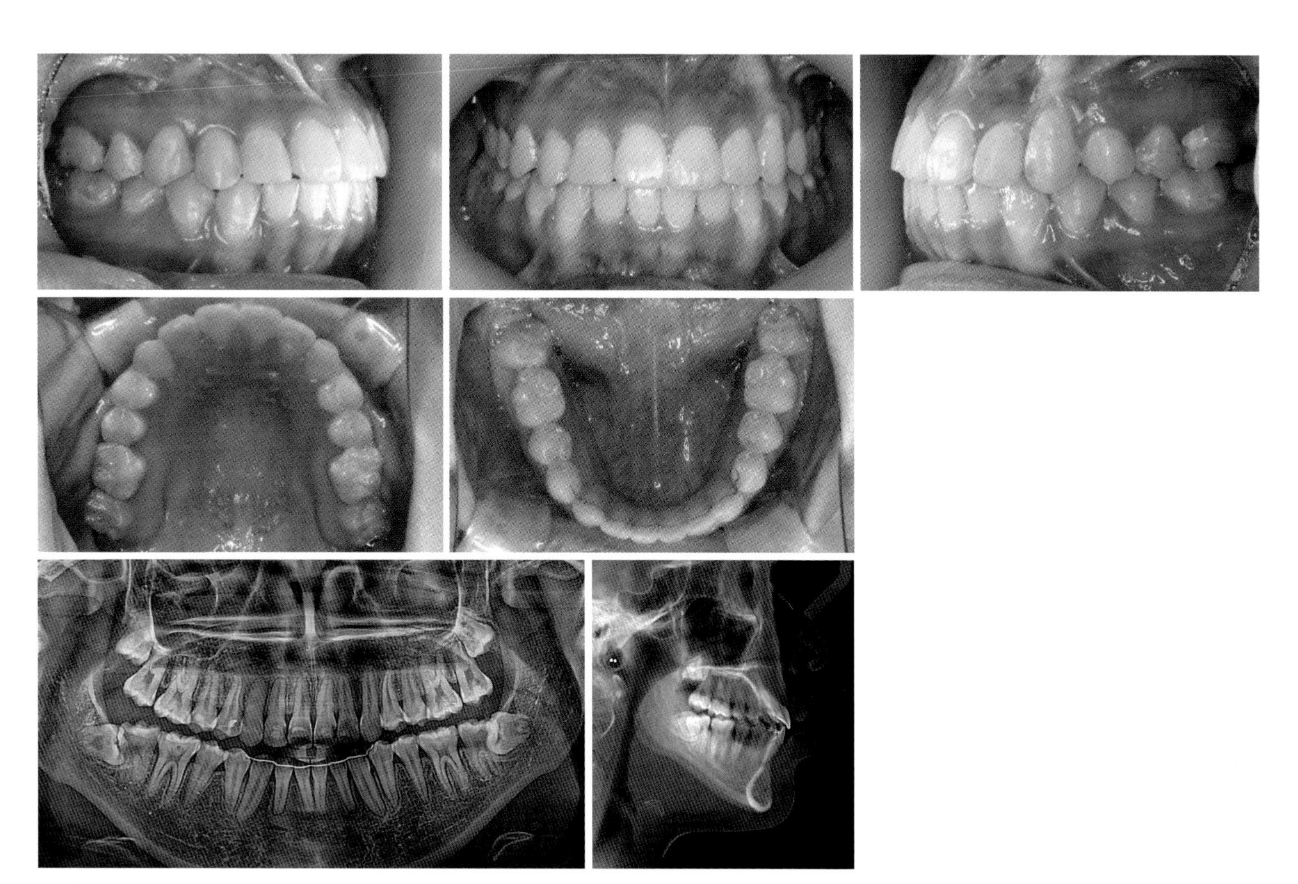

그림 10-18. 치료종료 후 구내 사진과 파노라마, 측방두부방사선 사진

10-4 매복 제2소구치 비발치 교정

제2소구치가 매복되어 제1대구치의 치근 사이에 위치하는 경우가 종종 발생한다. 제3대구치가 없는 상태에서 제1대구치를 발치하고 제2소구치로 대체하는 것이 어려운 상황이므로 구개부 장치를 이용한 제1대구치의 후방 이동이 요구된다.

1 제1대구치 치근 사이에 위치한 제2소구치의 견인

13세 남자 환자가 상악의 제2소구치가 맹출되지 않는다는 주소로 내원하였다. 파노라마 방사선 사진상에서 매복된 상악 우측 제2소구치를 관찰할 수 있었다. CBCT상에서 상악 우측 제2소구치 치관부는 제1대구치의 치근 분지부의 정중앙에 위치해 있고, 치근부는 제1소구치 치근의 근단부 구개측에 위치해 있었으며, 상악 좌측 제2소구치 맹출을 위한 공간도 부족하였다(그림 10-19).

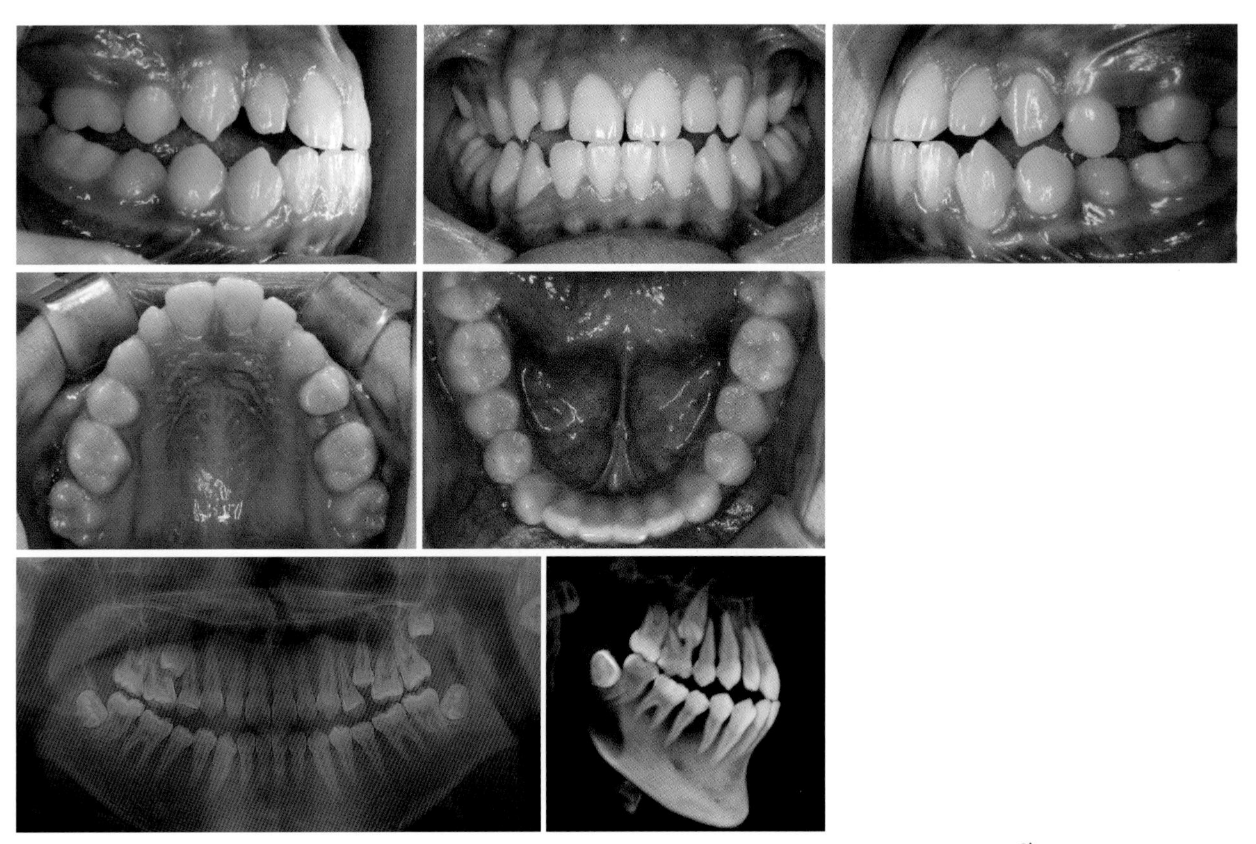

그림 10-19. 초진 시의 구내 사진, 파노라마 방사선 사진 및 매복된 제2소구치의 CBCT 영상(출처: Kook et al.[2]의 허가를 받아 인용)

1) 치료계획 및 경과

제1대구치의 발치 없이 제2소구치를 견인하기 위해 제1대구치를 후방 이동하여 제2소구치의 견인을 위한 공간을 확보하기로 하였다(그림 10-20).

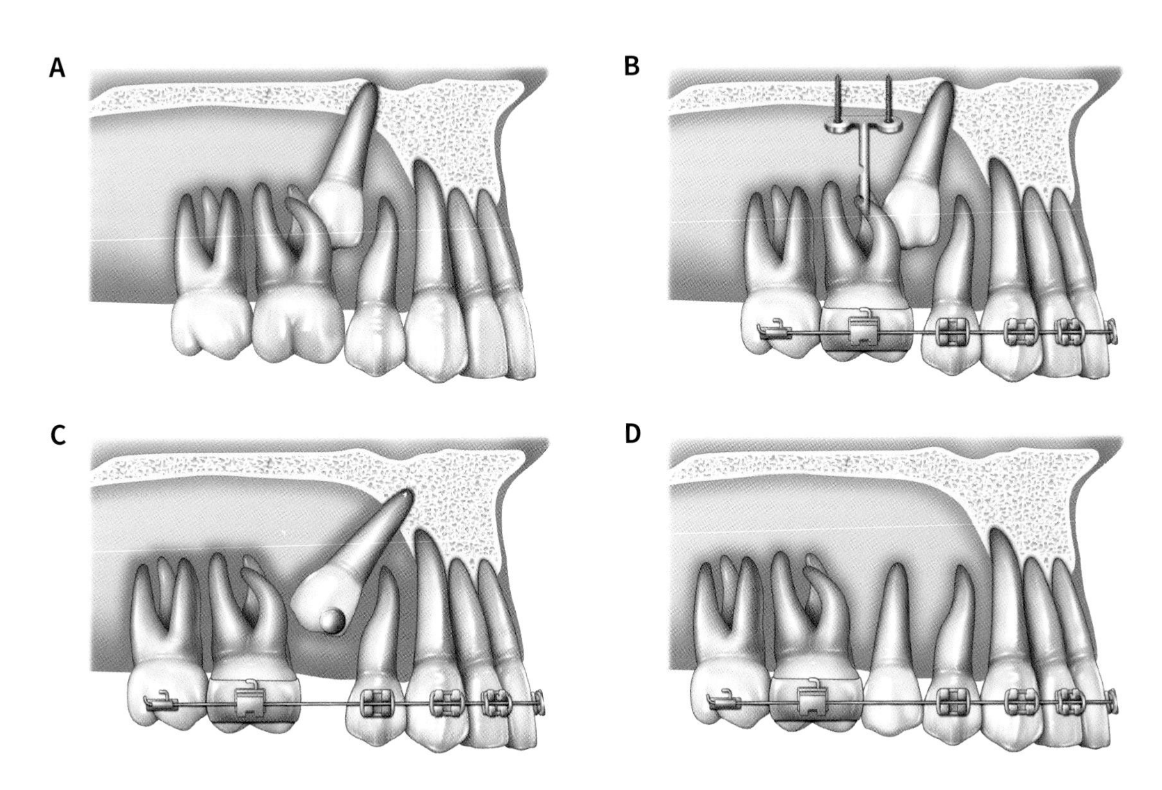

그림 10-20. 제1대구치 치근 사이에 위치한 제2소구치의 견인 모식도
A: 매복된 소구치, B: 구개부 장치를 통해 제1대구치의 치체 후방 이동을 통해 제2소구치의 치관과 안전하게 분리, C: 매복치에 버튼 부착, D: 제2소구치 견인 완료

구개부 장치를 통해 제1대구치를 후방 이동하여 상악 좌측 제2소구치의 자연 맹출 공간을 확보하였으며, 상악 우측 제2소구치 견인을 위한 공간 또한 충분히 형성되었다(그림 10-21). 외과적 노출 및 견인을 정확하게 시행하기 위해서 CBCT 이미지를 이용하여 레진 prototype을 제작하였다. 레진 prototype을 제작하면 인접치의 치근 손상을 최대한 적게 일으키도록 벡터를 조절하는 데 도움을 준다(그림 10-22). 국소마취 하에서 상악 우측 제2소구치의 구개면을 외과적으로 노출하여 버튼을 부착한 후 견인을 시행하였다(그림 10-23, 24).

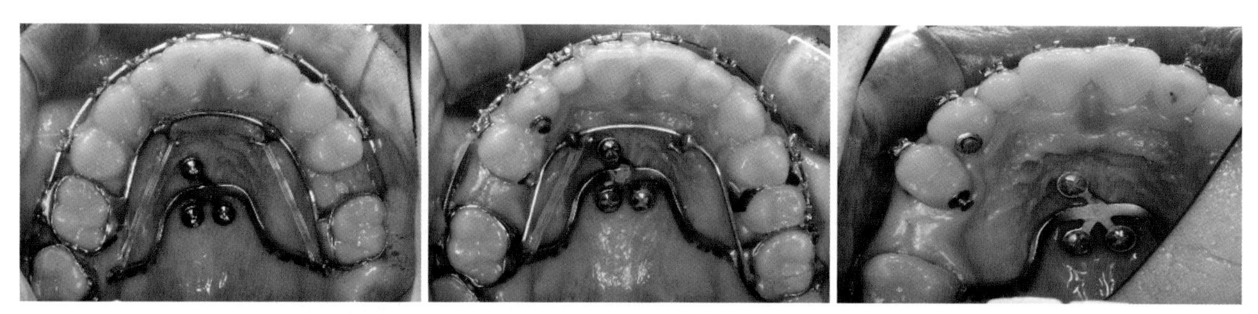

그림 10-21. 상악 구개부 장치를 이용하여 제2소구치의 맹출 공간을 확보하였다.

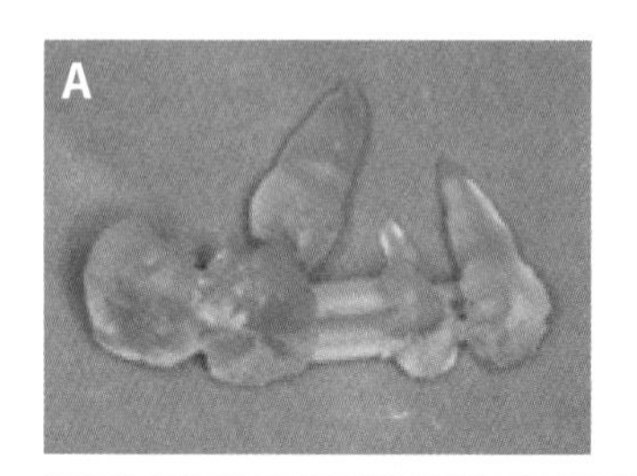

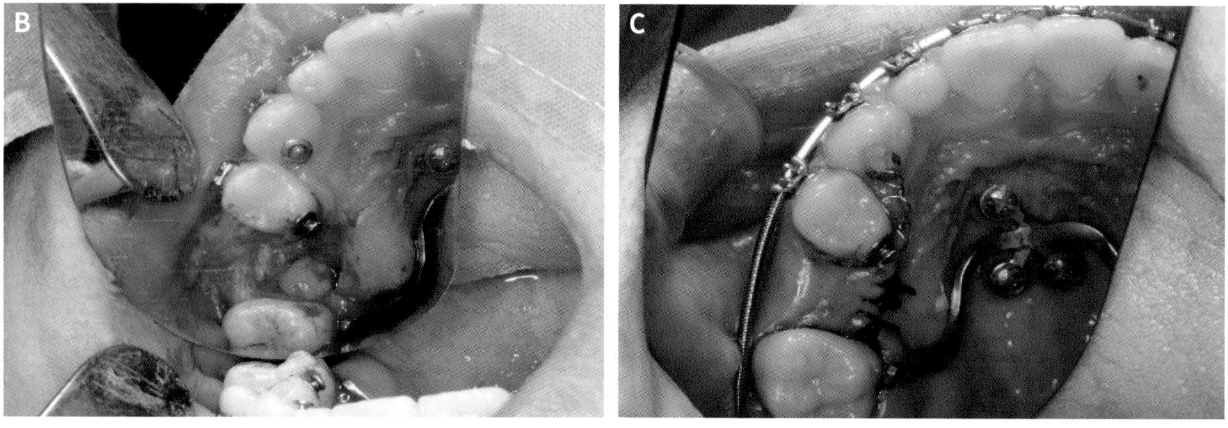

그림 10-22. CBCT를 이용한 레진 prototype을 제작하여 제2소구치를 견인할 때 제1대구치의 치근 손상을 일으키지 않는 최적의 벡터를 결정하는 데 도움을 얻었다.
A: 제2소구치를 견인 시 가장 효과적인 교정력을 평가하기 위한 prototype 제작, B: 버튼 부착을 위해 절개한 사진, C: 버튼 부착 후 봉합(출처: Kook et al.[2])의 허가를 받아 인용)

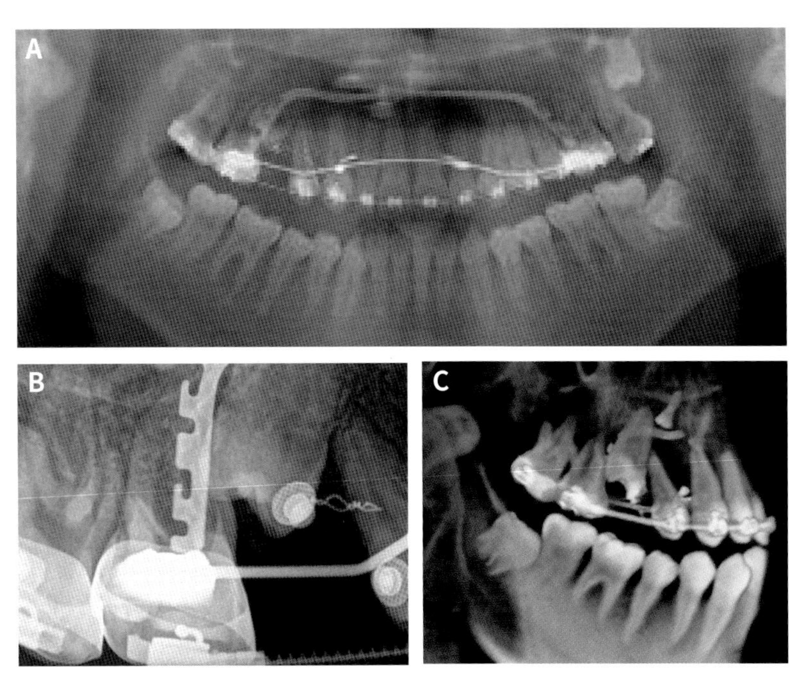

그림 10-23. 상악 우측 제2소구치를 견인하는 과정에서의 파노라마, 치근단 방사선 사진 및 CBCT 영상
B: 제 2소구치의 맹출 공간을 충분히 확보 후, 해당 치아의 원심 경사를 해소하고 교합평면으로 견인이 필요하다.
(출처: Kook et al.[2]의 허가를 받아 인용)

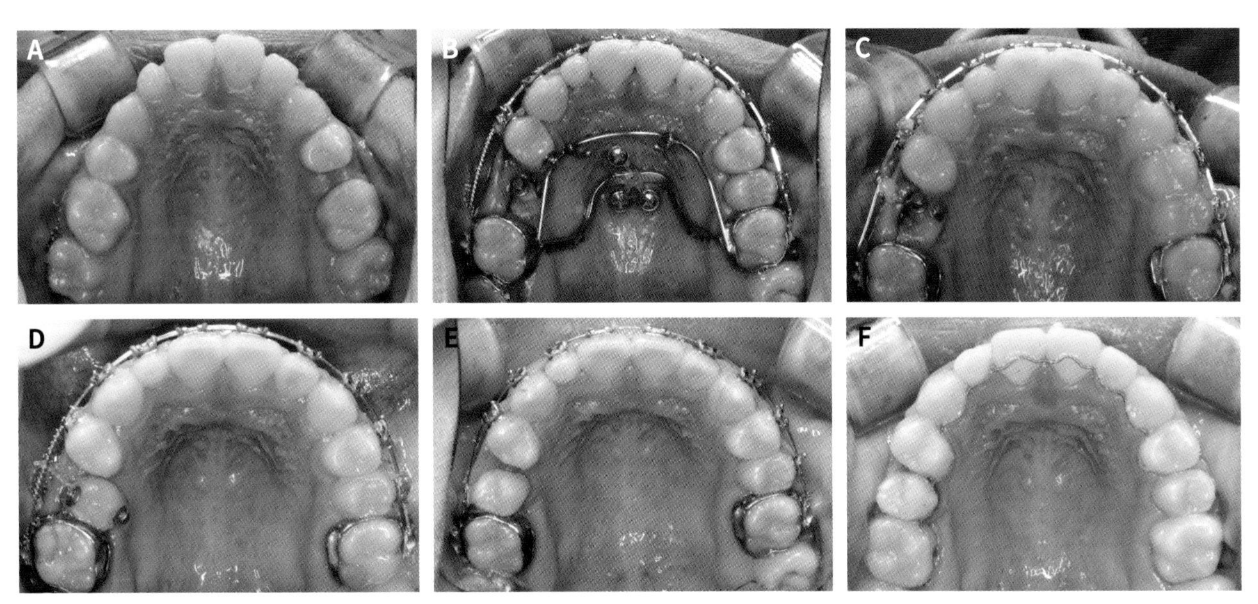

그림 10-24. A: 초진 시, B: 구개부 장치를 이용하여 상악 우측 제2소구치의 공간을 확보하고 구개측에서 제2소구치의 치관을 노출한 모습, C: 우측 제 2소구치에 2개의 버튼은 각각 해당 치아의 근심 경사와 교합평면으로의 교정력을 주기 위해서 서로 다른 위치에 부착하였다. D, E: 제2소구치의 견인 과정으로, 제2소구치의 치관이 180도 회전되어 있다. F: 치료 완료 후

2) 치료결과

28개월의 견인 치료 후 소구치는 인접치아의 치근 흡수 없이 성공적으로 치료를 마무리하였다(그림 10-25, 26).[2)]

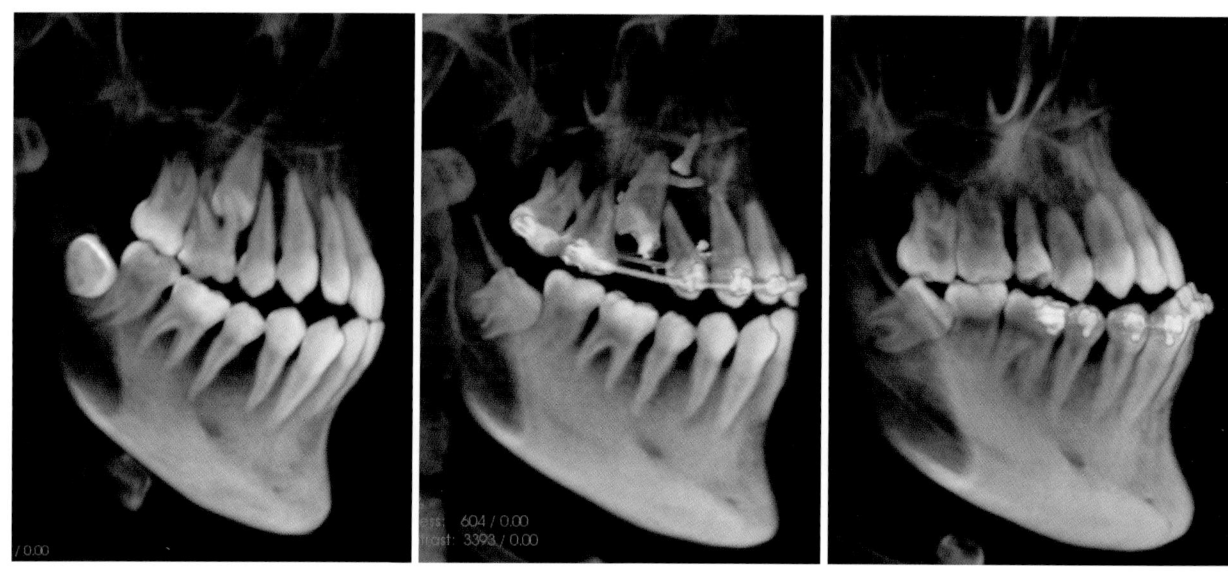

그림 10-25. CBCT에서의 제2소구치 견인과정

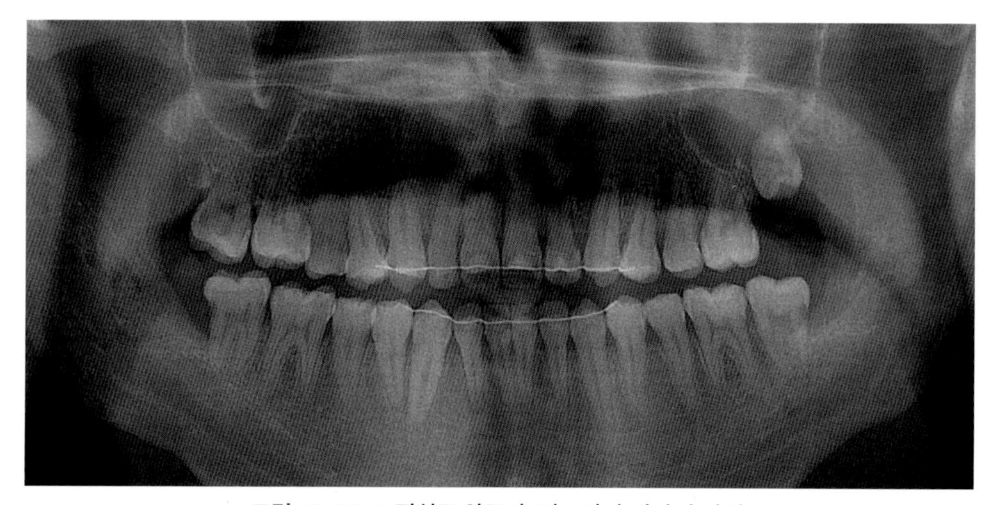

그림 10-26. 교정치료 완료 후 파노라마 방사선 사진

2 만기 잔존 유구치 하방에 수평 매복된 제2소구치의 견인

41세 남자 환자가 상악 우측 제2소구치 매복을 주소로 내원하였다(그림 10-27). 초진 시의 측방두부규격 방사선 사진의 주요 계측치는 다음과 같다. 상환은 제3급 골격성 부정교합을 가지며, 우측 제2소구치의 수평매복을 갖고 있다.

ANB: 2.0°, FMA: 37.0°, U1-FH: 112.0°, IMPA: 79.0°

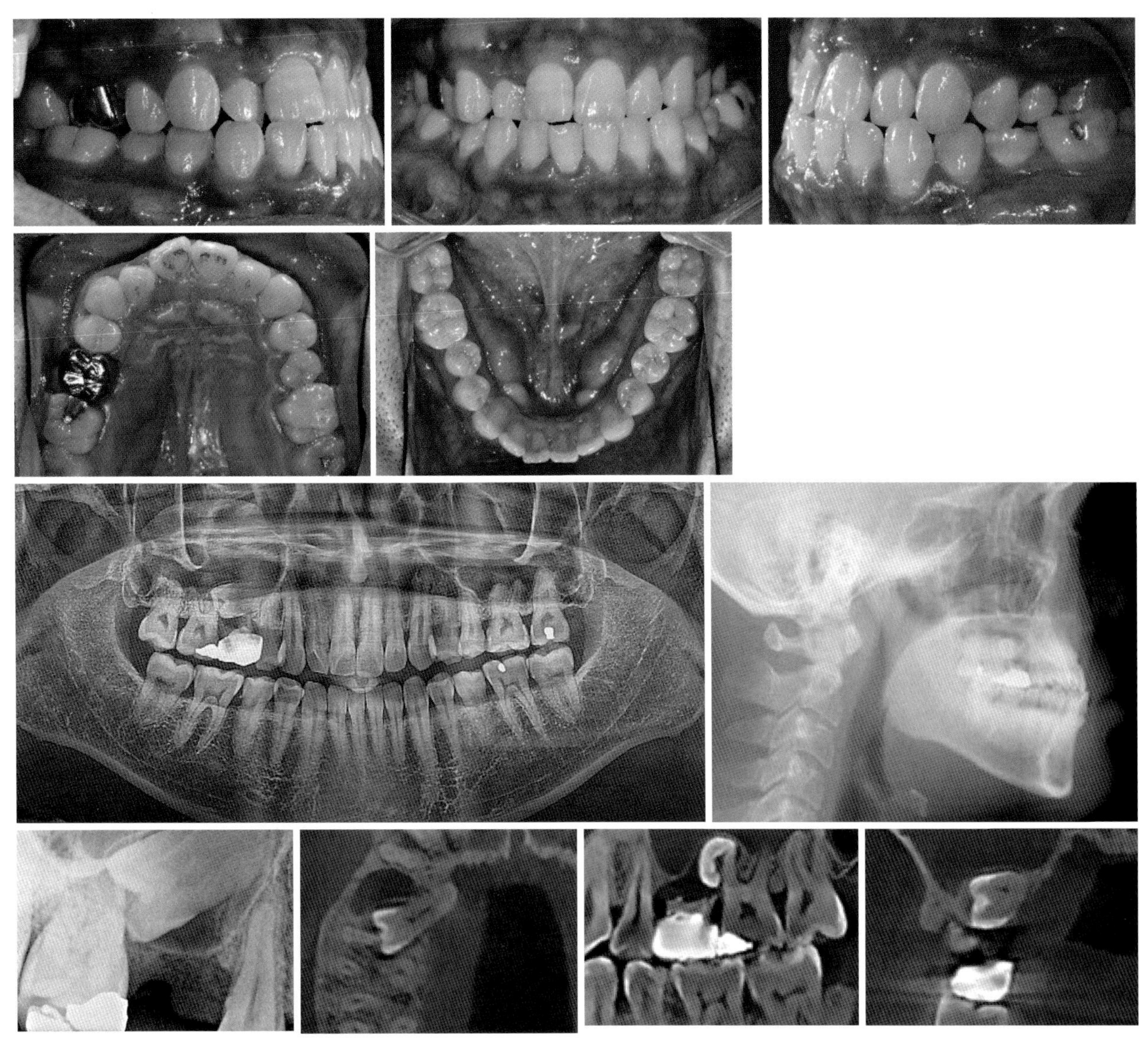

그림 10-27. 초진 시 구내 사진, 파노라마 사진, 측방두부규격 방사선 사진 및 매복된 제2소구치의 치근단 방사선 사진과 CBCT 영상

수평 매복된 상악 우측 제2소구치의 견인 경로를 고려하여 상악 우측 제1대구치의 후방 이동이 요구되었다. 이에 상악의 고정식 교정장치 부착과 함께 구개부 장치를 식립하였고 상악 우측 제1대구치만을 편측으로 후방견인하여 공간을 확보하였다. 이후 제2소구치 치관에 버튼을 부착하고 탄성체인을 이용하여 견인을 시행하였다(그림 10-28).

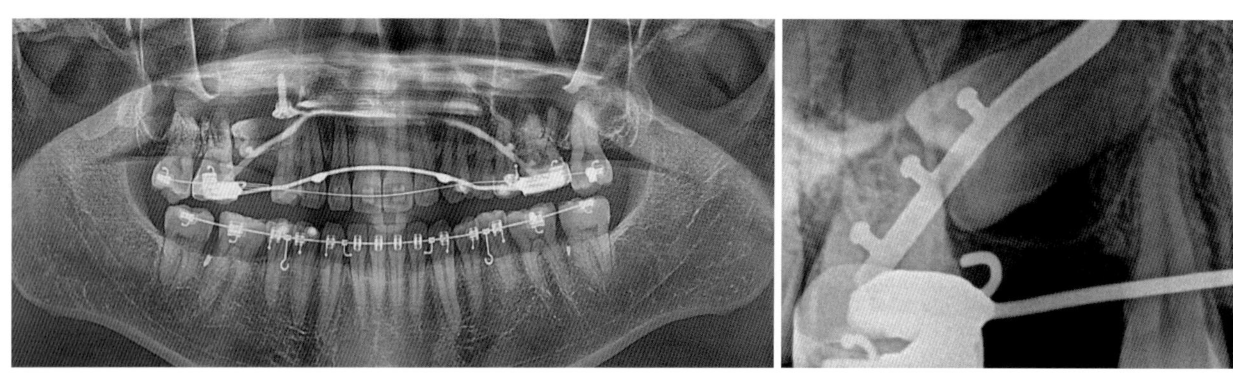

그림 10-28. 상악 구개부 장치 식립 6개월 후 파노라마 및 치근단 방사선 사진
초진 시와 비교하였을 때 상악 제1대구치의 후방 이동 및 제2소구치의 교합면 방향 이동이 관찰된다.

제1대구치의 치근 손상 없이 제2소구치의 견인이 진행되고 있는 것을 확인한 후, 구개부 장치는 조기에 제거하였으며(그림 10-29), 추가적인 교정치료 후 마무리하였다(그림 10-30).

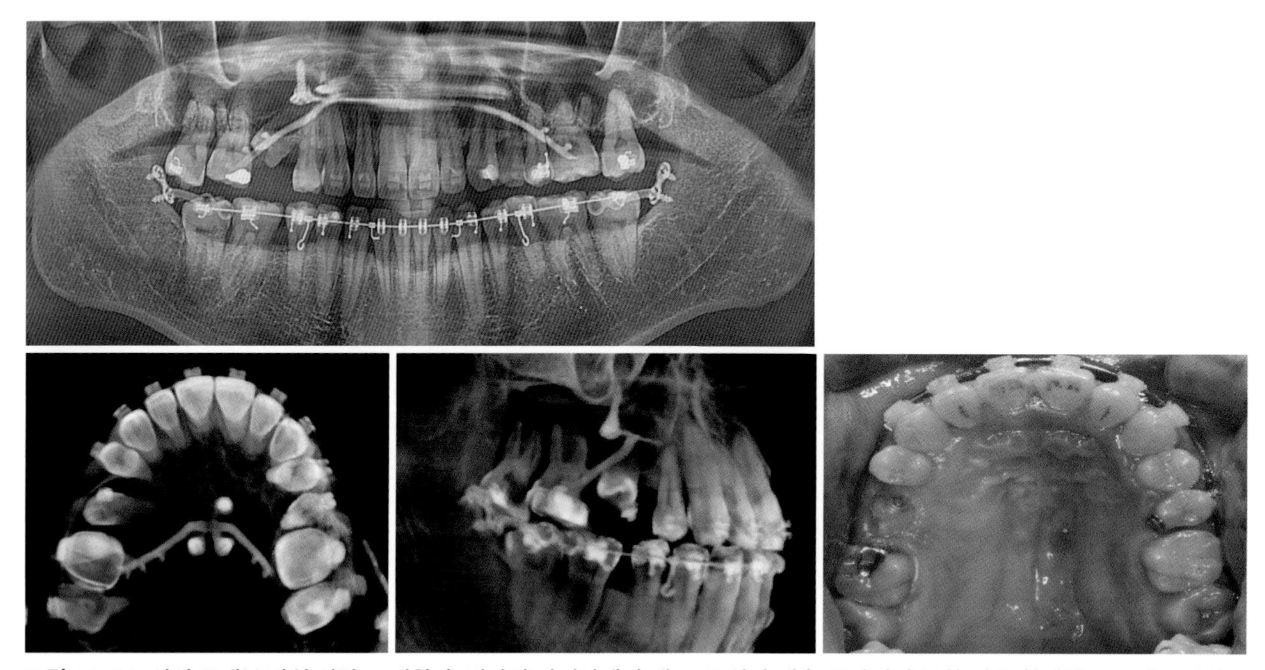

그림 10-29. 상악 구개부 장치 식립 15개월 후 방사선 사진상에서 제2소구치의 맹출 공간이 충분한 것을 확인하고 구개부 장치를 조기에 제거하였다.

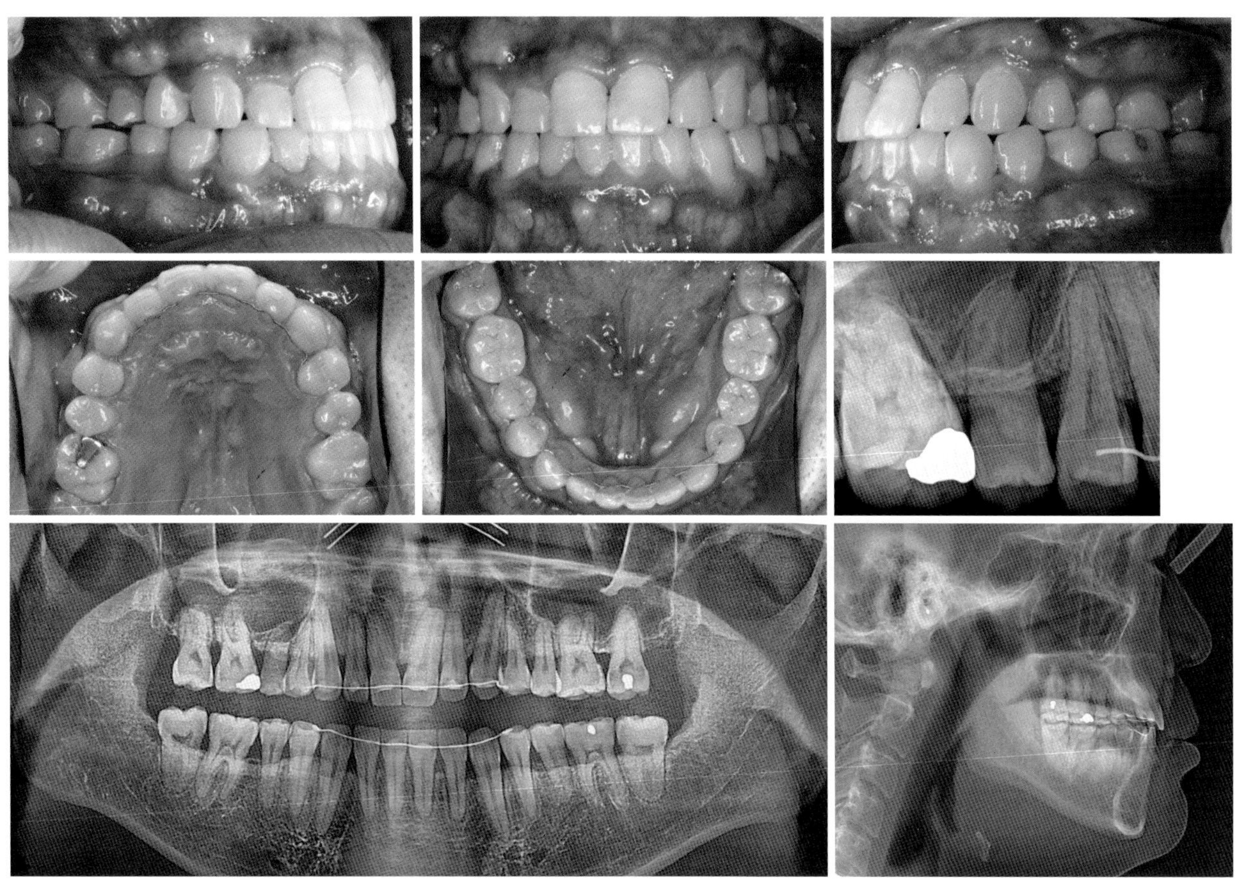

그림 10-30. 치료 종료 후 구내 사진, 치근단 방사선 사진, 파노라마 사진 및 측모두부규격 방사선 사진

10-5 상실 공간 회복 교정

선척적 혹은 후천적으로 치아가 결손된 경우, 시간이 지나며 주변 치아들에 의하여 결손 공간의 폐쇄가 일어난다. 이때 주변 치아의 치근으로 인하여 결손 공간의 임플란트 식립이 어려운 경우가 종종 발생한다. 이러한 증례에서도 구개부 장치를 이용하여 주변 치아들을 치체 이동시켜, 결손 공간의 임플란트 식립 및 보철 수복을 위한 공간을 확보할 수 있다.

1 상악 측절치 임플란트 치료

44세 남환이 상악 좌측 측절치가 하나 없다는 주소로 내원하였다(그림 10-31). 초진 시의 측방두부규격 방사선 사진의 주요 계측치는 다음과 같다.

ANB: 5.0°, FMA: 31.5°, U1-FH: 93.5°, IMPA: 82.5°

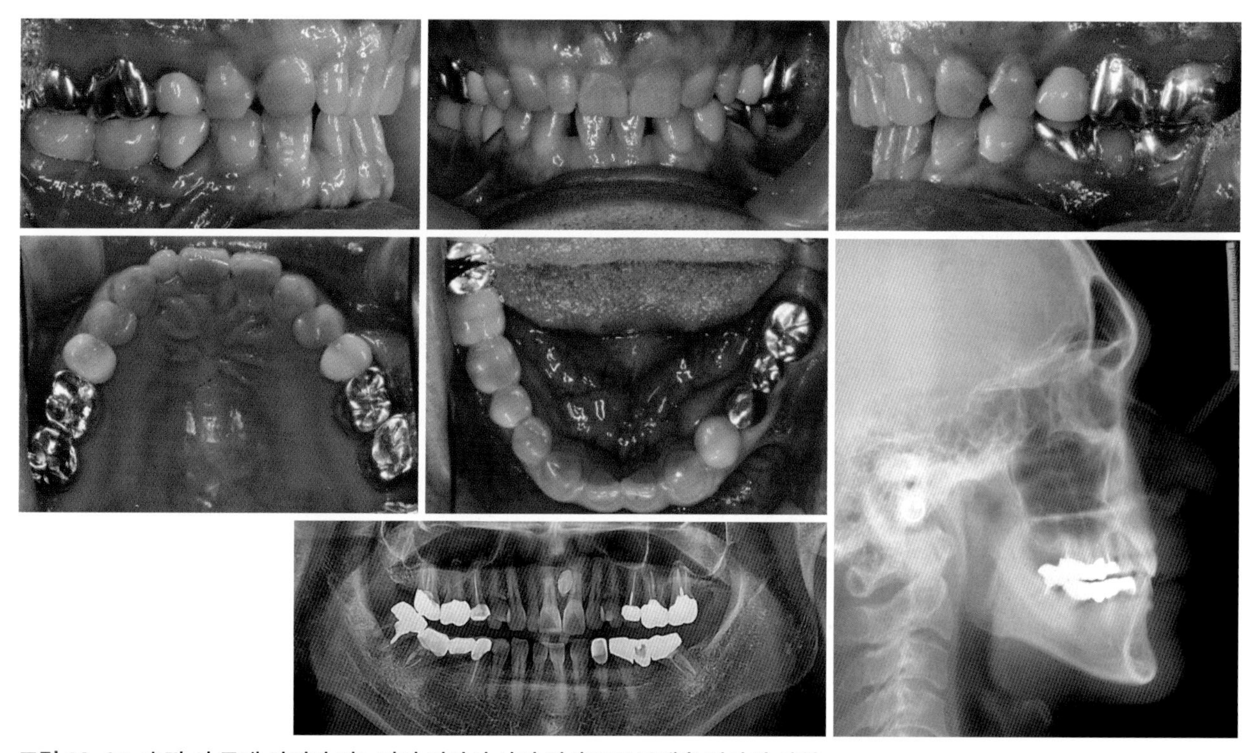

그림 10-31. 초진 시 구내 사진과 파노라마 방사선 사진 및 측모두부계측 방사선 사진

상악 중절치 치근 사이에 존재하는 과잉치는 발거하기로 하였으며, 상실된 상악 좌측 측절치 공간을 형성하기 위하여 구개부 장치와 open coil spring을 동반하여 치료를 진행하였다(그림 10-32). 서로 인접했던 상악 좌측 중절치와 견치 치근이 치체 이동을 통해 충분히 이개되었으며, 해당 부위에 임플란트를 식립할 수 있었다(그림 10-33).

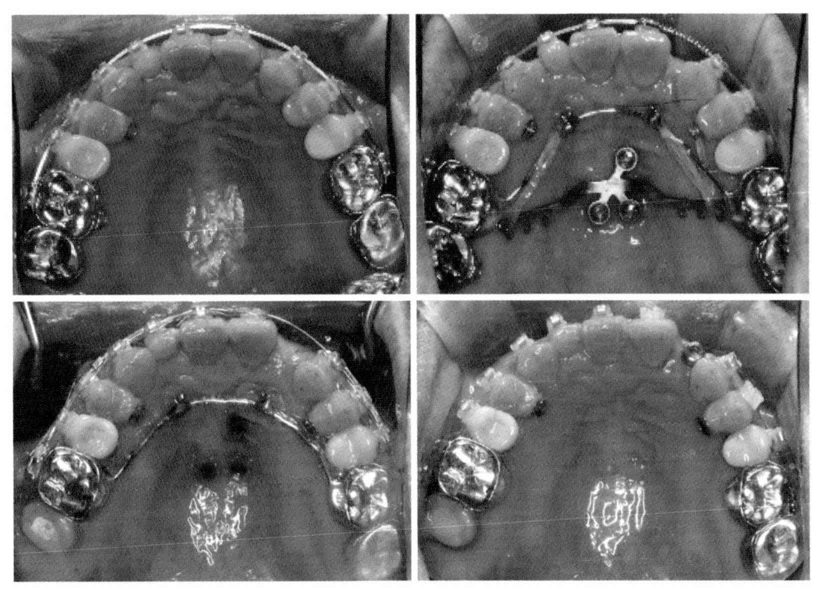

그림 10-32. 구개부 장치를 이용한 상악 좌측 측절치 공간 확보

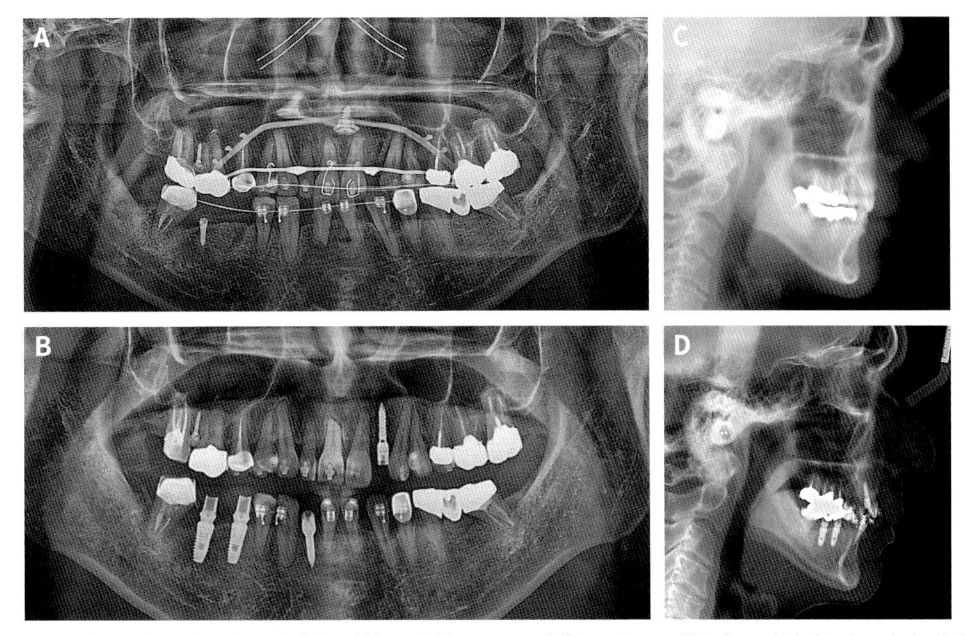

그림 10-33. 상악 좌측 측절치 임플란트 식립을 위한 교정치료. A: 공간 확보 중, B: 임플란트 식립 후 파노라마 방사선 사진, C: 초진 시, D: 임플란트 식립 후 측모두부계측 방사선 사진

2 상악 소구치 임플란트 치료

23세 여자 환자가 앞니의 비대칭과 치아 맞물림의 심미적 개선을 주소로 내원하였다. 환자는 골격성 제3급 부정교합이며, 상악 좌측 제2소구치 결손으로 인한 전치부 반대교합과 정중선 불일치를 보인다.

ANB: 1.0°, FMA: 34.0°, U1–FH: 113.5°, IMPA: 83.0°

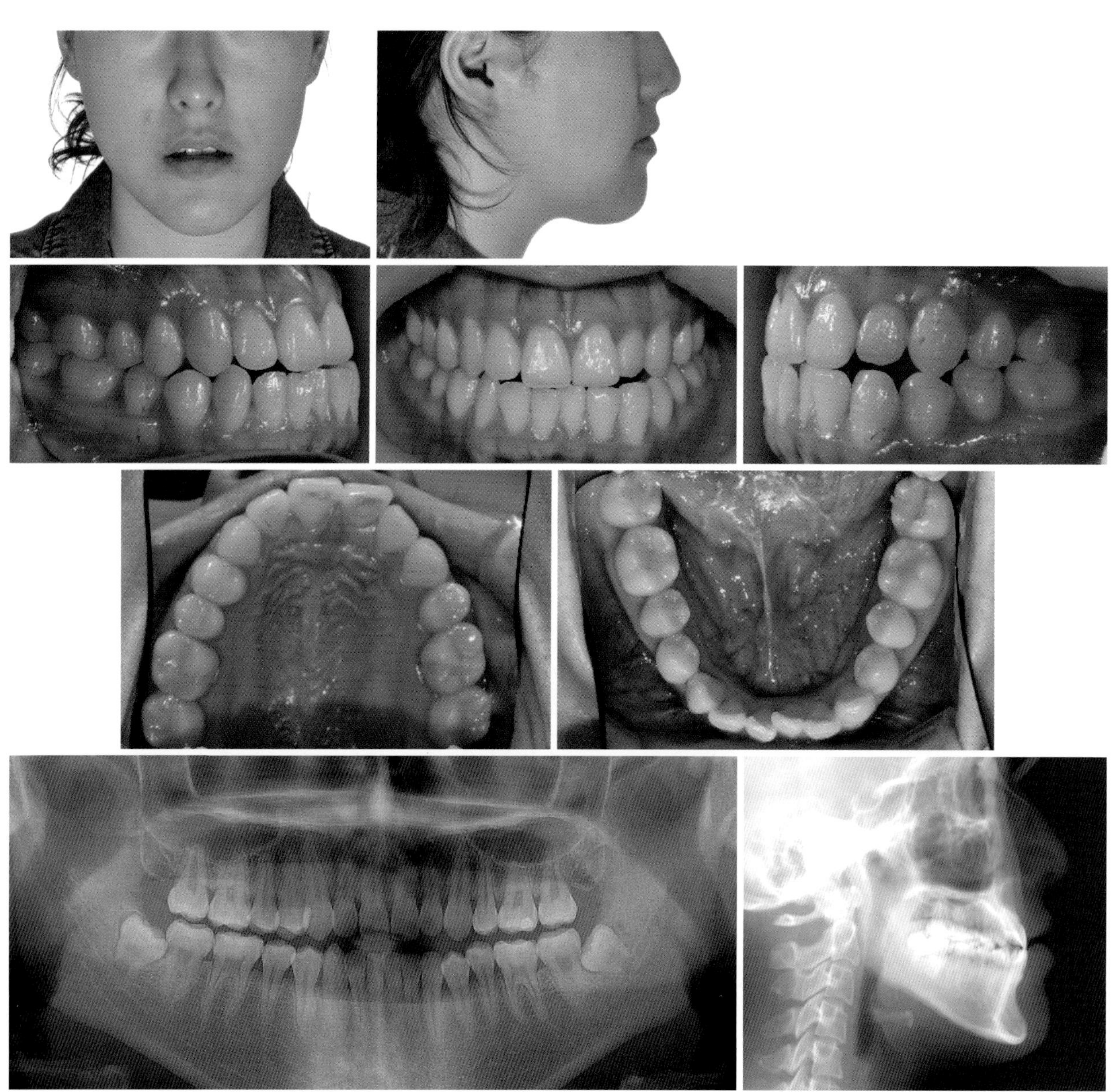

그림 10-34. 초진 시의 구외, 구내 사진, 측모두부규격방사선 및 파노라마 방사선 사진(출처: Park et al.[3])의 허가를 받아 인용)

구내외 소견상, 편측 제2소구치의 상실로 인해 공간이 완전 폐쇄되어 상악 정중선의 편위와 하악골 과성장으로 인해 절단교합을 보였으며, 구치부의 후방 이동을 통해 상악 소구치 임플란트 식립 공간을 확보하기로 하였다(그림 10-35). 구개부 장치를 사용하여 제1대구치의 후방 이동을 시행하였으며, 충분한 공간이 얻어진 것을 확인하였다(그림 10-36). 이후 전치부 절단 교합을 개선하기 위하여 구개부 장치를 변형시킨 뒤 제1대구치에 연결된 횡구개호선과 탄성체인으로 연결하여 상악 전치열을 전방 이동시켰다(그림 10-37). 환자의 하악골이 다소 과성장되어 있었으나 환자가 악교정 수술을 원하지 않아 추가적으로 하악지에 플레이트를 식립하고 제3대구치를 발치하여 하악 치열을 후방으로 이동시켰다(그림 10-38). 상실되었던 상악 좌측 제2소구치에 임플란트 식립 후 보철을 완료하였고(그림 10-39), 치료결과 심미적인 전치부 배열, III급 구치 관계의 해소와 소구치부 임플란트를 통한 교합의 회복이 이루어졌을 뿐 아니라 조화로운 안모를 얻을 수 있었다(그림 10-40).[3]

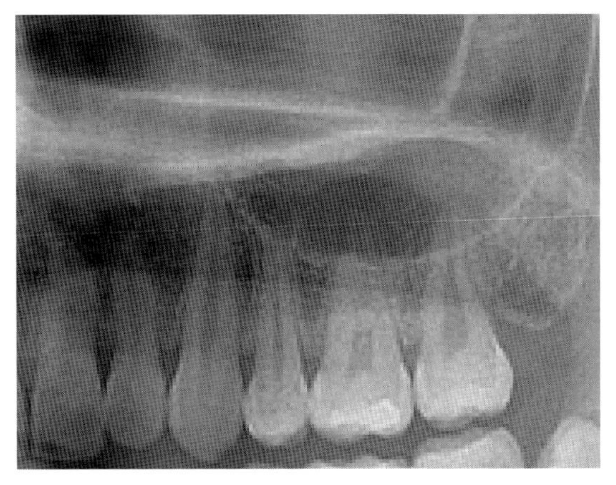

그림 10-35. 상악 우측 제2소구치 결손을 알 수 있는 파노라마 방사선 사진

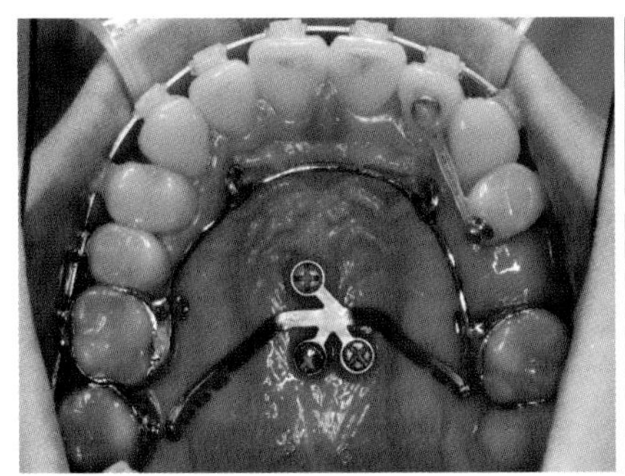
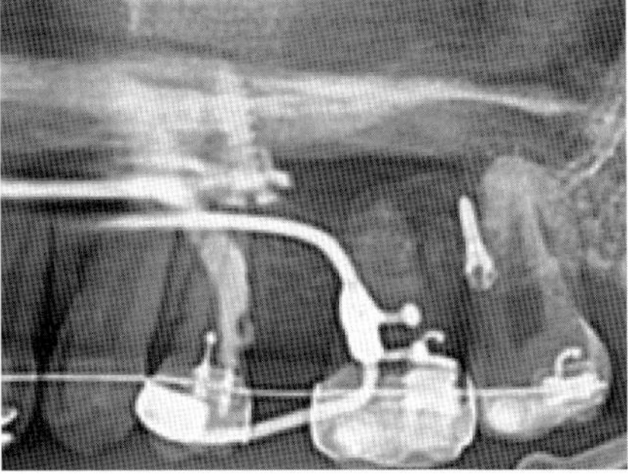
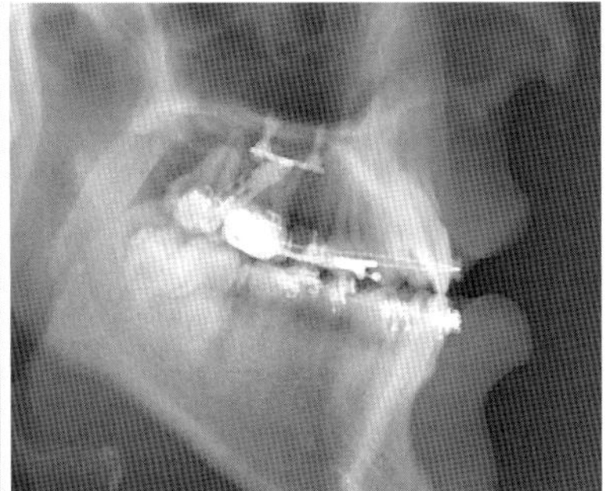

그림 10-36. 상악 구개부 장치를 이용하여 상악 좌측 제2소구치의 공간이 확보된 상태의 구내 사진 및 방사선 사진
(출처: Park et al.[3]의 허가를 받아 인용)

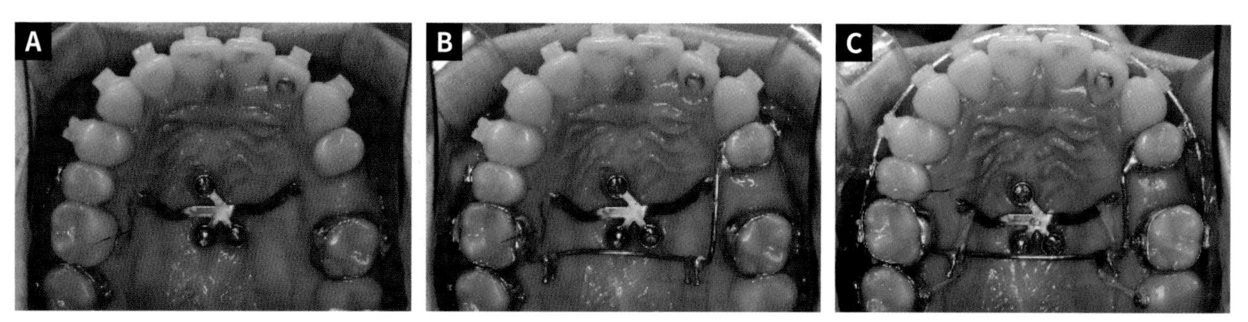

그림 10-37. 상악 좌측 제2소구치 임플란트 식립 공간 확보 후 상악 전치열의 전방 견인 과정
A: 상악 제2소구치의 공간이 충분히 확보되었다. B: 상악 구개 골성원 장치를 제거하지 않고 레버 암을 웨인가르트 플라이어를 이용하여 전방으로 bending 하였다. C: 상악 전체 치열을 전방 견인하기 위하여 양쪽 제1대구치에 횡구개호선을 적용하고, 탄성체인을 이용하여 구개부 장치의 레버 암과 연결하였다. (출처: Park et al.[3]의 허가를 받아 인용)

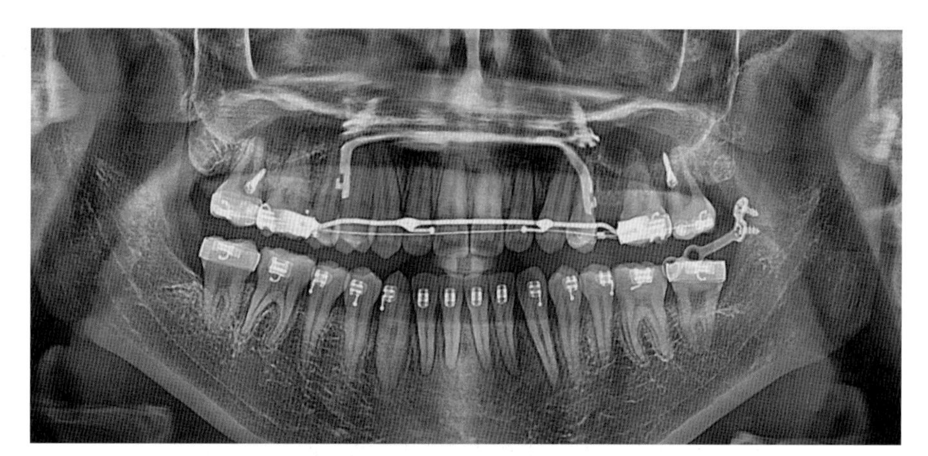

그림 10-38. 하악 치열의 후방 이동을 위해 좌측 하악지에 플레이트를 식립하였다.

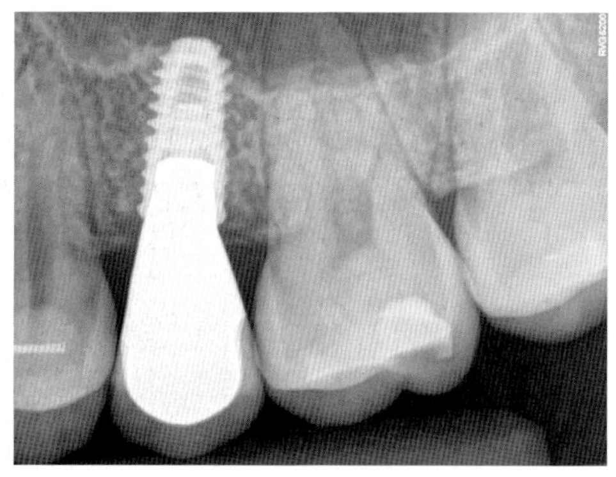

그림 10-39. 상악 좌측 제2소구치 부위에 임플란트를 식립한 후 촬영한 치근단 방사선 사진

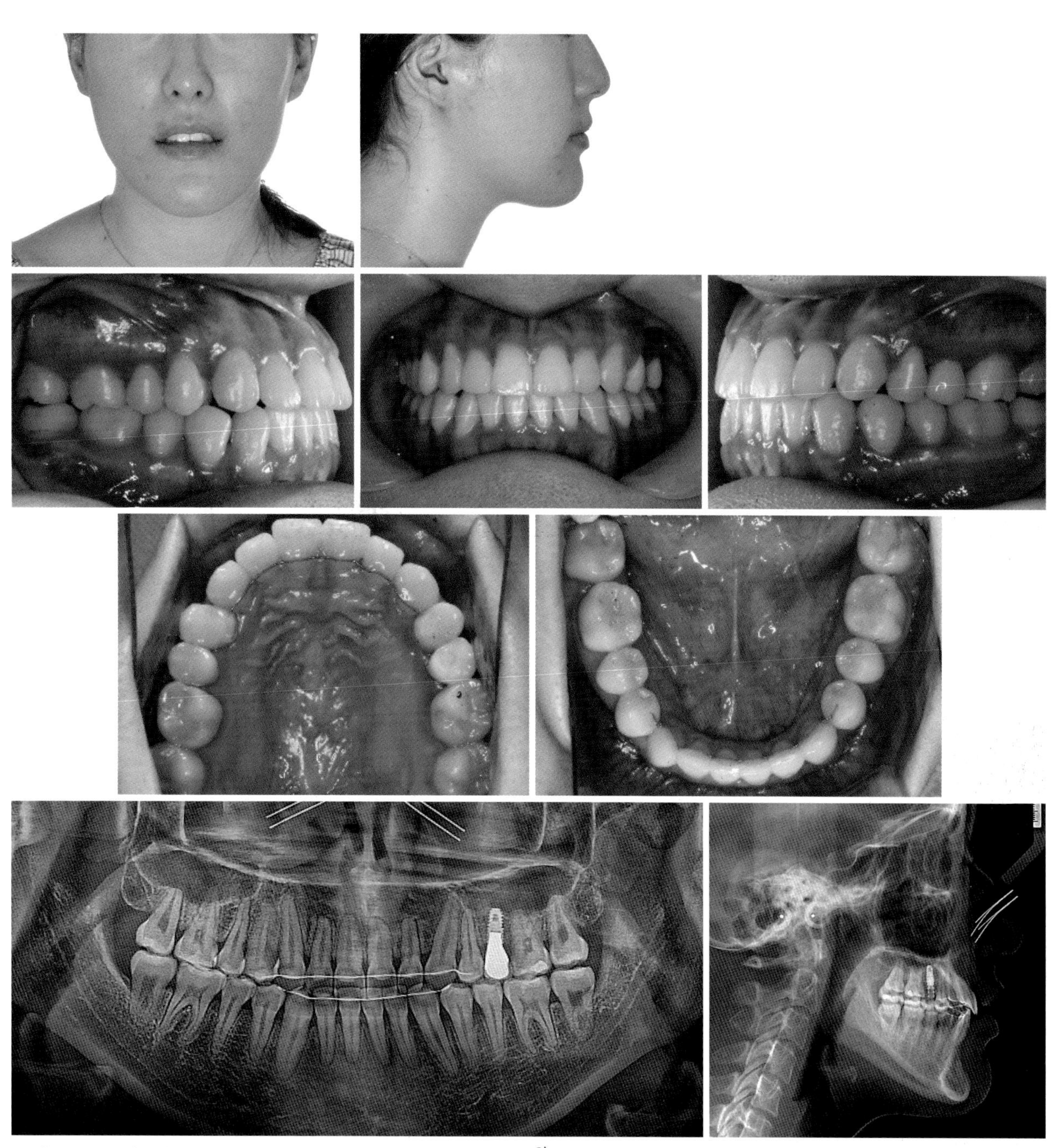

그림 10-40. 치료 후 구외, 구내 및 방사선 사진(출처: Park et al.[3])의 허가를 받아 인용)

10-6 설측 교정

설측 교정용 브라켓과 구개부 장치가 동시에 위치해도 환자는 수주 내 적응하여 발음 등에 문제가 없으며, 환자의 불편감도 크지 않으므로 환자의 요구에 따라 설측 교정 시에도 구개부 장치를 이용하여 비발치 치료를 시행할 수 있다.

1 설측 교정장치와 구개부 장치를 병행한 치료

31세 여자 환자가 돌출입을 주소로 내원하였다(그림 10-41). 상환은 양측 제1대구치와 견치의 1급 교합관계를 보이며 환자의 돌출입을 해소함과 동시에 상악 전치부의 토크 조절에 유리하도록 설측 교정으로 진행하였다. 상악에 설측 고정식 교정장치 부착과 동시에 구개부 장치를 적용하여(그림 10-42), 2년 6개월간 상악 전치열을 후방견인하고 교정치료를 마무리하였다(그림 10-43, 44). 설측교정 시에도 통상적인 방법에 따라 구개부 장치로 후방 이동을 시행한다.

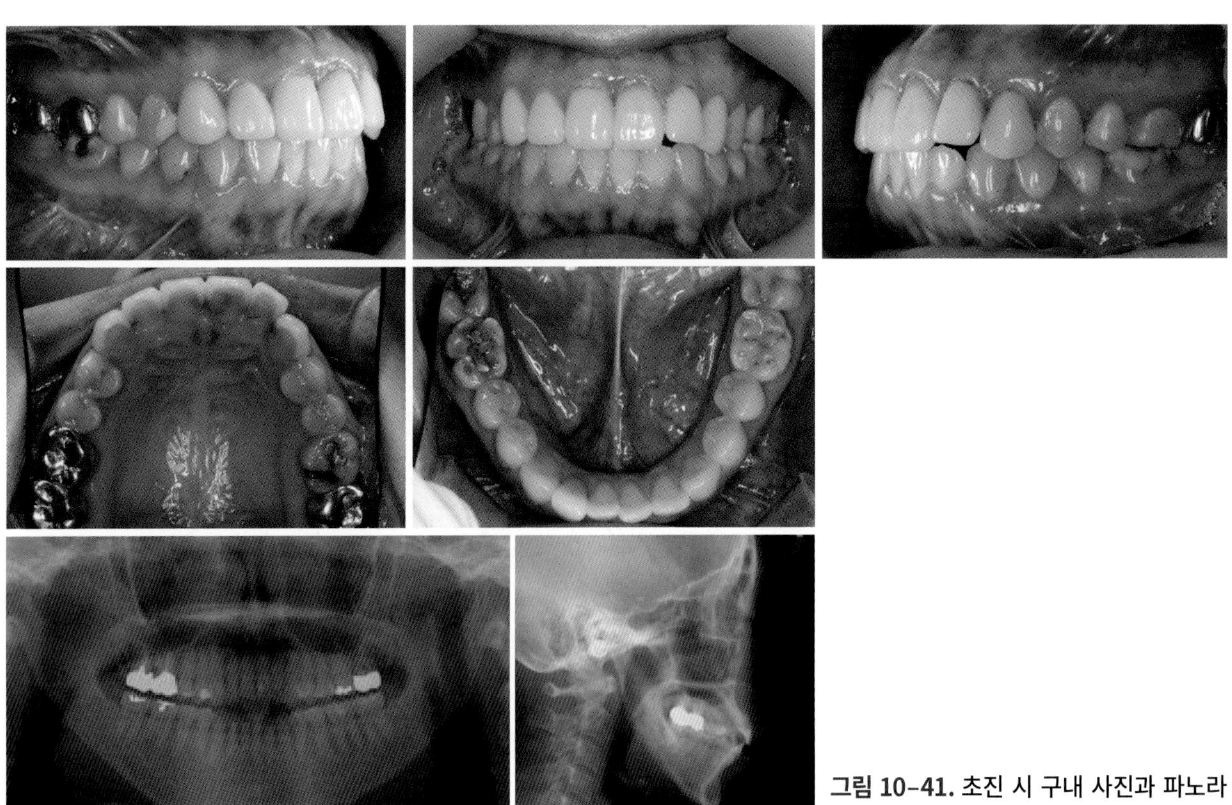

그림 10-41. 초진 시 구내 사진과 파노라마, 측방두부규격 방사선 사진

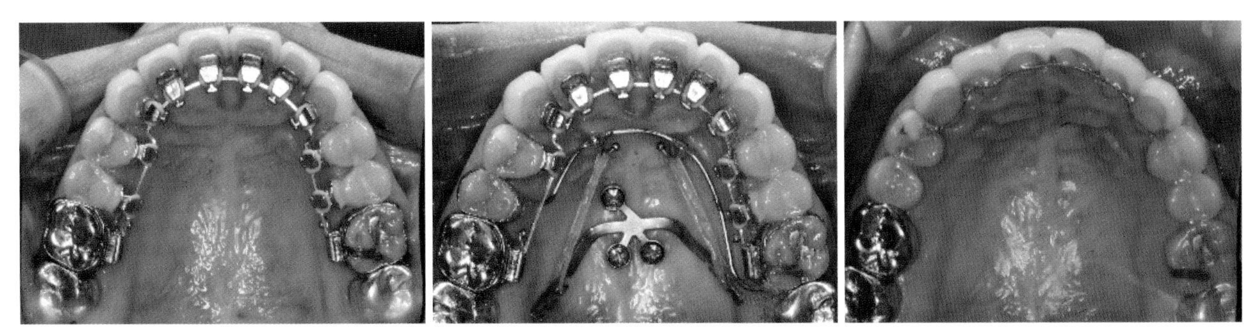

그림 10-42. 설측 고정식 장치과 구개부 고정원을 식립한 모습

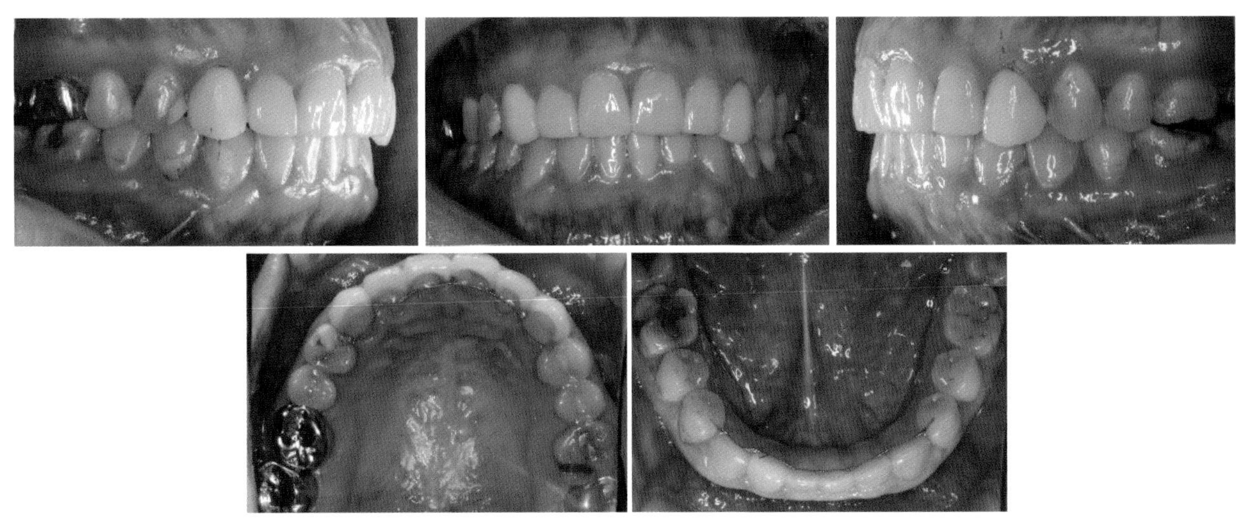

그림 10-43. 치료 종료 후 구내 사진

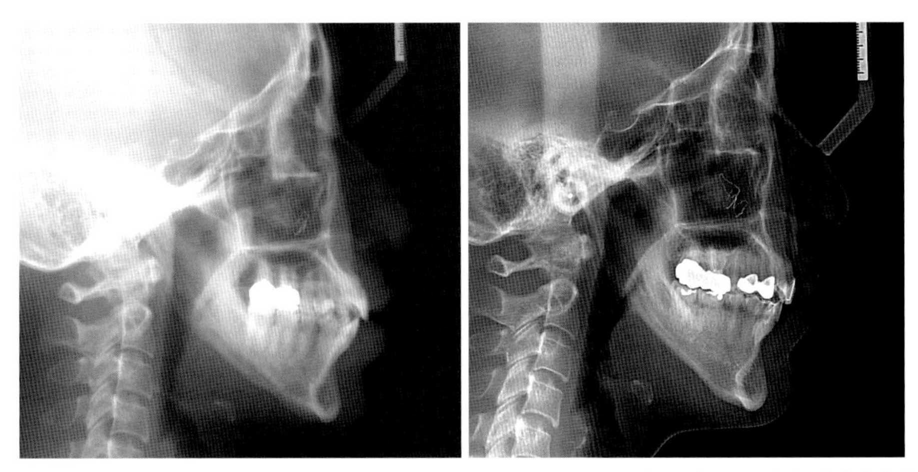

그림 10-44. 치료 전과 후 측방두부규격 방사선 사진의 비교. 치료 후 돌출감이 많이 개선되었다.

설측 교정을 통해서 만족스런 치료결과를 보였지만 해당 케이스의 경우에서 구개부 장치와 투명 장치를 같이 이용하는 하이블라인 투명교정으로도 효과적인 치료결과를 얻을 수 있다(보다 자세한 내용은 11장 참조).

10-7 수술 교정

교정적 이동의 한계를 벗어나는 Class III 부정교합 환자에서는 악교정 수술이 불가피하다. 수술을 동반한 교정치료 시 상악 치열을 후방 이동하면 상악 소구치의 발치 없이도 술전교정이 가능하다.

1 상악 비발치 술전교정을 통한 하악 편악 수술치료

21세 남자 환자가 주걱턱을 주소로 내원하였다(그림 10-45). 초진 시의 측방두부규격 방사선 사진의 주요 계측치는 다음과 같다. 하악골 과발육 제3급 부정교합을 보였다.

ANB: -2.5°, FMA: 29.0°, U1-FH: 129.5°, IMPA: 89.5°

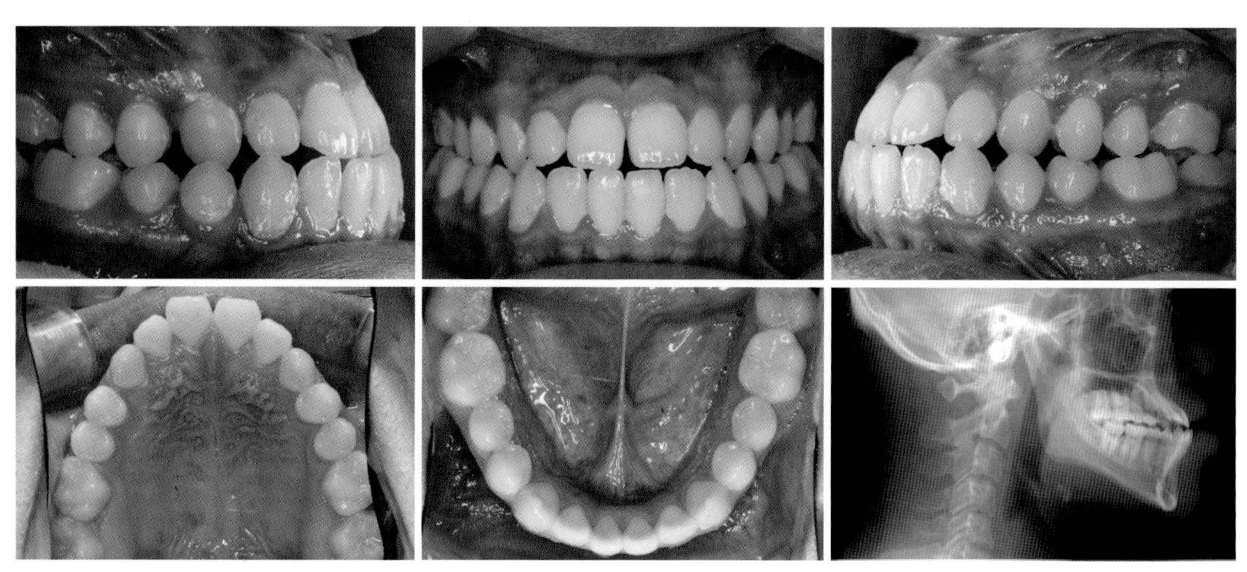

그림 10-45. 초진 시 구내 사진과 측방두부규격 방사선 사진

상악골의 비대칭이나 전후방적인 위치 이상이 존재하지 않아 하악 편악 악교정 수술을 계획하였으며, 술전 교정치료 시 상악 전치부의 설측 경사를 통한 탈보상을 계획하였다. 통상적으로는 상악 소구치 발치를 통해 탈보상을 시행할 증례였으나, 구개부 장치를 이용하여 상악 전치열을 후방 이동하여 진행하기로 했다. 상악 전치열의 충분한 후방 이동이 성공적으로 시행되었으며(그림 10-46), 술전 교정을 마무리하고 하악 편악 악교정 수술을 시행하였다(그림 10-47). 이후 술후 교정치료를 진행하여 최종적으로 교정치료를 마무리하였다. 치료결과, 상악 전치부 각도 개선과 상악 구치부 압하를 확인할 수 있었다(그림 10-48).

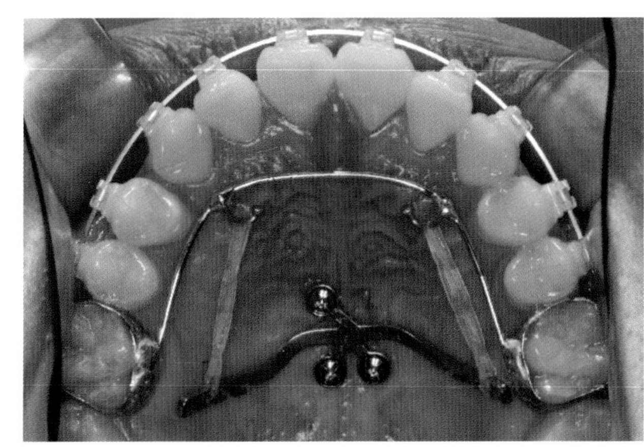
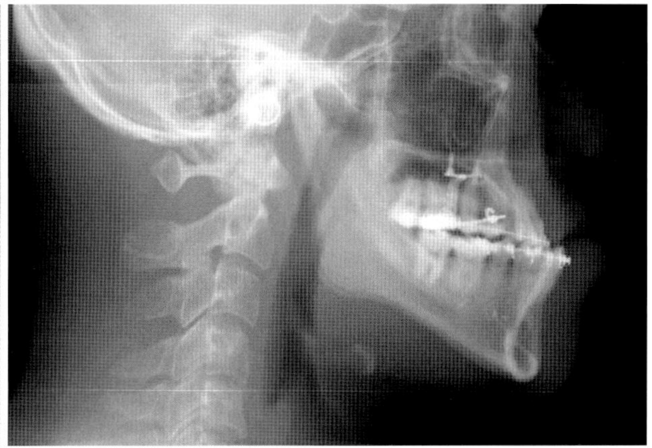

그림 10-46. 상악 전치열 후방 이동으로 술전교정 시행 중인 구내 사진과 측모두부계측방사선 사진

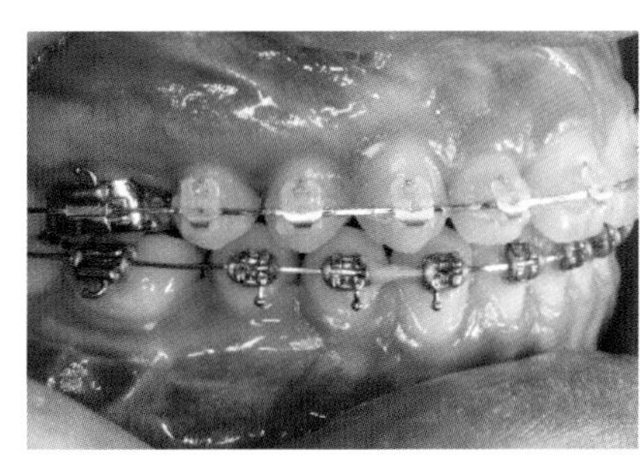
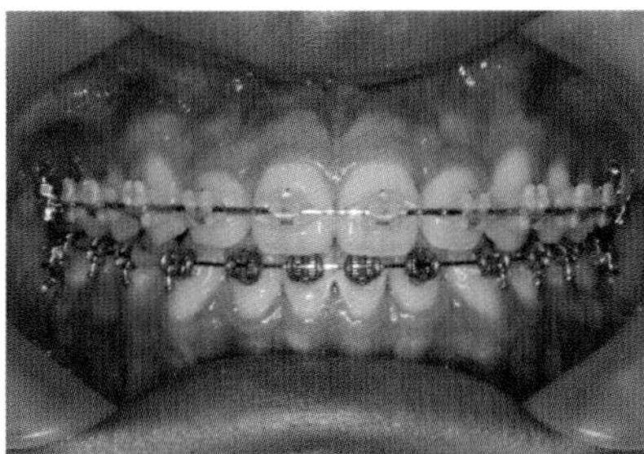
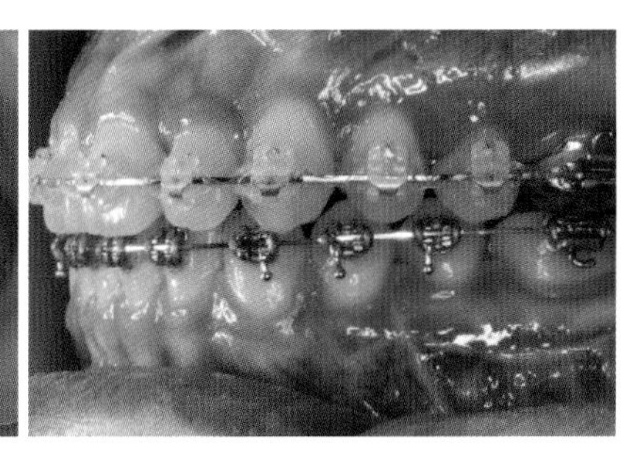

그림 10-47. 하악 편악 악교정 수술 후 구내 사진

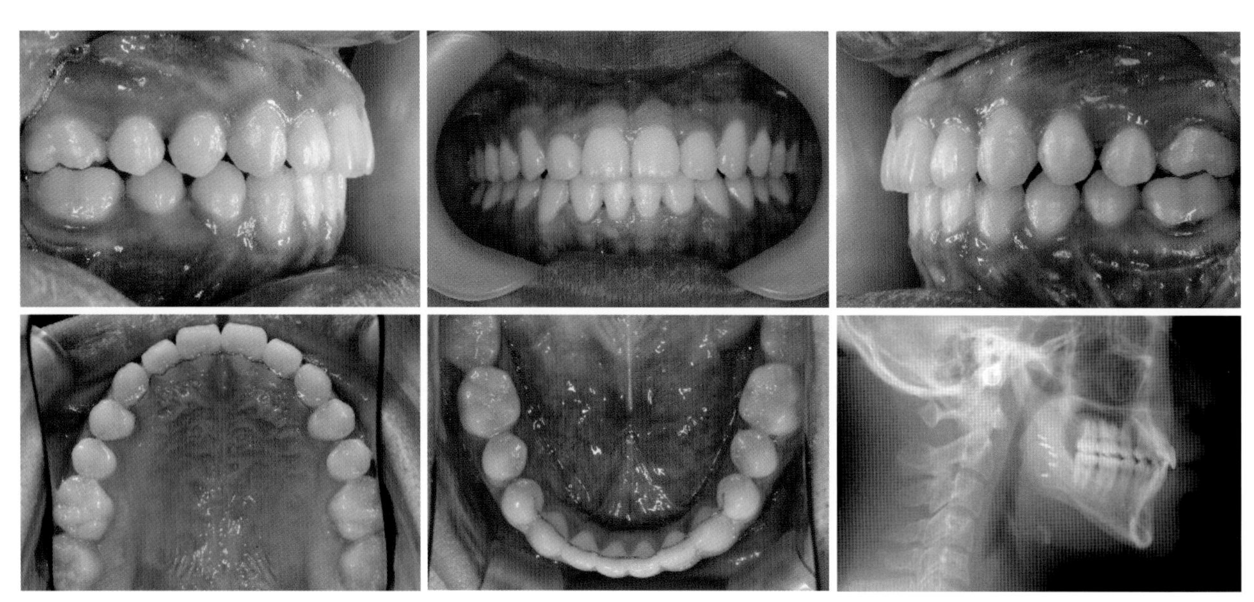

그림 10-48. 치료 종료 후 구내 사진 및 측모두부계측방사선 사진

참고문헌

1. Lee YS, Park JH, Kim J, Lee NK, Kim Y, Kook YA. Treatment effects of maxillary protraction with palatal plates vs conventional tooth-borne anchorage in growing patients with Class III malocclusion. Am J Orthod Dentofacial Orthop 2022;162:520-8.
2. Kook YA, Park JH, Bayome M. Space regaining with modified palatal anchorage plates. J Clin Orthod 2015;49:587-95.
3. Park JH, Oh JY, Lee SY, Kook YA, Han SH. Correction of an adult Class III malocclusion through regaining of orthodontic space and an implant restoration. J Esthet Restor Dent 2022;3:297-308.

11

구개부 장치와 투명장치

11-1 구개부 장치를 적용한 투명교정치료

1 투명교정장치와 고정식장치의 조합

구개부 골성고정원을 투명교정장치와 함께 적용하여 교정치료를 할 수 있다. 이는 기존의 밴드형이 아닌 접착형 원심구개호선을 적용함으로 가능해졌다.[1] 상악은 구개부 장치를 투명교정에 이용하여 전치열 후방 이동함으로 교정치료 결과를 얻을 수 있으며, 하악 구치부 후방 이동을 요하는 경우 하악에 브라켓 부착 후 후방 이동과 배열, 그러나 후방 이동이 요구되지 않는 경우 투명교정으로 진행하여도 무관하다.

11-2 하이브리드 투명교정의 치료전략

브라켓을 이용한 전통적인 교정치료 방식에 비해 투명교정이 가지는 치료적인 접근은 다른 의미와 방식을 가지고 있다. 환자의 탈착에 의해 결과가 결정되고 치아와 치은을 감싸고 치료를 진행하여 브라캣과 와이어를 이용하는 기존 치료방법과는 생역학 원리가 다른데, 골격성 고정원을 이용하여 기존의 투명교정이 가지고 있는 치료 한계를 개선함으로써 교정치료의 적응증을 확대할 수 있다. 하이브리드 얼라이너(Hybrid Aligner) 또는 하이블라인(Hyblign)이라는 새로운 교정치료 전략은 골격성 고정원과 함께 브라겟과 투명교정 혹은 그 외의 부착형 교정장치를 필요에 따라 체계적으로 선택하고 병용 적용하는 치료전략이다. 하이블라인 전략을 이용하면 브라켓과 투명교정의 각각의 장점을 극대화할 수 있다.[2),3)]

Step 1 하악 치열 후방 이동을 해야 하는 경우 하악 전치열에 022 슬롯의 브라켓을 부착하고 초기 016 나이티놀 와이어에 이어 018 나이티놀 와이어를 이용해 순차적으로 레벨링과 배열을 진행한다. 하악 제1, 2대구치 사이에 미니 임플란트를 식립하여 하악 전치열 후방 이동을 시행한다(그림 11-1A, C).

Step 2 상악 구개부 장치를 식립하고 접착형 원심구개호선을 제1대구치에 접착한다. 식립 후 2주 동안 관찰하여 구개부 장치의 미니 임플란트 주변 염증 및 구강 위생을 확인한다.

Step 3 0.7 mm 두께의 투명교정장치를 상악 치열에 적용하고 구개부 장치와 원심구개호선에 탄성체인을 연결하여 상악 전치열 후방 이동을 진행한다. 투명교정장치는 식사시간 외에는 최대한 착용하도록 한다(그림 11-1B).

Step 4 하악 전치열 후방 이동에 따라 증가된 수평피개를 해소하기 위해 상악 투명교정장치의 측절치와 견치 사이에 Tear drop forming plier를 이용해 II급 고무줄 착용을 위한 홈(slit)을 형성하고 1/4" 3.5 oz 고무줄을 착용한다(그림 11-1D와 11-2).

Step 5 상악 전치열 후방 이동에 따라 발생하는 구치부의 이개는 투명교정장치의 구치부 부위에 투명 버튼(plastic button)을 달아서 하악 구치부와 함께 1/4" 3.5 oz 수직 고무줄을 착용한다(그림 11-1E).

Step 6 적절한 수평피개와 수직피개, 견치 및 구치관계가 형성되면 치료를 종료한다(그림 11-1F).

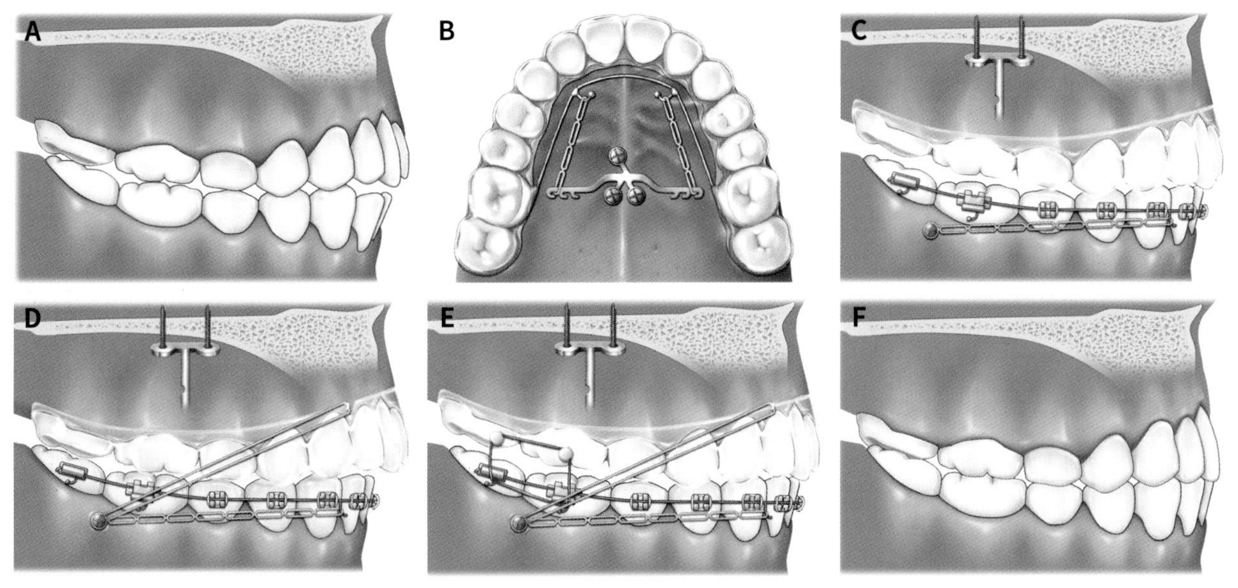

그림 11-1. 상악 투명교정치료 전략의 모식도
A: 초진 시 모습, B: 구개부 장치와 원심구개호선 적용 및 투명교정장치 사용, C: 미니 임플란트를 통한 하악 전치열 후방 이동, D: 상악 투명교정장치와 II급 고무줄 착용, E: 투명교정장치와 하악 구치부간에 수직 고무줄 착용, F: 치료 완료 후 모습

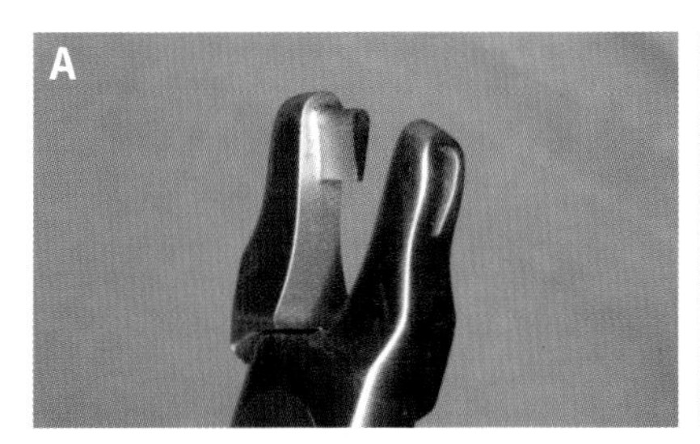

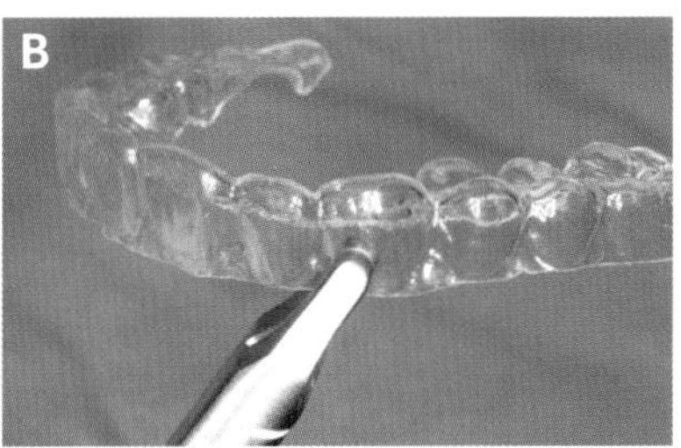

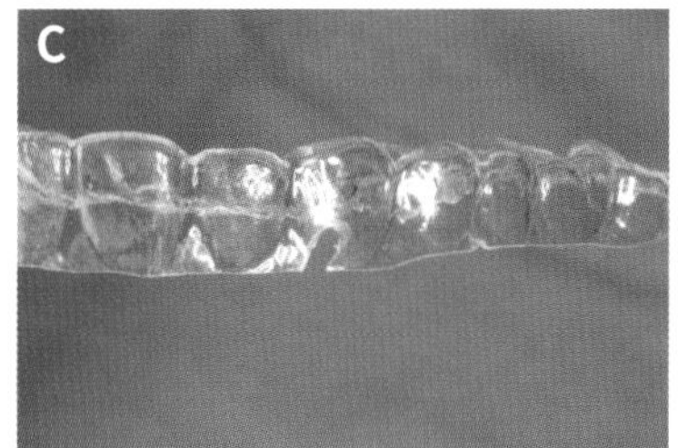

그림 11-2. II급 고무줄을 적용하기 위해 투명장치에 홈을 형성하는 방법
A: Tear drop forming plier, B: Tear drop forming plier를 이용해 투명교정장치에 II급 고무줄 착용을 위한 홈(slit)을 형성해 준다. C: 홈이 형성된 투명교정장치

11-3 하이블라인 투명교정의 다양한 적용

1 치간이개(Spacing)가 동반된 돌출입 증례

증례 1

25세 여자 환자가 앞니 벌어짐과 돌출입을 주소로 내원했다. 상하악 전치부 치간이개가 관찰되었으며, I급 구치 관계를 보였다. 측모두부계측방사선 사진과 모델의 주요 계측값은 다음과 같다(그림 11-3).

ANB: 1.0°, FMA: 27.5°, U1-FH: 132.5°, IMPA: 102.0°
Arch length discrepancy: 상악 3.0 mm / 하악 3.0 mm

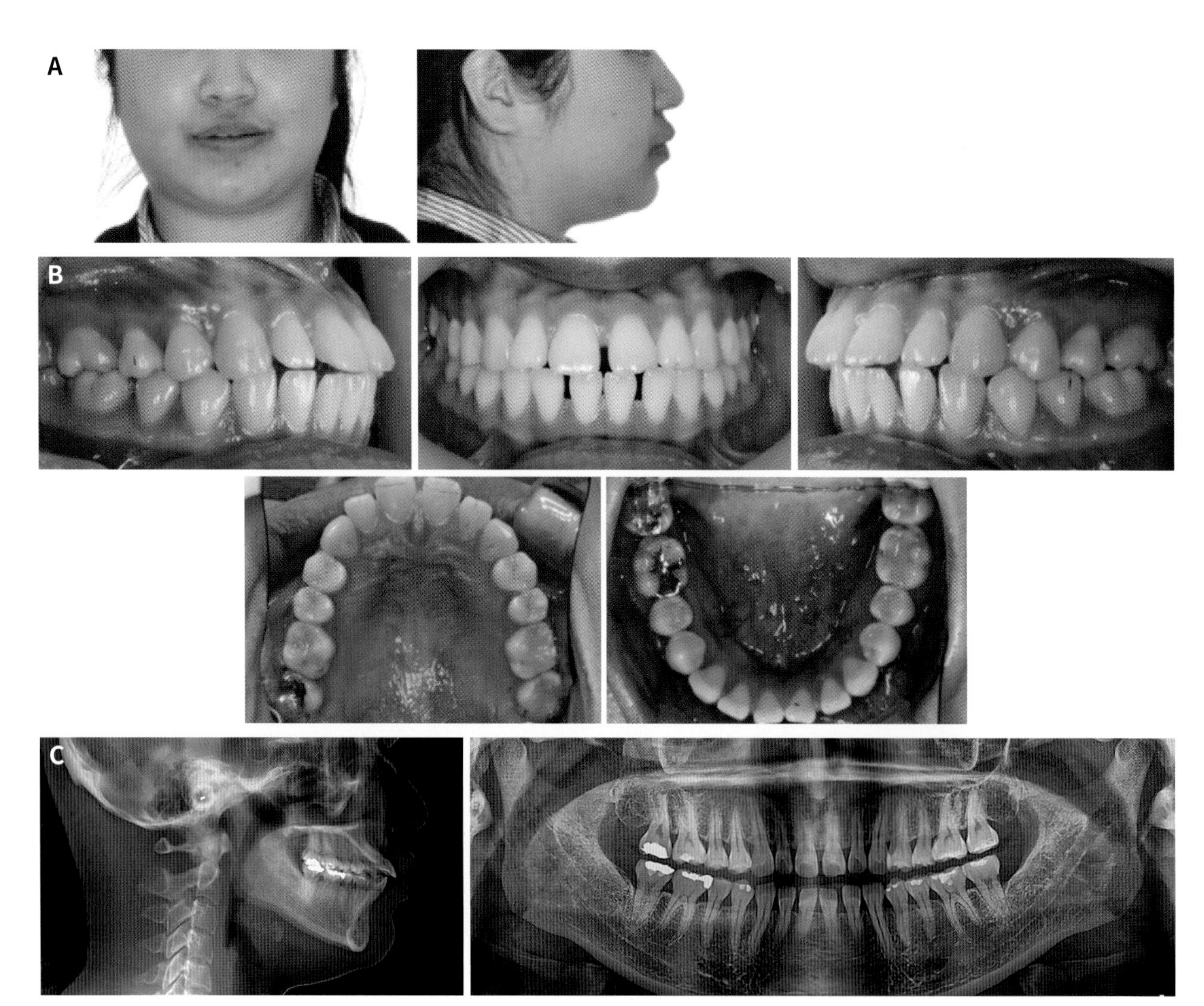

그림 11-3. 초진 시 임상 및 방사선 사진. A: 구외 사진, B: 구내 사진, C: 측모두부계측방사선 사진 및 파노라마 방사선 사진

1) 치료과정

상악에 구개부 장치와 접착형 원심구개호선을 적용한 동시에 하악에서는 022슬롯의 브라켓을 부착하여 레벨링 및 배열을 실시하였다. 구개부 장치 식립 2주 후 구개부에 염증이 없는 것을 확인한 후, 0.7 mm 두께의 상악 투명장치와 함께 탄성체인을 적용하여 250–450 gm 힘으로 전치열 후방 이동을 하였다(그림 11-4). 하악의 제1대구치와 제2대구치 사이 미니 임플란트를 식립하여 후방 이동을 시행하였다(그림 11-5).

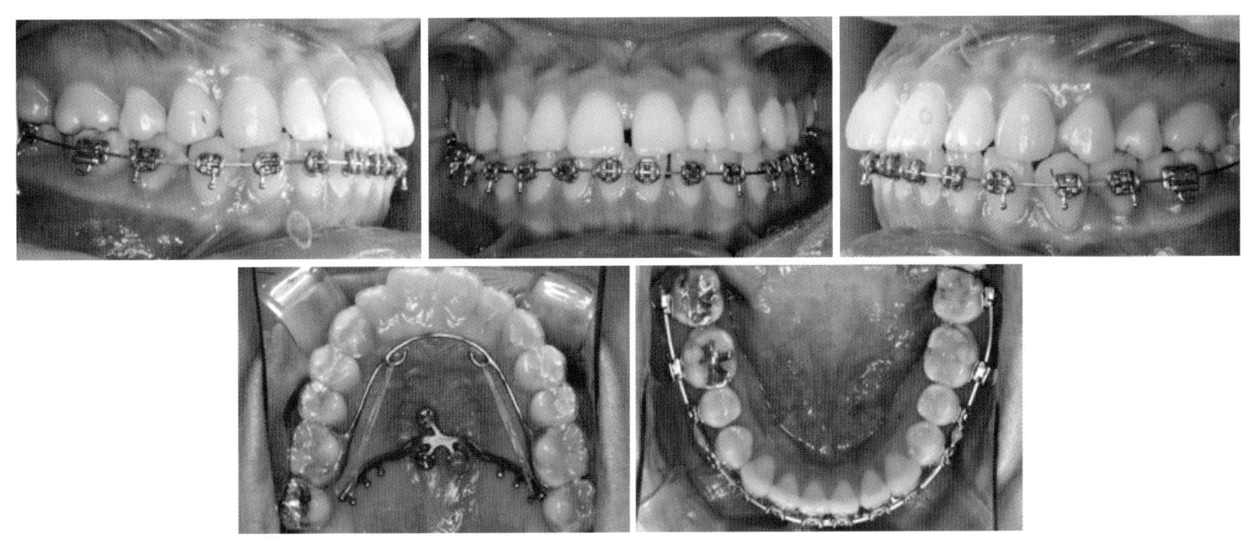

그림 11-4. 상악에 구개부 장치와 원심구개호선 및 투명교정장치를 적용 및 하악에 고정성 장치를 통하여 교정치료를 시행하는 모습

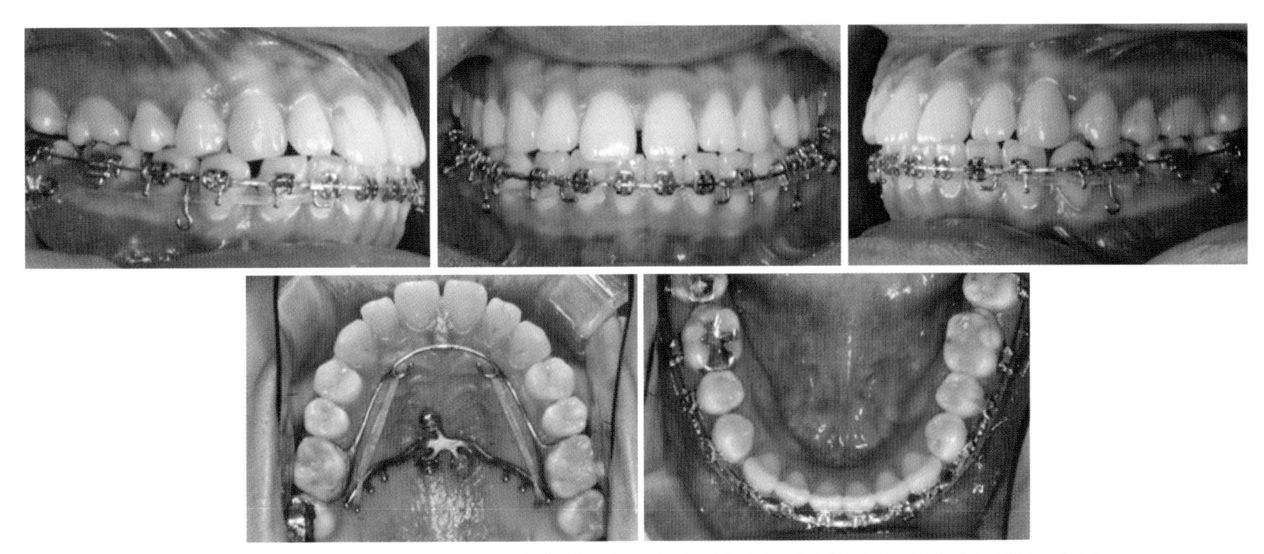

그림 11-5. 하악의 제1대구치와 제2대구치 사이에 미니 임플란트를 식립하여 하악 치열 후방 이동을 실시하는 모습

상악 후방 이동 시, 발생할 수 있는 구치부 치간이개를 방지하고자 상악 구치부에 버튼을 부착하고 수직 고무줄을 적용하였다(그림 11-6, 7). 이후 정중 이개를 해소하기 위해 상악의 중절치에 투명 버튼을 접착하고 제1대구치에서는 금속 버튼을 접착하여 탄성체인으로 연결하였다(그림 11-8, 9). 상악 정중 이개를 해소한 후, 구개부 장치와 투명장치를 이용하여 전치열 후방 이동을 진행하였다(그림 11-10). 하악 후방 이동으로 증가된 수평피개를 해소하기 위해 II급 고무줄을 적용하였다(그림 11-11).

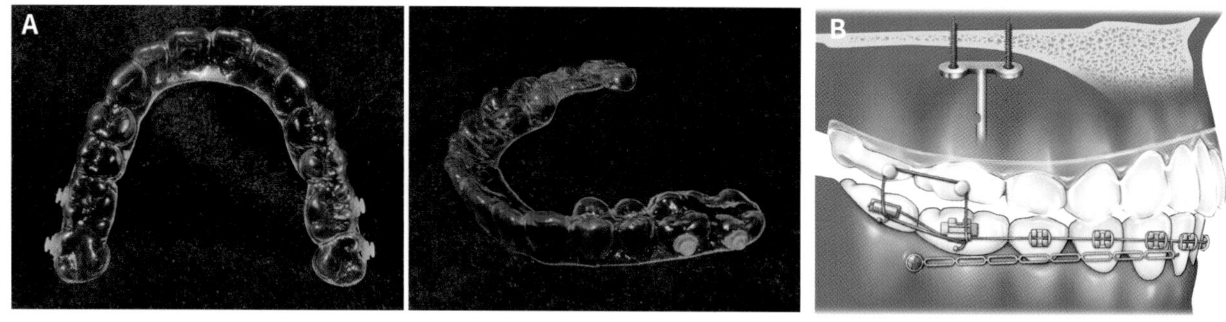

그림 11-6. 구치부 버튼 부착. 얼라이너에 직접 버튼을 붙이는 방법과 버튼 컷 아웃 후 치아에 버튼을 부착하여 고무줄을 걸 수 있다. 그렇지만 얼라이너에 버튼을 부착하는 방법은 탈락이 빈번하고 투명장치의 유지력이 떨어지므로 추천하지 않는다.
A: 투명장치에 직접 버튼을 붙인 예시, B: 투명장치에 버튼 컷 아웃 후 치아에 버튼을 부착한 예시

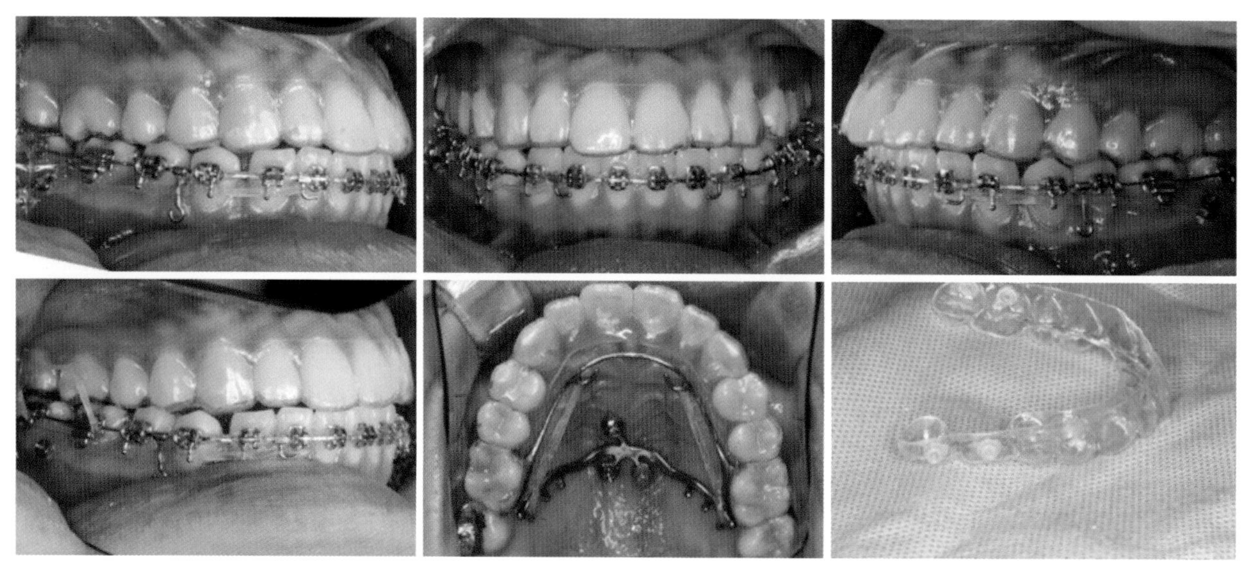

그림 11-7. 상하악 구치부 이개 방지를 위해 수직 고무줄을 적용한 모습과 투명 버튼을 적용하여 투명교정장치를 장착한 모습

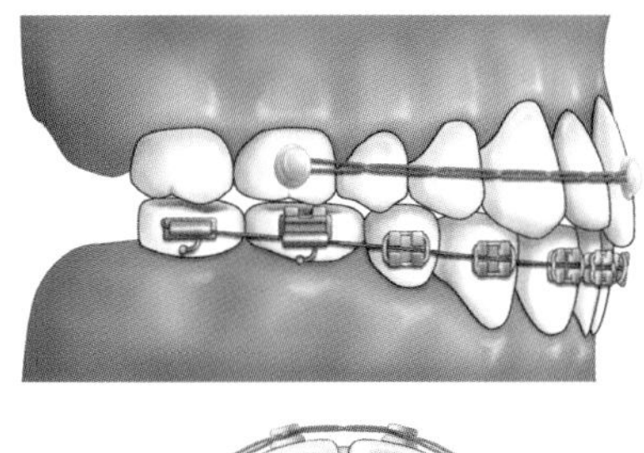
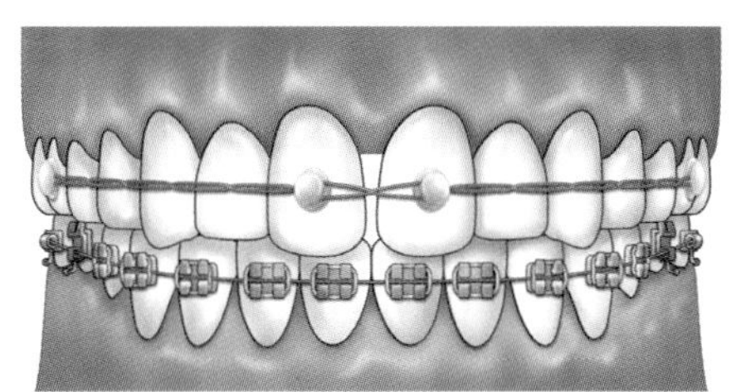
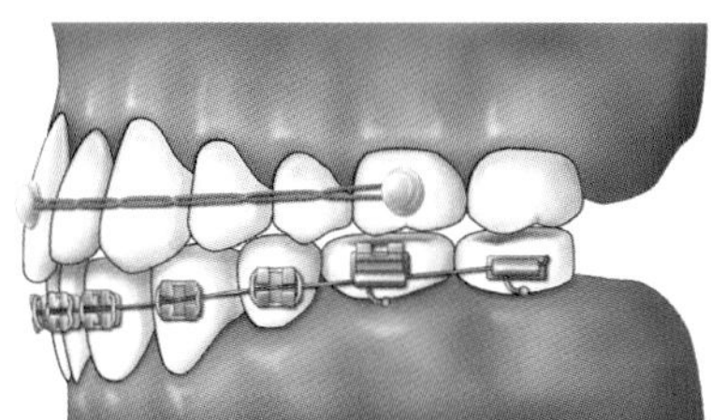
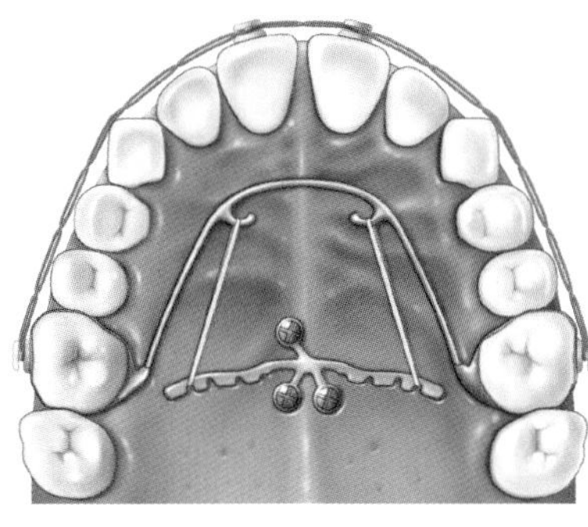

그림 11-8. 상악 정중이개 해소를 위한 모식도
상악 중절치와 제1대구치의 버튼을 접착하고 탄성체인을 이용하여 정중이개를 쉽게 해소한다.

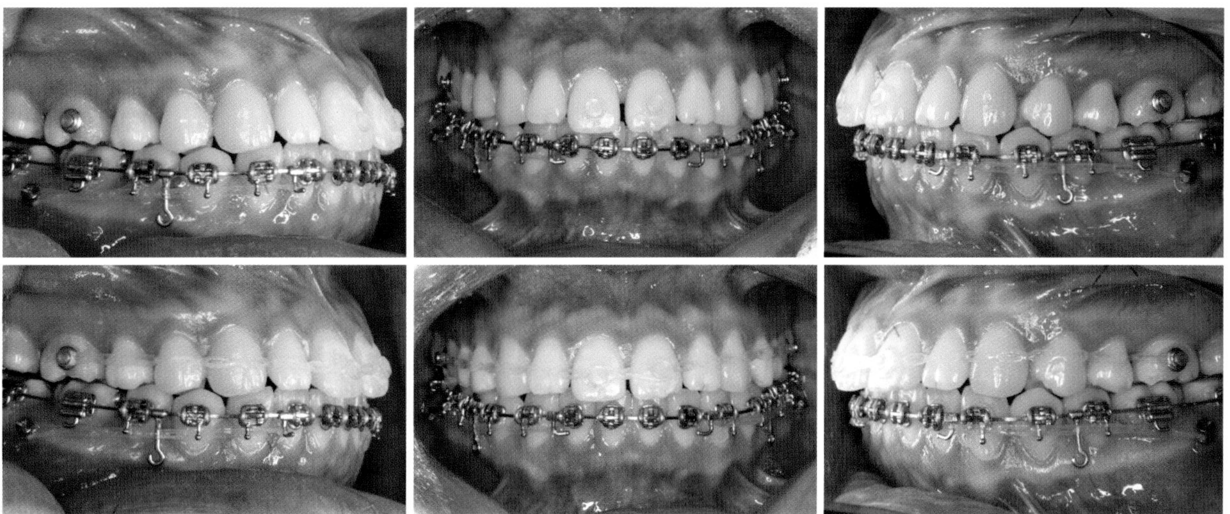

그림 11-9. 상악 정중이개 해소 과정. 상악의 중절치에 투명 버튼을 접착하고 제1대구치의 금속 버튼을 접착하여 탄성체인으로 연결하였다.

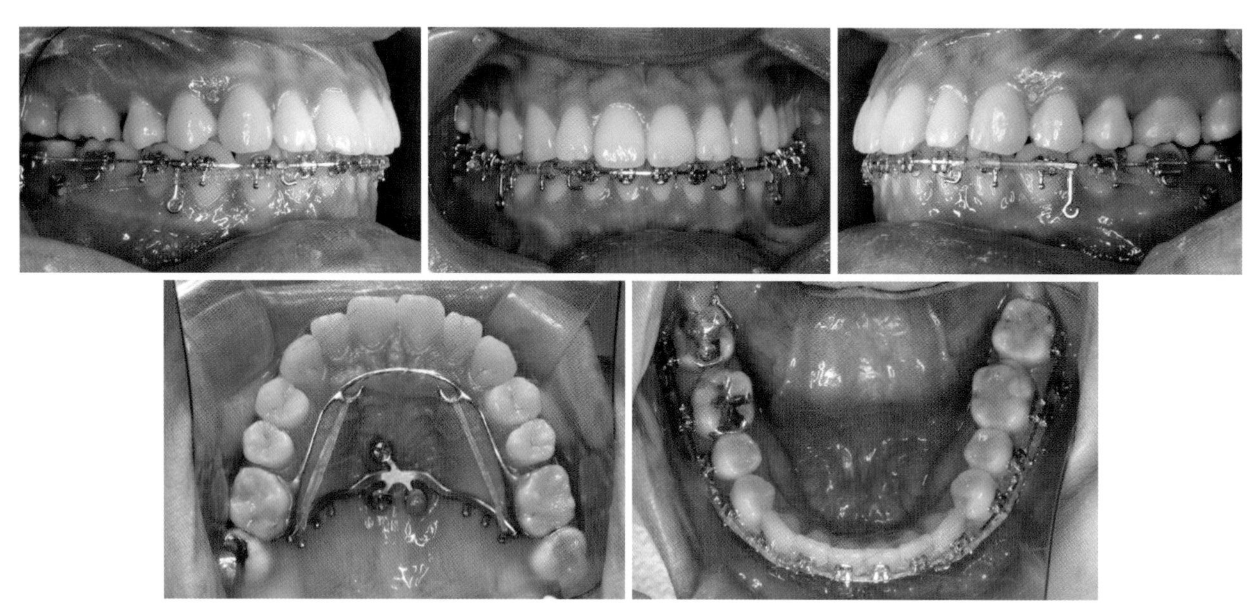

그림 11-10. 상악 정중이개 해소 후 상악 투명장치와 구개부 고성 고정원 장치를 이용하여 상악 후방 이동을 실시

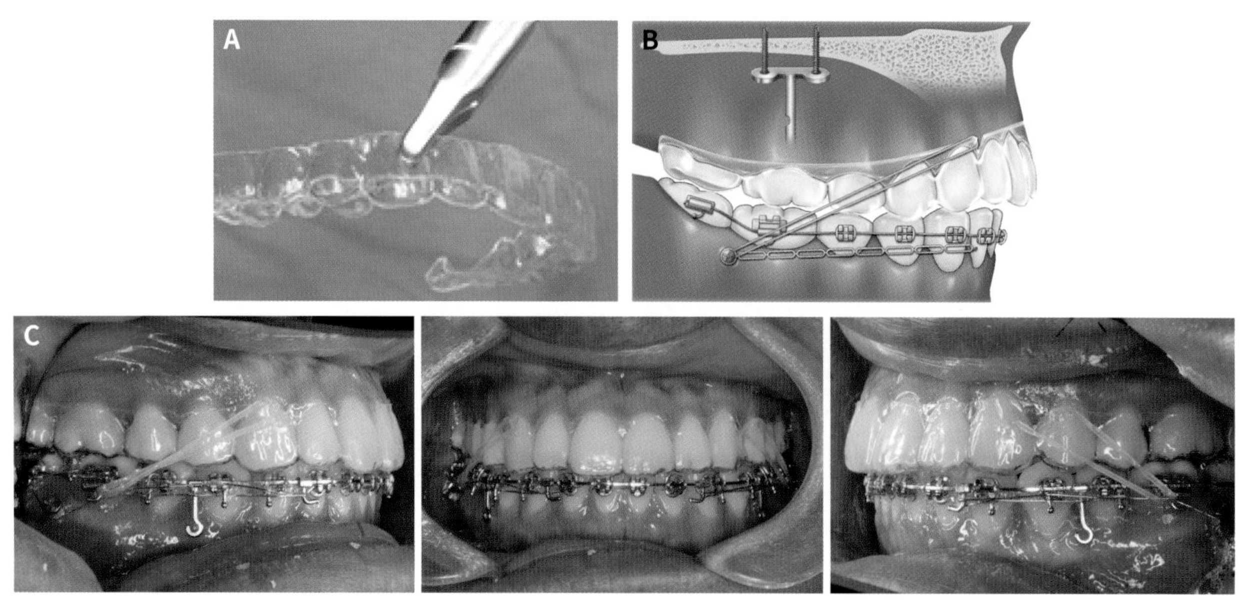

그림 11-11. 증가된 수평피개를 해소하기 위한 과정
A: Tear drop forming plier를 이용해 투명교정장치에 II급 고무줄 착용을 위한 홈(slit)을 형성해준다. B: 투명교정장치의 홈과 미니 임플란트에 II급 고무줄을 착용한 모식도, C: II급 고무줄 착용 방법으로, 하악 구치부의 미니 임플란트에 II급 고무줄(1/4, 3.5 oz)을 직접 걸거나, 미니 임플란트와 하악 견치 전방의 훅 사이에 와이어를 결찰한 후 하악 제1대구치에 II급 고무줄을 걸 수도 있다.

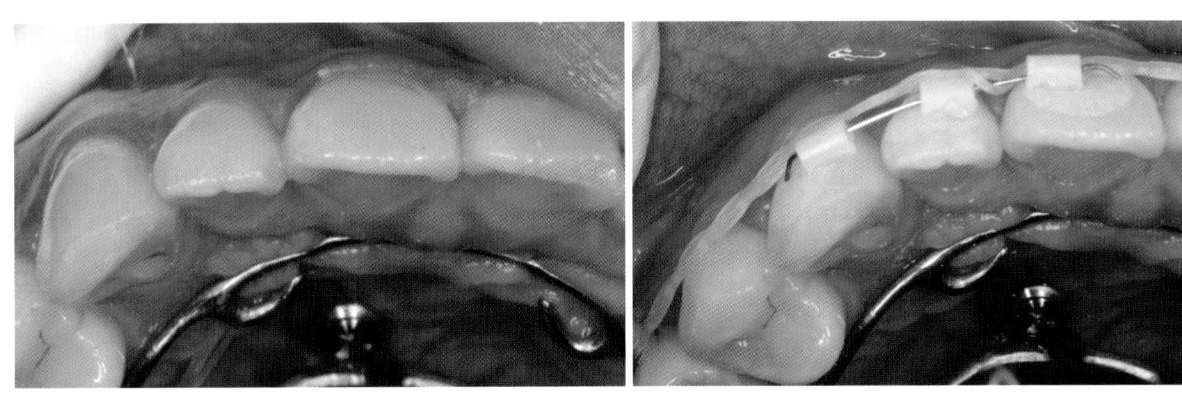

그림 11-12. 상악 전치부의 회전을 조절하는 과정

2) 치료결과

치료기간은 총 11개월이었다. I 급 구치 관계를 유지하였으며 치간이개 및 돌출입을 해소하였다(그림 11-13, 14, 15).

ANB: 1°, FMA: 28.5°, U1-FH: 117.1°, IMPA: 91.5°

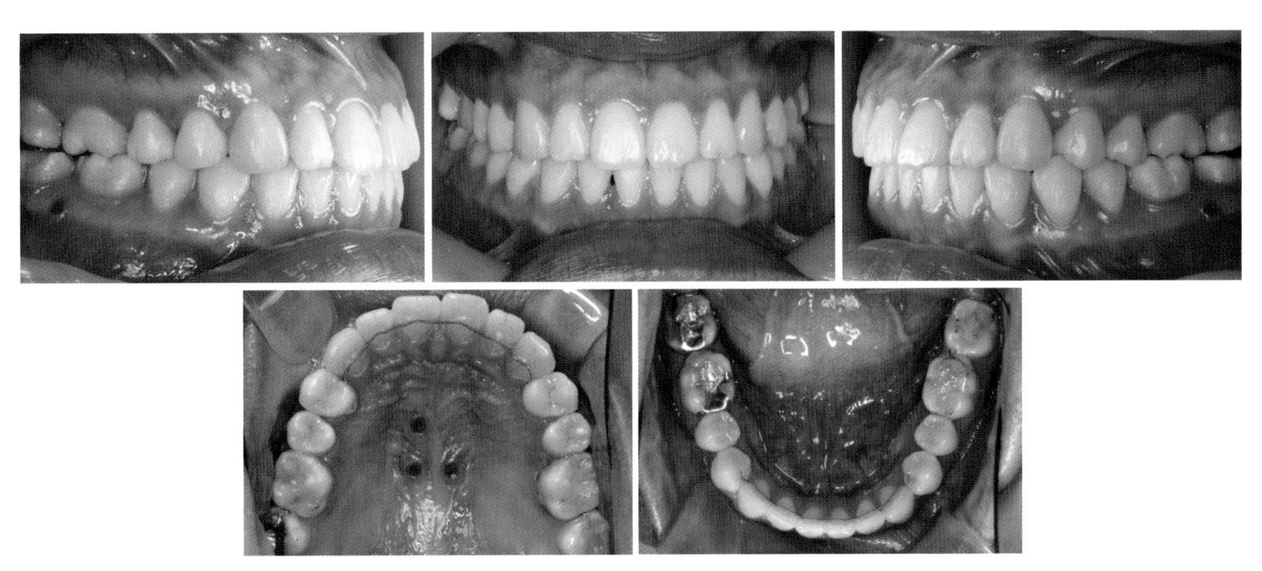

그림 11-13. 치료 종료 후 구강 내 사진

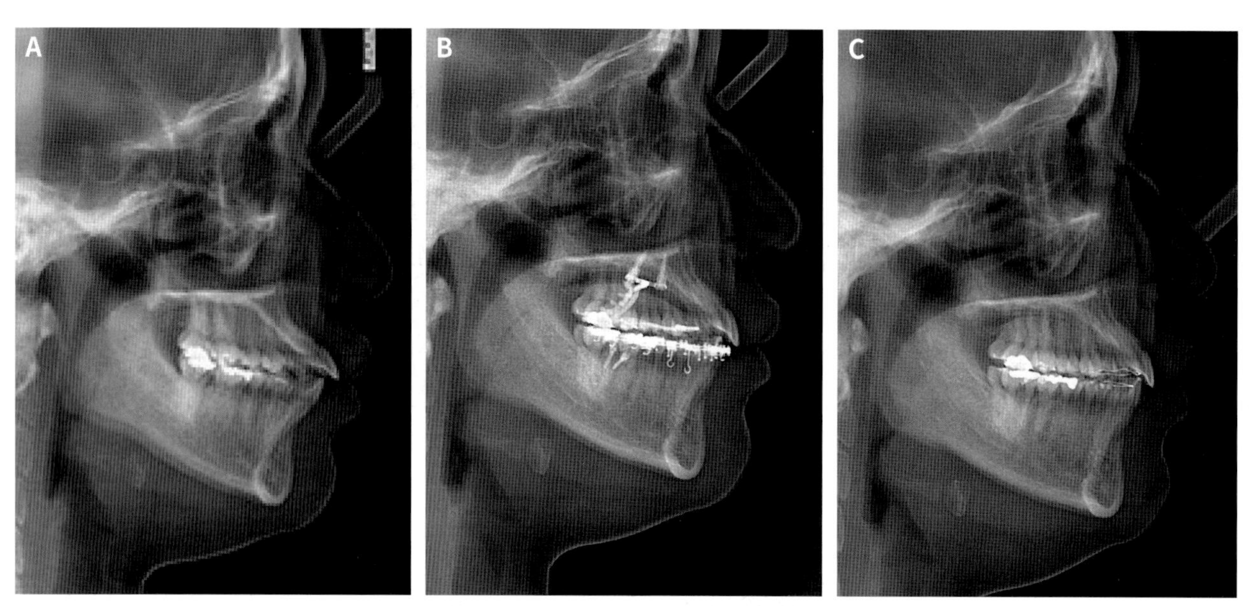

그림 11-14. 측모두부계측방사선 사진. A: 치료 전, B: 치료 중, C: 치료 후

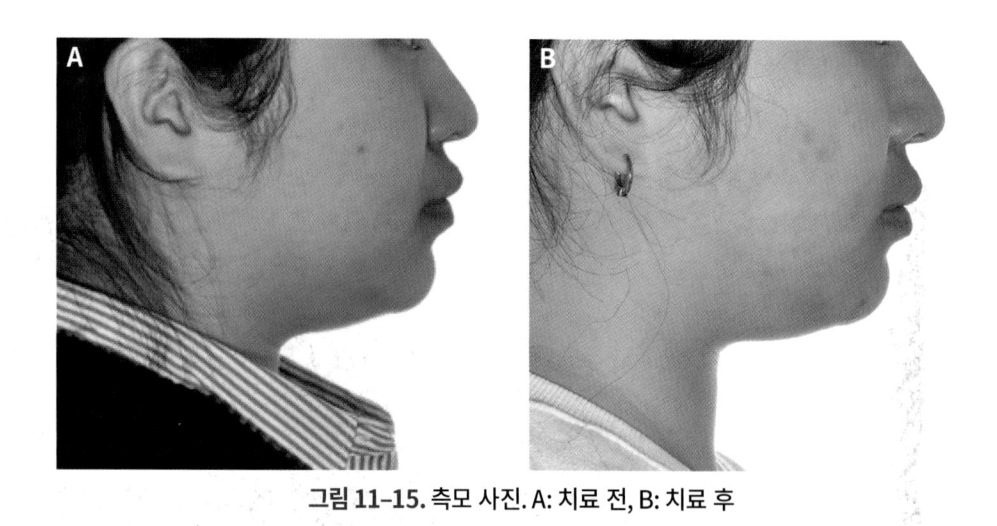

그림 11-15. 측모 사진. A: 치료 전, B: 치료 후

2 I급 돌출입 증례

증례 2

22세 여환이 돌출입을 주소로 내원했다. I급 구치 관계를 보였으며 상악 전치의 돌출 및 하악 전치부의 크라우딩이 관찰되었다. 측모두부계측방사선 사진 및 모델의 주요 계측치는 다음과 같다(그림 11-16).

ANB: 3.5°, FMA: 25.0°, U1-FH: 124.0°, IMPA: 108.°
Arch length discrepancy: 상악 1.5 mm / 하악 2.0 mm

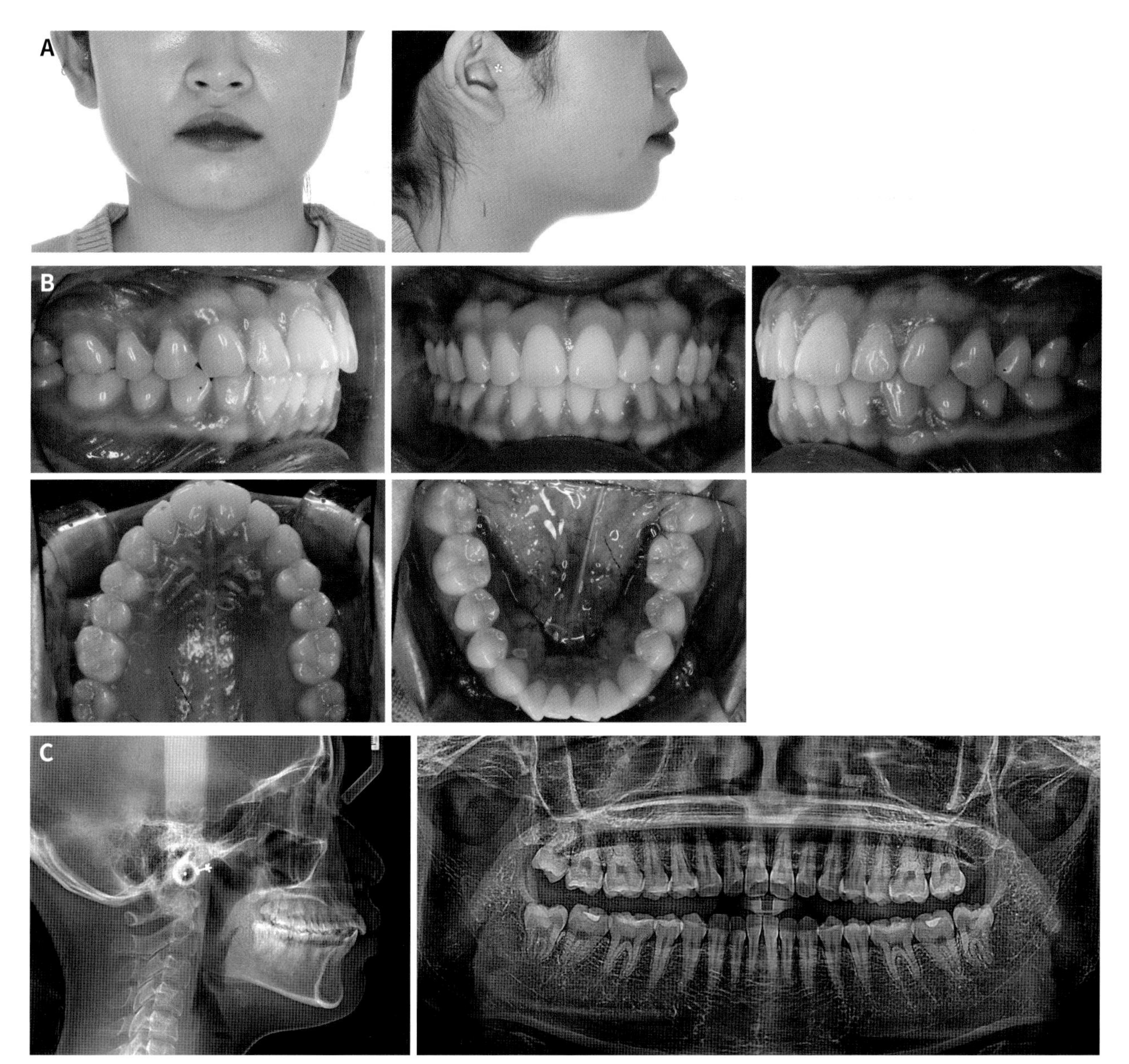

그림 11-16 초진 시 임상 및 방사선 사진. A: 구외 사진, B: 구내 사진, C: 측모두부계측방사선 사진 및 파노라마 방사선 사진

1) 치료과정

하악 치열에 022 슬롯의 브라켓을 부착하여 레벨링과 배열을 실시하였으며 상악 치열을 후방 이동 하기 위하여 하악 제1, 2대구치 사이에 미니 임플란트를 식립하여 하악 치열의 후방 이동을 실시하여 수평 피개를 형성하였다. 상악에는 구개부 장치를 식립하고 원심구개호선을 접착하였다. 2주 후 구개부에 염증이 없는 것을 확인하고 0.7 mm 두께의 상악투명장치와 탄성체인을 이용하여 치열 후방 이동을 하였다(그림 11-17). 투명장치 사용 3개월 동안 U1 to FH 각이 약 12° 감소하여 상악 돌출도의 개선을 보였다(그림 11-18).

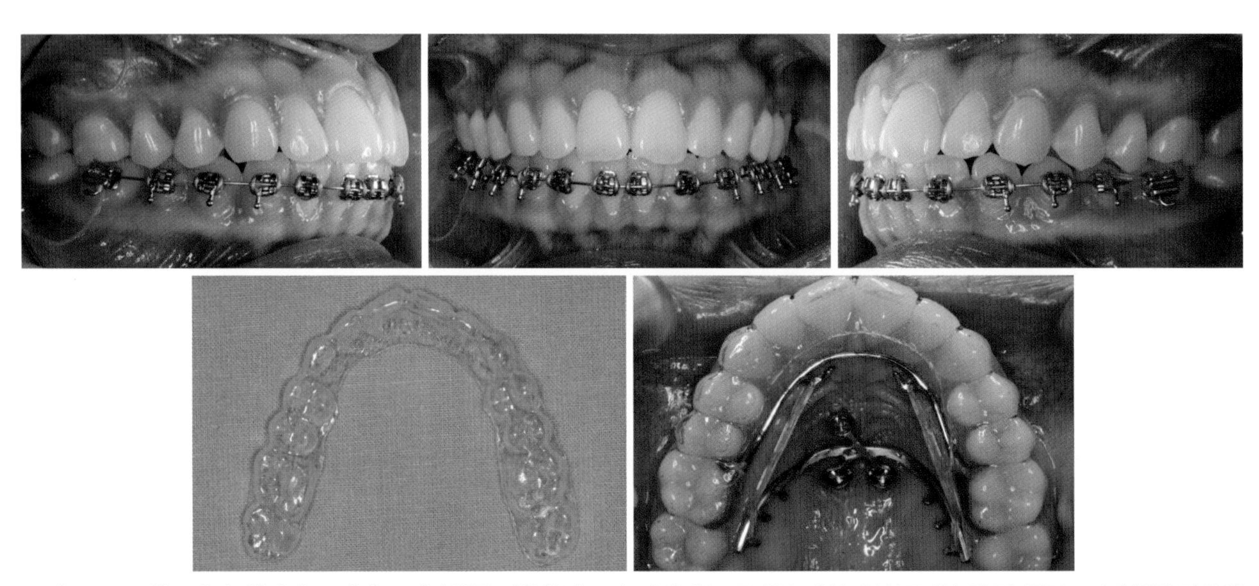

그림 11-17. 치료과정. 하악에 고정성 교정장치를 적용하였으며, 상악에는 구개부 장치, 원심구개호선 및 투명교정장치를 적용하였다.

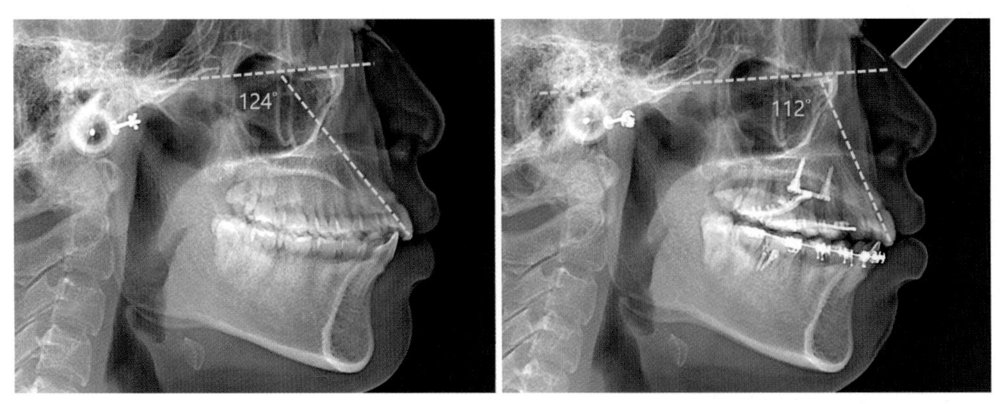

그림 11-18. 초진 시 U1 to FH angle은 124°였다. 상악 구개부 장치와 투명장치를 사용한지 3개월 후의 각도는 112°로, 약 12° 감소가 일어났다.

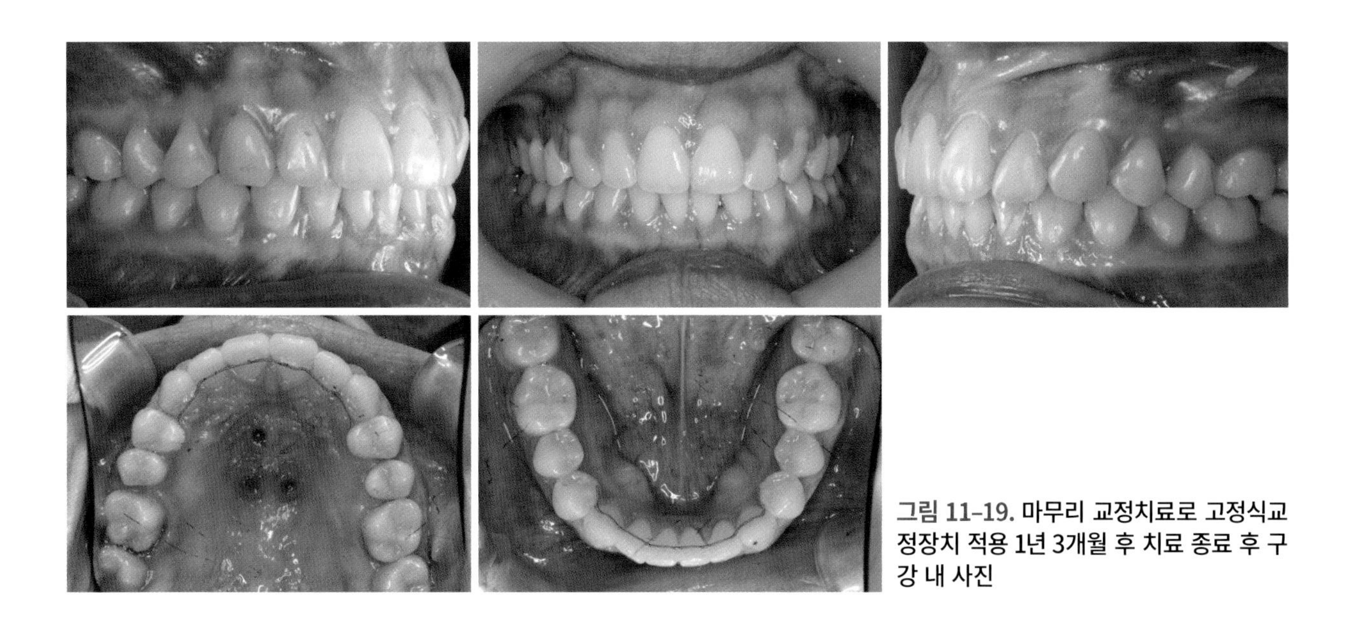

그림 11-19. 마무리 교정치료로 고정식교정장치 적용 1년 3개월 후 치료 종료 후 구강 내 사진

2) 치료결과

치료기간은 총 1년 6개월 소요되었다. I급 구치 관계를 유지하였으며 돌출입의 개선이 이루어졌다. 측모두부계측방사선 사진 계측 값 중 U1-FH값은 110°로 치료 전과 비교하였을 때 14° 감소가 일어났으며 상악 전치의 구개측 경사가 이루어졌다. IMPA값은 92°로 치료 전과 비교하였을 때 16° 감소하였으며 하악 전치가 설측 경사가 되어 돌출도가 개선되었다(그림 11-20, 21).

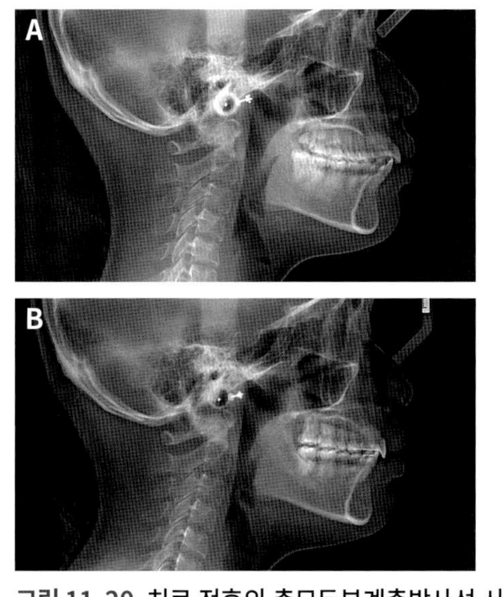

그림 11-20. 치료 전후의 측모두부계측방사선 사진
A: 치료 전, B: 치료 후

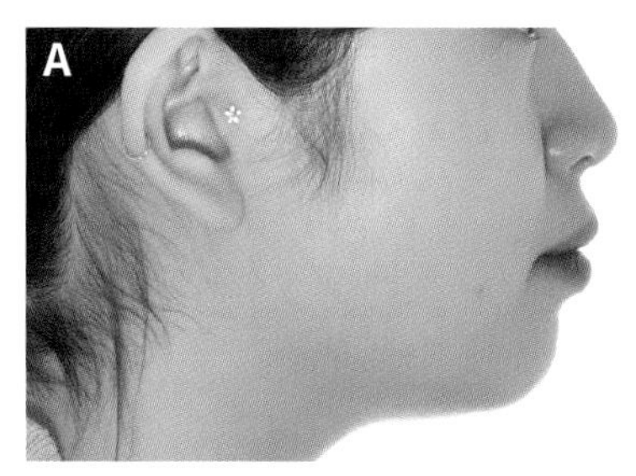

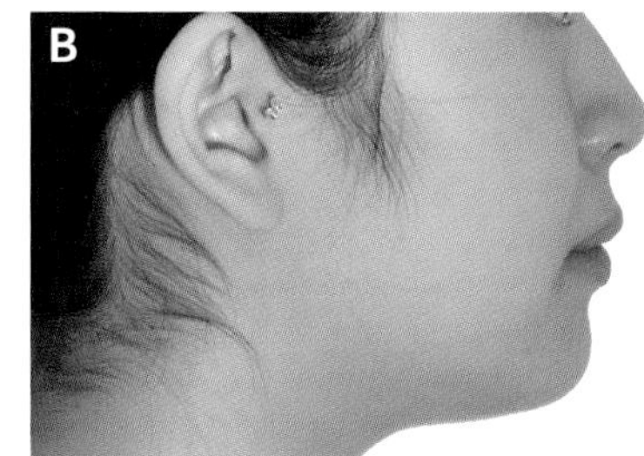

그림 11-21. 치료 전후의 측모 사진
A: 치료 전, B: 치료 후

3 제3급 부정교합 돌출입 증례

증례 3

23세 여환이 돌출입을 주소로 내원했다. III급 구치 관계 및 절단 교합이 관찰되었다. 측모두부계측방사선 사진과 모델의 주요 계측값은 다음과 같다(그림 11-22).

ANB: 4.0°, FMA: 33.0°, U1–FH: 113.0°, IMPA: 89.0°
Arch length discrepancy: 상악 1.0 mm / 하악 3.0 mm

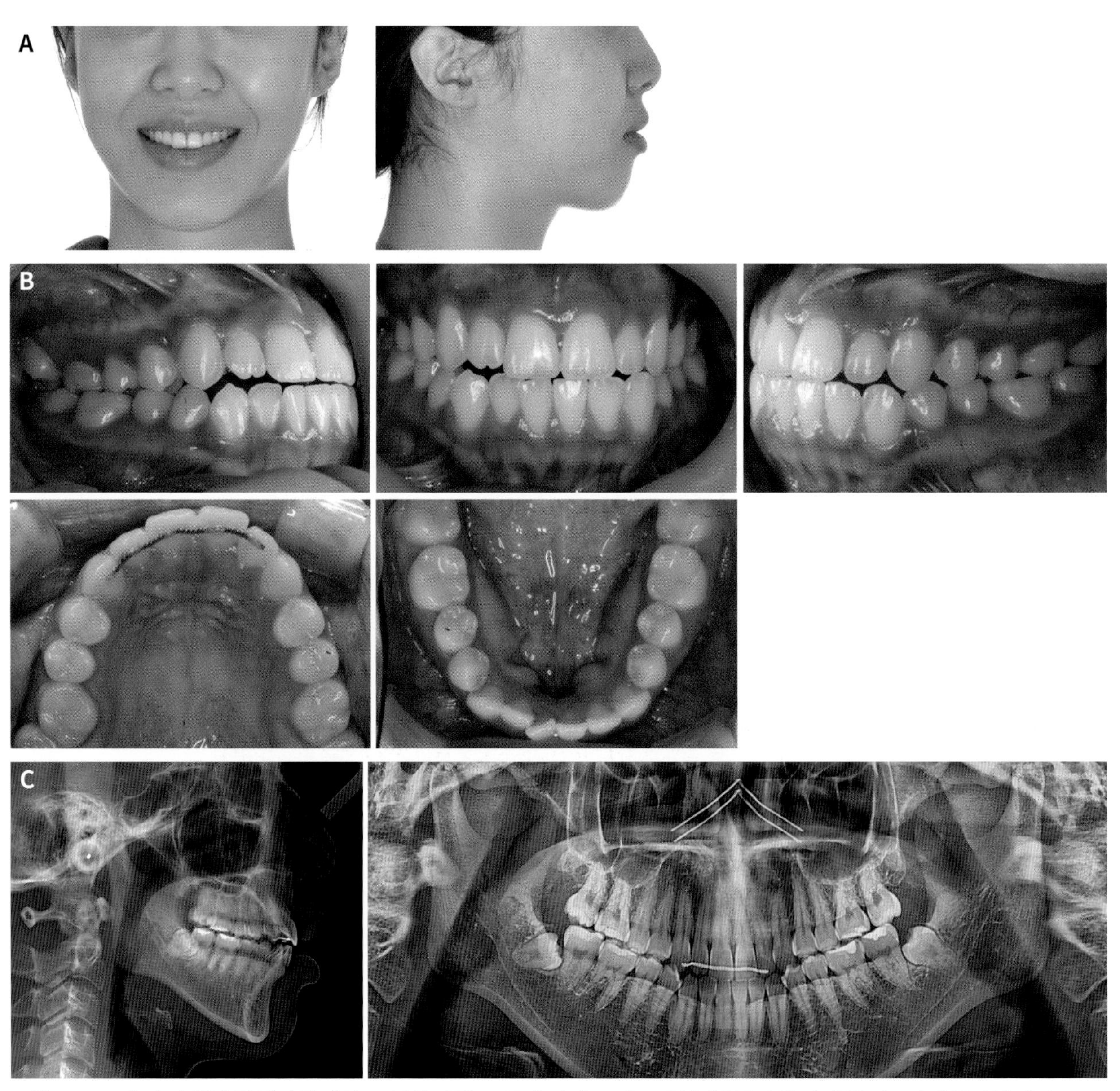

그림 11-22. 초진 시 임상 및 방사선 사진. A: 구외 사진, B: 구내 사진, C: 측모두부계측방사선 사진 및 파노라마 방사선 사진

1) 치료과정

구개부 장치 식립 전 4개월간 제2소구치에서 제2대구치의 협측에 022슬롯 브라켓을 부착하여 횡적 부조화를 해소하였다. 원심구개호선을 적용하기 위해 상악 제2소구치에서 제2대구치의 협측에 022 슬롯 브라켓을 부착하여 4개월 간 레벨링 및 배열을 실시하였다. 상악 우측 대구치의 횡적 부조화가 해소된 후에 구개부 장치 식립 및 원심구개호선을 접착하였고 탄성체인을 통해 전치열 후방 이동을 실시하는 동시에 상악에 0.7 mm 두께의 투명장치를 적용하여 후방 이동이 되도록 하였다. 하악 치열에는 022 슬롯 브라켓을 협측에 부착하여 레벨링 및 배열을 시행하였으며 제2소구치와 제1대구치 사이 미니 임플란트를 식립하여 후방 이동을 하였다.

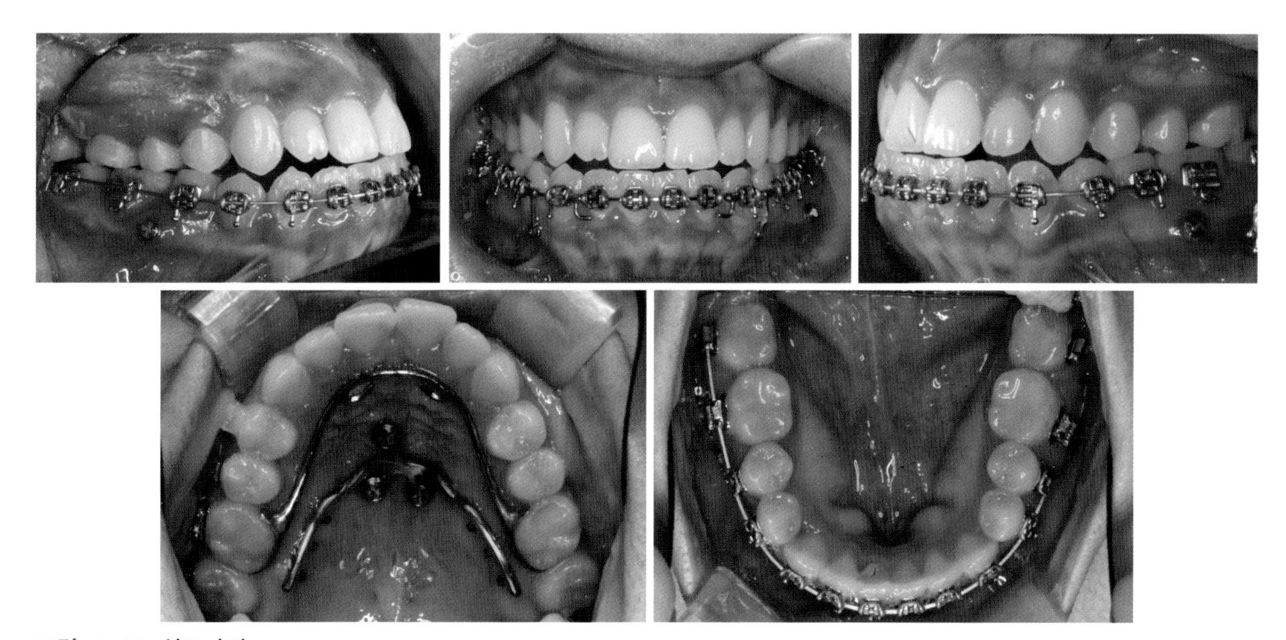

그림 11-23. 치료과정
하악에 고정성 교정장치를 적용한 후 III급 구치관계와 절단교합을 개선하기 위해 .019 × .025 스테인레스 스틸 와이어의 전치부 훅과 구치부 미니 임플란트 간에 탄성체인을 이용해 하악 전치열 후방 이동을 진행하였다. 상악에는 고정식 교정장치와 분절호선을 이용하여 구치부 횡적인 부조화를 조기 개선 후, 구개부 장치, 원심구개호선과 투명교정장치를 적용하였다.

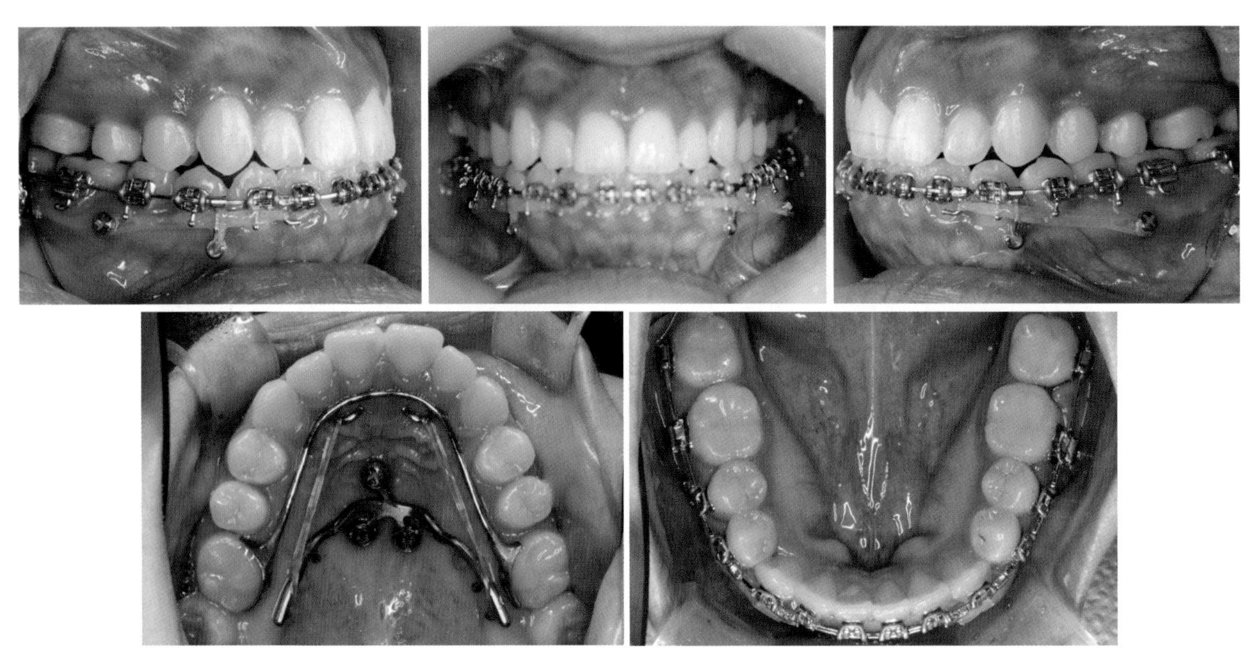

그림 11-24. 치료과정 9개월째 구내 사진

2) 치료결과

치료기간은 총 11개월 소요되었다. 환자의 개인 사정으로 치료가 조기 종료되었으나 돌출입이 해소되었으며 I급 구치관계를 이루었다. 측모두부계측방사선 사진 계측값에서 U1-FH는 109.0°로 상악 전치의 돌출도가 감소하였으며 IMPA 값은 87°로 하악 전치의 설측경사가 이루어졌다.

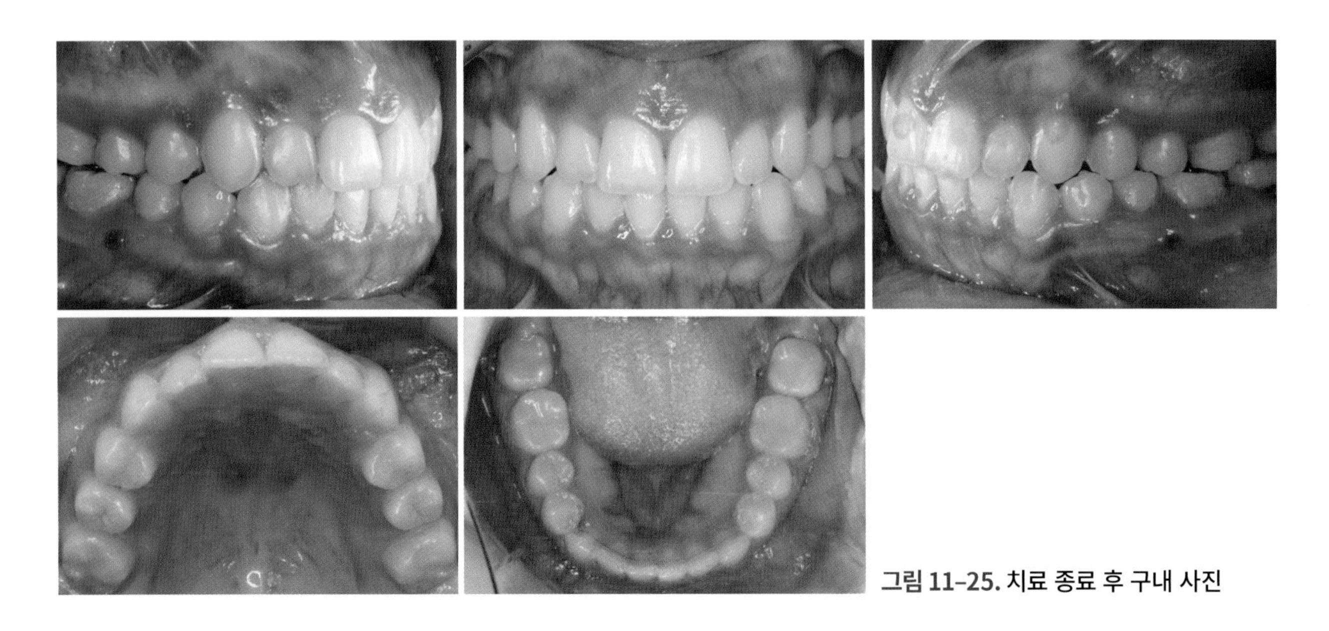

그림 11-25. 치료 종료 후 구내 사진

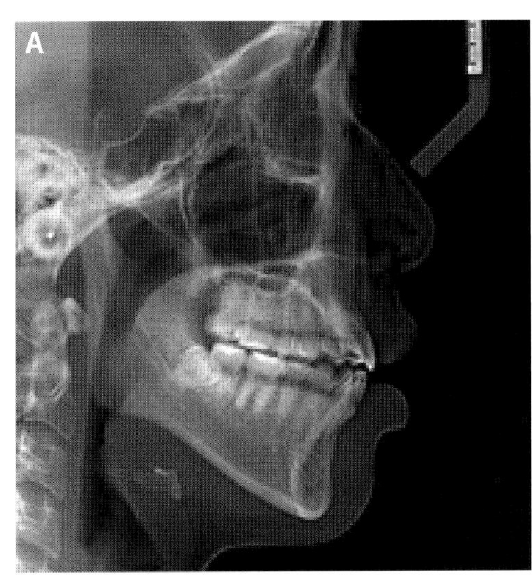

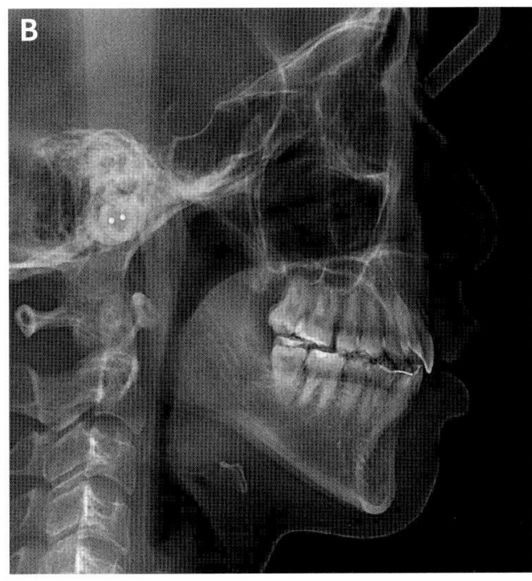

그림 11-26. 측모두부계측방사선 사진 A: 치료 전, B: 치료 후

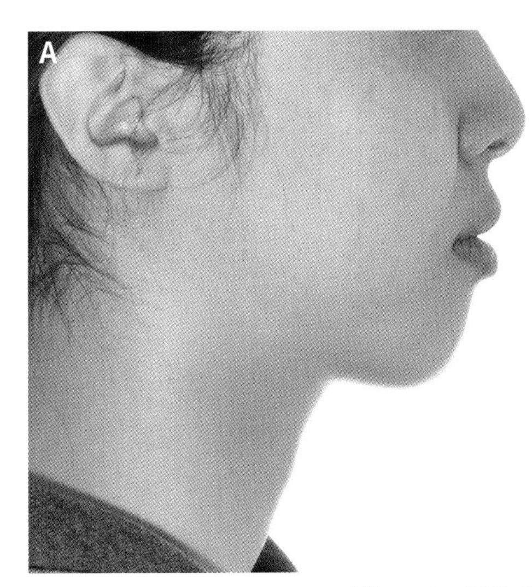

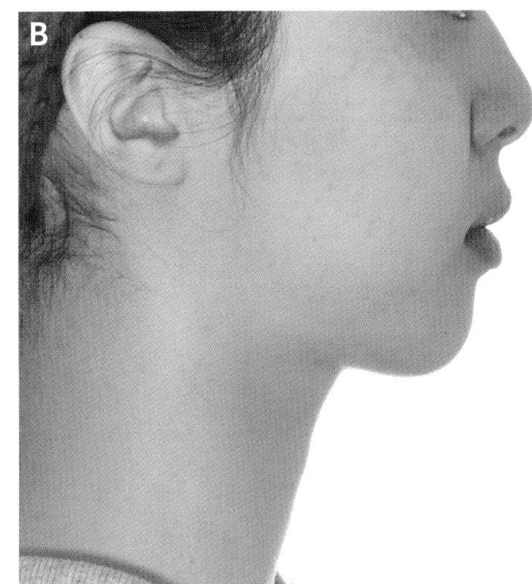

그림 11-27. 구외 사진 A: 치료 전, B: 치료 후

참고문헌

1. Kook YA, Lim HJ, Park JH, Lee NK, Kim Y. 3D digital applications of the modified C-palatal plate for molar distalization. J Clin Orthod 2021 Dec;55:773-81

2. Kim SH. Biocreative hybrid aligner (CH-Aligner) system in the contemporary TSAD Orthodontics. The joint conference of the 54th annual congress of KAO and the 12th World Implant Orthodontic Congress, Oct 17, 2021.

3. Kim SH. Biocreative hybrid aligner HYBL for complicated cases correction Sesion en linea association Mexicana de Ortodoncia. Colegio de Ortodoncistas A.C. Sept 30, 2022.

12

비발치 교정치료의 안정성

12-1 비발치 후방 이동의 안정성

교정치료 종료 후 안정성을 유지하는 것은 매우 중요하다. 구개부 장치를 이용하여 치료를 받은 제2급 부정교합 성인 환자에서 상악 제1대구치는 3.4 mm의 후방 이동, 2.4°의 원심 경사와 1.4 mm의 압하를 보였다. 그러나 치료 3년 후 결과에서 0.4 mm의 근심 이동, 0.9°의 근심 경사와 0.5 mm의 정출을 보여 전방으로 12%의 재발을 보였다(그림 12-1, 2).

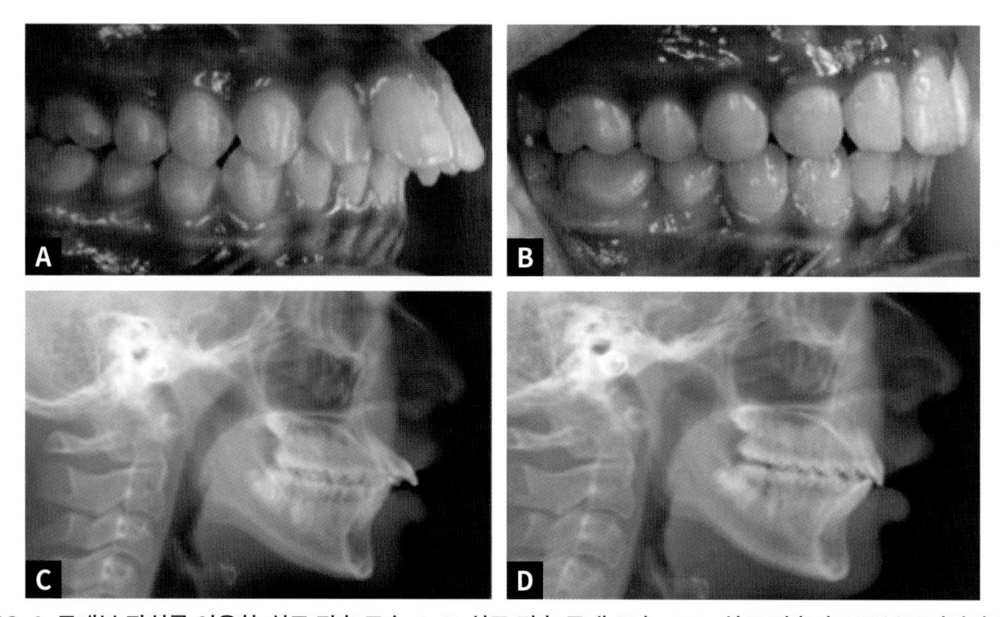

그림 12-1. 구개부 장치를 이용한 치료 전후 모습. A, B: 치료 전후 구내 모습, C, D: 치료 전후 측모두부규격방사선 사진

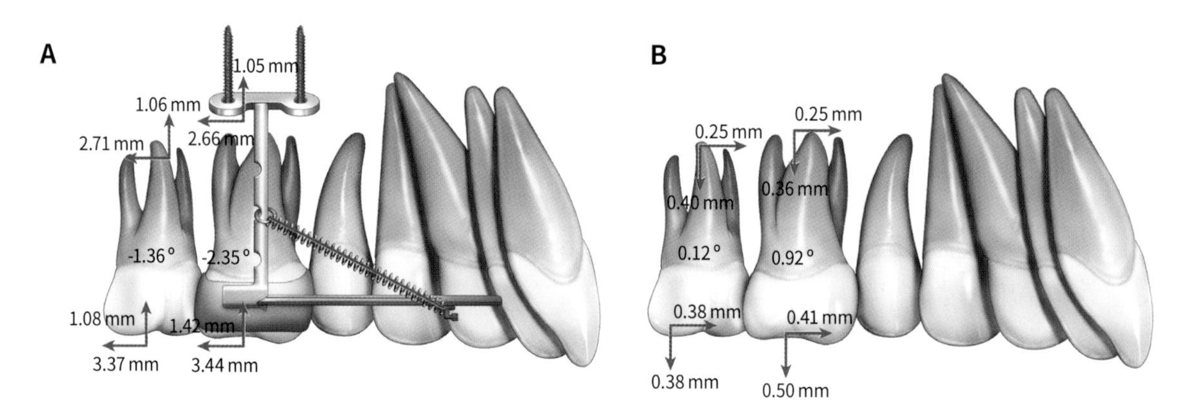

그림 12-2. 구개부 장치를 이용한 상악 치열 후방 이동 시 변화량 A: 치아의 평균적인 변화량, B: 치료 후 3년 후 변화량

한편, pendulum 장치로 제1대구치의 후방 이동을 하였을 때 50% 이상의 재발량을 나타냈으며[1-3] Herbst 장치를 사용했을 때는 39%의 재발률을 보였다. Pendulum 장치와 Herbst 장치를 적용할 때는 협측에서 교정력을 가해 제1대구치가 원심으로 경사 이동하지만 구개부 장치를 사용하면 구개측에서 교정력을 가해 제1대구치가 치체 이동을 하기 때문에 재발률이 낮다.[4]

1 장기 안정성을 보이는 성장기 환자

증례 1

13세의 남자 환자가 치아 돌출을 주소로 내원하였다. 치열 정중선은 상악에서 1 mm 우측으로 하악에서 3 mm 우측으로 변위가 관찰되었으며 II급 구치 관계를 보였다. 볼록한 안모를 보이며 입술폐쇄부전을 보였다. 측모두부계측방사선 사진 및 모델의 주요 계측값은 다음과 같다(그림 12-3).[5]

ANB: 4.0°, FMA: 26.0°,
좁은 상악궁, 수평피개: 10.0 mm, 수직피개: 4.5 mm
크라우딩: 상악 4.0 mm, 하악 1.5 mm

1) 치료계획

① 횡적 부조화를 해소하기 위한 상악 확장
② 구개부 장치를 이용한 상악 치열 후방 이동
③ 상하좌우 제3대구치 발치

2) 치료과정

① 횡적부조화를 해소하기 위하여 상악에 급속구개확장장치(hyrax type)를 사용하여 상악 확장을 시행하였다.
② 022 슬롯의 브라켓 부착 후 016 나이티놀 와이어, 016 × 022 나이티놀 와이어 016 × 022 스테인리스 강 와이어, 019 × 025 스테인리스강 와이어를 순서로 삽입하며, 구개부 장치를 식립하여 상악 치열을 후방 이동 하였다(그림 12-4).
③ 또한 양측에서 2급 부정교합 고무줄을 밤 동안 사용하도록 하였다(3/16", 4.5 oz).

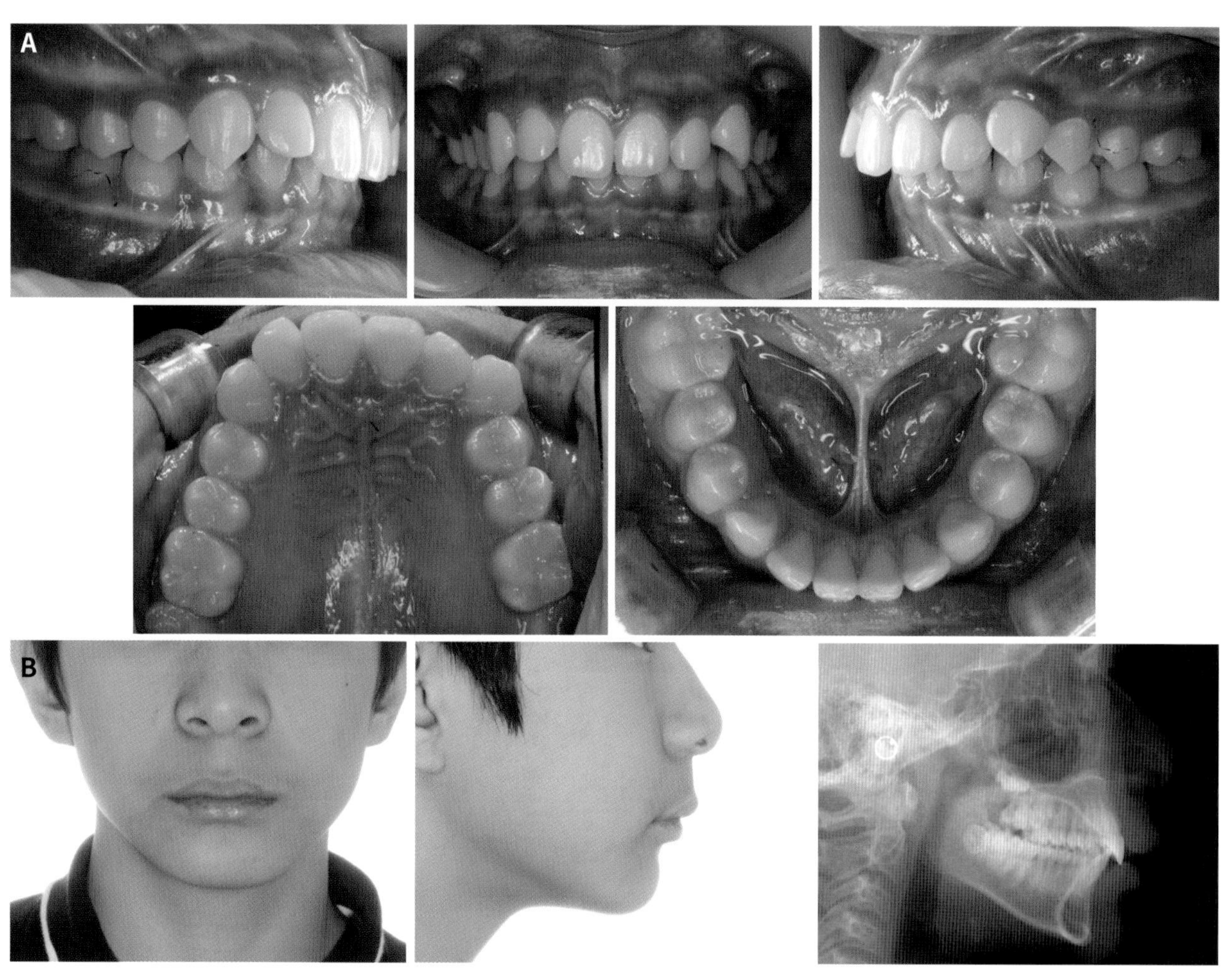

그림 12-3. 치료 전 구내, 구외 사진 및 측모두부계측방사선 사진. A: 구내 사진, B: 구외 사진 및 측모두부계측방사선 사진 (출처: Han et al.[5]의 허가를 받아 인용)

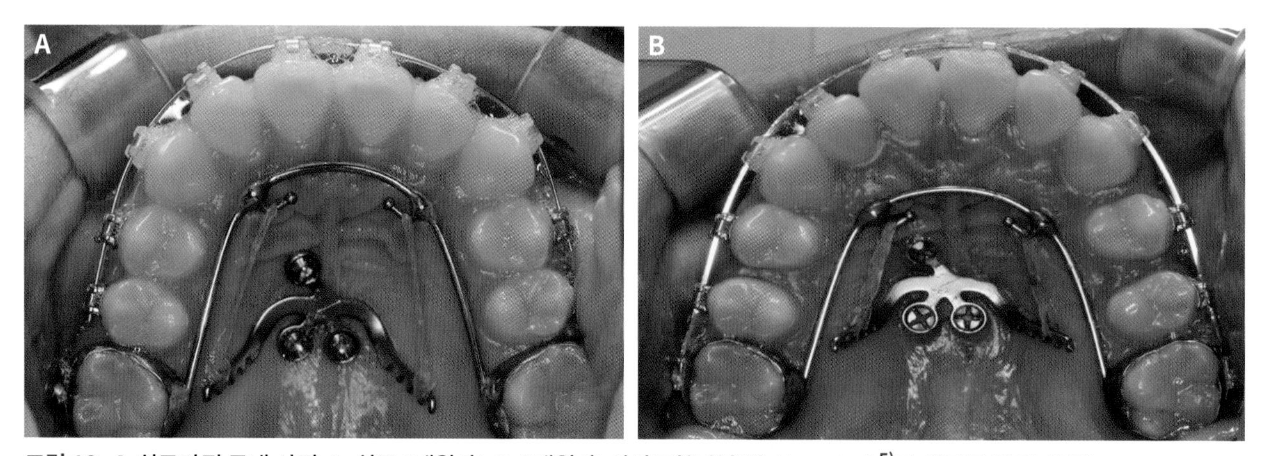

그림 12-4. 치료과정 구내 사진. A: 치료 1개월 후, B: 8개월 후 상악교합면(출처: Han et al.[5]의 허가를 받아 인용)

3) 치료결과

치료기간은 37개월이었다. 치료 후, 입술의 돌출이 개선되었고 눈에 띄는 치근 흡수 없이 전치부의 후방 이동이 성공적으로 이루어졌다. 또한 전치 및 구치 관계가 개선되었다(그림 12-5). 치료 완료 6년 후에도 만족스러운 유지결과를 보였다(그림 12-6, 7).

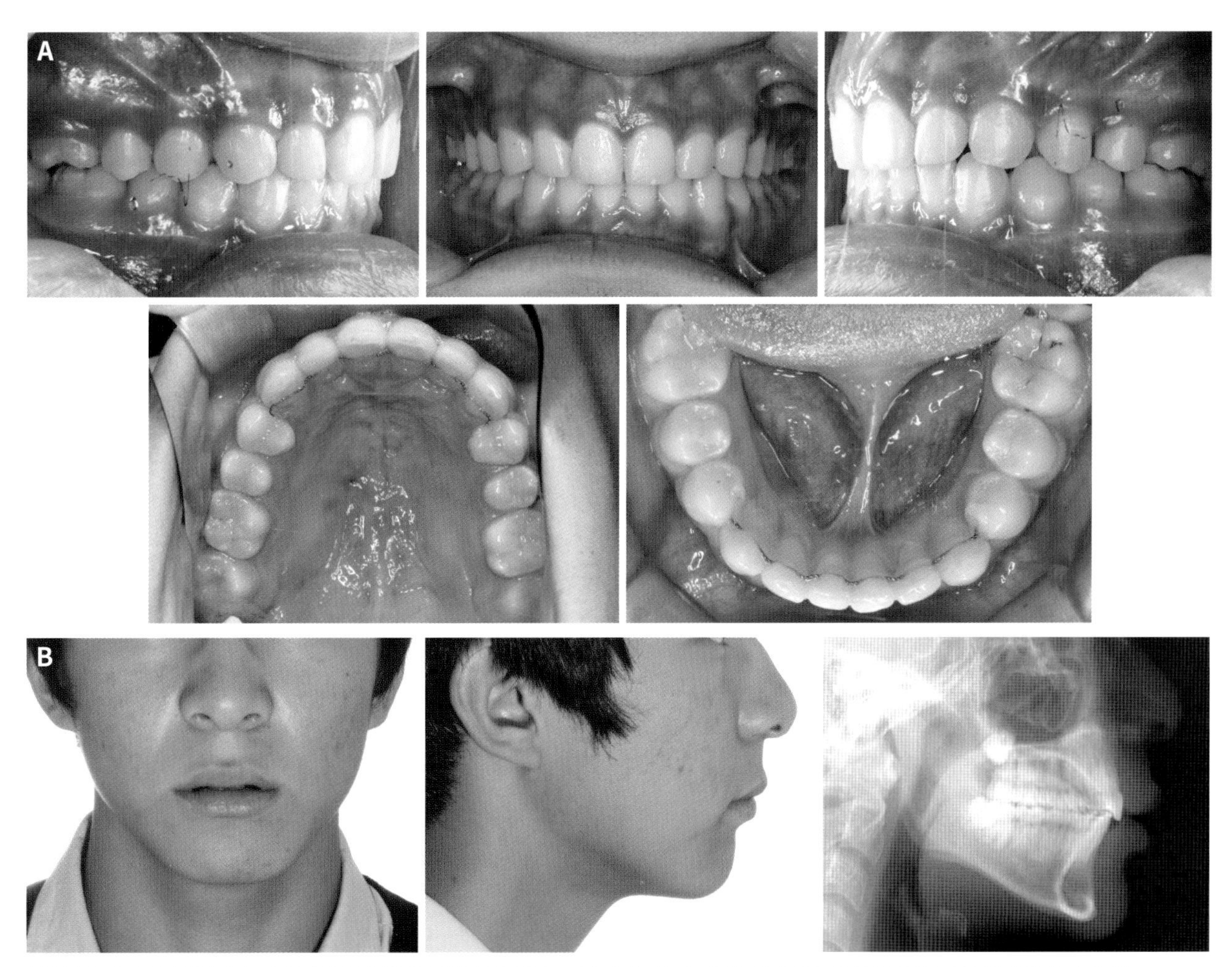

그림 12-5. 치료 후 구내, 구외 사진 및 측모두부계측방사선 사진. A: 구내 사진, B: 구외 사진 및 측모두부계측방사선 사진 (출처: Han et al.[5]의 허가를 받아 인용)

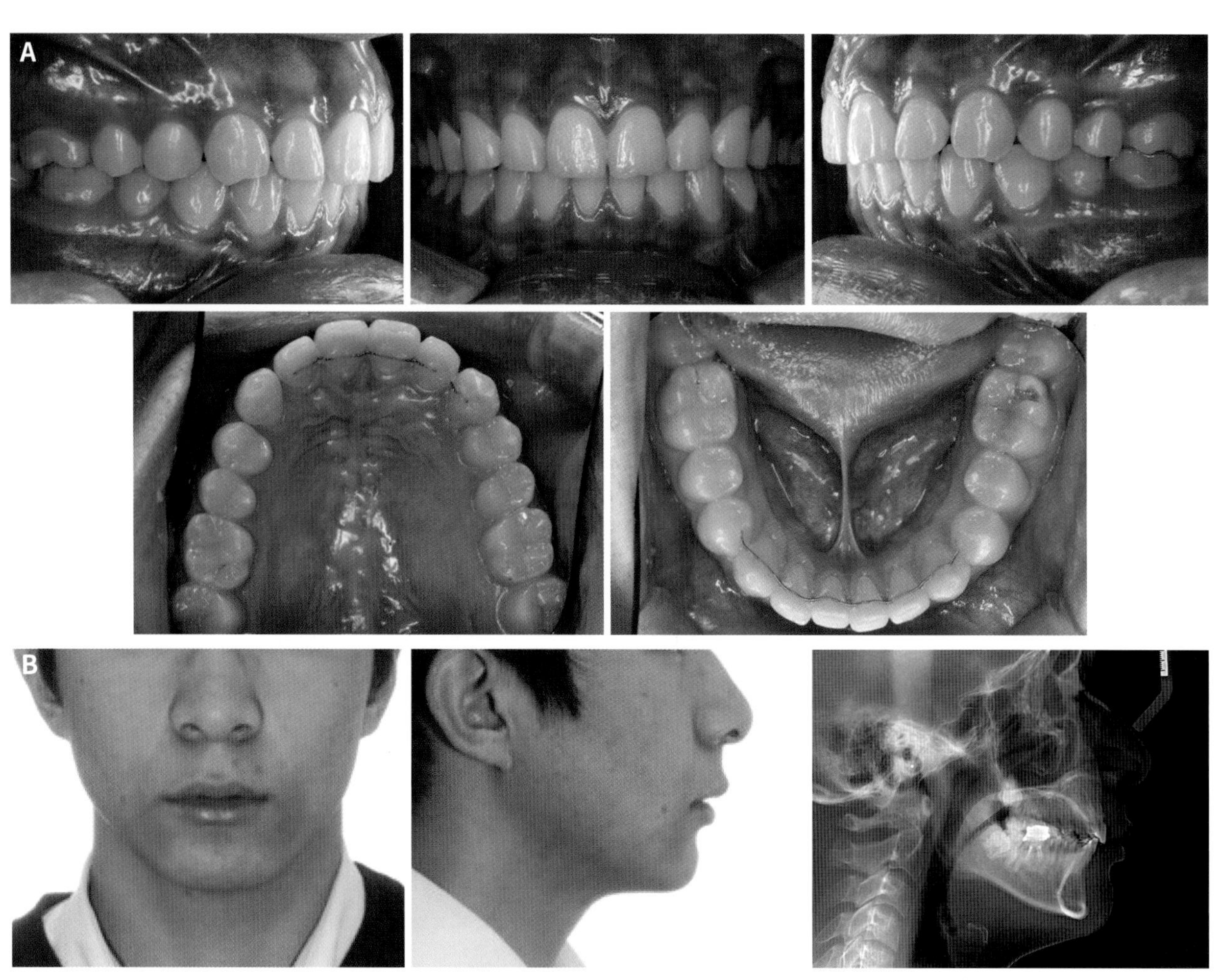

그림 12-6. 유지 6년 후의 구내, 구외 사진 및 측모두부계측방사선 사진. A: 구내 사진, B: 구외 사진 및 측모두부계측방사선 사진 (출처: Han et al.[5]의 허가를 받아 인용)

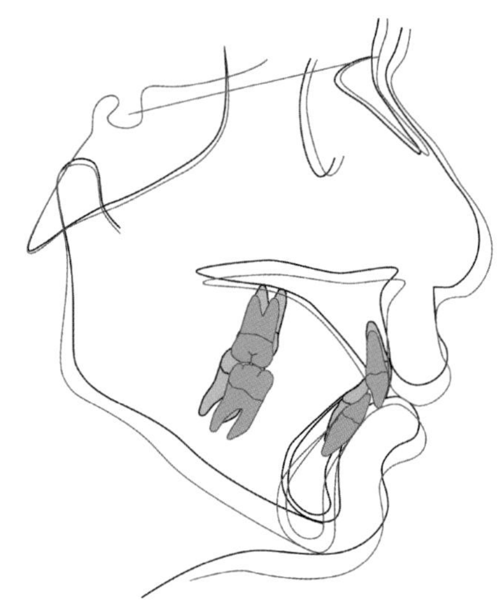

그림 12-7. 치료 전, 후, 유지 6년 후의 두부계측방사선 사진 중첩

표 12-1. 치료 전후 교정 계측 값

Measurement	Mean	Pre-treatment	Post-treatment	Difference
SNA	820.0°	79.0°	79.0°	0.0°
SNB	80.0°	72.0°	71.0°	-1.0°
ANB	2.0°	7.0°	8.0°	1.0°
A point-N Perpend	1.1 mm	5.5 mm	5.0 mm	-0.5 mm
Pog-N Perpend	-0.3 mm	-2.0 mm	-6.0 mm	-4.0 mm
Wits	-2.2 mm	1.0 mm	2.5 mm	1.5 mm
Harvold	35.8 mm	21.5 mm	23.0 mm	1.5 mm
Facial Height Ratio (P/A)	66.4%	56.5%	54.5%	-2.0%
FMA	24.0°	28.0°	30.0°	2.0°
ODI	73.3°	71.5°	72.5°	1.0°
U1 to FH	116.5°	105.0°	96.0°	-9.0°
IMPA	90.0°	95.0°	93.5°	-1.5°
Interincisal angle	124.0°	130.0°	138.0°	8.0°
FH to occlusal plane	10.5°	15.0°	16.0°	1.0°
TVL to UL	5.0 mm	4.5 mm	3.5 mm	-1.0 mm
TVL to LL	2.5 mm	-2.0 mm	-2.0 mm	0.0 mm
TVL to Pog'	-3.0 mm	-9.0 mm	-11.5 mm	-2.5 mm
Nasolabial angle	85.0°	88.0°	96.0°	8.0°
Labiomental angle	100.0°	116.0°	118.0°	2.0°

2 장기 안정성을 보이는 성인 환자

증례 2

상기 환자는 22살 여자 환자로 치아 돌출을 주소로 내원하였다. II급 구치관계와 입술폐쇄부전 및 돌출입이 보였다. 측모두부계측방사선 사진과 모델 상 주요 계측치는 다음과 같다(그림 12-8).

ANB: 4.5°, FMA: 23.5°, U1-FH: 125.0°, IMPA: 91.5°
수평 피개: 6 mm, 수직 피개: 3 mm

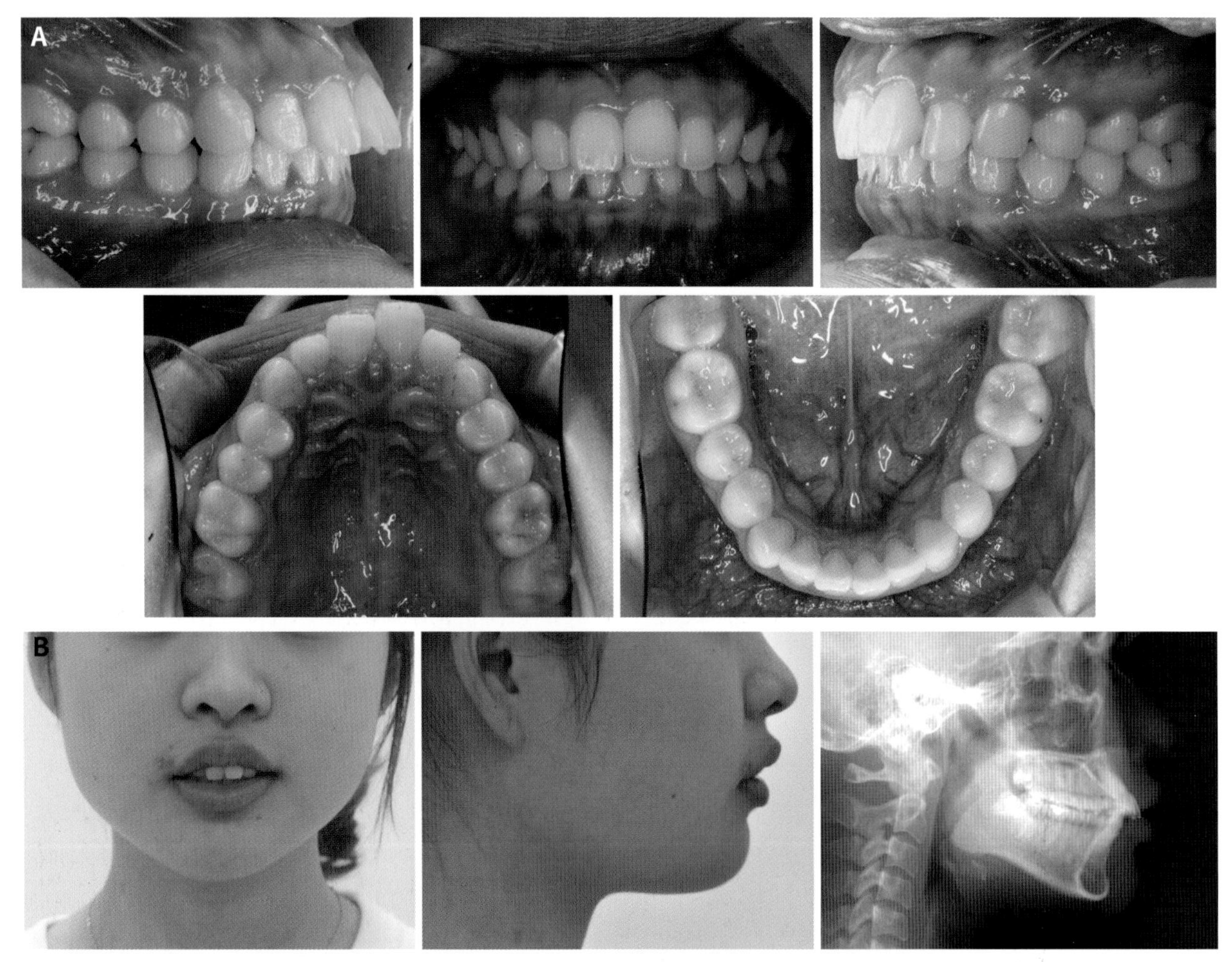

그림 12-8. 치료 전 구내, 구외 사진 및 측모두부계측방사선 사진. A: 구내 사진, B: 구외 사진 및 측모두부계측방사선 사진

상악 치열 돌출 해소를 위해 구개부 장치를 이용하여 전치열 후방 이동을 계획하였다. 환자가 심미적인 이유로 설측 교정을 원하여 상악에는 옴코(Ormco)에서 나온 제 7세대 브라켓(018 슬롯)을 부착하고 동시에 원심구개호선과 구개부 장치를 식립하였다. 원심구개호선은 탈부착이 가능한 형태로 제작하였다 (그림 12-9A, B). 제1대구치의 밴드에 링갈시스(lingual sheat)를 합착하여 원심구개호선을 연결하였다 (그림 12-9C). 구개부 장치와 원심구개호선을 탄성체인으로 연결하여 후방 이동을 실시하였다(그림 12-9D, 10) 하악 치열은 순측에 브라켓(022슬롯)을 부착하여 레벨링 및 배열을 실시하였다.

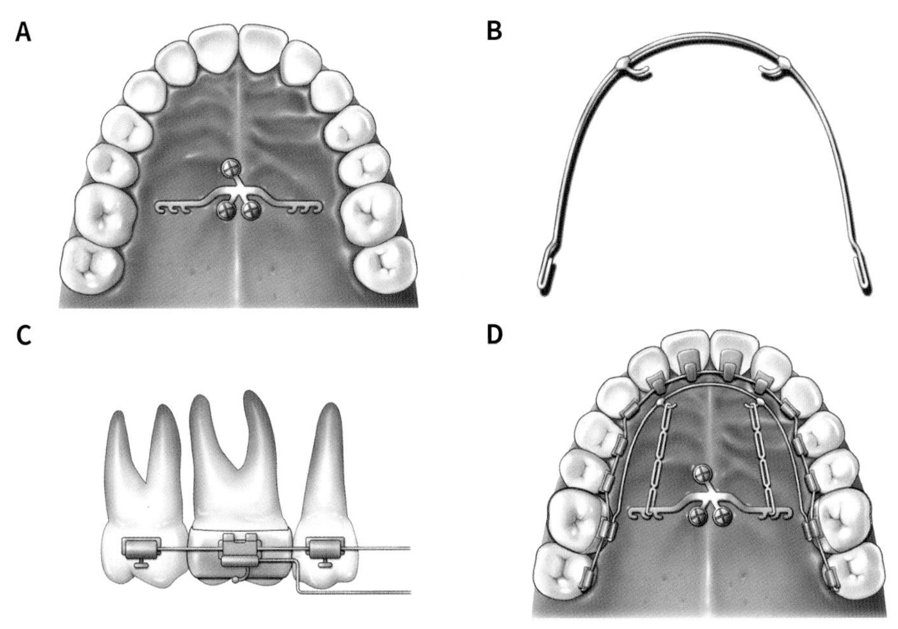

그림 12-9. 설측교정 치료과정 및 탈부착 가능한 원심구개호선 적용방법 모식도
A: 구개부 장치의 식립, B: 탈부착 가능한 형태의 원심구개호선, C: 링갈시스와 원심구개호선의 연결, D: 설측 브라켓과 구개부 장치 및 원심구개호선이 적용된 모습

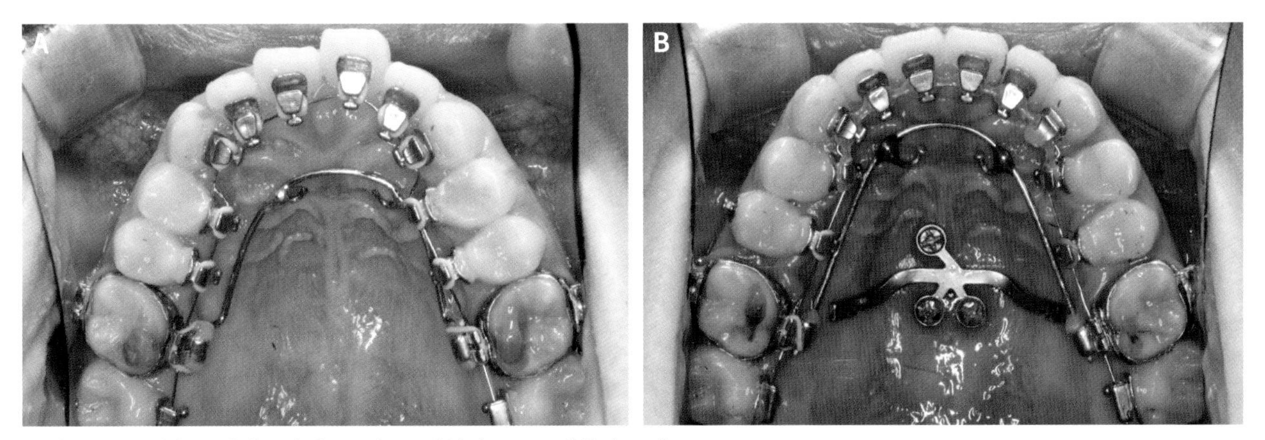

그림 12-10. 설측 교정치료과정. A: 치료 1개월 후, B: 14개월 후 모습

치료기간은 총 1년 9개월이 소요되었다. 치료 후, 큰 수평피개와 측모는 개선되었으나 약간의 우측 견치의 II급 관계와 중심선의 불일치가 존재하였다. I급 구치 관계를 보였으며 측모두부계측방사선 사진 계측값 중 ANB는 3.0°으로 치료 전과 비교하였을 때 감소하였으며 상악 전치는 설측 경사, 하악 전치를 협측 경사(U1-FH: 108.5°, IMPA: 95.5°) 되었다(그림 12-11).

치료 완료 3년 3개월 후에도 수평 및 수직피개, 교합이 안정적으로 유지되고 있다(그림 12-12, 13).

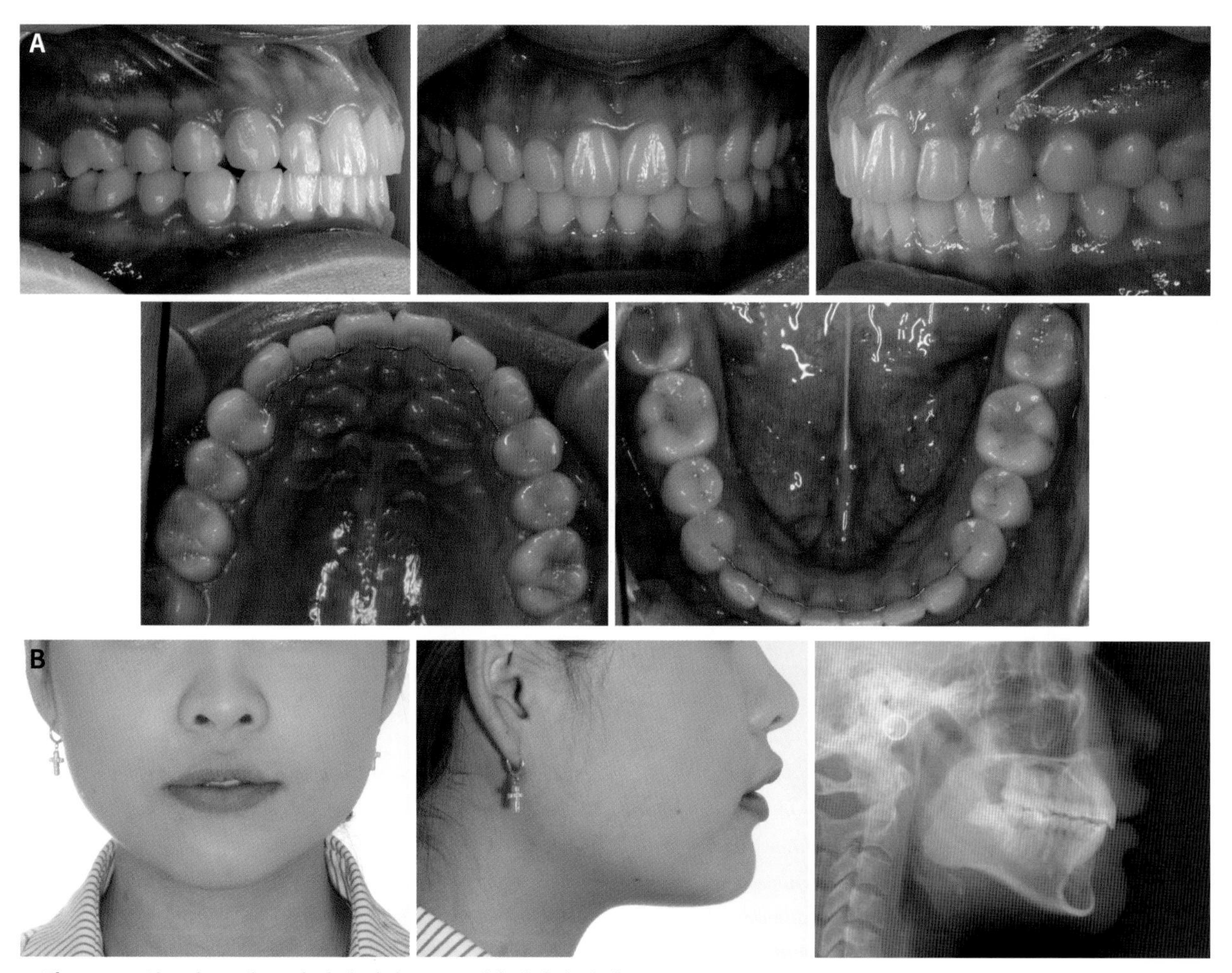

그림 12-11. 치료 후 구내, 구외 사진 및 측모두부계측방사선 사진
A: 구내 사진, B: 구외 사진 및 측모두부계측방사선 사진

ANB: 3.0°, FMA: 22.5°, U1-FH: 108.5°, IMPA: 95.5°
I급 구치 관계/과도한 수평피개 해소

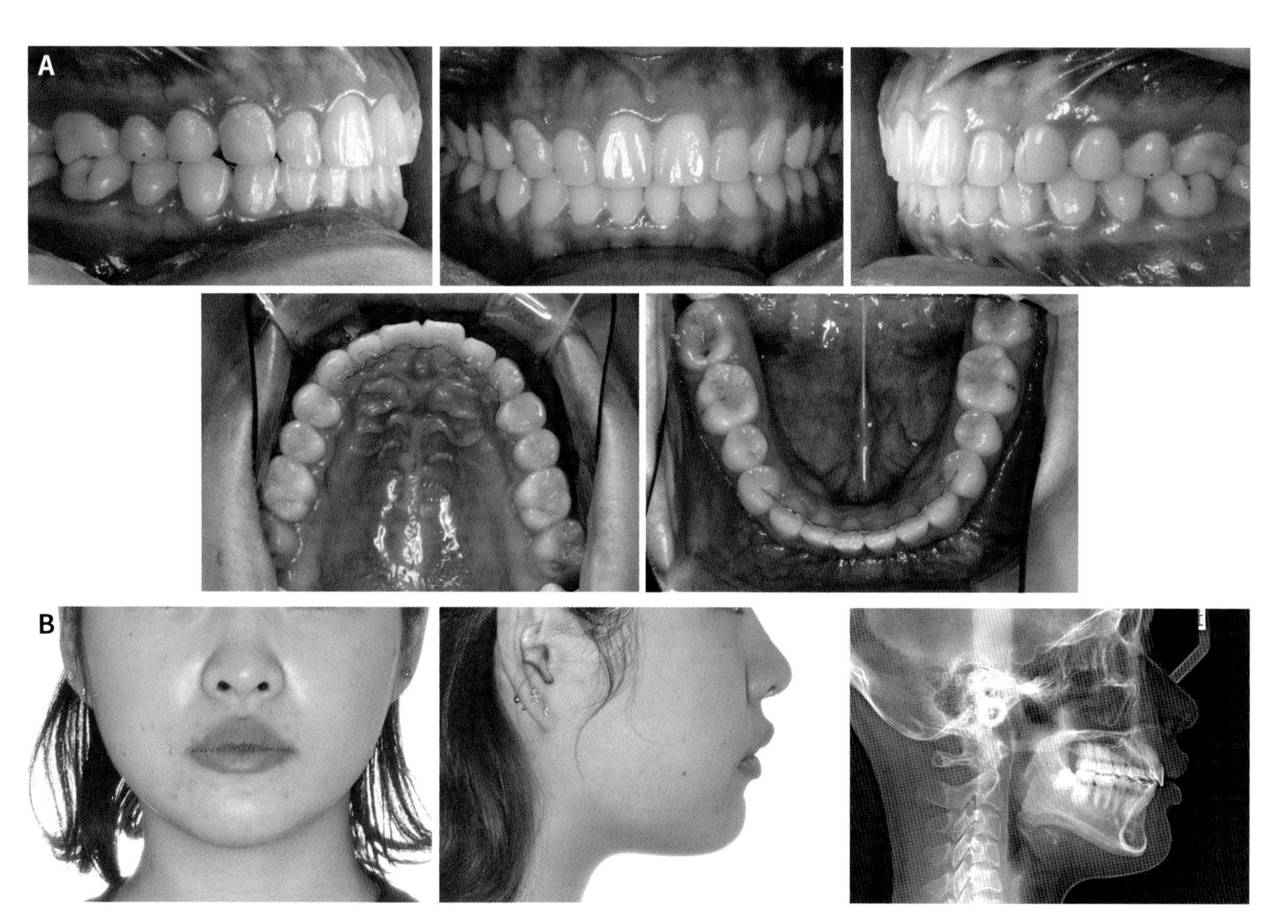

그림 12-12. 유지 3년 3개월 후의 구내, 구외 사진 및 측모두부계측방사선 사진
A: 구내 사진, B: 구외 사진 및 측모두부계측방사선 사진

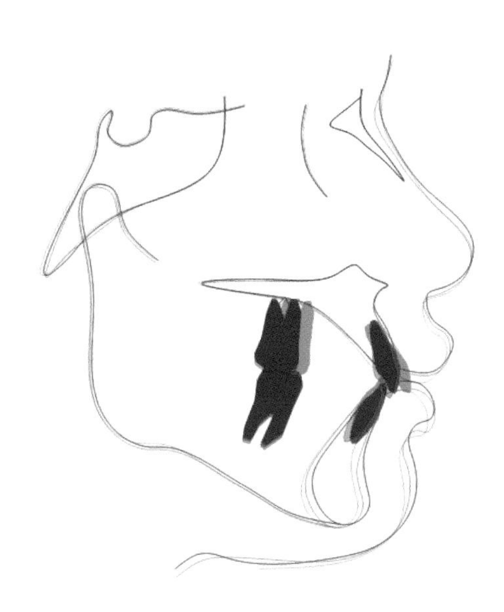

그림 12-13 치료 전, 치료 후, 유지 3년 3개월 후의 두부방사선계측사진 중첩

12-2 발치와 후방 이동이 동반된 심한 돌출 증례의 전치부 안정성 장기 관찰

돌출이 심한 경우에는 소구치 발치와 구개부 장치를 병행한 치료가 고려될 수 있다. 그림 12-13에서의 증례와 같이 발치 치료와 함께 구개부 장치를 이용하여 상악 전치는 11.5 mm의 후방 이동과 함께 I급 구치관계와 적절한 교합, 양호한 안모를 보였다 8년의 유지 기간 동안 견치 및 구치간 폭경의 변화 없이 I급 구치관계가 긴밀한 교합을 이루는 것을 확인할 수 있었다. 치료 후 CBCT 상에서 전치부의 많은 후방 이동에 따라 구개부 치근 부위의 치조골에서 미세한 열개(dehiscence)를 관찰할 수 있었다. 하악 전치 역시 견인을 하는 과정에서 치조골에서 약간 돌출된 치근이 관찰되었다. 그러나 3년 유지 관찰기간에서는 상하악 치열궁에서 새로운 치조골이 재형성된 것이 관찰되었고, 8년 기간에서도 양호한 치조골 소견을 보였다.[6),7)]

심한 상악 전치부 돌출을 주소로 내원한 20세 성인 여자 환자로 초진 시,상악 전치부 돌출과 I 급 구치 관계를 보였다. 측모두부계측방사선 사진과 모델의 주요 계측치는 다음과 같다(그림 12-14).

ANB: 3.5 , FMA: 33.0 , IMPA: 94.5 . U1-FH: 135.0
수평피개: 6.5 mm

심한 상악 돌출을 해소하기 위하여 상악 제1소구치 발치를 하고 구개부 장치를 이용한 상악 치열 후방 이동을 동반하여 교정치료를 실시하였다. 처음 022슬롯 브라켓을 상하 치열에 부착하고 레벨링 및 배열을 실시하였다. 전치부 후방 이동을 위한 고정원으로 2개의 미니 임플란트가 상악 제1대구치와 제2대구치 사이에 식립되었다. 측모 개선이 이루어졌으나 환자가 측모 개선을 더욱 더 요구하여 구개부 장치를 이용하여 구치부를 포함한 전치열 후방 이동을 하였다(그림 12-15).

치료기간은 총 24개월이 소요되었다. 치료 후, 측모가 개선되었으며 I급 구치관계는 유지되었다. 수평피개는 6.5 mm에서 2.5 mm로 감소하였으며 하악 전치는 직립되었다(IMPA:75.0°).

상악 전치의 후방 이동량은 수술을 하지 않았음에도 불구하고 11.5 mm가 이동되었다(그림 12-16). 유지 8년 후에도 만족스러운 안모와 교합관계를 유지하였다(그림 12-17, 18).

유지 3년과 8년 후에의 CBCT 영상을 통해 상하악 치열궁의 치조골 재형성을 확인할 수 있었다. 이는 후방 이동에 따라 생기는 치조골의 미세한 열개가 일시적이며 재형성을 통해 회복됨을 의미한다(그림 12-19).

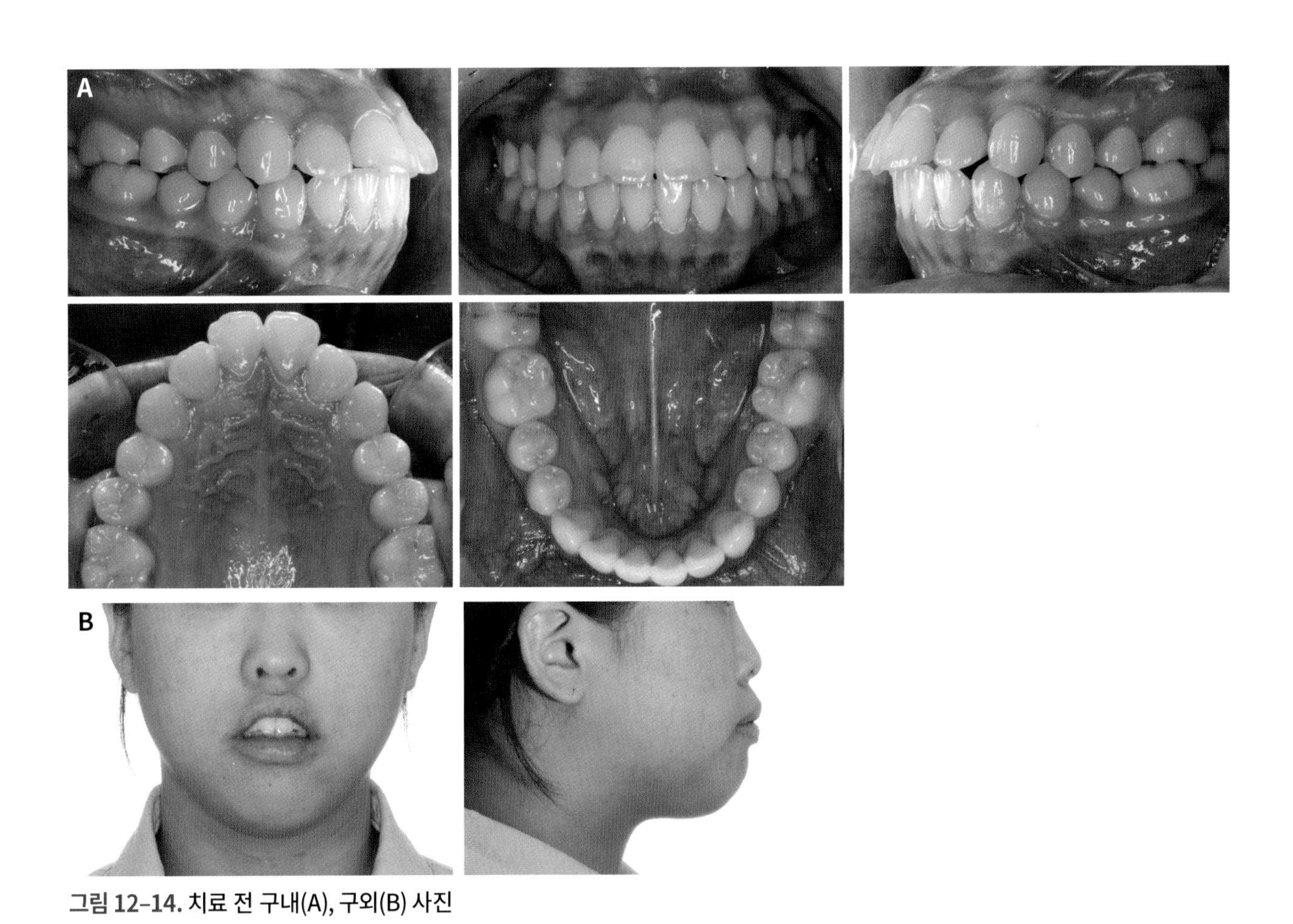

그림 12-14. 치료 전 구내(A), 구외(B) 사진

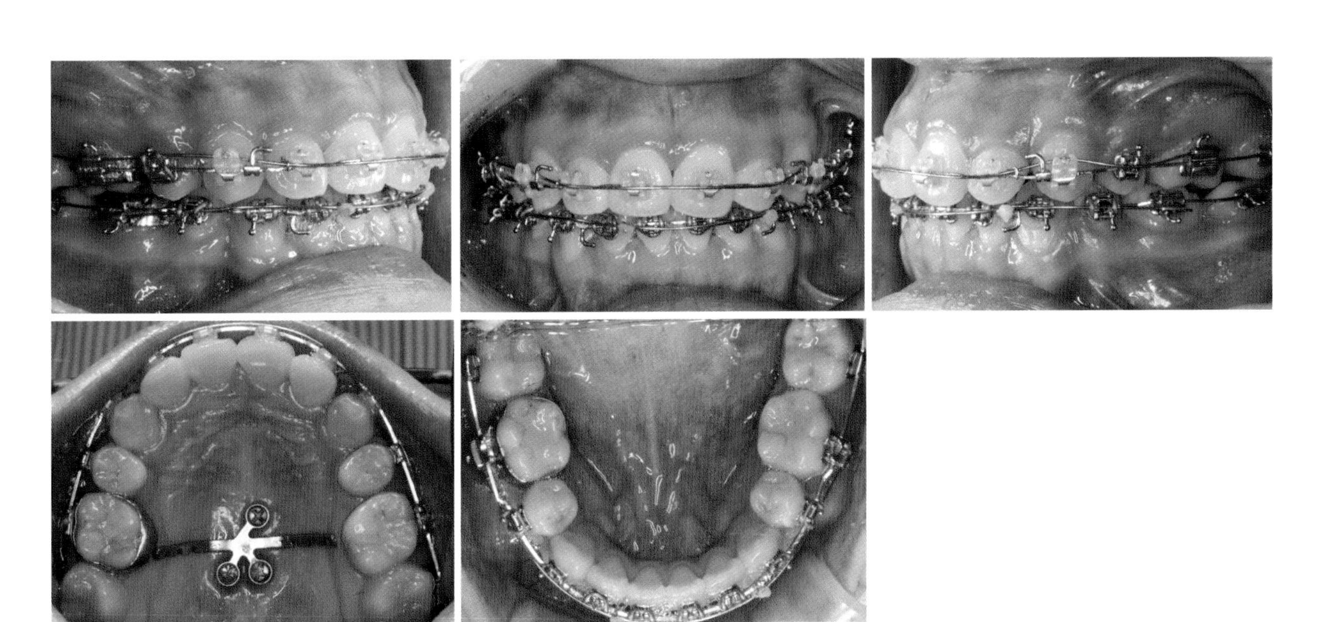

그림 12-15. 치료과정 구내 사진. 발치 치료와 함께 구개부 장치를 이용한 전치열 후방 이동

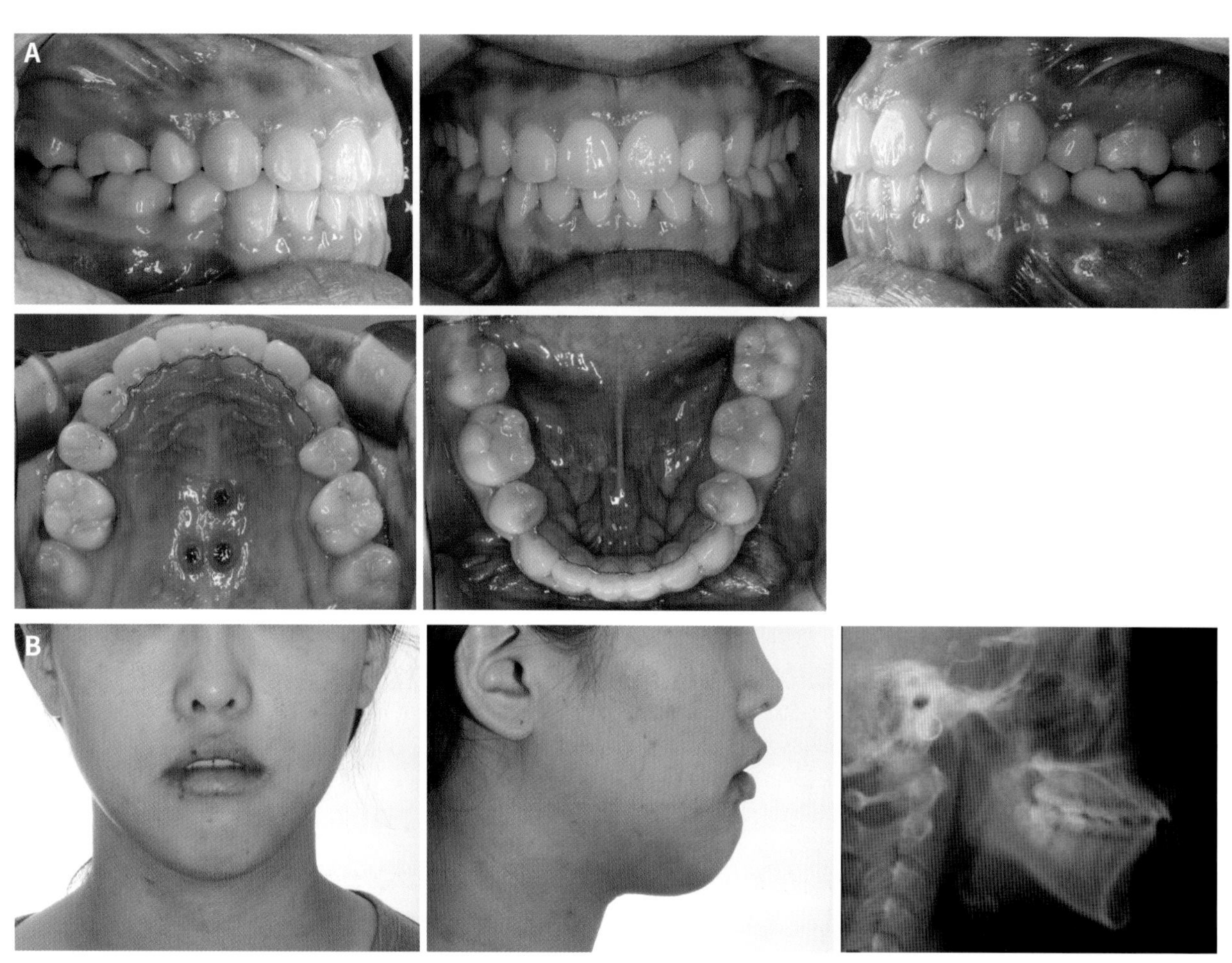

그림 12-16. 치료 후 구내(A), 구외 사진 및 측모두부계측방사선 사진(B)

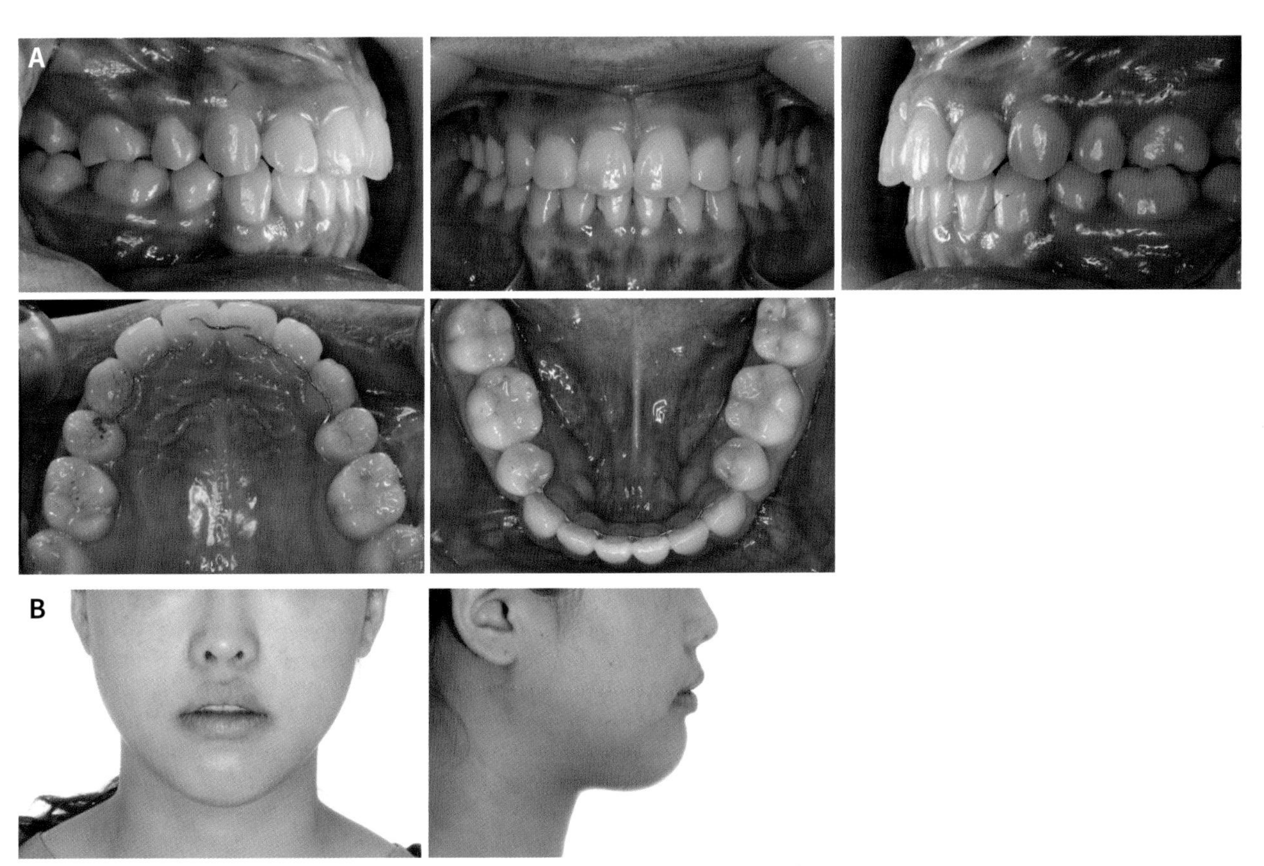

그림 12-17. 유지 8년 후의 구내(A), 구외 사진(B)(출처: Kook et al.[6], Kim et al.[7]의 허가를 받아 인용)

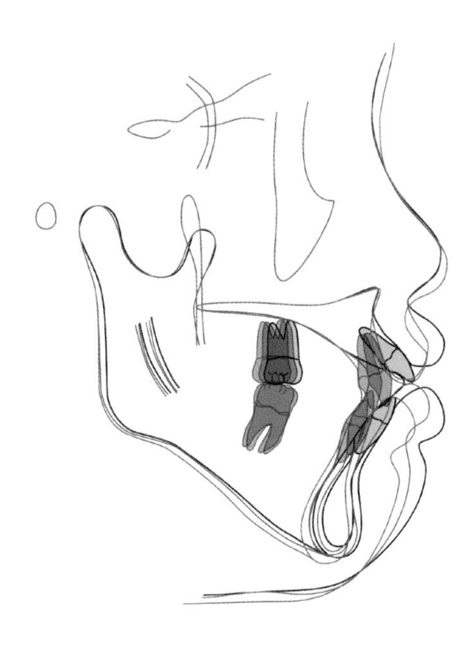

그림 12-18. 치료 전, 후, 유지 8년 후의 측모두부계측방사선 사진 중첩

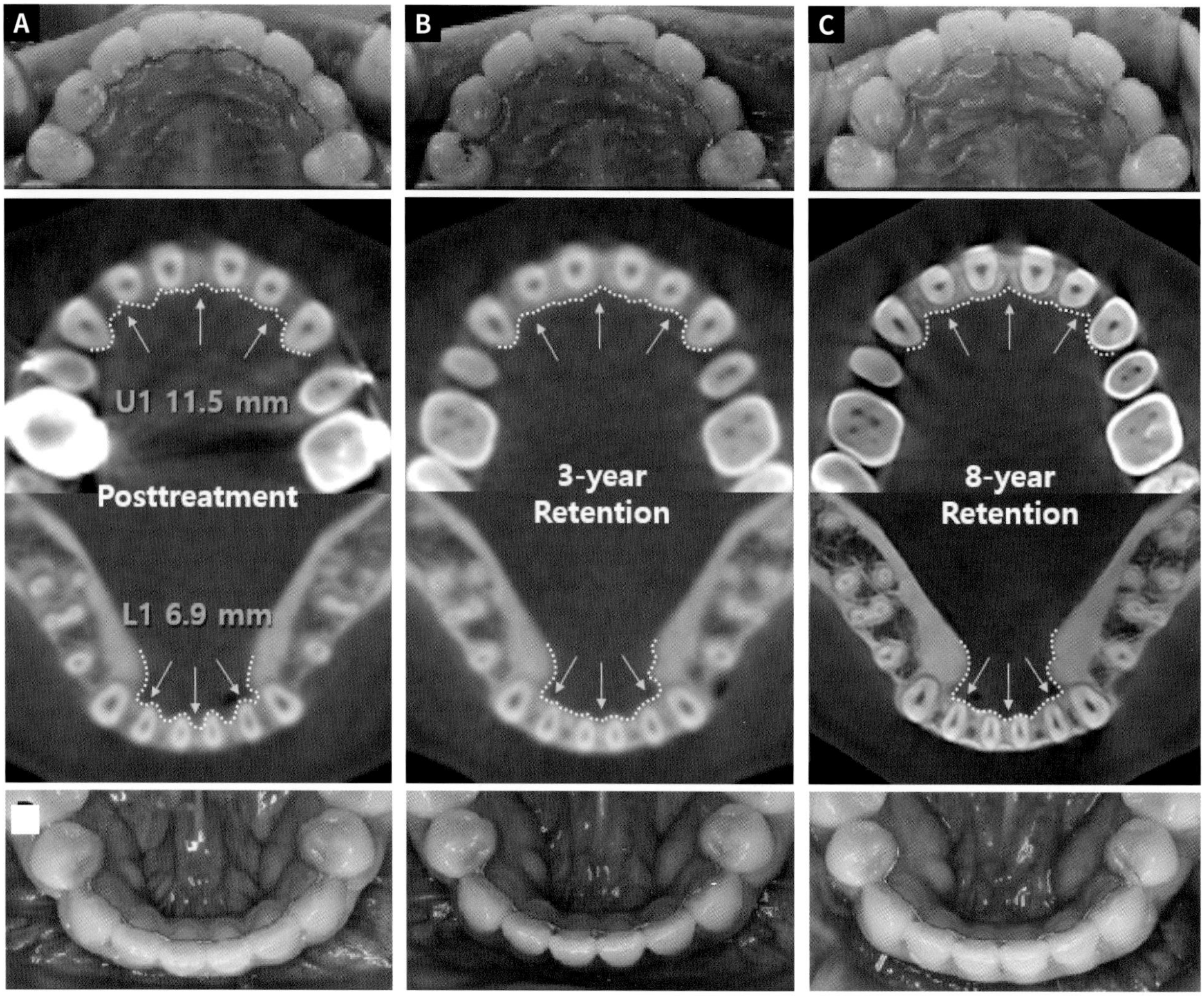

그림 12-19. 치료 후, 3년 후와 8년 후 유지기에 치조골과 치주 조직의 안정성
A: 치료직후, 상악 전치와 하악 전치의 많은 후방 이동에 따라 치근이 치조골에서 약간 돌출된 양상을 보였다. B: 유지 3년 후, C: 유지 8년 후, 장기적 관찰에서 치조골 설측에서의 골 첨가로 안정성을 보였다.
(출처: Kim et al.[7])의 허가를 받아 인용)

12-3 전치열 후방 이동과 기도 공간의 관계

구개부 장치를 이용해 상악 치열을 후방 이동하는 비발치 치료는 기도 공간에 영향을 주지 않는다(그림 12-20).

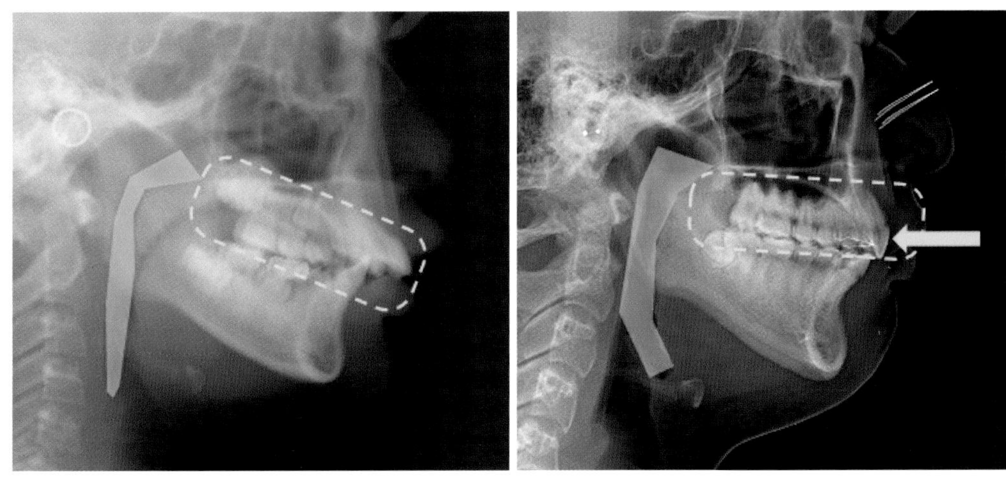

그림 12-20. 심한 수평피개를 가지고 있는 환자에서 전치열 후방 이동은 상악결절을 포함한 치조골 내에서 이루어지므로 기도 공간에는 영향을 주지 않는다.

1 청소년기의 기도 공간 평가

제2급 부정교합을 가지는 청소년을 대상으로 구개부 장치를 사용하여 상악 치열 후방 이동을 하여 기도 공간의 양과 단면적 크기 변화를 장기적으로 관찰한 결과, 기도 공간은 유의성있는 변화를 보이지 않았으며, 교정치료를 받지 않은 군과도 차이를 보이지 않았다(그림 12-21). 따라서 구개부 장치를 이용한 상악 치열 후방 이동이 기도 공간에 영향을 주지 않음을 의미한다.[8)]

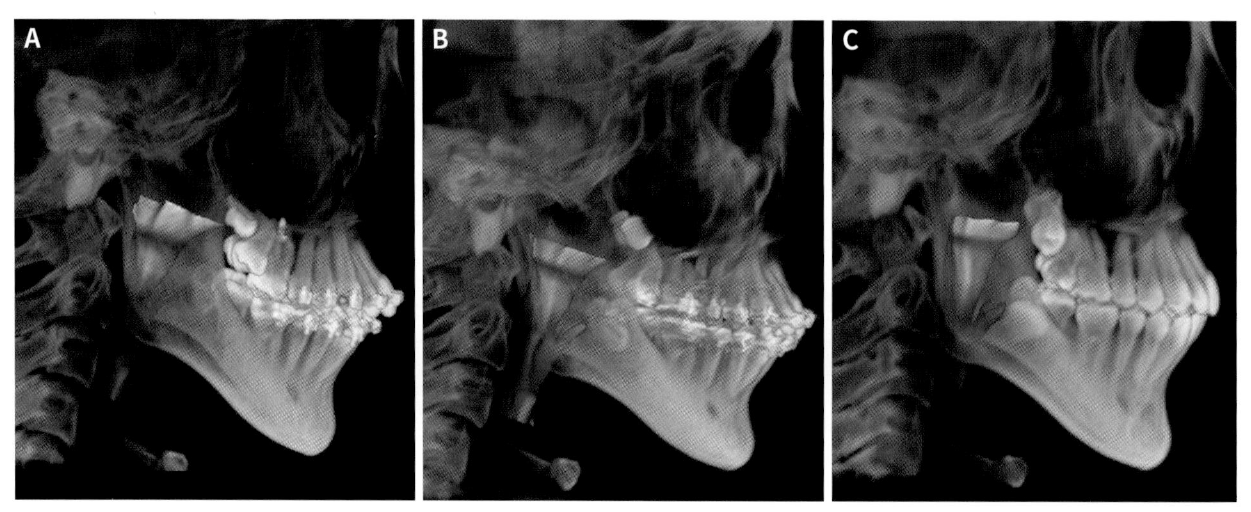

그림 12-21. 청소년기의 기도공간 평가. A: 치료 전, B: 치료 후, C: 장기 관찰

2 성인의 기도공간 평가

제2급 부정교합을 가지는 성인 환자에서 구개부 장치를 이용해 구치부 후방 이동을 하여 기도공간의 변화를 평가한 결과, 치료 전후 기도공간의 변화 차이가 없었다(그림 12-22). 이는 성인 환자에서도 구개부 장치를 이용한 상악 치열 후방 이동이 기도공간에 영향을 주지 않음을 의미한다.[9]

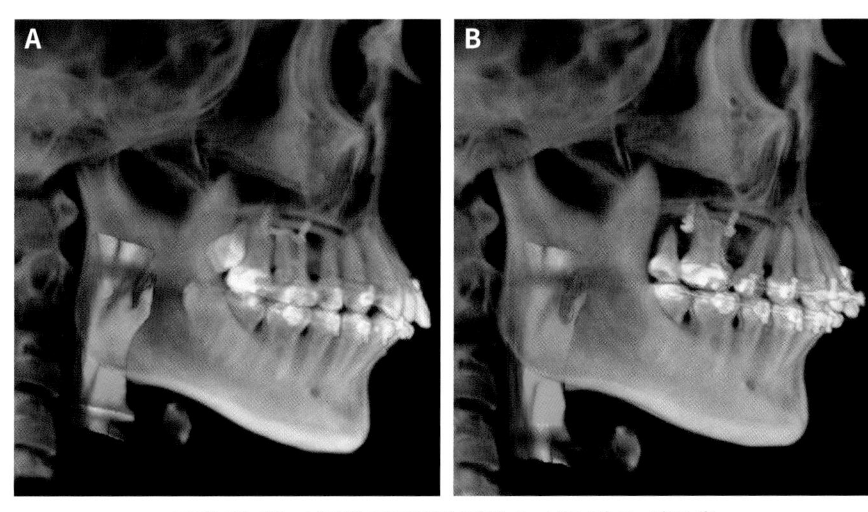

그림 12-22. 성인의 기도공간 평가. A: 치료 전, B: 치료 후

참고문헌

1. Chiu PP, McNamara JA Jr, Franchi L. A comparison of two intraoral molar distalization appliances: distal jet versus pendulum. Am J Orthod Dentofacial Orthop 2005;128(3):353-65.
2. Burkhardt DR, McNamara JA Jr, Baccetti T. Maxillary molar distalization or mandibular enhancement: a cephalometric comparison of comprehensive orthodontic treatment including the pendulum and the Herbst appliances. Am J Orthod Dentofacial Orthop 2003;123(2):108-16.
3. Caprioglio A, Fontana M, Longoni E, Cozzani M. Long-term evaluation of the molar movements following Pendulum and fixed appliances. Angle Orthod 2013;83(3):447-54.
4. Shoaib AM, Park JH, Bayome M, Abbas NH, Alfaifi M, Kook YA. Treatment stability after total maxillary arch distalization with modified C-palatal plates in adults. Am J Orthod Dentofacial Orthop 2019;156(6):832-9.
5. Han SH, Park JH, Jung CY, Kook YA, Hong M. Full-step Class II Correction Using a Modified C-palatal Plate for Total Arch Distalization in an Adolescent. J Clin Pediatr Dent 2018;42:307-13.
6. Kook YA, Park JH, Bayome M, Sa'aed NL. Correction of severe bimaxillary protrusion with first premolar extractions and total arch distalization with palatal anchorage plates. Am J Orthod Dentofacial Orthop 2015;148(2):310-20.
7. Kim J, Oh J, Park JH, Kook YAKook YA. Correction of severe bimaxillary protrusion with first premolar extractions and total arch distalization with palatal anchorage plates. AJO-DO Clical Companion 2022;2:108-11.
8. Chou AHK, Park JH, Shoaib AM, et al. Total maxillary arch distalization with modified C-palatal plates in adolescents: A long-term study using cone-beam computed tomography. Am J Orthod Dentofacial Orthop 2021;159:470-9.
9. Park JH, Kim S, Lee YJ, et al. Three-dimensional evaluation of maxillary dentoalveolar changes and airway space after distalization in adults. Angle Orthod 2018;88:187-94.

13

구개부 장치 적용 시 임상 팁

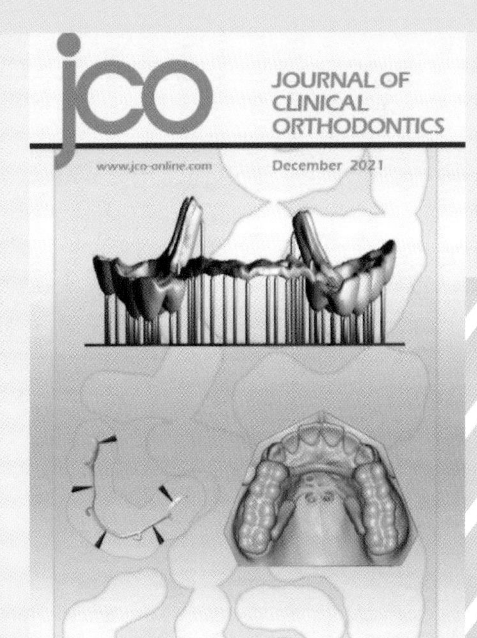

13-1 구개부 장치에 대해 환자에게 쉽게 설명하기

일반적으로 치열의 후방 이동을 위해 미니 임플란트를 치아의 치근 사이에 식립하나, 치아 이동에 따라 재식립의 필요성 및 탈락 시 위치를 변경해야 하고 또한 치근의 손상이 발생할 수 있다. 반면에, 구개 부위에 미니 임플란트를 이용하여 구개부 장치를 식립하면 미니 임플란트의 재식립이나 치근 손상의 위험이 없다.

구개부 장치를 식립할 때에는 구개부에 마취를 시행한 후 식립한다. 식립 후 일정기간 발음의 불편함이 생길 수 있으나 시간이 지남에 따라 해소된다. 간혹 혀에 구개부 장치 자국이 발생할 수 있으나 이 또한 적응되어 문제가 되지 않고 장치 제거 후에 없어진다.

교정용 나사에 대한 거부감이 들 수 있으나, 쉽게 생각하면 대중적으로 많은 사람들이 하는 귀걸이 혹은 피어싱을 예로 들 수 있습니다.

그림 13-1. 환자 설명문 예시

13-2 구개부 장치 적용이 가능한 연령대는?

구개부 장치는 후기 혼합치열기부터 치주적으로 문제가 없는 중장년층까지 다양한 연령에서 적용 가능하다. 아래는 치열이 고르지 않음을 주소로 내원한 49세 여환에서 구개부 장치를 이용하여 효과적으로 교정치료를 진행한 증례이다(그림 13-2, 3, 4).

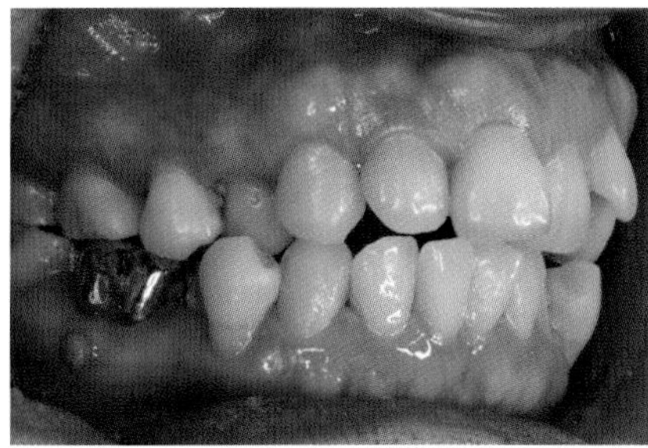
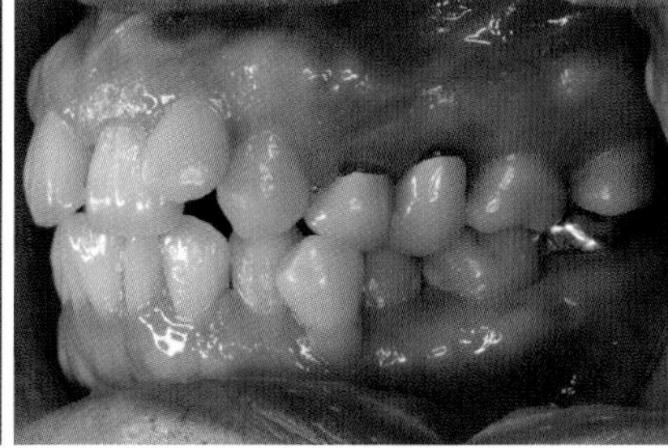
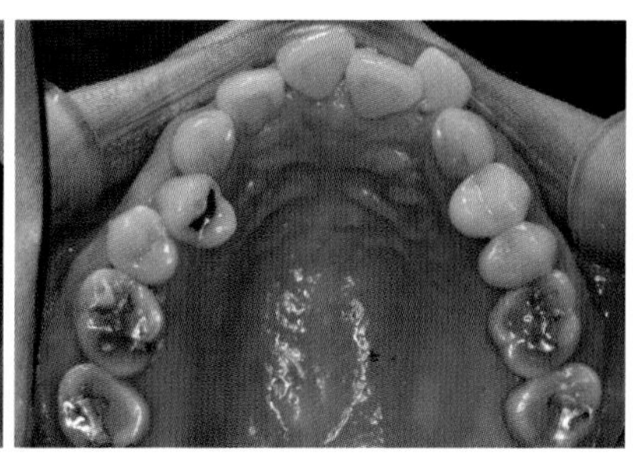

그림 13-2. 이가 고르지 않음을 주소로 내원한 49세 여환의 초진 시 구내 사진. 우측 소구치에서 반대교합과 상, 하악 크라우딩 및 개방 교합을 보이고 있다.

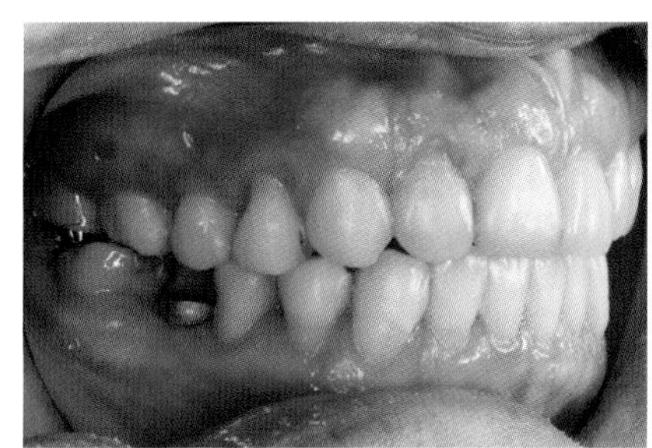
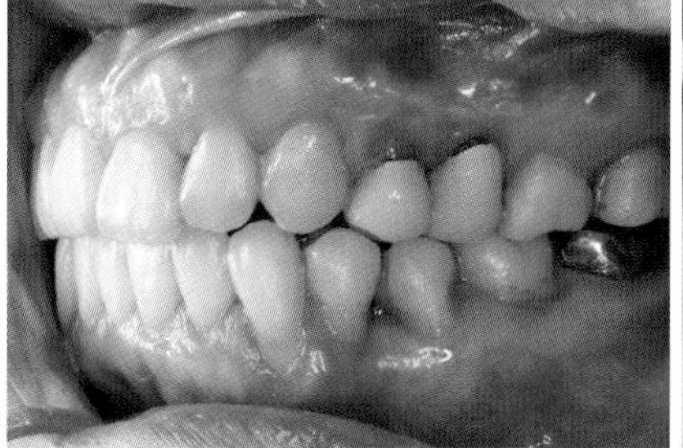
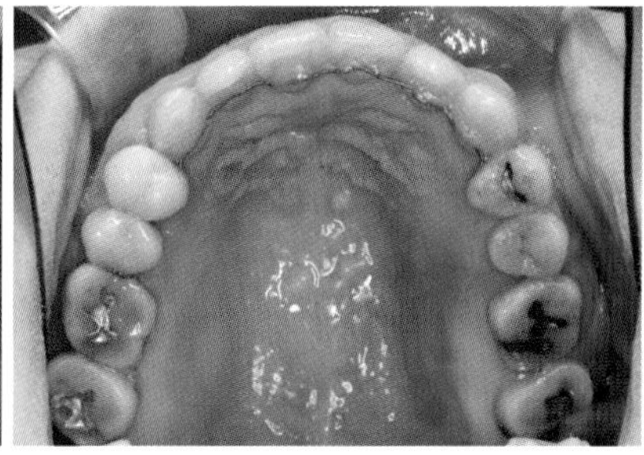

그림 13-3. 구개부 장치를 이용한 비발치 치료를 완료한 구내 사진

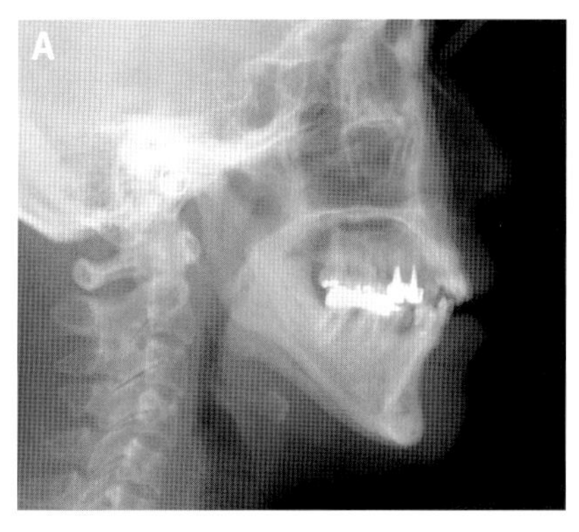

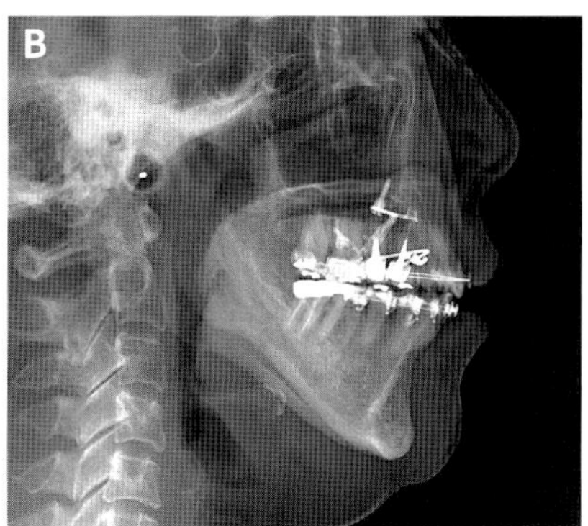

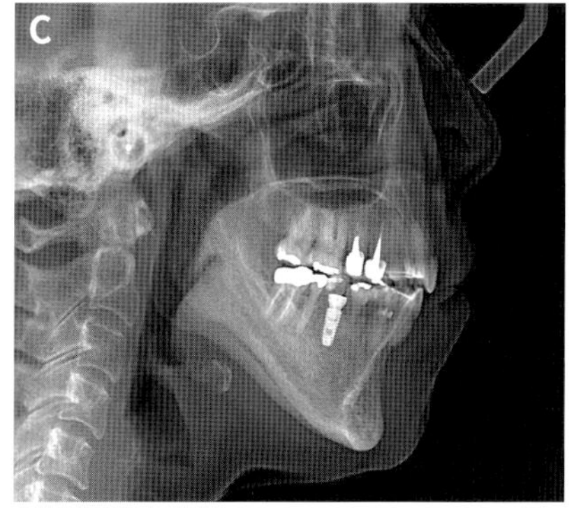

그림 13-4. 치료과정 중 측모두부계측방사선 사진의 변화. A: 초진, B: 치료 중 구개부 장치를 통하여 교정치료를 실시, C: 치료 후

13

13-3 구개부 장치의 쉬운 식립

1 악궁 형태 살펴보기

넓고 깊지 않은 구개 형태(그림 13-5A)는 구개부 장치의 식립이 용이하며 식립 후 위생관리도 양호하나, 악궁이 협소하며 구개 주름(rugae)이 발달된 환자의 경우(그림 13-5B) 상악 악궁 확장이 진행된 후에 구개부 장치를 식립하기를 추천한다. 구개 전방부 구개 주름부위는 그 후방부위보다 상대적으로 연조직의 두께가 두꺼우므로 염증 발생에 취약하다. 그러므로 연조직 두께가 얇은 제1, 2소구치 사이에 구개부 장치의 전방부 미니 임플란트를 식립하는 것이 적절하다. 또한 환자 스스로가 구강 위생관리에 조금 더 관심을 기울일 필요가 있으므로 환자 구강위생 관리 교육이 중요하다.

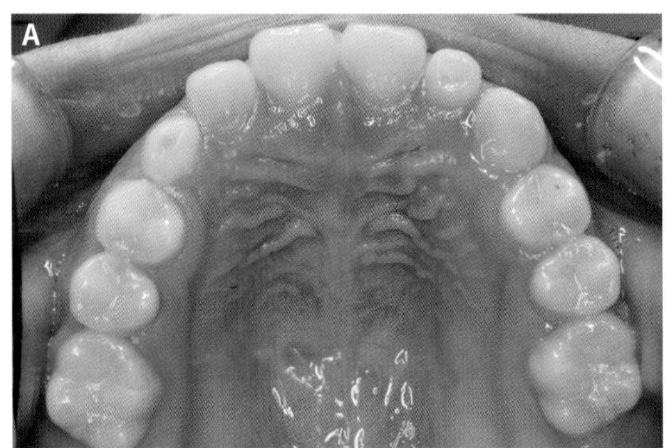

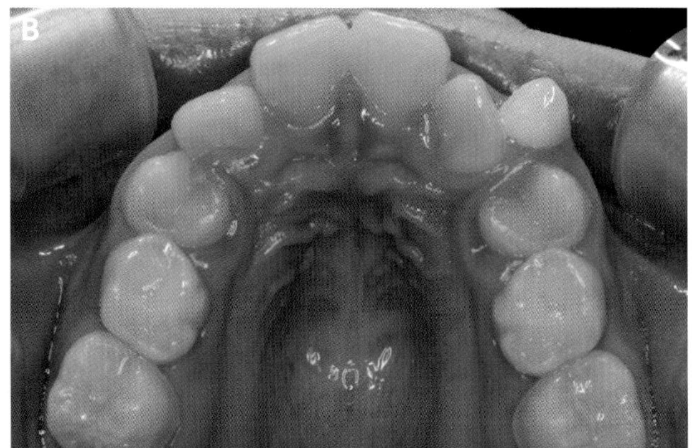

그림 13-5. 다양한 구개 형태. A: 넓고 깊지 않은 구개형태, B: 좁고 깊으며 구개 주름이 발달된 구개 형태

2 지그 이용하기

구개부 장치를 식립할 시 지그를 제작하여 식립하는 것이 추천된다. 지그를 사용하며 구개부 장치를 균일하게 구개조직으로부터 띄워 식립할 수 있기 때문에 위생관리를 더욱 양호하게 할 수 있다(그림 13-6).

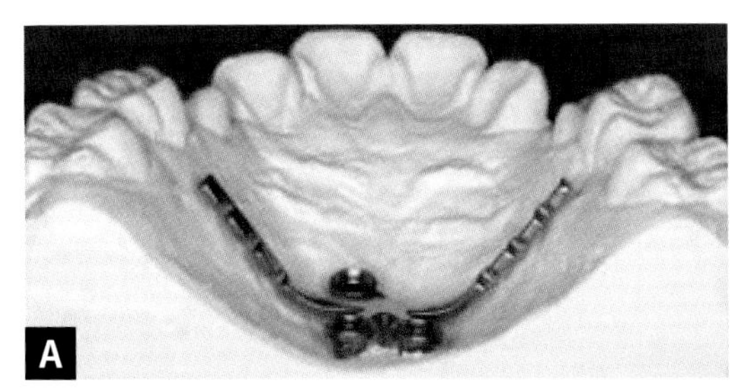
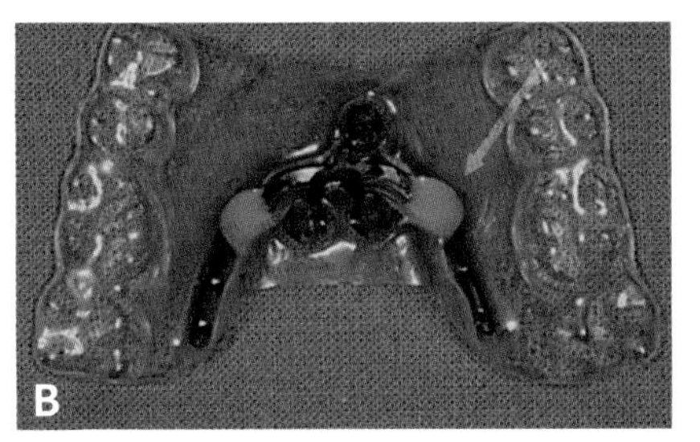

그림 13-6. 구개부 장치와 지그. A: 치아 모형 상에서 구개부 장치의 이상적 위치를 설정하였다. B: 지지용 레진(화살표)이 포함된 지그

3 지지용 레진 이용하기

지지용 레진을 이용하여 후방부는 구개에서 3 mm 정도, 전방부는 구개에서 3-4 mm 공간을 확보함으로써 구강위생 관리를 용이하게 해준다(그림 13-7). 전방부를 더 띄우는 이유는 탄성체인을 이용하여 힘을 주면 전방부 미니 임플란트가 압하되는 힘을 더 받기 때문이다.

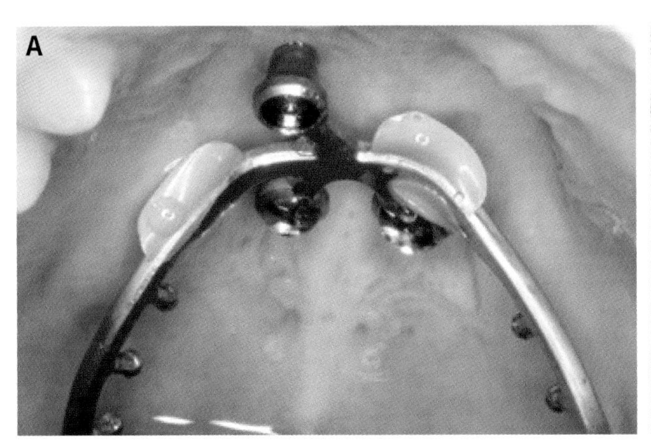
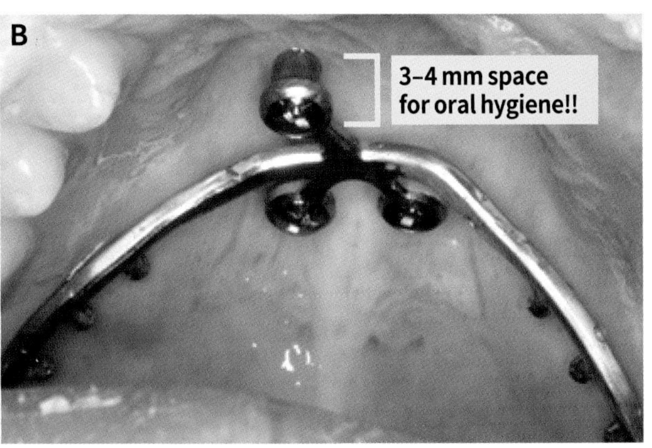

그림 13-7. 지지용 레진을 사용한 구개부 장치의 식립. A: 구개부에 지지용 레진을 이용하여 구개부 장치 식립한 모습, B: 고정원 장치에 덧대어진 레진을 제거한 모습. 구강 위생을 위해 구개부 장치의 전방부는 구개에서 3-4 mm 공간을, 후방부는 3 mm 공간을 확보하여 준다.

4 구개부 장치 식립 후 위생 관리법

구강 위생 관리를 용이하기 위해 구개부 장치를 구개로부터 3–4 mm 띄워서 식립했지만 이것만으로는 충분하지 않다. 환자 스스로 구강세정기(워터 픽)를 이용하여 구개측 미니 임플란트 부위를 철저히 관리할 것을 식립한 직후 교육하여야 한다. 구개부 염증은 구개부 장치 탈락의 원인이 되기 때문에 위생관리의 교육은 매우 중요하다. 구개부 염증 발생 시 처방 없이 약국에서 구매할 수 있는 덱사메타손 제제의 연고를 바르는 것이 추천된다(그림 13–8).

A

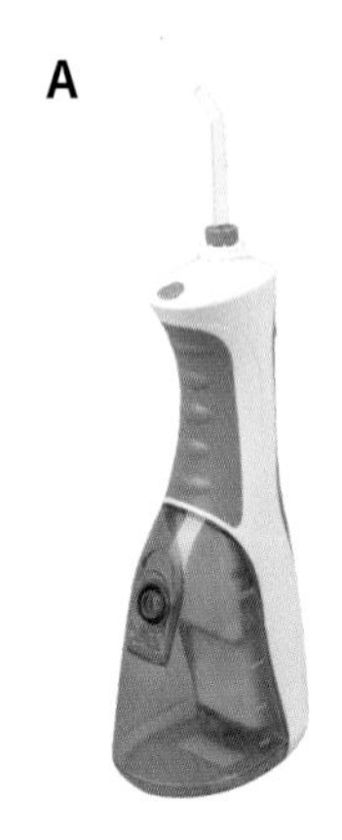

B

그림 13–8. 구강세정기와 구내염 연고
A: 구강세정기, B: 페리덱스

13-4 구개부 장치 기공물 의뢰와 적합

1 기공물 디자인

1) 석고 모형

치아 석고 모형상에 정중구개 봉합선과 좌우 제1, 2소구치 사이를 가로지르는 평행선을 그려준다. 미니 임플란트는 구개봉선에 위치해서는 안 되며, 연조직 두께가 얇은 제1, 2소구치 사이에 식립되는 것이 추천된다. 원심구개호선의 훅의 위치는 교합선(line of occlusion)에 평행하게 하면서 견치의 설면결절 부근에서 위치되도록 한다(그림 13-9).

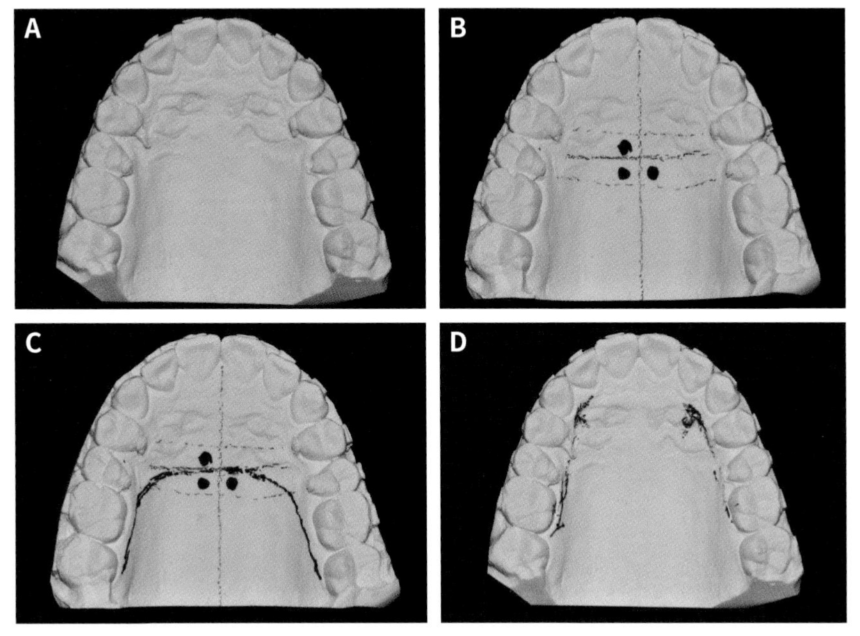

그림 13-9. 치아 모형상에 장치 디자인. A: 치아 모형, B: 미니 임플란트 식립 위치 표시-정중구개 봉합선을 피해 제1, 2소구치 사이에 식립 위치를 표시한다. C: 구개부 장치의 레버 암 디자인-최대한 후방 치아까지 연장되도록 하여 실제 구강 내에서 술자가 길이를 조절할 수 있도록 한다. D: 원심구개호선 디자인. 훅의 위치는 교합선에 평행하며 견치 설면결절 부근에 표시한다.

2) 디지털 모형

디지털 스캔 파일 상에서 원심구개호선의 제작을 위해 디자인하고 금속 밀링을 하거나 금속 프린팅한다. 또한 디지털 스캔 파일을 프린팅하여 나온 레진 모형상에서 구개부 장치의 레버 암을 조절해준다.[1)]

2 기공물 식립의 준비

구개부 장치와 식립 지그의 소독방법으로는 EO gas 멸균이 가장 우선적으로 추천된다. 그 이유는 식립 지그가 고압증기멸균기를 사용하면 변형이 일어날 수 있는 열가소성 플라스틱이기 때문이다. 하지만 대부분의 치과 진료실에는 EO gas 멸균 시설이 준비되어 있지 않으므로, 차아염소산수 에탄올(상품명: 그린덱스)를 대체로 사용해도 된다.

멸균된 미니 임플란트를 직접 사용하면 되고, 미니 임플란트의 추가적인 멸균이 필요하다면 고압증기멸균기(autoclave)를 사용하여 121℃에서 15-20분간 처리한다.

3 기공물 적합도 확인

제작되어 온 기공물을 식립 전에 구강 내에서 시적해 보고 적합성을 확인해 본다. 지그를 이용하여 위치시켜 봤을 때 구개부 장치가 의뢰한 위치에 올바르게 위치하는지 확인 후 식립한다(그림 13-10).

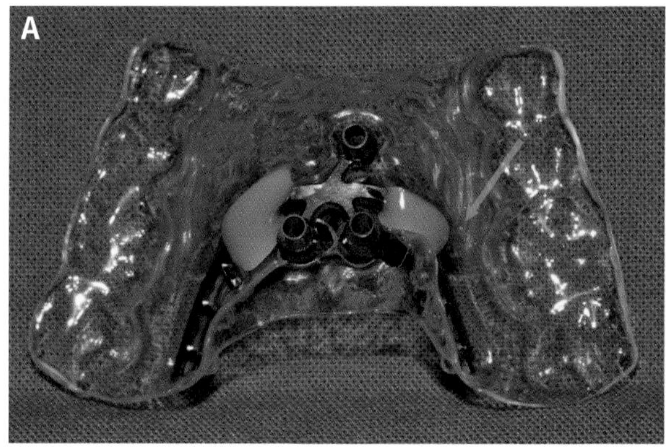
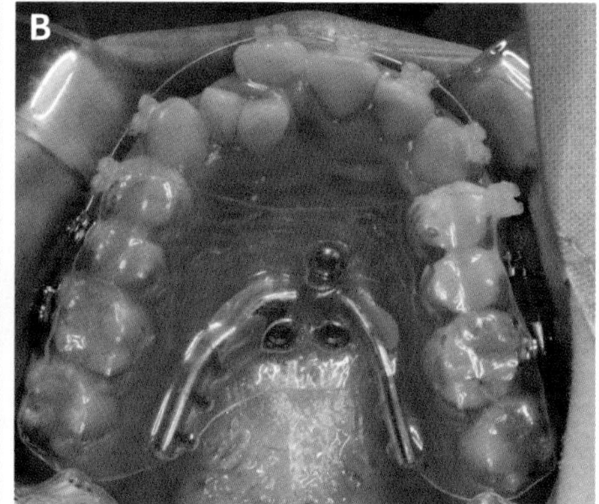

그림 13-10. 구개부 장치 식립 전, 기공물 적합도 확인. A: 식립용 지그와 구개부 장치 그리고 지지용 레진, B: 식립 전 구강 내에 시적해 본 모습

13-5 원심구개호선의 힘 적용과 위치 조절하기

1 원심구개호선의 힘 적용

구개부 장치의 훅과 notch 사이에 250-300 gm 힘이 적용되도록 탄성체인을 걸어준다. 혀에 탄성체인의 자극을 최소화하기 위해 원심구개호선의 후방부에 평행하게 위치한다(그림 13-11).

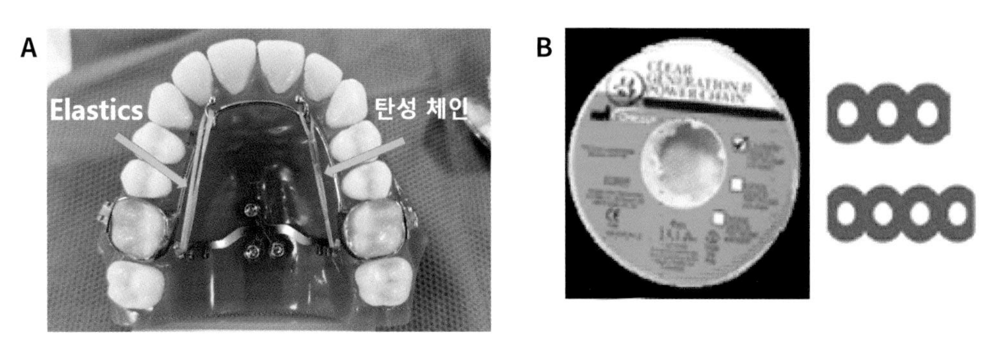

그림 13-11. 구개부 장치와 원심구개호선. A: 구개부 장치와 원심구개호선 사이 탄성체인이 연결된 모습, B: 탄성체인

2 원심구개호선의 위치 조절

1) 원심구개호선이 잇몸에 파고 들었을 경우

플라이어를 이용해 원심구개호선을 구개면으로부터 띄워 분리시켜준다(그림 13-12).

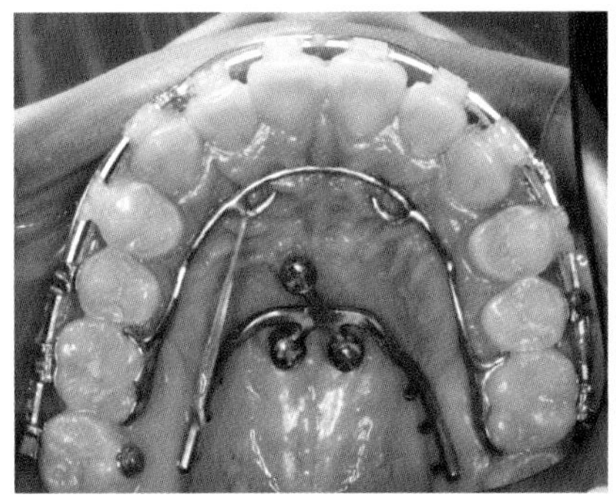
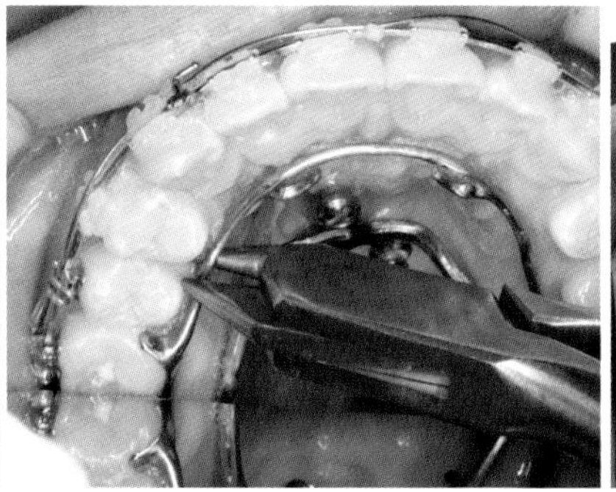
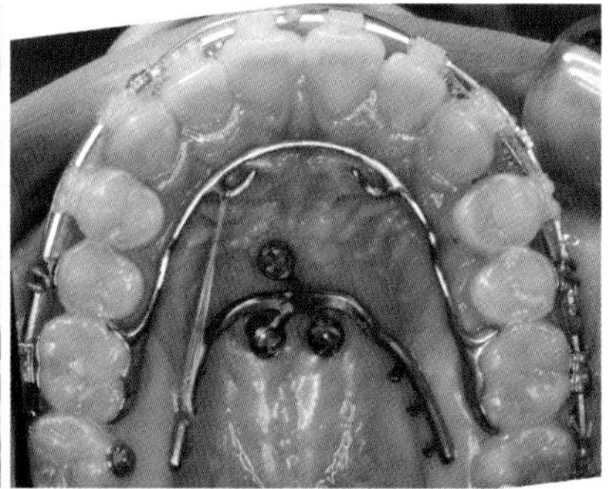

그림 13-12. 구개부에 파고든 원심구개호선을 플라이어를 이용해 조절하는 모습. A: 원심구개호선이 구개면에 접촉되어 있다. B: three-jaw 플라이어를 이용하여 조절을 시행한다. C: 원심구개호선이 구개면으로부터 분리되었다.

2) 원심구개호선이 과도하게 떠 있는 경우

원심구개호선이 구개면에 과도하게 떠있을 때 플라이어를 이용하여 조절을 시행한다(그림 13-13).

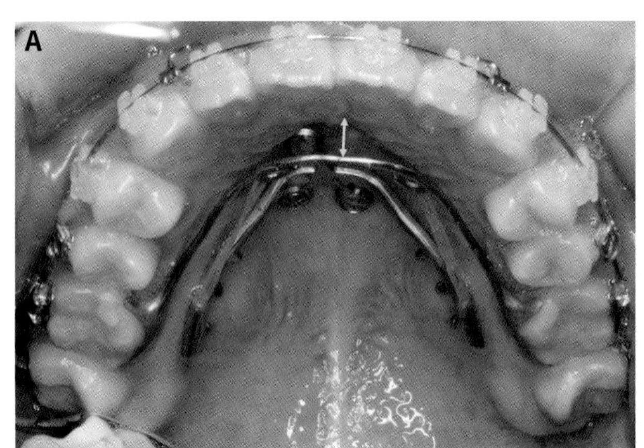

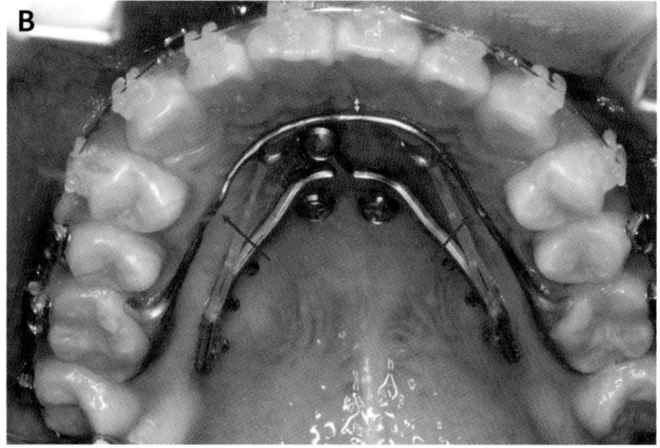

그림 13-13. 구개부로부터 과도하게 떠 있는 원심구개호선을 플라이어를 이용해 조절하는 모습. A: 원심구개호선이 구개면으로부터 과도하게 떨어져 있다. B: 플라이어를 빨간 화살표 부위에 적용하여 원심구개호선이 구개면에 근접하도록 조절하였다.

13-6 하악 구치부의 치은 침하(Impingement) 해결하기

상악 구개부 장치를 사용하면서 협측 미니 임플란트를 이용해 하악 전치열 후방 이동을 동반하는 경우 상하악 구치부의 이개(disocclusion)와 함께 하악 구치부의 치은 침하가 발생할 수 있다. 이를 해결하기 위해 대구치에 수직 고무줄 사용하면 하악 구치부의 정출과 함께 많은 후방 이동을 유도할 수 있다(그림 13-14). 하지만 환자의 협조도가 불량하여 수직 고무줄의 사용이 저조할 경우, 하악 구치부의 치은 침하가 발생할 수 있다. 이 경우 하악 제2대구치의 브라켓을 사용하기가 어려워 브라켓을 제거한 후 교정용 버튼을 임시로 접착하여 고무줄을 이용해 정출을 시도한다. 정출이 완료되면 다시 브라켓을 접착하여 교정 치료를 진행한다.

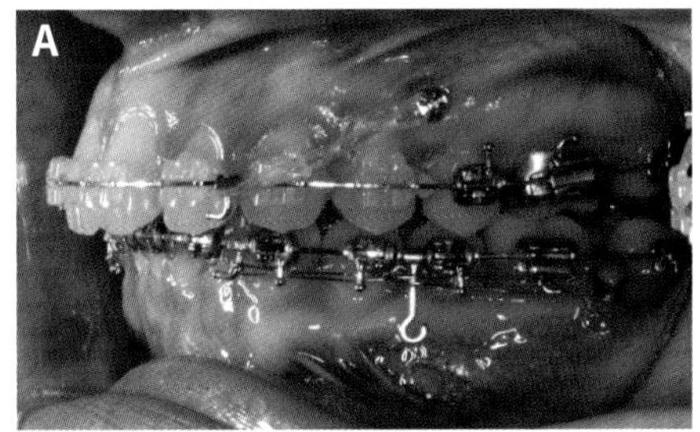

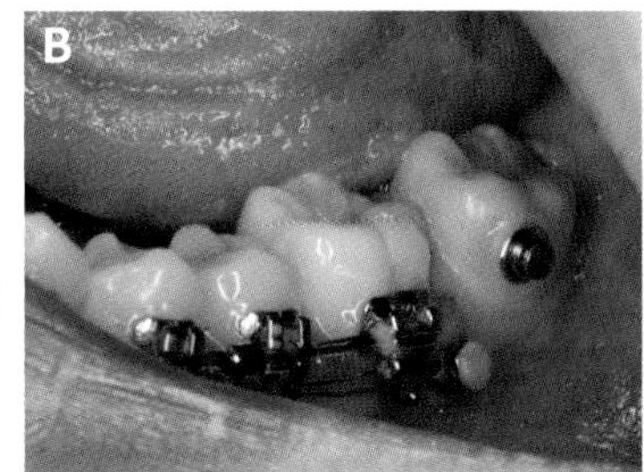

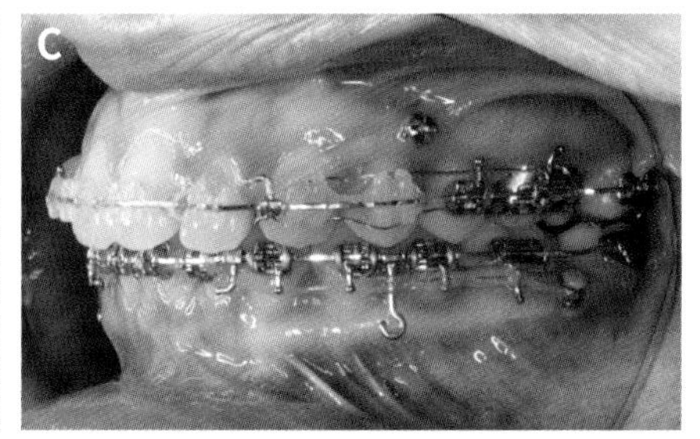

그림 13-14. 구치부 이개 및 치은 침하 발생 시 해결 방법
A: 수직 고무줄을 적용하지 않아 상하악 구치부 이개와 하악 구치부 치은 침하가 발생하였다. B: 하악 제2대구치의 브라켓을 제거한 후 버튼을 접착하였다. C: 제2대구치의 정출이 된 후 브라켓을 재 접착하여 교정치료 진행한다.

임상 팁

하악 제2대구치의 브라켓을 제거하지 않고 치은 침하를 해결하는 방법

1. 주호선을 하악 제1대구치까지 절단한다.
2. 고바야시 훅을 하악 제2대구치의 브라켓 튜브로 통과시켜 적용하고 제1,2대구치를 결찰한다.
3. 고바야시 훅을 이용하여 상악 대구치와의 수직 고무줄을 적용한다.

Q. 하악 후방 이동 시, 발생할 수 있는 견치 크라우딩 해결하기

하악 측절치와 견치 사이에 훅을 적용해서 후방 이동을 실시할 경우, 하악 견치의 크라우딩 생길 수 있습니다. 이러한 경우 개방 코일 스프링을 이용해서 공간 확보를 실시해야 합니다.

이것을 방지하기 위해서는 견치와 제1소구치 사이에 훅을 적용하여 후방 이동할 것을 추천합니다.

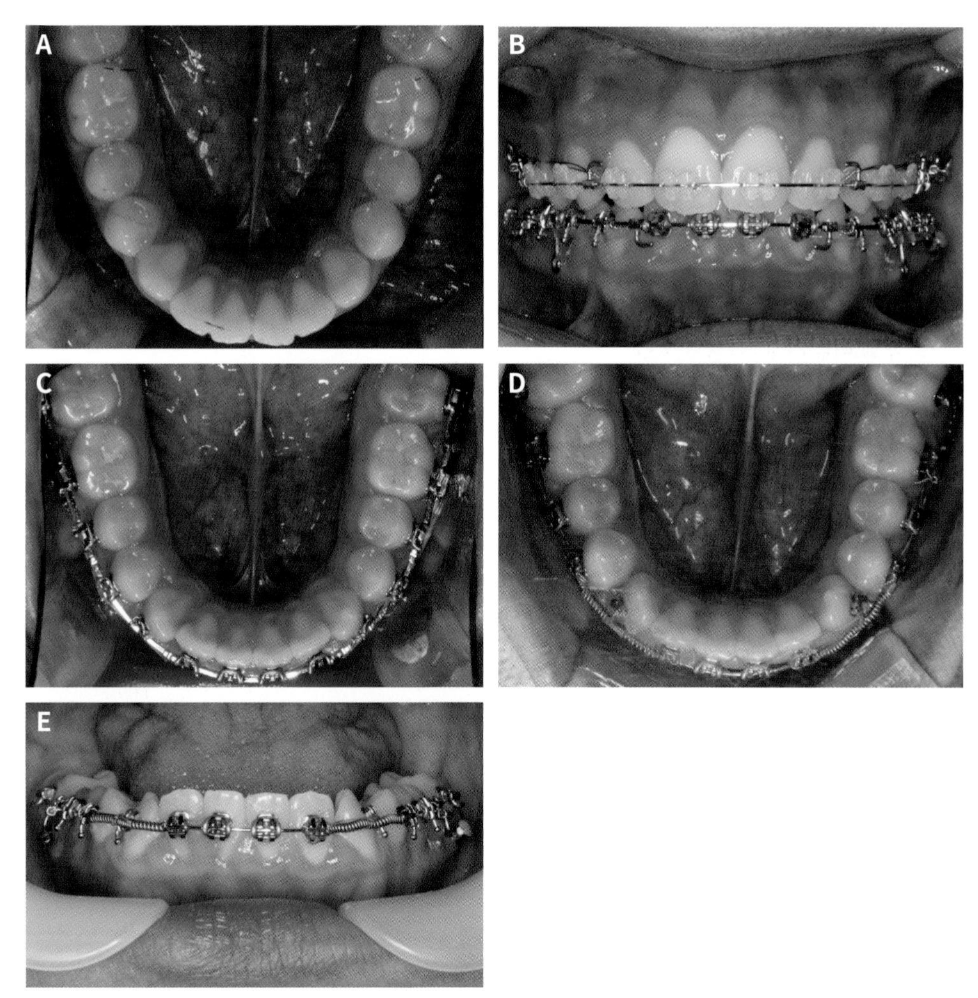

그림 13-15. A: 초진 시 모습, B, C: 하악 측절치와 견치 사이에 훅을 달아서 후방 이동을 실시하는 중 하악 견치의 크라우딩이 발생, D, E: 하악 측절치와 견치, 견치와 제1소구치에 개방 코일 스프링을 적용하여 공간 확보를 실시하는 모습

13-7 구치부 횡적 부조화 해소하기

상하악의 전치열 후방 이동 시 구치부에서 횡적인 부조화가 발생할 수 있다. 이는 하악 구치부는 후방 이동 시 하악골의 설측 피질골 따라 협측으로 이동하고, 상악은 전체 치열궁 형태가 후방으로 그대로 이동하기 때문에 발생하는 불가피한 현상이다(그림 13-16).

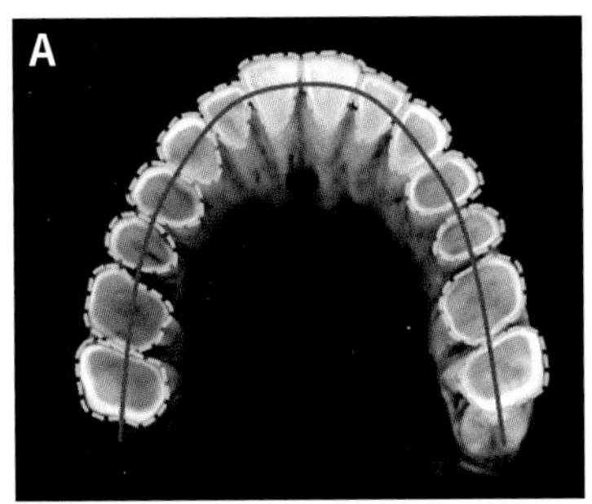

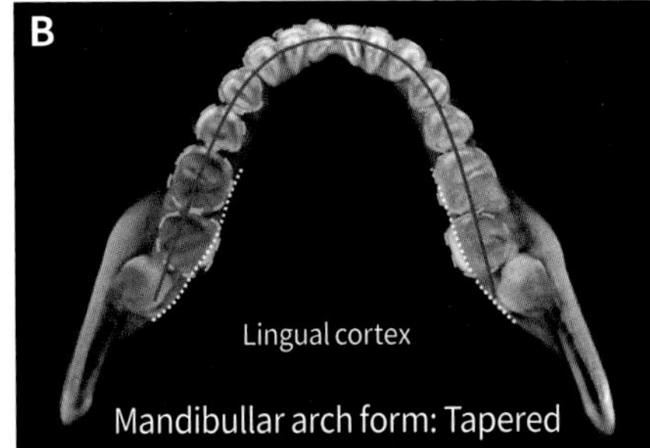

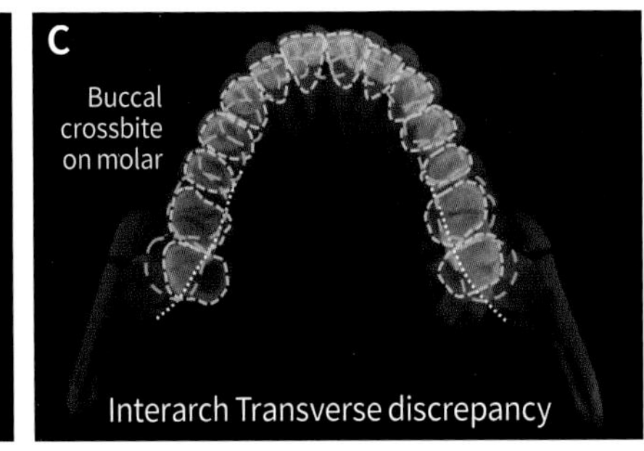

그림 13-16. 후방 이동 시 상, 하악궁 모습
A: 상악궁에서의 악궁 형태 변화는 크지 않다. B: 하악궁에서 확장된 악궁형태가 나타난다. C: 상, 하악궁 교합 시의 모습 구치부의 반대교합이 관찰된다.

1 상, 하악 구치부 횡적 부조화를 해소법

1) 하악 구치부 후방 이동에 따라 협측 수평피개가 작아지는 것, 즉 구치부 반대교합 경향이 발생하는 것을 예방하기 위해서 하악 대구치부의 브라켓을 보다 큰 설측 치관 토크를 가지는 브라켓을 사용한다(하악 제1대구치: Roth –25° / MBT –20°; 하악 제2대구치: Roth -30° / MBT –10°) (그림 13-17).
2) 하악 대구치부의 호선에 설측 치관 토크를 부여하여 삽입한다.
3) 하악 대구치부의 호선에 악궁을 축소하여 삽입한다.

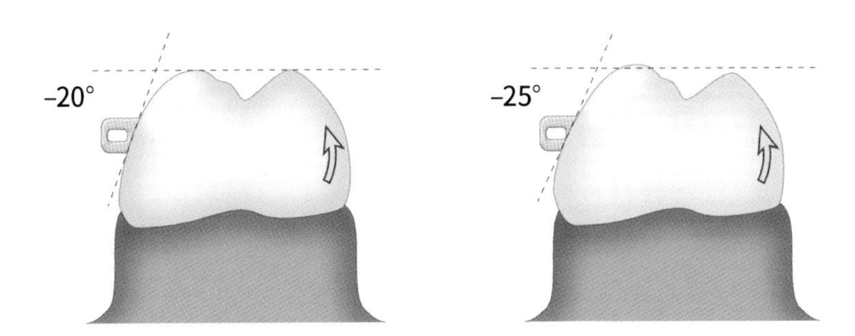

그림 13-17. 하악 제1대구치부의 토크 브라켓 조절. A: MBT –20°, B: Roth. –25°

13-8 구개부 장치 제거 시 고려사항

구개부 장치 제거는 일반적으로 미니 임플란트 제거 시 침윤마취를 시행하지 않고 제거하지만 구개부 장치는 도포마취 혹은 침윤마취하고 제거하는 것을 추천한다. 3개의 미니 임플란트를 제거한 후 flabby tissue가 형성되지 않도록 소독된 거즈를 사용하여 주위 조직과 편평하도록 눌러 주어야 한다. 이러한 과정에서 약간의 불편감이 있을 수 있으므로 도포 혹은 침윤마취가 도움이 될 수 있다.

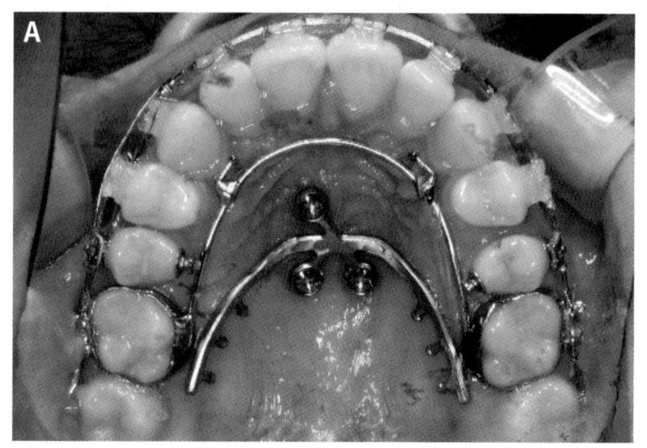

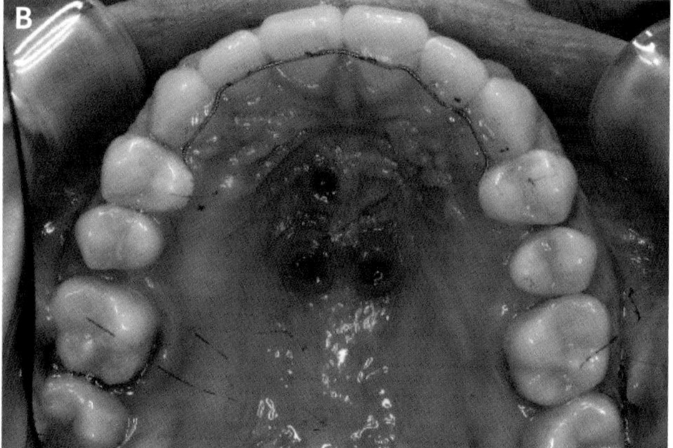

그림 13-18. 구개부 장치 제거 전후 구내 사진. A: 제거 전, B: 제거 후 flabby tissue가 형성된 모습

참고문헌

1. Kook YA, Lim HJ, Park JH, Lee NK, Kim Y 3D digital applications of the modified C-palatal plate for molar distalization. J Clin Orthod 2021;55:773-81.

INDEX

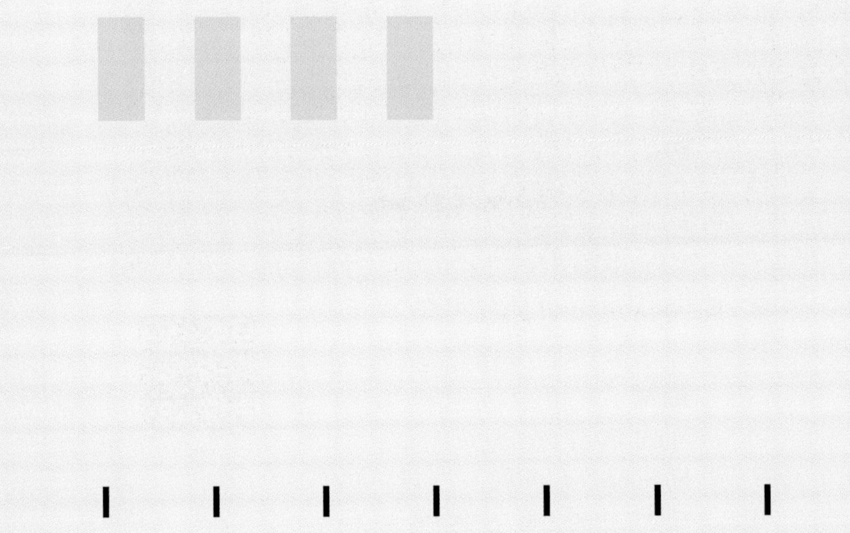